À MOI SEUL
BIEN DES PERSONNAGES

JOHN IRVING

À MOI SEUL
BIEN DES
PERSONNAGES

roman

TRADUIT DE L'ANGLAIS (ÉTATS-UNIS)
PAR JOSÉE KAMOUN ET OLIVIER GRENOT

ÉDITIONS DU SEUIL
25, bd Romain-Rolland, Paris XIVᵉ

CE LIVRE EST ÉDITÉ PAR ANNE FREYER-MAUTHNER

Titre original : *In One Person*
Éditeur original : Simon & Schuster, New York
© original : 2012, Garp Enterprises, Ltd
ISBN original : 978-1-4516-6412-6

ISBN 978-2-02-108439-9
ISBN 978-2-02-110720-3 (e-pub)

© Éditions du Seuil, avril 2013, pour la traduction française.

www.seuil.com

À Sheila Heffernon et David Rowland
et à la mémoire de Tony Richardson

Je joue donc à moi seul bien des personnages
Dont nul n'est satisfait

WILLIAM SHAKESPEARE, *Richard II*

1
Une distribution bien compliquée

Je commencerais bien par vous parler de Miss Frost. Certes, je raconte à tout le monde que je suis devenu écrivain pour avoir lu un roman de Charles Dickens à quinze ans, âge de toutes les formations, mais, à la vérité, j'étais plus jeune encore lorsque j'ai fait la connaissance de Miss Frost et me suis imaginé coucher avec elle. Car cet éveil soudain de ma sexualité a également marqué la naissance tumultueuse de ma vocation littéraire. Nos désirs nous façonnent : il ne m'a pas fallu plus d'une minute de tension libidinale secrète pour désirer à la fois devenir écrivain et coucher avec Miss Frost – pas forcément dans cet ordre, d'ailleurs.

La première fois que j'ai vu Miss Frost, c'était dans une bibliothèque. J'aime bien les bibliothèques, même si j'éprouve quelques difficultés à prononcer le vocable. J'ai comme ça du mal à articuler certains mots : des noms, en général – de personnes, de lieux, de choses qui me plongent dans une excitation anormale, un conflit insoluble ou une panique absolue. Enfin, c'est ce que disent les orthophonistes, logopédistes et autres psychanalystes qui se sont penchés sur mon cas – hélas sans succès. En primaire, on m'a fait redoubler une année en raison de mes «troubles sévères du langage», diagnostic très excessif. J'ai aujourd'hui largement passé la soixantaine, je vais sur mes soixante-dix ans, et comprendre la cause de mon défaut de prononciation est le cadet de mes soucis. Pour faire court, l'étiologie, je m'en contrefous.

Étiologie : un mot que je ne me risquerais pas à prononcer, mais en revanche, si je m'applique, j'arrive à produire quelque chose qui s'approche de *bibliothèque* ; le mot estropié éclot alors, fleur exotique, et ça donne «bibilothèque» ou «billothèque» – comme dans la bouche des enfants.

Comble d'ironie, ma première bibliothèque était bien modeste. C'était la Bibliothèque municipale de la petite ville de First Sister, dans le Vermont – un bâtiment trapu, en brique rouge, situé dans la même rue que la maison de mes grands-parents. J'ai vécu chez eux, à River Street, jusqu'à l'âge de quinze ans, c'est-à-dire jusqu'au second mariage de ma mère. Ma mère a rencontré mon beau-père sur les planches.

La troupe de théâtre amateur de la ville s'appelait The First Sister Players ; et d'aussi loin que je me souvienne, j'ai vu toutes les pièces qu'elle montait. Ma mère était souffleuse – quand on oubliait ses répliques, elle les rappelait, et les vers oubliés en route n'étaient pas rares dans une troupe amateur. Pendant des années, j'ai cru que le souffleur était un acteur comme les autres – à ceci près que, pour des raisons qui m'échappaient, il ne montait pas sur scène et restait en tenue de ville pour dire sa part du texte.

Mon beau-père venait d'entrer dans la troupe quand ma mère a fait sa connaissance. Il s'était installé en ville pour enseigner à la Favorite River Academy – boîte privée pseudo-prestigieuse, alors réservée aux garçons. Dès ma plus tendre enfance, et en tout cas dès l'âge de dix, onze ans, je savais sans doute que, l'heure venue, on m'y inscrirait. J'y découvrirais une bibliothèque plus moderne et mieux éclairée, mais la Bibliothèque municipale de First Sister fut ma première bibliothèque, et la bibliothécaire qui y officiait, ma première bibliothécaire. Soit dit en passant, je n'ai jamais eu de difficulté à prononcer le mot *bibliothécaire*.

Miss Frost m'a certes marqué bien davantage que la bibliothèque elle-même. À ma grande honte, c'est longtemps après notre première rencontre que j'ai appris son prénom. Tout le monde l'appelait Miss Frost, et le jour où j'ai enfin pris ma carte de lecteur et l'ai vue pour la première fois, je lui ai donné l'âge de ma mère – peut-être un peu moins. Ma tante, femme impérieuse, m'avait dit que Miss Frost « avait été superbe », mais comment aurais-je pu imaginer que Miss Frost ait été plus belle que lors de notre rencontre – moi qui ne manquais pourtant pas d'imagination, à cet âge ? Ma tante prétendait que les hommes disponibles de la ville tombaient tous à la renverse quand ils la rencontraient. Quand l'un d'entre eux avait le cran de se présenter – le culot d'annoncer son nom à Miss Frost –, la bibliothécaire encore dans sa splendeur lui répondait, l'œil polaire et des glaçons dans la voix : « *Miss* Frost, pas mariée et pas près de l'être. »

Voilà pourquoi Miss Frost était encore célibataire lorsque je l'ai rencontrée ; chose incroyable pour l'adolescent que j'étais, les cœurs à prendre de la ville avaient cessé depuis longtemps de se présenter à elle.

Le roman de Dickens qui a bouleversé ma vie – celui qui a décidé de ma vocation, du moins je me plais à le dire – c'est *De grandes espérances*. La première fois que je l'ai lu, et aussitôt relu, j'avais quinze ans, j'en suis sûr : c'était avant que j'entre à l'Academy, puisque je suis allé l'emprunter et le réemprunter à la Bibliothèque municipale. Je n'oublierai jamais ce jour-là : j'entrai dans la bibliothèque pour le reprendre ; c'était la première fois que je voulais relire un livre du début à la fin.

Miss Frost me lança un regard pénétrant. Je lui arrivais tout juste à l'épaule. « Elle a été "sculpturale" », m'avait dit ma tante, comme si la stature et le corps de Miss Frost appartenaient au passé. Pour moi, elle était et resterait *à jamais* sculpturale.

Elle se tenait très droite, elle était carrée d'épaules, pourtant c'étaient surtout ses seins, petits mais jolis, qui attiraient mon attention. Contraste apparent avec sa carrure virile et sa force physique manifeste, elle avait des seins comme juvéniles – des seins de jeune fille, bourgeonnants. Comment était-ce possible, chez une femme faite ? Une chose était sûre : ils avaient semé le trouble dans l'imaginaire de tous les adolescents qui l'avaient croisée. Ainsi pensais-je en tout cas lors de cette première rencontre – en quelle année, déjà ? – en 1955. N'allez surtout pas imaginer pour autant que Miss Frost s'habillait de manière suggestive, tout du moins sous la chape de silence de la Bibliothèque municipale, déserte ou presque à toute heure du jour et de la nuit.

J'avais entendu mon impérieuse tante dire à ma mère : « Miss Frost a passé l'âge des soutiens-gorge de gamine. » À treize ans, cette sentence me semblait signifier que les soutiens-gorge de Miss Frost ne convenaient pas à la taille de ses seins, ou vice versa. Alors là, pas d'accord ! Et pendant que je me tourmentais intérieurement sur ces divergences d'appréciation entre ma tante et moi-même, l'intimidante bibliothécaire me gratifiait du regard pénétrant dont je viens de parler.

Je l'avais rencontrée à l'âge de treize ans ; et, en cet instant redoutable, j'en avais quinze, mais le regard qui s'attardait sur moi me donnait

l'impression qu'il m'avait envahi en permanence depuis deux ans. En réponse à ma demande de ressortir *De grandes espérances*, Miss Frost finit par me dire :
– Tu l'as déjà lu, William.
– Oui, et je l'ai adoré, lui répondis-je.

J'avais bien failli dire que je l'adorais, *elle*. Très à cheval sur les formes, elle était la première personne à ne jamais m'appeler autrement que *William*. Ma famille et mes amis m'ont toujours appelé Bill ou Billy.

Ce que j'aurais voulu, c'était voir Miss Frost *uniquement* vêtue de son soutien-gorge qui, selon ma tante Muriel-de-quoi-je-me-mêle, ne lui assurait pas tout le soutien nécessaire. Toutefois, au lieu de bredouiller cette requête déplacée, j'avais formulé :
– Je voudrais relire *De grandes espérances*.

Pas un mot, bien sûr, de mon pressentiment que Miss Frost laisserait sur moi une empreinte aussi dévastatrice que celle d'Estella sur ce pauvre Pip dans le livre.
– Déjà ? me demanda-t-elle. Mais tu l'as lu le mois dernier !
– J'ai hâte de le relire.
– Dickens a écrit de nombreux romans, insista Miss Frost, tu devrais essayer d'en lire un autre, William.
– Oh, je vais les lire, lui assurai-je, mais je veux d'abord relire celui-ci.

La deuxième fois que Miss Frost m'appela *William*, cela provoqua chez moi érection instantanée – sauf qu'à quinze ans, j'avais un petit pénis et une bandaison dérisoire. Bref, pas de danger qu'elle la remarque.

Ma tante je-sais-tout avait dit à ma mère que j'étais peu développé pour mon âge. Il va de soi qu'elle l'entendait dans un autre sens, à moins qu'elle ne les ait tous englobés ; à ma connaissance, elle n'avait pas vu mon pénis depuis ma toute petite enfance – et encore. Il est clair que nous n'en avons pas fini avec ce mot. Pour le moment, sachez seulement que j'ai beaucoup de difficultés à dire « pénis » qui, avec mon élocution torturée – quand je parviens malgré tout à le prononcer –, devient « pénif », comme dans « canif », pour vous donner une idée.

Toutefois, Miss Frost ne savait rien de mes angoisses sexuelles en cet instant où je cherchais à emprunter *De grandes espérances*. À vrai dire, elle me donnait l'impression de juger que, avec tous les livres que contenait la bibliothèque, le fait d'en relire un était une perte de temps immorale.

– Qu'est-ce que tu lui trouves de spécial, à *De grandes espérances*? me demanda-t-elle.

Elle fut donc la première personne à qui j'annonçai que je voulais devenir écrivain «à cause» de ce roman, alors qu'en réalité c'était à cause d'elle.

– Tu veux devenir *écrivain*! s'exclama Miss Frost.

Elle n'eut pas l'air ravie. Se serait-elle indignée de même à l'annonce d'une vocation de sodomite, c'est ce que je me suis demandé bien des années plus tard.

– Oui, écrivain… enfin, je crois, lui répondis-je.

– Qu'est-ce que tu en sais? Ça ne se programme pas comme une carrière.

Elle avait certainement raison sur ce point, mais je ne pouvais pas m'en douter. Et en la priant de me laisser relire *De grandes espérances*, je plaidai ma cause avec une belle ardeur car plus je l'agaçais, plus sa respiration s'accélérait pour mon plus grand plaisir, avec le bénéfice annexe que sa poitrine curieusement juvénile se soulevait à l'unisson.

À quinze ans, j'étais tout aussi amoureux transi que deux ans auparavant. Rectification: j'étais encore plus sous le charme à quinze ans qu'à treize, époque où j'avais fantasmé de coucher avec elle et de devenir écrivain – parce qu'à quinze ans l'acte imaginaire était bien plus précis, plus riche de détails concrets, si l'on veut, et que par ailleurs j'avais déjà écrit quelques phrases dont j'étais particulièrement satisfait.

Coucher avec Miss Frost tout comme devenir écrivain relevait de la chimère, bien sûr, mais une lueur d'espoir m'était-elle permise? Curieusement, j'avais l'outrecuidance de le penser. Quant à l'origine d'une telle présomption, d'une telle confiance en soi gratuite, il faut croire que les gènes y avaient leur part.

Pas ceux de ma mère, évidemment: comment voir de l'outrecuidance dans le rôle semi-clandestin du souffleur? Ne passais-je pas le plus clair de mes soirées avec ma maman dans cette terre d'accueil pour les talents aléatoires qu'était la troupe de théâtre amateur de notre ville? Ce petit théâtre n'était pas le lieu de toutes les démesures et de toutes les morgues – d'où la présence de la souffleuse.

Si mon hubris était d'origine génétique, elle venait certainement de mon père biologique. Je ne l'avais jamais vu, m'assurait-on ; je le connaissais uniquement de réputation, réputation peu glorieuse, de surcroît.

« Le codeur », disait mon grand-père, qui l'appelait aussi, mais plus rarement, « le sergent ». « Le sergent », disait ma grand-mère, toujours avec mépris. Selon elle, ma mère avait abandonné ses études à cause de lui. William Francis Dean était-il vraiment responsable du fait que ma mère ait lâché la fac, au fond je n'en savais rien ; elle s'était inscrite à une école de secrétariat, mais comme elle était déjà enceinte, elle avait également quitté cette école.

Ma mère disait avoir épousé mon père à Atlantic City, New Jersey, en avril 1943 – un peu tard pour un mariage en catastrophe puisque j'étais né à First Sister, Vermont, en mars 42. J'avais donc déjà un an, et d'après ma tante Muriel, c'était surtout ma grand-mère qui tenait au mariage (célébré par un employé municipal ou un juge de paix). J'ai cru comprendre que William Francis Dean n'était pas vraiment chaud pour convoler.

« Tu n'avais pas deux ans que nous étions déjà divorcés », m'avait dit ma mère. J'avais vu le certificat de mariage, raison pour laquelle je me rappelais ce lieu apparemment exotique et éloigné du Vermont qu'était Atlantic City, New Jersey. Mon père y avait accompli une partie de son service. Quant aux papiers du divorce, on ne me les a jamais montrés.

« Le sergent ne tenait pas à se marier ni à avoir des enfants », résumait ma grand-mère, d'un air supérieur ; tout petit déjà, je voyais bien que les grands airs de ma tante lui venaient en droite ligne de ma grand-mère.

Mais grâce à ce qui s'était passé à Atlantic City, New Jersey – à l'instigation de tel ou telle, peu importe –, ce certificat de mariage me légitimait, fût-ce à retardement. Je m'appelais William Francis Dean Jr. ; je portais le nom de mon père, à défaut d'avoir grandi auprès de lui. Et j'avais donc hérité d'un certain nombre de ses gènes – sa bravoure – selon ma mère.

« Il était comment ? » lui demandais-je tant et plus. Elle répondait avec complaisance, sourire aux lèvres : « Oh, il était *très* beau – comme tu le seras toi-même – et farouchement brave. » Ma mère était très démonstrative avec moi, tant que j'étais petit.

Je ne sais pas si tous les préadolescents et adolescents ont aussi peu de repères dans le temps, mais il ne m'est jamais venu à l'esprit de me pencher sur la chronologie des événements. Mon père avait dû engrosser ma mère fin mai ou début juin 1941 – au moment où il finissait sa première année à Harvard. Pourtant personne ne mentionnait jamais, fût-ce sur le mode sarcastique comme Tante Muriel, qu'il y avait commencé ses études.

On l'appelait toujours le codeur ou le sergent, alors que ma mère était particulièrement fière de son parcours harvardien. «Tu te rends compte! Entrer à Harvard à quinze ans!» l'avais-je entendue dire plus d'une fois.

Mais si mon valeureux père avait quinze ans l'année de son entrée à Harvard, en septembre 1940, il devait donc être plus jeune que ma mère, qui avait eu vingt ans en avril 40, et qui allait en avoir vingt-deux lors de ma naissance, en mars 42.

Est-ce la raison pour laquelle ils ne s'étaient pas mariés tout de suite? Elle avait appris qu'elle était enceinte alors que mon père n'avait pas encore dix-huit ans! Il les avait eus en octobre 1942. Comme elle me l'a dit un jour: «L'âge de la conscription avait été obligeamment abaissé à dix-huit ans.» C'est bien plus tard que j'ai réalisé que le mot *obligeamment* n'était pas courant dans le vocabulaire de ma mère; c'était peut-être l'influence de l'homme de Harvard.

«Ton père pensait qu'il serait davantage maître de son destin militaire s'il devançait l'appel, et c'est ce qu'il a fait en janvier 1943», me disait-elle. Le «destin militaire» ne faisait pas non plus partie de son langage courant; l'influence de la terminologie harvardienne, là encore.

Mon père s'était rendu en car à Fort Devens, Massachusetts – pour y faire ses classes –, en mars 1943. À l'époque, l'Air Force était rattachée à l'armée de terre; on lui assigna une fonction précise, celle de technicien en cryptographie. Pour entraîner les jeunes recrues, l'Air Force avait choisi de s'installer à Atlantic City et sur les plages de sable environnantes. Tous les bleus, dont mon père, étaient logés dans les hôtels de luxe, qu'ils allaient très vite mettre à sac. Selon mon grand-père, «il n'y avait aucun contrôle d'identité dans les bars. Pendant les week-ends, des filles – des fonctionnaires de Washington, D.C., pour la plupart – affluaient en ville. Ça tirait de tous les côtés dans les dunes, mais on s'amusait bien quand même, tu penses!».

Ma mère disait avoir rendu visite à mon père à Atlantic City «une ou deux fois». (Alors qu'ils n'étaient pas encore mariés et que je devais avoir un an?)

C'est sans doute mon grand-père qui l'avait escortée à cette «noce» d'avril 43, peu de temps avant que mon père soit envoyé à l'école de cryptographie de l'Air Force à Pawling, New York – où il apprit l'usage et les algorithmes du chiffrement. De là, vers la fin de l'été 43, il fut muté à la base de Chanute Field à Rantoul, Illinois. «C'est dans l'Illinois qu'il s'est familiarisé avec les rouages de la cryptographie», disait ma mère. Ils étaient donc toujours en contact dix-sept mois après ma naissance («rouage» n'a jamais été un maître mot dans la bouche de ma mère).

«À Chanute Field, ton père a commencé à travailler sur la première machine de codage militaire, une espèce de télétype, avec un ensemble électromécanique de rotors de chiffrement accolés les uns aux autres», me dit un jour mon grand-père. Pour moi, c'était du chinois; de toute façon, rien n'indique que mon père lui-même, ce grand absent, aurait pu me faire comprendre les fonctions d'une machine de codage.

Mon grand-père ne mettait aucun mépris dans les termes *codeur* ou *sergent*, et il aimait bien me réciter les faits d'armes de mon père. C'est sans doute par sa pratique du théâtre amateur que mon grand-père avait développé sa mémoire; il était capable de se rappeler les détails les plus précis et les plus complexes et de me raconter avec exactitude tout ce qui était arrivé à mon père; et, de fait, le travail de cryptographe de guerre, le codage et le décodage de messages secrets, n'était pas sans intérêt.

L'Air Force de la 15e Armée US était basée à Bari, en Italie. La 760e escadrille de bombardiers, dont mon père faisait partie, était stationnée quant à elle à la base aérienne de Spinazzola, dans une zone agricole au sud de la ville.

Après le débarquement allié en Italie, l'Air Force de la 15e Armée fut engagée dans les bombardements du sud de l'Allemagne, de l'Autriche et des Balkans. De novembre 1943 au printemps 1945, plus d'un millier de superbombardiers B24 furent abattus au combat. Mais les cryptographes ne partaient pas en mission aérienne et mon père quittait rarement la salle de chiffrement de la base de Spinazzola; il passa les deux dernières années de la guerre plongé dans ses nomenclatures de codes et devant son incompréhensible machine de codage.

Et tandis que les superforteresses pilonnaient les sites industriels nazis en Autriche et les champs pétrolifères en Roumanie, mon père ne s'aventurait guère au-delà de Bari – et seulement dans le but de fourguer ses cigarettes au marché noir. Le sergent William Francis Dean ne fumant pas, m'assurait ma mère, il avait vendu assez de cigarettes à Bari pour pouvoir s'offrir une voiture dès son retour à Boston – un coupé Chevrolet 1940.

La démobilisation de mon père fut relativement rapide. Il passa le printemps 1945 à Naples, qu'il décrivit comme une ville «pleine de charme, pétillante, où la bière coulait à flots». (Qu'il décrivit à qui, au fait? S'il avait divorcé de ma mère avant mes deux ans – divorcé dans quelles circonstances? –, pourquoi lui écrivait-il encore un an plus tard?)

À moins qu'il n'ait écrit à mon grand-père; c'est d'ailleurs Grand-père qui m'a dit que mon papa avait embarqué dans un navire de transport de la Navy à Naples.

Après un court séjour à Trinidad, il fut envoyé en C47 dans une base militaire à Natal, au Brésil, où, disait-il, le café était excellent. Du Brésil, il fut transféré à Miami dans un autre C47 – «vétuste», celui-là. De là, un train militaire déposa les soldats plus au nord, dans les bases de démobilisation où ils étaient rendus à la vie civile; et c'est ainsi que mon père se retrouva à Fort Devens, Massachusetts.

En octobre 1945, l'année universitaire était trop avancée pour qu'il puisse reprendre ses études à Harvard au point où il les avait laissées; il acheta donc la Chevrolet avec l'argent gagné au marché noir et obtint un emploi temporaire au rayon jouets de chez Jordan Marsh, le plus grand magasin de Boston. Il prévoyait de se réinscrire à Harvard à l'automne 46; il se consacrerait à la romanistique, l'étude des langues et des mouvements littéraires de France, d'Espagne, d'Italie et du Portugal, comme me l'expliqua mon grand-père, qui précisa «ou tout au moins deux ou trois d'entre eux».

«Ton père était un crack en langues étrangères», m'avait dit ma mère – ce qui expliquerait que c'était un crack en cryptographie? Mais pour quelles raisons ma mère et mon grand-père se seraient-ils intéressés aux matières étudiées par mon démissionnaire de père à

19

Harvard ? Pourquoi en auraient-ils connu le détail ? Comment en auraient-ils eu vent ?

Sur une photo de mon père prise à la fin du printemps ou au début de l'été 1945 (la seule photo de mon père qu'il m'ait été donné de voir pendant des années), il paraît très jeune et très mince. Il est en train de manger une glace, quelque part entre la côte italienne et les Caraïbes, sur un bateau de transport de troupes qui va accoster à Trinidad.

Je serais tenté de penser que la panthère noire, sur le blouson d'aviateur de mon père, impressionna profondément mon imagination d'enfant ; cette panthère menaçante était l'emblème du 460ᵉ groupe de bombardiers, et si le chiffrement était une activité exclusivement réservée au « personnel au sol », les cryptographes n'en portaient pas moins le blouson des navigants.

C'était une obsession qui éclipsait tout le reste, chez moi, de penser que j'avais un côté héros de guerre – alors que les exploits militaires de mon père n'avaient rien de tellement héroïques, même pour l'enfant que j'étais. Mais mon grand-père était un de ces mordus de la Seconde Guerre mondiale – vous savez, genre maniaque du moindre détail – et il me disait toujours : « Je vois en toi un futur héros ! » Ma grand-mère, pour sa part, ne parlait guère de William Francis Dean en bien. Quant à ma mère, en général, elle se bornait à l'évoquer comme « très beau » et « farouchement brave ».

Encore que. Quand je lui demandais pourquoi ça n'avait pas marché entre eux, elle répondait qu'elle avait vu mon père en train d'embrasser une personne. « Je l'ai vu embrasser une autre personne », résumait-elle, d'un air aussi détaché que si elle avait soufflé le mot *autre* à un acteur qui l'aurait oublié. Que pouvais-je en conclure ? Elle avait surpris ce baiser alors qu'elle était enceinte de moi – voire après ma naissance – et ce qu'elle en avait vu ne laissait guère de doute : il ne s'agissait pas d'un baiser innocent.

« Ça devait être un french kiss, avec la langue dans le gosier », m'avait un jour confié une de mes cousines plus âgées – la fille au parler cru de cette tante qui revient sans cesse dans mon récit. Mais qui donc mon père embrassait-il ? S'agissait-il d'une de ces belles du week-end qui envahissaient Atlantic City, une de ces fonctionnaires de Washington, D.C. ? Sinon, pourquoi mon grand-père m'aurait-il parlé de ces femmes ?

À l'époque, c'était tout ce que je savais ; autant dire pas grand-chose. Mais cependant plus qu'assez pour m'inspirer des doutes, voire du dégoût à mon propre endroit – dans la mesure où j'avais tendance à imputer à mon père biologique toutes mes tares. Mes mauvaises habitudes, mes turpitudes secrètes, je les lui devais sans exception ; au fond, je pensais que tous mes démons étaient ataviques. Tout ce qui m'inspirait des doutes et des inquiétudes sur mon propre compte était le legs du sergent Dean.

Ma mère ne m'avait-elle pas dit que j'allais devenir beau gosse, moi aussi ? N'y avait-il pas là comme une fatalité ? Et quant à l'audace, n'avais-je pas présumé, à treize ans, que je pourrais devenir écrivain ? Ne m'étais-je pas déjà imaginé en train de coucher avec Miss Frost ?

Croyez-moi, il me déplaisait d'être la progéniture de ce père qui m'avait abandonné, le descendant direct de son code génétique : un individu qui passait son temps à engrosser les filles pour les laisser tomber ensuite ! Car c'était bien le modus operandi du sergent Dean, en somme ? J'aurais voulu ne pas porter son nom. Je détestais m'appeler William Francis Dean Jr. – fils quasi bâtard du codeur ! S'il y avait bien un enfant en mal de beau-père, qui espérait que sa mère retrouve au moins une relation stable, j'étais cet enfant.

Et nous voici revenus à ce que je croyais être le début de ce premier chapitre, parce que j'aurais très bien pu commencer par vous parler de Richard Abbott.

Celui qui allait devenir mon beau-père joua un rôle déterminant dans ma vie à venir ; pour tout dire, si ma mère n'était pas tombée amoureuse de Richard, je n'aurais peut-être jamais rencontré Miss Frost.

Avant l'arrivée de Richard Abbott dans la troupe, on y souffrait d'une pénurie de premiers rôles masculins potentiels, comme disait ma tante ; il n'y avait pas de traître dûment abominable, pas de jeune premier romantique susceptible de faire tomber en pâmoison les jeunes et moins jeunes spectatrices. Or, Richard n'était pas un beau ténébreux parmi d'autres, il était la parfaite incarnation du stéréotype.

Il était mince, lui aussi. Tellement mince que je lui trouvais une ressemblance frappante avec mon codeur de père sur la fameuse photo où, indéfiniment svelte, il mangeait indéfiniment sa glace – quelque part entre la côte napolitaine et les Caraïbes. (Naturellement, je me suis souvent demandé si ma mère s'apercevait de cette ressemblance.)

Avant l'arrivée de Richard Abbott, les hommes de la troupe se divisaient en deux catégories : les falots patentés qui mangeaient leurs mots tête baissée, avec des regards furtifs vers le public, et les cabotins plastronnants, tout aussi classiques, qui gueulaient leurs répliques en coulant des œillades aux rombières pincées.

Exception notable côté talent – car c'était un acteur très talentueux, même s'il n'avait pas la classe de Richard –, mon grand-père féru de la Seconde Guerre mondiale, Harold Marshall, que tout le monde, sauf ma grand-mère, appelait Harry. Il était le principal employeur de First Sister, Vermont, avec plus de salariés que la Favorite River Academy, seconde entreprise de notre petite ville. Il possédait la scierie et le magasin de bois de construction. Son associé – un Norvégien sinistre qui va entrer en scène dans un instant – contrôlait l'exploitation du bois. C'était Harry qui signait les chèques, et les camions verts qui transportaient les grumes et le bois de charpente portaient, inscrit en petites capitales jaunes, le nom de MARSHALL.

On pourrait s'étonner que la troupe ait régulièrement attribué des rôles de femmes à ce notable. Mais mon grand-père était fabuleux en femme ; ainsi interprétait-il souvent, presque toujours, diraient certains, les premiers rôles féminins. En fait, je me rappelle mieux mon grand-père en femme qu'en homme. Et il s'investissait bien davantage, de façon plus vibrante, dans ses rôles que dans son travail quotidien et monotone de patron de scierie et de magasin de bois.

Hélas, source de frictions familiales, la seule concurrente de Grand-père Harry pour les grands rôles de composition n'était autre que sa fille aînée, Muriel, sœur de ma mère – cette tante qui revient si souvent sous ma plume.

Elle n'avait que deux ans de plus que ma mère, mais elle avait cependant tout vu tout fait avant que sa cadette en ait même rêvé, un vrai parcours sans faute à l'en croire. Elle avait soi-disant « étudié toute la littérature mondiale » à Wellesley et elle avait épousé mon merveilleux oncle Bob – son « premier et unique soupirant », comme elle disait.

Que l'oncle Bob fût formidable, j'en étais bien convaincu : il avait toujours été formidable avec moi. N'empêche qu'il buvait, comme je l'ai appris plus tard, et que son alcoolisme plombait la vie sociale de Tante Muriel. Ma grand-mère, de qui Muriel tenait son caractère pète-sec, ne manquait pas de faire remarquer que «Muriel méritait mieux» – comprenne qui voudra. Malgré son snobisme, ma grand-mère parlait une langue truffée de proverbes et de truismes et, malgré sa formation prestigieuse, Tante Muriel reproduisait, mimétisme ou héritage, le parler «ordinaire» et prosaïque de sa mère.

Je pense que son amour du théâtre, son besoin de jouer étaient aiguillonnés par le désir de trouver quelque chose d'original à dire de sa voix altière. C'était une jolie femme – une brune élancée, avec une poitrine de diva et la voix assortie –, mais elle n'avait rien dans le crâne. Comme ma grand-mère, Tante Muriel pouvait être à la fois sentencieuse et arrogante sans jamais dire quoi que ce soit de vérifiable ou de pertinent ; à cet égard, mère et fille me faisaient l'effet de pimbêches ennuyeuses comme la pluie.

L'élocution impeccable de la fille la rendait parfaitement crédible sur scène ; elle y faisait un perroquet irréprochable, un automate dépourvu d'humour, sympathique ou antipathique selon le personnage qu'elle interprétait, sans plus. Nonobstant son noble ramage, son propre personnage était creux ; elle ne savait que se plaindre.

Quant à sa mère, elle appartenait à une génération élevée de façon rigoriste, ce qui la portait à juger le théâtre immoral par essence – ou, pour être plus indulgent, amoral –, en conséquence de quoi les femmes n'avaient rien à y faire. Victoria née Winthrop était convaincue que tous les rôles devaient y être joués par des garçons ou par des hommes ; et si elle reconnaissait volontiers que voir mon grand-père brûler les planches dans des rôles de femmes la mettait mal à l'aise, elle persistait à croire que c'était ainsi que les pièces devaient être interprétées – par des hommes et seulement par des hommes.

Ma grand-mère – que j'appelais Nana Victoria – trouvait pénible que Muriel demeure inconsolable des jours durant lorsque Grand-père Harry lui chipait un des grands rôles du répertoire. Lui, au contraire, était bon perdant quand le rôle convoité revenait à sa fille. «C'est qu'ils voulaient une jolie fille, Muriel – et sur ce plan-là, tu me bats haut la main.»

Voire. Mon grand-père était menu, et il avait une jolie figure ; le pied léger, il savait rire comme une jouvencelle ou pleurer comme une madeleine. Il pouvait être très convaincant en intrigante, en femme trompée, et il l'était plus que ma tante Muriel dans les baisers dont il gratifiait ses piètres partenaires masculins. Muriel avait une sainte horreur des baisers de théâtre, alors que mon oncle Bob n'en prenait pas ombrage et semblait même éprouver un certain plaisir à voir sa femme et son beau-père les distribuer – ce qui tombait plutôt bien, puisqu'ils se voyaient attribuer les rôles principaux dans la plupart des pièces.

Aujourd'hui, j'ai encore plus de sympathie pour l'oncle Bob, qui « semblait éprouver un certain plaisir » à tant de choses et apprécier tant de gens, et qui a réussi à me témoigner une commisération tacite mais sincère. Il savait bien d'où venaient les Winthrop ; tradition ou atavisme, les femmes de cette lignée regardaient de haut le reste de l'humanité. Il me prenait en pitié, parce qu'il savait que Nana Victoria et Tante Muriel guettaient chez moi les signes – tant redoutés par elles et par moi – que j'étais bien le fils de mon gredin de père. J'étais jugé sur les gènes d'un homme que je ne connaissais pas, et l'oncle Bob, sans doute parce qu'il buvait et « ne méritait pas » Muriel, était bien placé pour savoir ce qu'on ressentait à être jugé par le clan Winthrop.

Il travaillait au Bureau des admissions de la Favorite River Academy ; les critères d'entrée n'y étant guère exigeants, on ne voit pas en quoi mon oncle aurait été responsable des échecs scolaires. C'est pourtant bien à lui qu'on les imputait ; les Winthrop de la famille le trouvaient « laxiste » – raison de plus pour moi de le trouver formidable.

Diverses personnes m'ont parlé de l'alcoolisme de Bob, mais je ne l'ai jamais vu ivre – à l'exception d'une cuite spectaculaire, disons. En réalité, durant mes années d'enfance et d'adolescence à First River, Vermont, j'ai toujours pensé qu'on exagérait son penchant pour la boisson ; les femmes Winthrop étaient portées à la réprobation morale outrancière, c'était bien connu. L'indignation vertueuse relevait chez elles du marqueur génétique.

Durant l'été 1961, à l'occasion d'un voyage avec Tom, le fait que Bob était mon oncle survint dans la conversation. (Je sais, je ne vous ai pas encore parlé de Tom. Patience, j'ai un peu de mal à aborder le sujet.) Pour Tom et moi, c'était l'été que l'on dit tellement marquant entre la sortie du lycée et le début des années d'université. Nos familles nous avaient dispensés de prendre un boulot pendant ces vacances pour que nous puissions voyager ensemble et nous « trouver ». Sans doute aurions-nous dû nous estimer heureux de ne consacrer qu'un seul été à cette activité à l'issue douteuse, mais, à nos yeux, le prodigieux cadeau supposé tombait mal. D'abord, nous n'avions pas un sou, et l'inconnue du voyage en Europe nous faisait peur ; ensuite, nous nous étions déjà « trouvés » et mieux valait ne pas assumer cette découverte – du moins en public. Car certains aspects de nous-mêmes nous paraissaient tout aussi étranges et inquiétants que cette Europe tant bien que mal entrevue.

Je ne sais plus pourquoi nous nous sommes mis à parler de l'oncle Bob, mais Tom savait que j'étais son neveu. Il l'appelait « opération portes ouvertes ».

– Nous ne sommes pas parents par le sang, tentai-je d'expliquer. (Parce que dans les veines de l'oncle, et quel qu'y fût le taux d'alcoolémie, ne coulait pas une goutte de sang Winthrop.)

– Vous ne vous ressemblez pas du tout ! s'exclama Tom. Bob c'est une crème, un gars pas compliqué.

Il faut dire que nous nous étions pas mal disputés, Tom et moi, cet été-là. Nous avions pris un de ces transatlantiques *Queen Quelque Chose*, classe étudiants, de New York à Southampton ; nous avions traversé la Manche, débarqué à Ostende, et la première ville européenne où nous ayons passé la nuit était la cité médiévale de Bruges. Bruges était certes une belle ville, mais j'avais davantage eu le coup de foudre pour la fille qui travaillait à la pension où nous étions descendus que pour le beffroi qui trônait au-dessus du vieux marché.

– Tu comptais peut-être lui demander si elle avait pas une copine pour moi, me dit Tom.

– On s'est baladés en ville, on n'a fait que parler, lui répondis-je. On s'est à peine embrassés.

– Sans blague ! dit Tom.

Ainsi, quand il me fit la remarque, un peu plus tard, que mon oncle Bob était « une crème, un gars pas compliqué », je compris bien le message : on ne pouvait pas en dire autant de moi.

– Je voulais juste dire que tu es compliqué, Bill, me dit Tom. Tu n'es pas aussi facile à vivre que Bob, du Bureau des admissions, d'accord ?

– Je n'arrive pas à croire que tu as les boules à cause de cette fille de Bruges, lui répondis-je.

– Si tu t'étais vu en train de lui mater les nichons – et c'est pas pour ce qu'elle en avait. Tu sais, Bill, les filles s'en rendent compte quand tu leur mates les seins.

Mais je me fichais pas mal de la fille de Bruges. Ce que j'avais remarqué, c'étaient ses petits lolos qui me rappelaient les mouvements ascendants et descendants de la poitrine étonnamment juvénile de Miss Frost : la page bibliothécaire, je ne l'avais pas tournée.

Ah, les vents du changement ! Ils ne soufflent pas en douceur sur les petites villes du nord de la Nouvelle-Angleterre. La première audition qui amena Richard Abbott dans notre théâtre municipal allait changer jusqu'à la distribution des rôles féminins, parce qu'il fut d'emblée évident que les rôles de jeunes premiers fougueux, de maris malfaisants ou tout simplement bourgeois et d'amants perfides seraient tous dans ses cordes ; et, par conséquent, que les femmes choisies pour lui donner la réplique devraient être à sa hauteur.

Cette situation posait un problème à Grand-père Harry, son futur beau-père. Il avait trop de bouteille pour jouer une intrigue amoureuse avec un jeune premier comme Richard. Pas question qu'ils s'embrassent sur scène !

Et, compte tenu de sa voix altière et de sa vacuité intellectuelle, cela posait un problème plus épineux encore à ma tante Muriel. Richard était trop premier rôle, trop mâle pour elle. Sa présence l'avait mise dans tous ses états et réduite à un babil incohérent ; elle s'était aperçue tout de suite, dit-elle plus tard, que ma mère et lui « avaient eu le coup de foudre ». Et c'était beaucoup trop demander à Muriel que d'imaginer une histoire d'amour avec son futur beau-frère, fût-ce sur scène. Avec ma mère comme souffleuse, il n'aurait plus manqué que ça !

À treize ans, j'étais trop jeune pour discerner la consternation de ma tante Muriel découvrant un homme avec l'étoffe d'un premier rôle. Pas plus que je n'étais capable de me rendre compte que ma mère et Richard Abbott avaient eu le « coup de foudre » l'un pour l'autre.

Grand-père était ravi d'accueillir ce séduisant jeune homme, qui débutait comme professeur à la Favorite River Academy.

– Nous sommes toujours à la recherche de nouveaux talents, lui dit-il avec chaleur. Vous enseignez Shakespeare, dites-vous ?

– Oui, je fais cours sur les pièces et je les mets en scène, répondit Richard. Ça pose des problèmes dans une école de garçons, bien sûr – mais la meilleure façon de comprendre Shakespeare, pour les garçons comme pour les filles, c'est encore de le jouer.

– Par «problèmes», je pense que vous voulez dire que les garçons sont obligés de tenir des rôles de femmes, dit Grand-père, non sans malice.

Mais Richard Abbott, qui le découvrait sous l'identité du directeur de la scierie, était loin de se douter qu'il brûlait les planches en travesti.

– Comment jouer une femme, la plupart des garçons n'en ont pas la moindre idée, et le problème relègue la pièce elle-même au second plan.

– Ah! fit Grand-père, et comment pensez-vous le régler, ce problème?

– Je pense demander aux femmes des professeurs de passer des auditions pour les rôles, répondit Richard, et aussi à leurs filles, celles qui sont assez grandes.

– Ah! répéta Grand-père. Vous trouveriez peut-être d'autres personnes en ville…

Il avait toujours voulu jouer Regan ou Goneril, «filles de Lear, détestables donzelles», comme il disait, et il rêvait par-dessus tout d'incarner Lady Macbeth.

– Je pense organiser des auditions ouvertes à tous, dit Richard. Mais j'espère que les femmes mûres ne vont pas intimider les élèves, vu qu'il s'agit d'une école de garçons.

– Ah, ça, c'est toujours possible, admit Grand-père avec un sourire de connaisseur.

En tant que femme mûre, il en avait intimidé plus d'un, et il n'avait qu'à observer sa femme et sa fille aînée pour comprendre comment fonctionnait l'intimidation féminine. Mais à treize ans, je n'avais pas saisi que mon grand-père était encore sur les rangs pour jouer des personnages féminins ; la conversation entre lui et le nouveau premier rôle me paraissait tout à fait amicale et naturelle.

Mais en ce vendredi soir d'automne – les auditions avaient toujours lieu le vendredi soir – je compris bien que Richard Abbott, tant par sa culture théâtrale que par ses dons d'acteur, allait changer la relation entre notre despotique directeur de théâtre et nos comédiens aux talents inégaux. Jusque-là, l'autocratique directeur des First Sister Players n'avait jamais été contesté en tant qu'homme de théâtre ; lui qui disait ne pas vouloir jouer pour jouer n'avait rien d'un amateur dans le domaine de la dramaturgie, il s'était autopromu expert ès Ibsen, qu'il vénérait outre mesure.

Nils Borkman – le susmentionné Norvégien associé de Grand-père –, tout à la fois sylviculteur, bûcheron et homme de théâtre, était le type même du Scandinave dépressif et broyeur de noir. Si le bois était son métier ou du moins son lot quotidien, la dramaturgie était sa passion.

Son pessimisme croissant se nourrissait du fait que le vulgum pecus qui formait le public était parfaitement inculte en matière de théâtre sérieux. Cette population culturellement carencée s'empiffrait d'Agatha Christie pour son ordinaire.

Nils Borkman souffrait visiblement de devoir adapter en permanence des inepties tout juste bonnes à faire bouillir la marmite, comme *L'Affaire Protheroe*, de la série des Miss Marple; ma tante à la voix altière avait bien des fois joué Miss Marple, mais les habitants de First Sister lui préféraient Grand-père dans ce rôle de fine mouche. On le créditait plus volontiers de percer les secrets d'autrui – sans oublier qu'ayant l'âge de Miss Marple, il en incarnait mieux la féminité.

Lors d'une répétition, il s'était exclamé inopinément – mais dans la ligne du personnage:

– Ma parole, qui pourrait vouloir la mort du colonel Protheroe?

Ce à quoi ma mère, en bonne souffleuse, avait répliqué:

– Papa, ce n'est pas dans le texte.

– Je sais, Mary, c'était juste pour rigoler, avait concédé Grand-père.

Ma mère, Mary Marshall – Mary Dean, pendant les quatorze années moroses qui précédèrent son mariage avec Richard Abbott –, appelait toujours mon grand-père *papa*. (Ma tante à la voix altière lui donnait du *père*, et Nana Victoria du *Harold*, toutes deux sur un ton très «déjeuner officiel».)

Nils Borkman avait mis en scène les «succès populaires» d'Agatha Christie, ainsi qu'il les qualifiait par dérision, comme s'il était condamné à regarder *Le Crime de l'Orient-Express* ou *La Maison du péril* sur son lit de mort, ou à emporter dans la tombe le souvenir des *Dix Petits Nègres*.

Agatha Christie était sa bête noire. N'étant pas homme à souffrir en silence, il la haïssait, et ne l'épargnait pas dans ses propos. N'empêche qu'en faisant le plein de spectateurs avec ses pièces et d'autres amusettes du même acabit, le Norvégien morbide pouvait se permettre de produire «du sérieux» chaque année à l'automne.

«Du sérieux pour le temps des vrimas», disait-il – le mot *vrimas* dans sa bouche attestant qu'il savait s'exprimer sans pourtant s'arrêter aux détails. Voilà qui résumait bien Nils : un certain sens du verbe, et quelques approximations.

Lors de cette audition du vendredi, où Richard Abbott allait infléchir plus d'un avenir, Nils annonça que le «sérieux» de l'automne prochain serait une pièce de son Ibsen adoré, à choisir entre trois d'entre elles.

– Lesquelles ? demanda le jeune et talentueux Richard.

– Les trois à *problèmes*, répondit Nils – catégorique, croyait-il.

– Je suppose que vous parlez de *Hedda Gabler* et d'*Une maison de poupée*, spécula Richard. Et la troisième… *Le Canard sauvage* ?

Borkman-le-sombre en resta baba, contrairement à son habitude, d'où nous comprîmes tous que le redoutable *Canard sauvage* était bien son troisième choix.

– Dans ce cas, hasarda Richard après un silence éloquent, qui, parmi nous, pourra jouer la malheureuse Hedvig ?

Aucune fille de quatorze ans ne s'était présentée ce soir-là – nous n'avions personne qui puisse incarner l'innocente Hedvig, qui aimait tant les canards (et son papa).

– Ce n'est pas la première fois que nous avons des… *problèmes*, avec le rôle de Hedvig, Nils, risqua Grand-père.

Oh là là, des problèmes, on en avait eu, avec ces gamines tragicomiques. Certaines étaient tellement calamiteuses que, quand elles se tiraient enfin une balle, tout le public *applaudissait*, d'autres tellement adorables de naïveté et d'innocence que, lorsqu'elles se tuaient, le public était outré !

– Et puis il y a Gregers, interrompit Richard. Ce misérable donneur de leçons. Je pourrais jouer Gregers, mais j'en ferais un imbécile qui se mêle de ce qui ne le regarde pas – un clown imbu de sa vertu, qui s'apitoie sur son propre sort.

Nils Borkman parlait souvent des tendances suicidaires de ses compatriotes, «champions du saut dans le fjord», comme il disait. Apparemment, l'abondance de fjords en Norvège fournissait une solution aussi pratique qu'hygiénique aux désespérés. Il devait avoir remarqué, pour son plus grand chagrin, qu'il n'y avait pas de fjord dans le Vermont – État sans débouché sur la mer. Il regardait à présent Richard d'un œil furibond, comme pour intimer à ce nouveau venu aux dents longues de se chercher le premier fjord.

– Mais Gregers est un *idéaliste*, commença Borkman.

– Si *Le Canard sauvage* est une tragédie, alors Gregers est un imbécile et un clown – et Hjalmar rien d'autre qu'un jaloux pathétique du passé amoureux de sa femme, continua Richard. Si, au contraire, vous jouez *Le Canard sauvage* comme une comédie, alors ce sont *tous* des imbéciles et des clowns. Mais comment y voir une comédie quand une enfant meurt à cause des remontrances d'un adulte ? Il vous faut une Hedvig bouleversante, une fille de quatorze ans en tout point innocente et naïve ; et il faudra de brillants acteurs non seulement pour Gregers, mais pour Hjalmar et Gina, et même pour Mme Sørby, le vieil Ekdal et l'ignoble Werle ! Et même alors, il reste un point faible – ce n'est pas la plus facile des pièces d'Ibsen à monter pour des amateurs.

– *Un point faible !* hurla Borkman, comme si lui et son volatile venaient de se faire canarder.

– C'est moi qui jouais Mme Sørby la dernière fois, dit mon grand-père à Richard. Bien sûr, quand j'étais plus jeune, j'ai aussi joué Gina – enfin, une fois ou deux.

– J'avais pensé à la jeune Laura Gordon pour le rôle de Hedvig, dit Nils.

Laura était la benjamine de la famille Gordon. Jim Gordon enseignait à la Favorite River Academy ; avec sa femme Ellen, il avait fait partie de la troupe des First Sister Players, et deux de leurs filles aînées s'étaient brûlé la cervelle dans le rôle de la pauvre Hedvig.

– Excuse-moi, Nils, intervint ma tante Muriel, mais Laura Gordon a une poitrine qui ne passe pas inaperçue.

Tiens, tiens, je n'étais donc pas le seul à avoir remarqué cette hyper-trophie mammaire stupéfiante chez une gamine de quatorze ans ; Laura avait à peine un an de plus que moi, mais sa poitrine la disqualifiait pour le rôle de l'innocente et naïve Hedvig.

Nils Borkman soupira et lança à Richard, avec une résignation pré-suicidaire :

– Et quelle pièce d'Ibsen notre jeune Mr Abbott considérerait-il comme plus facile à jouer pour nous mortellement simples *amateurs* ? (Il voulait dire « amateurs et simples mortels », bien sûr.)

– Ah… commença Grand-père ; puis il s'interrompit.

Il buvait du petit-lait. Il avait le plus grand respect, la plus grande affection pour Nils Borkman en tant qu'associé dans ses affaires, mais tous les membres des First Sister Players – sans exception, pilier de la troupe ou simple dilettante – savaient que Nils était un parfait tyran. Et nous étions aussi dégoûtés de Henrik Ibsen et des idées de Borkman sur le théâtre sérieux que nous l'étions d'Agatha Christie.

– Bon… commença Richard, après quoi il marqua un temps. À choisir Ibsen – et dans la mesure où nous sommes tous des amateurs – il faut prendre *Hedda Gabler* ou *Une maison de poupée*. Dans la première, il n'y a pas d'enfants et, dans la seconde, ils ne font que de la figuration. En revanche, il va nous falloir une femme pour un rôle très fort et très complexe – dans les deux pièces – et des hommes comme d'habitude faibles et antipathiques, l'un n'empêchant pas l'autre.

– Faibles et antipathiques, l'un n'empêchant pas l'autre ? répéta Nils Borkman, incrédule.

– Le mari de Hedda, George, est un jean-foutre conformiste – triste association, mais assez répandue chez les hommes, reprit Richard. Eilert Løvborg est une poule mouillée, un angoissé, tandis que le juge Brack est purement ignoble. Ne peut-on pas dire que Hedda se tue pour échapper à l'avenir qu'elle pressent tant avec son minus de mari qu'avec cet ignoble Brack ?

– Est-ce que les Norvégiens passent leur temps à se brûler la cervelle, Nils ? demanda mon grand-père, roublard.

Il savait titiller Borkman ; cette fois pourtant, Nils résista à la tentation de raconter une histoire de saut dans le fjord – il ignora la remarque. Grand-père Harry avait maintes fois joué Hedda ; il avait aussi été Nora dans *Une maison de poupée* – mais il était maintenant trop vieux pour interpréter ces deux grands rôles féminins.

– Et quels… faiblesses et autres traits peu sympathiques les rôles masculins d'*Une maison de poupée* nous offrent-ils – si je peux me permettre de poser la question au jeune Mr Abbott ? balbutia Borkman, en se tordant les mains.

– Ibsen n'est pas tendre avec les maris, répondit Richard, sans prendre le temps de réfléchir, cette fois. (Frais émoulu de ses études de théâtre, il détenait les certitudes de la jeunesse.) Torvald Helmer, le mari de Nora, n'est pas très différent du mari de Hedda, en somme. Conformistes,

31

ennuyeux à périr – leurs femmes étouffent, dans le couple. Krogstad est un homme blessé, et de surcroît corrompu ; il n'est pas dépourvu d'une certaine décence qui le rachète un tant soit peu, mais il appartient à la catégorie des faibles, lui aussi.

– Et le Dr Rank ? demanda Borkman.

– Le Dr Rank est de peu d'importance. Ce que nous devons trouver, c'est une Nora ou une Hedda, dit Richard Abbott. Hedda, c'est une femme qui attache tellement de prix à sa liberté qu'elle se tue plutôt que de la perdre ; son suicide n'est pas une marque de faiblesse, mais la démonstration d'une force de caractère toute féminine.

Malheureusement ou heureusement – affaire de point de vue –, Richard jeta un long regard à Tante Muriel. Malgré son physique avantageux et sa poitrine de diva, Muriel n'était pas un monument de *présence charnelle* ; elle s'évanouit.

– Muriel, arrête ton cinéma, s'il te plaît ! s'écria Grand-père.

Mais Muriel, consciemment ou inconsciemment, avait bien compris qu'elle ne serait pas à la hauteur de ce nouveau venu sûr de lui, qui brillait déjà au firmament des premiers rôles masculins. Elle venait de se mettre physiquement hors jeu pour le rôle de Hedda.

– Et quant à *Nora*… dit Nils à Richard, s'interrompant tout juste pour regarder ma mère qui s'était portée au secours de son aînée dominatrice, mais présentement dans les vapes.

Muriel se redressa soudain, groggy, sa poitrine se soulevant de manière spectaculaire.

– Inspire par le nez, Muriel, et expire par la bouche, souffla ma mère à sa sœur.

– Je sais, Mary… *je sais !* dit Muriel d'un ton exaspéré.

– Mais tu fais le contraire, tu inspires par la bouche et tu expires par le nez !

– Eh bien…

Richard s'interrompit. Même moi, je vis qu'il regardait ma mère.

Richard, à qui une tondeuse à gazon avait emporté les orteils du pied gauche, s'était retrouvé exempté de service militaire ; c'est ainsi qu'il était venu enseigner à la Favorite River Academy aussitôt après son master en histoire du théâtre. Natif du Massachusetts, il avait d'excellents souvenirs de vacances dans le Vermont, où il allait skier avec ses parents, de sorte que même s'il pouvait prétendre à mieux, cet emploi à First Sister l'avait tenté pour des raisons sentimentales.

Il n'avait que quatre ans de plus que mon codeur de père sur la photo du paquebot, soit vingt-cinq ans ou encore dix ans de moins que ma mère, et de l'énergie à l'avenant. Maman aimait sans doute les petits jeunes ; la preuve, elle me préférait avant que je grandisse.

– Et est-ce que vous jouez, mademoiselle, euh… ? reprit Richard, mais ma mère, comprenant qu'il s'adressait à elle, l'interrompit :

– Non, moi, je suis la souffleuse, dit-elle. Je ne joue pas.

– Ah, mais, Mary… commença Grand-père.

– *Je ne joue pas*, papa, insista ma mère. C'est toi et Muriel les *actrices*, ajouta-t-elle en appuyant sur le mot *actrices*. Je suis et je reste la souffleuse.

– À propos de Nora ? s'enquit Nils Borkman auprès de Richard, vous quelque chose disiez…

– Nora est encore plus éprise de liberté que Hedda, répondit Richard avec assurance. Non seulement elle a le cran de quitter son mari, mais elle abandonne ses enfants ! Il y a une liberté indomptable chez ces femmes. Je vous le dis, laissez l'actrice qui sera Hedda ou Nora choisir elle-même. Ce sont elles qui règnent en maîtresses sur ces pièces.

Tout en parlant, Richard Abbott recherchait dans notre troupe de théâtre amateur une Hedda ou une Nora, mais ses yeux revenaient sans cesse à ma mère, qui resterait souffleuse et n'en démordrait pas. Richard ne pouvait donc pas faire de ma suiveuse-de-texte de mère une Hedda ou une Nora.

– Alors… tenta Grand-père. (Il se disait qu'il reprendrait bien le rôle de Hedda comme celui de Nora, nonobstant son âge.)

– Non, Harry… toi, c'est fini, fit Nils, retrouvant son vieux penchant dictatorial. Le jeune Mr Abbott a raison. Il doit y avoir dans le rôle un côté indomptable – une liberté irrépressible et une présence charnelle toute féminine. Il nous faut une femme plus jeune, plus féminine et plus sexe active que toi.

Richard considérait mon grand-père avec un respect croissant ; il comprenait qu'il avait conquis une position d'actrice reconnue dans la troupe, même s'il n'était pas une «femme sexe active».

– Et toi, Muriel ? demanda Borkman à ma tante aux grands airs.

33

– Oui, est-ce que vous pourriez ? demanda Richard. Comme femme au caractère bien trempé et sexuellement active, vous avez une présence charnelle indiscutable… commença-t-il.

Hélas, le jeune Mr Abbott ne put aller plus loin – au mot *active*, associé à *sexuellement*, Muriel venait de s'évanouir de nouveau.

– À mon avis, ça veut dire *non*, lança ma mère à l'éblouissant nouveau venu.

Pour ma part, j'avais déjà un peu le béguin pour Richard Abbott, mais il est vrai que je n'avais pas encore rencontré Miss Frost.

Deux ans plus tard, durant l'heure de vie scolaire matinale avec le Dr Harlow, médecin de la Favorite River Academy, où je venais d'entrer, je l'entendis nous inviter, nous les élèves, à soigner les maux les plus courants de notre âge tendre avec pugnacité. Je suis certain qu'il avait employé le terme *maux* ; je n'invente rien. Ces maux « les plus courants », nous expliqua-t-il, étaient essentiellement l'acné juvénile et une « attirance de mauvais aloi » pour les garçons de notre âge ou les hommes. Contre les boutons d'acné, le Dr Harlow nous assura qu'il y avait sur le marché une grande variété de produits de soin. Pour ce qui concernait les premiers signes de désirs homosexuels – eh bien lui-même ou le psychiatre de l'École, le Dr Grau, ne demandaient pas mieux que d'en discuter avec nous.

« Ces maux se guérissent », nous dit le Dr Harlow qui parlait avec l'autorité du médecin, d'une voix de scientifique, mais avec un fond de connivence crapuleuse : d'homme à homme. Et son propos ce matin-là était parfaitement clair, même pour des garçons de quinze ans : il nous suffisait de frapper à sa porte et nous serions soignés (corollaire tristement évident, il faudrait nous en prendre à nous-mêmes si nous n'en faisions rien). Je me suis demandé, plus tard, ce que ça aurait changé – je veux dire, si j'avais été confronté à la bouffonnerie du Dr Harlow ou du Dr Grau, le jour où j'avais fait la connaissance de Richard Abbott, plutôt que deux ans après. Étant donné ce que je sais aujourd'hui, je doute que mon béguin pour Richard fût alors guérissable. Mais les Dr Harlow, Grau et consorts – qui faisaient autorité à l'époque – le croyaient dur comme fer.

Deux ans après cette heure de vie scolaire historique, il était bien sûr trop tard pour entamer un traitement ; un vrai boulevard de béguins s'ouvrait devant moi.

Cette audition me permit de découvrir Richard Abbott. Pour toutes les personnes présentes – et surtout pour ma tante Muriel, qui s'était évanouie par deux fois – il était évident qu'il venait de prendre nos affaires en main.

– Il va nous falloir trouver une Nora ou une Hedda, si nous voulons monter une pièce d'Ibsen, dit Richard à Nils.

– Mais les vrimas ! C'est déjà la saison des vrimas ; et ça va continuer, répliqua Borkman, c'est le moment où l'année est en train de mourir !

Il n'était pas facile à comprendre, cet homme, sinon qu'Ibsen et les fjords meurtriers avaient pour lui partie liée au théâtre «sérieux», à ces pièces d'automne, saison du déclin et des vrimas.

Avec le recul du temps, quelle saison de l'innocence – tant ce déclin de l'année que cet âge de ma vie, si peu compliqué, en somme.

2

Erreurs d'aiguillage amoureux

Combien de temps fallut-il à ma mère et à Richard Abbott pour sortir ensemble, après cette audition peu concluante ? « Connaissant Mary, je parie qu'ils n'ont pas attendu pour coucher », me sembla-t-il entendre dans la bouche de Tante Muriel.

Ma mère ne s'était aventurée qu'une seule fois hors de la maison familiale ; elle s'était inscrite à l'université – personne ne m'a jamais dit laquelle – et puis elle avait abandonné ses études en cours de route. Elle avait tout juste réussi à tomber enceinte ; elle n'avait même pas achevé sa formation de secrétaire ! En outre, comme pour ajouter à son échec moral et universitaire, pendant quatorze ans, ma mère et moi, son presque bâtard, portâmes le nom de Dean – allégeance aux bonnes mœurs, je suppose.

Mary Marshall Dean ne se risqua plus jamais à quitter le bercail ; le monde extérieur l'avait blessée trop grièvement. Elle vivait avec ma grand-mère, femme dédaigneuse et bourrée d'a priori, qui était tout aussi critique envers sa brebis galeuse de fille que pouvait l'être ma tante Muriel aux grands airs. Seul Grand-père Harry avait des mots attentionnés et réconfortants pour sa « petite dernière », comme il l'appelait. À la façon dont il prononçait ces mots, on aurait dit que ma mère traînait les séquelles d'une lésion. Grand-père m'a toujours soutenu, moi aussi – il m'a remonté le moral quand j'étais déprimé, tout comme il a inlassablement tenté de regonfler celui de ma mère, si peu sûre d'elle.

En plus de son activité de souffleuse dans la troupe des First Sister Players, ma mère travaillait comme secrétaire à la scierie et au magasin de bois de construction dont son père était propriétaire et directeur ; il fermait les yeux sur son absence de diplôme – elle savait taper, ça lui suffisait.

Ma mère devait bien s'attirer quelques commérages – je veux dire, parmi les employés de la scierie. Ils ne critiquaient pas sa façon de taper à la machine, mais répétaient sans doute ce que disaient leurs femmes ou leurs petites amies. Ils avaient sûrement remarqué la beauté de ma mère, mais je suis sûr qu'ils tenaient de leurs femmes les cancans qui couraient sur elle dans le magasin de bois de charpente ou sur les bivouacs des bûcherons, aux risques et périls des bavards.

Je dis « à leurs risques et périls » parce que Nils Borkman dirigeait les chantiers d'abattage ; on y signalait beaucoup de blessures parmi les bûcherons, mais se pourrait-il que certains aient été « blessés » pour cause de ragots ? Il y avait toujours un gars amoché sur la zone de stockage, aussi – je parierais qu'il s'agissait parfois d'un malheureux qui avait répété les commérages de sa femme ou de sa petite amie sur ma mère. Son prétendu mari ne s'était pas empressé de l'épouser, ils n'avaient jamais vécu ensemble, mariés ou pas, et son gosse n'avait pas de père…

Grand-père n'était pas bagarreur ; je devine que c'était Nils qui prenait la défense de cet associé qu'il aimait tant, ainsi que de la fille de celui-ci.

– Il est en arrêt pour six semaines – clavicule pétée, Nils, disait mon grand-père. Chaque fois que tu « remets quelqu'un en place », comme tu dis, on est obligés de lui payer des indemnités !

– On peut se les permettre, Harry. Il fera attention à ce qu'il dit la suivante fois, hein ? disait Nils.

– La « prochaine fois », corrigeait gentiment Grand-père.

Si ma mère était un peu plus jeune que cette chipie de Muriel, à mon avis elle était aussi et de loin la plus jolie des deux sœurs Marshall. Elle n'avait peut-être pas la poitrine avantageuse de Muriel, ni sa voix altière, mais elle était bien mieux faite. Je lui trouvais un faux air asiatique – pas seulement parce qu'elle était frêle, mais à cause de son visage en amande, de ses yeux écartés du nez et toujours grands ouverts, sans parler de sa toute petite bouche parfaitement dessinée.

« Tu es un trésor », lui avait dit Richard Abbott la première fois qu'ils étaient sortis ensemble. Le mot était resté, il l'appelait « trésor ».

Et combien de temps mit-il à découvrir que je n'avais pas de carte de lecteur à la Bibliothèque municipale ? Pas longtemps ; on était en automne, les feuilles jaunissaient à peine.

Ma mère avait révélé à Richard que je n'étais pas un grand lecteur, et c'est ainsi qu'il s'aperçut qu'elle et ma grand-mère m'apportaient des livres de bibliothèque – que je ne lisais pas, en général.

Les autres livres qui entraient dans ma vie étaient des « secondes mains », des livres venant de chez ma tante Muriel-de-quoi-je-me-mêle ; il s'agissait surtout de romans à l'eau de rose que ma cousine au parler cru avait lus et dont elle se débarrassait. De temps en temps, Geraldine exprimait dans les marges son mépris pour ces romans de gare et leurs personnages principaux.

Gerry – seules ma tante et ma grand-mère l'appelaient Geraldine – avait trois ans de plus que moi. Cet automne où Richard et ma mère sortirent ensemble pour la première fois, j'avais treize ans et Gerry seize. Gerry ne pouvait pas s'inscrire à la First River Academy. Elle était folle de rage contre le règlement qui réservait l'École aux garçons et la contraignait à prendre le car scolaire jusqu'à Ezra Falls, où se trouvait le lycée de filles le plus proche.

La haine que Gerry vouait aux garçons se traduisait largement dans les notes qu'elle écrivait sur les pages ; son dédain pour les filles qui raffolaient des garçons était non moins patent à travers ces commentaires vengeurs. Chaque fois que Tante Muriel voulait bien me donner un de ces bouquins, je me précipitais sur les annotations de Gerry. Les histoires elles-mêmes étaient consternantes de bêtise et d'ennui. Mais, en marge de la pénible description du premier baiser de l'héroïne, Gerry écrivait : « Embrasse-moi ! J'te ferai saigner les gencives ! Tu vas te pisser dessus ! »

L'héroïne était une sainte-nitouche imbue d'elle-même, qui défendait à son amoureux de lui tripoter les seins – Gerry commentait dans la marge : « Moi, j'te les polirais à vif, tes nénés ! Empêche-moi, tiens ! »

Les livres que ma mère et ma grand-mère me rapportaient de la Bibliothèque municipale étaient, au mieux, des romans d'aventures. Des histoires de marins, de pirates parfois, ou des bouquins de Zane Grey, pleins de cow-boys et d'Indiens ; les pires étaient d'improbables romans de science-fiction, ou d'aussi contestables récits d'anticipation.

Ma mère et Nana Victoria ne voyaient-elles pas par elles-mêmes que le monde me mystifiait et me faisait déjà bien assez peur sans aller m'angoisser avec des galaxies lointaines ou des planètes inconnues ? Le présent suffisait à m'inspirer un sentiment d'incompréhension poignant, et je ne parle pas de ma terreur quotidienne d'être incompris ; alors, me projeter dans le futur, quel cauchemar !

– Mais pourquoi Bill ne choisit-il pas ses livres lui-même ? demanda Richard à ma mère. Bill, tu as treize ans, n'est-ce pas ? Qu'est-ce qui t'intéresse ?

Exception faite de Grand-père Harry et de mon aimable oncle Bob, prétendument alcoolique, personne ne m'avait posé la question. Ce que j'aimais lire, c'étaient les pièces que répétait la troupe des First Sister Players ; je pensais pouvoir apprendre ces textes par cœur, comme le faisait ma mère. Si elle tombait malade, ou avait un accident de voiture – ils étaient très fréquents, dans le Vermont –, je pourrais la remplacer comme souffleur.

– Billy ! dit ma mère, en riant de ce rire innocent qui n'appartenait qu'à elle, dis à Richard ce qui t'intéresse.

– Il n'y a que moi qui m'intéresse. Quels sont les livres qui parlent de quelqu'un comme moi ? demandai-je à Richard.

– Oh, tu serais surpris, Bill, me répondit-il. Tu es à un âge charnière et le passage de l'enfance à l'adolescence, il y a des tas de romans formidables qui en traitent ! Viens avec moi, on va aller voir.

– À cette heure ? Voir quoi ? Où ça ? s'alarma ma grand-mère.

C'était un soir de semaine, on avait dîné tôt – il ne faisait même pas tout à fait nuit. Nous étions encore tous à table.

– Richard peut bien emmener Bill à notre petite bibliothèque municipale, Vicky, suggéra mon grand-père. (Nana le regarda comme s'il l'avait giflée ; elle se sentait tellement Victoria qu'il était bien le seul à l'appeler « Vicky », habitude dont elle lui tenait rancune.) Ça m'étonnerait que Miss Frost ferme la bibliothèque avant vingt et une heures, reprit mon grand-père.

– Miss Frost ! cracha ma grand-mère, affichant un air de profond dégoût.

– Allons, allons… un peu de tolérance, Vicky, un peu de tolérance, fit mon grand-père.

– Allez, on y va, me répéta Richard. On va te faire faire une carte de lecteur, ce sera un bon début. Les livres viendront après ; ils viendront même en cascade, ou je me trompe fort.

– En cascade ! s'exclama ma mère joyeusement, mais non sans incrédulité. Tu ne connais pas Billy, Richard – la lecture et lui, ça fait deux.

– C'est ce que nous verrons, trésor, rétorqua Richard, en me gratifiant d'un clin d'œil.

Mon béguin pour lui devenait de moins en moins curable ; si ma mère était déjà amoureuse de Richard Abbott, elle n'était pas la seule.

Je me souviens très bien de cette nuit magique où une chose banale comme de marcher sur le trottoir de River Street avec l'ensorcelant Richard me semblait romantique. L'air était chaud et humide, comme par une nuit d'été, l'orage couvait dans le lointain. Tous les enfants et les chiens du voisinage jouaient dans les jardins de River Street. À un moment donné, le beffroi de la Favorite River Academy sonna l'heure : il n'était que dix-neuf heures, ce soir de septembre, et mon enfance, comme Richard l'avait pressenti, laissait place aux prémices de l'adolescence.

– Parlons franchement, qu'est-ce qui t'intéresse vraiment chez toi, Bill ? me demanda Richard.

– Je ne sais pas pourquoi j'ai des… béguins soudains, inexplicables, lui répondis-je.

– Oh, des *béguins*… ça ne fait que commencer, dit-il pour m'encourager. Les béguins, c'est très courant, il ne faut pas que ça t'étonne d'en avoir – il faut même en profiter ! ajouta-t-il.

– Parfois, on se trompe de personne, hasardai-je.

– Mais il n'y a pas de bon ou de mauvais béguin, Bill, m'assura-t-il. Un béguin, ça ne se contrôle pas, ça vous tombe dessus, voilà tout.

Avec mes treize ans, j'en conclus sans doute qu'un béguin était encore plus désastreux que je ne l'avais imaginé.

Je ris à l'idée que, seulement six ans plus tard, lorsque j'entrepris ce voyage estival avec Tom – ce voyage en Europe, qui faillit plutôt mal commencer à Bruges –, tomber amoureux ne me semblait même plus envisageable, voire totalement exclu. Je n'avais que dix-neuf ans, et j'étais persuadé que je ne tomberais plus jamais amoureux.

Je ne saurais dire au juste ce qu'attendait ce pauvre Tom de notre été, mais j'avais tellement peu d'expérience pour ma part que je pensais en avoir fini avec le béguin somme toute néfaste qui m'avait blessé. J'étais si cruellement naïf – Tom aussi, d'ailleurs – que je me figurais avoir la vie devant moi pour guérir de cette blessure superficielle, Miss Frost, mon amour douloureux. Je n'avais pas encore eu assez de relations pour comprendre l'effet durable que Miss Frost aurait sur moi ; « superficielle », la blessure ne l'était pas.

Pour ménager Tom, je me disais qu'il suffirait de faire davantage attention à ne pas reluquer les caméristes et autres filles et femmes aux poitrines menues que nous allions croiser.

J'étais conscient que Tom manquait de confiance en lui ; je savais combien il redoutait d'être « mis sur la touche », comme il disait – il se sentait toujours insignifiant aux yeux des autres, considéré comme quantité négligeable ou carrément ignoré. Par égard pour lui, j'évitais de laisser mes yeux s'attarder trop longtemps sur quelqu'un d'autre.

Mais un soir – nous étions à Rome – il me dit :

– Ça te ferait rien de les mater franchement, ces prostituées ? Elles aiment bien qu'on les regarde, Bill, et c'est franchement insupportable de deviner ce qu'elles t'inspirent – surtout la grande, tu sais, avec une ombre de moustache – alors même que tu fais semblant de ne pas les voir !

Une autre nuit – dans quelle ville je ne sais plus, mais nous étions au lit et je croyais Tom endormi –, il me déclara dans l'obscurité :

– On dirait que tu as pris une balle, mais que tu n'es pas conscient du trou qu'elle t'a fait en plein cœur, ni de l'hémorragie. Je doute même que tu aies entendu le coup partir !

Voilà que je vais trop vite en besogne ; hélas, c'est le défaut de l'écrivain qui connaît la fin de son histoire. Je ferais mieux de revenir à Richard Abbott, à sa louable intention de m'inscrire à la bibliothèque – et à ses efforts méritoires pour m'assurer qu'à mon âge il n'y avait pas d'erreur d'aiguillage amoureux.

La bibliothèque était quasi déserte, ce vendredi soir-là ; comme à l'accoutumée ou presque, je le découvris plus tard. Chose plus étonnante, on n'y voyait jamais un seul enfant, j'ai mis plusieurs années à comprendre pourquoi. Deux femmes âgées lisaient, assises dans un canapé qui m'avait l'air particulièrement inconfortable ; un vieil homme était barricadé derrière une pile de livres à l'extrémité d'une longue table, moins décidé à les lire, semblait-il, qu'à élever un rempart entre lui et les deux femmes.

Il y avait aussi deux lycéennes qui faisaient grise mine ; comme ma cousine, elles avaient le malheur de fréquenter l'établissement d'Ezra Falls. Elles étaient probablement en train d'assurer le « minimum syndical » pour leurs devoirs, selon l'expression de Gerry.

La poussière, depuis longtemps accumulée sur les reliures des livres, me fit éternuer. J'entendis : « Tu n'es pas allergique aux livres, j'espère ! » Tels furent les premiers mots que m'adressa Miss Frost, et, quand je me retournai pour la regarder, je restai bouche bée.

– Ce jeune homme souhaite prendre une carte de lecteur, déclara Richard.

– Et qui est donc ce « jeune homme » ? lui demanda Miss Frost, sans me regarder.

– Je vous présente Billy Dean. Vous connaissez Mary Marshall Dean, sûrement ? Eh bien, Bill est son fils.

– Oh, ça, par exemple, c'est donc *lui* ! s'exclama Miss Frost.

Faut-il le dire, dans une petite ville comme First Sister, Vermont, tout le monde savait que ma mère m'avait eu avec un mari fantoche ; on connaissait très bien l'histoire du codeur, ce père démissionnaire qui n'avait laissé derrière lui que son nom – assorti d'un « junior ». Miss Frost avait beau ne m'avoir jamais vu avant ce soir de septembre 1955, il était clair qu'elle savait tout de moi.

– Mais vous, je ne pense pas que vous soyez Mr Dean... vous n'êtes pas le père de ce garçon, dites-moi ? demanda Miss Frost à Richard.

– Oh non... commença-t-il.

– C'est bien ce que je pensais. Alors vous êtes...

Elle attendit, laissant délibérément sa phrase en suspens.

– Richard Abbott, déclara Richard.

– Le nouveau professeur de la First River Academy ! Recruté dans le fervent espoir que quelqu'un arrive enfin à enseigner Shakespeare à ces garçons.

– Oui, convint Richard, surpris que la responsable de la Bibliothèque municipale connaisse les détails de la mission qui lui avait valu son embauche à l'école privée – non seulement pour enseigner l'anglais, mais surtout pour faire lire et comprendre Shakespeare aux élèves.

Pour ma part, j'étais peut-être plus étonné que Richard sur un point. Si je l'avais effectivement entendu confier à mon grand-père combien Shakespeare l'intéressait, c'était la première fois que je l'entendais parler d'une «mission». En somme, on comptait sur lui pour faire entrer Shakespeare à coups de masse si nécessaire.

– Eh bien, je vous souhaite bien du plaisir! s'exclama Miss Frost. J'y croirai quand je le verrai, ajouta-t-elle en me gratifiant d'un sourire. Et allez-vous monter une pièce? demanda-t-elle à Richard.

– Je crois que c'est la seule façon de leur faire lire et comprendre Shakespeare, répondit-il. Il faut qu'ils puissent voir jouer les œuvres, ou, mieux encore, qu'ils les jouent eux-mêmes.

– Tous ces garçons, jouer des rôles de jeunes filles et de femmes... sacré renoncement à la vraisemblance pour entrer dans le jeu, comme disait Coleridge, remarqua Miss Frost, qui n'avait pas cessé de me regarder en souriant. (En principe, j'avais horreur qu'on m'ébouriffe les cheveux, mais, quand elle l'avait fait, je lui avais souri béatement.) C'est bien une idée de Coleridge, n'est-ce pas?

– Oui, répondit-il.

Elle l'emballait, je le voyais bien, et s'il n'était pas tombé si récemment amoureux de ma mère, qui sait ce qui aurait pu arriver? Miss Frost était fracassante, à mes yeux de novice. Sa main, non pas celle qui m'avait ébouriffé les cheveux, mais l'autre, était à présent posée sur la table à côté de celle de Richard Abbott; mais quand elle surprit mon regard, elle la retira promptement. Je sentis ses doigts effleurer mon épaule.

– Et qu'est-ce que tu aimerais lire, William? me demanda-t-elle. Tu t'appelles bien William, n'est-ce pas?

– Oui, lui répondis-je, comme électrisé.

«William» faisait tellement adulte! J'avais honte de m'être laissé aller à entretenir un béguin pour l'ami de ma mère; il me paraissait beaucoup plus acceptable d'en concevoir un plus conséquent pour la sculpturale Miss Frost.

Elle avait les paumes plus larges et les doigts plus longs que ceux de Richard; comme ils étaient côte à côte, je vis aussi qu'elle avait les bras plus costauds et les épaules plus larges; elle était d'ailleurs plus grande que lui.

Ils avaient cependant un point commun: Richard faisait très jeune – on l'aurait pris pour un élève ; il ne devait pas avoir besoin de se raser plus d'une ou deux fois par semaine. Et Miss Frost, malgré sa carrure, ses bras puissants et, je venais seulement de le découvrir, son torse d'athlète, avait de petits seins, des seins juvéniles, comme nés d'hier – du moins est-ce ainsi que je les voyais même si, avec mes treize ans, je pratiquais de fraîche date seulement l'observation du phénomène.

Ceux de ma cousine Gerry étaient beaucoup plus gros. Laura Gordon, quatorze ans, trop belle plante pour jouer Hedvig dans *Le Canard sauvage*, avait une poitrine bien plus spectaculaire, comme l'avait observé ma tante Muriel, à qui nul téton n'échappait.

J'étais trop conquis pour prononcer un mot – je ne pus répondre à sa question – mais Miss Frost, très patiemment, me la reposa :

– William ? Tu aimes lire, je suppose, mais peux-tu me dire si tu préfères les romans ou les histoires vraies – et quel sujet en particulier ? Je l'ai déjà vu, ce garçon ! s'exclama-t-elle soudain en se tournant vers Richard. Je t'ai vu dans les coulisses, William, tu paraissais captivé.

– Oui, en effet, parvins-je à répondre, non sans difficulté.

J'étais tellement captivé par Miss Frost que j'aurais pu commencer à me masturber sur-le-champ, mais je trouvai toutefois la force de dire :

– Connaissez-vous des romans où des jeunes gens ont de… dangereux béguins ?

Miss Frost me dévisagea sans broncher.

– De dangereux béguins, répéta-t-elle, peux-tu m'expliquer comment un béguin peut devenir dangereux ?

– Quand on se trompe de personne, répondis-je.

– Je lui ai dit que ça n'arrivait jamais, intervint Richard. On ne peut pas se tromper de personne ; on est toujours libre d'aimer qui on veut.

– On ne peut pas se tromper de personne, vous plaisantez ? s'indigna Miss Frost. Au contraire, William, la littérature est riche en amours impossibles.

– Eh bien, voilà ce que recherche Bill, dit Richard. Des erreurs d'aiguillage amoureux.

– Vaste rubrique, fit Miss Frost, sans perdre son magnifique sourire. Je vais commencer en douceur, par le commencement – fais-moi confiance, William. Dans les amours impossibles, il ne faut pas foncer tête baissée.

45

– À quoi pensez-vous ? demanda Richard Abbott. À *Roméo et Juliette* ?

– Roméo et Juliette sont étrangers aux rivalités entre les Montaigu et les Capulet. Ils sont faits l'un pour l'autre ; ce sont leurs familles qui déconnent.

– Je vois, dit Richard (l'expression « qui déconnent » l'avait choqué, et moi aussi. Bizarre, dans la bouche d'une bibliothécaire).

– Ça me fait penser à deux sœurs… dit Miss Frost de but en blanc.

Richard et moi crûmes à tort qu'elle voulait faire un bon mot sur ma mère et Tante Muriel. Autrefois, je me figurais que le nom de la ville de First Sister, « sœur aînée », venait de Muriel ; elle dégageait assez de suffisance pour avoir donné son nom à une ville, d'ailleurs petite. Mais Grand-père m'avait détrompé.

La Favorite était un affluent du Connecticut ; quand les premiers bûcherons commencèrent à débiter le bois dans la vallée, ils rebaptisèrent les rivières sur lesquelles ils flottaient les troncs vers le Connecticut – sur la rive du New Hampshire comme sur celle du Vermont. Peut-être n'aimaient-ils pas leurs noms indiens. C'étaient ces premiers draveurs qui lui avaient donné le nom de Favorite, parce qu'elle se jetait tout droit dans le Connecticut, sans trop de méandres susceptibles de créer des embâcles de troncs. Quant au nom de notre ville, il venait de la retenue d'eau, créée par le barrage sur la Favorite. Avec notre scierie et notre magasin de bois, nous étions devenus une « sœur » de ces autres villes, plus grandes, sur le Connecticut.

Je trouvai l'explication de Grand-père beaucoup moins amusante que ma supposition antérieure quant à la sœur-gendarme de ma mère.

Et Richard et moi pensions tous les deux aux filles Marshall, lorsque Miss Frost reprit :

– Ça me fait penser à deux sœurs.

Elle dut remarquer mon air ahuri, et le fait que Richard avait perdu son aura de meneur de troupe ; il semblait embarrassé, désemparé. Elle précisa :

– C'est des sœurs Brontë que je parle, bien entendu.

– Bien entendu ! répéta Richard, soulagé.

– Emily Brontë a écrit *Les Hauts de Hurlevent*, m'expliqua Miss Frost, et Charlotte Brontë *Jane Eyre*.

– Méfie-toi d'un homme qui cache une épouse folle dans son grenier, me dit Richard. Et si tu croises un dénommé Heathcliff, sois sur tes gardes.

– Des amours impossibles, s'il en est, dit Miss Frost d'un air entendu.

– Mais il s'agit surtout de passions féminines, non ? demanda Richard à la bibliothécaire. Bill a plutôt en tête un béguin, ou des passions de jeune homme.

– Les passions sont toujours des passions, dit Miss Frost sans hésitation. C'est l'écriture qui compte, vous n'allez pas me dire que *Les Hauts de Hurlevent* et *Jane Eyre* sont des livres pour femmes, tout de même ?

– Je m'en garderais bien ! Certes, c'est l'écriture qui compte ! Je voulais simplement dire qu'une aventure plus masculine…

– Plus masculine… Alors, je verrais Fielding.

– Oh oui ! *Tom Jones* ?

– Exactement, répliqua Miss Frost, avec un soupir. Si on veut considérer les frasques sexuelles comme la résultante de penchants…

– Et pourquoi pas ? dit aussitôt Richard Abbott.

– Quel âge as-tu ? me demanda Miss Frost.

Une nouvelle fois, ses longs doigts effleurèrent mon épaule. N'ayant pas oublié le double évanouissement de Tante Muriel, je craignis un instant de défaillir à mon tour.

– J'ai treize ans.

– Trois romans suffiront pour commencer à treize ans, dit-elle à Richard. Il ne faudrait pas lui provoquer une indigestion d'amours impossibles. Voyons déjà où le mènent ces trois romans, n'est-ce pas ? (Elle me gratifia de nouveau de son sourire.) Commence par le Fielding, me conseilla-t-elle. C'est sans doute celui qui est le plus au premier degré. Tu trouveras plus d'émotion, davantage de psychologie chez les sœurs Brontë. C'est une littérature plus adulte.

– Miss Frost, hasarda Richard Abbott, avez-vous déjà fait de la scène, du théâtre ?

– Seulement dans ma tête, répondit-elle, d'un ton de midinette. Quand j'étais plus jeune, tout le temps.

Richard me lança un regard de connivence ; je compris parfaitement ce qui se passait dans l'esprit de notre talentueux nouveau venu aux First Sister Players. Nous l'avions devant nous, le monument de *présence charnelle* ; pour Richard comme pour moi, Miss Frost était une femme dotée d'une liberté *indomptable*, qui émanait incontestablement de son être.

Aux yeux du jeune Richard Abbott, et aux miens – rêveur éveillé de treize ans qui désirait soudain écrire l'histoire de mes béguins malencontreux et coucher avec une bibliothécaire trentenaire –, Miss Frost avait une *présence charnelle* indéniable.

– Il y a un rôle pour vous, Miss Frost, hasarda Richard, tout en la suivant dans les rayonnages où elle rassemblait mes trois premiers romans « littéraires ».

– En fait, il y en a même deux, fis-je remarquer.

– Oui, vous allez pouvoir choisir, ajouta aussitôt Richard. Soit Hedda, dans *Hedda Gabler*, soit Nora, dans *Une maison de poupée*. Vous connaissez Ibsen ? Ce sont deux de ses pièces que l'on dit *à problèmes*.

– Vous parlez d'un choix ! dit Miss Frost, tout sourire. Soit je me tire une balle dans la tempe, soit j'incarne une femme qui abandonne ses trois enfants en bas âge.

– Dans les deux cas, je considère que c'est une décision *positive*, dit Richard, comme pour la rassurer.

– Positive, c'est le mot !

Miss Frost éclata de rire en soulignant le propos d'un geste de sa main aux doigts effilés. Son rire était rauque et grave, et puis, aussitôt, sa voix remontait dans un registre aigu et limpide.

– C'est Nils Borkman notre metteur en scène, dis-je pour la mettre en garde.

Nous venions tout juste de nous rencontrer, et déjà j'essayais de la protéger.

– Mon jeune ami, penses-tu qu'il existe une seule personne à First Sister qui ignore encore que notre petit théâtre municipal a pour directeur un Norvégien névrosé, mais nullement néophyte ? me dit-elle.

Puis à Richard :

– Dites-moi voir… si nous choisissons *Une maison de poupée* et que je suis Nora, personnage si mal compris, quel rôle prendrez-vous, Mr Richard Abbott ? (Sans attendre sa réponse, elle poursuivit:) Je suppose que vous serez le mari de Nora, Torvald Helmer, ce type barbant et obtus dont elle sauve la vie, mais qui est incapable de sauver celle de sa femme.

– J'imagine que c'est le rôle qu'on m'attribuerait, oui... risqua Richard avec précaution, mais bien sûr ce n'est pas moi le metteur en scène.

– Richard Abbott, il va falloir me dire si vous avez l'intention de flirter avec moi... je veux dire à la ville, pas à la scène, dit Miss Frost.

– Oh non, non pas du tout ! s'écria Richard. J'entretiens un flirt sérieux avec la maman de Bill.

– À la bonne heure, c'est ce que je voulais entendre, lui dit-elle. (Elle se remit à m'ébouriffer les cheveux tout en continuant à parler à Richard.) Et s'il s'agit de *Hedda Gabler*, comment nous y prenons-nous, je suis Hedda, certes, mais vous, c'est plus compliqué, non ?

– Vous avez raison, sans doute, dit Richard, pensif. J'espère que, si nous montons *Hedda Gabler*, je ne serai pas George, le mari barbant et obtus – je détesterais ça.

– Mais qui ne détesterait pas jouer George ?

– Il y a Eilert Løvborg, l'écrivain que Hedda va détruire. Je ne serais pas étonné que Nils me demande de le jouer.

– Non, c'est un rôle qui ne vous ressemble pas.

– Alors il ne reste plus que le juge Brack, conclut Richard Abbott.

– Ça pourrait être amusant. Je me tue pour échapper à vos griffes.

– Je n'ai pas de mal à imaginer que j'en serais anéanti, lui répondit galamment Richard.

Ils étaient déjà en train de jouer la comédie, je le voyais bien, et en acteurs chevronnés, encore. Ma mère n'aurait pas besoin de leur souffler leurs rôles ; ils ne risqueraient pas d'oublier une ligne de leur texte ou d'en estropier un seul mot.

– Je réfléchis et on en parle, dit Miss Frost.

Il y avait un long miroir, faiblement éclairé, dans le vestibule de la bibliothèque, à côté d'un portemanteau où pendait un unique imperméable – le sien, sans doute. Elle regarda ses cheveux dans le miroir.

– Je me disais que j'allais les laisser pousser, commenta-t-elle, comme s'adressant à son reflet.

– J'imagine en effet Hedda avec des cheveux un peu plus longs, dit Richard.

– Ah oui, vous pensez ? demanda Miss Frost, mais elle me souriait de nouveau. L'âge d'homme, regardez-moi ça ! dit-elle en parlant de moi.

Je dus rougir ou détourner le regard en serrant contre mon cœur mes trois romans sur l'accession à l'âge d'homme.

Miss Frost avait bien choisi. J'allais lire *Tom Jones*, *Les Hauts de Hurlevent* et *Jane Eyre* – dans cet ordre – et devenir ainsi, à la grande surprise de ma mère, un fervent lecteur. Et ce que m'apprirent ces romans, c'est qu'il y avait d'autres aventures que d'écumer les mers, avec ou sans pirates à l'horizon. Que l'on pouvait se passionner pour une histoire qui n'appartienne pas à la science-fiction ou à l'anticipation ; qu'il n'était pas nécessaire de se plonger dans des épopées de cow-boys et d'Indiens ou dans des romans à l'eau de rose pour être « transporté ». Dans la lecture, comme dans l'écriture, pour faire un voyage captivant, il suffisait d'une histoire d'amour à la fois crédible et terrible. Or n'était-ce pas précisément ce à quoi menaient les béguins – et tout spécialement les béguins malencontreux ?

– Allez, Bill, dépêchons-nous de rentrer, si tu veux commencer à lire, me dit Richard en ce chaud soir de septembre, et – se tournant vers Miss Frost, dans le vestibule de la bibliothèque – il prit une voix différente pour citer les derniers mots du juge Brack à Hedda dans l'acte IV : « Nous allons nous entendre admirablement, tous les deux ! »

Il y aurait deux mois de répétitions pour *Hedda Gabler* cet automne-là, et la phrase allait me devenir très familière – ainsi que l'ultime réponse de Hedda (elle serait jouée par Miss Frost), qui lance depuis les coulisses, fort et clair, comme la mise en scène l'indique : « Oui, c'est bien ce que vous vous figurez, juge Brack ? Maintenant que vous êtes le seul coq du poulailler. » Sur quoi, *un coup de feu retentit*, précisent les indications scéniques.

En toute honnêteté, est-ce que j'aime vraiment la pièce, ou est-ce que je l'ai adorée parce que Richard Abbott et Miss Frost lui ont donné vie pour moi ? Grand-père Harry y fut remarquable dans un petit rôle – celui de Juliana Tesman, la tante de George – et ma tante Muriel y joua l'indigente camarade d'Eilert Løvborg, Mme Elvsted.

– Ça, c'est du spectacle ! me dit Richard, tandis que nous marchions sur le trottoir de River Street.

Il faisait nuit, l'orage grondait toujours au loin, mais le silence régnait dans les jardins du quartier ; on avait fait rentrer les enfants et les chiens, et Richard me ramenait au bercail.

– Comment ça, du spectacle ? demandai-je.

– Miss Frost ! s'exclama Richard. Sa grande scène du deux ! Les livres que tu devrais lire, tout ce qu'elle a dit sur les petits béguins déraisonnables, et sa valse-hésitation quant à jouer Nora ou Hedda…

– Tu veux dire que c'était de la… comédie ?

Une fois de plus, je sentais que je voulais la protéger, sans vraiment savoir pourquoi.

– Elle t'a plu, on dirait…

– Elle m'a emballé, laissai-je échapper.

– Ça se comprend, dit Richard en hochant la tête.

– Et *toi*, comment tu l'as trouvée ?

– Oh, elle me plaît, je ne dis pas le contraire, et je pense qu'elle fera une parfaite Hedda.

– Si elle accepte, soulignai-je.

– Oh, elle va accepter… bien sûr qu'elle va accepter ! s'exclama Richard. Elle jouait au chat et à la souris.

– Elle jouait… répétai-je.

Je me demandais s'il le lui reprochait. L'avait-il appréciée à sa juste valeur ?

– Écoute-moi, Bill, dit Richard. La bibliothécaire va être ta grande amie, désormais. Si ce qu'elle t'a donné à lire te plaît, tu pourras lui faire confiance. Entre la bibliothèque, le théâtre, la passion pour les romans et les pièces – qui sait, Bill, tu as peut-être un bel avenir devant toi. À ton âge, j'étais un vrai rat de bibliothèque ! Et aujourd'hui les romans et les pièces sont ma vie.

Je me sentais dépassé. Je découvrais avec stupéfaction qu'il existait des romans sur les amours impossibles, surtout sur celles-là, à vrai dire. En outre, notre troupe de théâtre amateur allait monter *Hedda Gabler* avec un tout nouveau jeune premier, et avec un *monument de présence charnelle* et de liberté *indomptable*, dans le grand rôle féminin. Et non seulement ma mère, cette accidentée de la vie, avait un « galant », comme disaient Tante Muriel et Nana Victoria, mais mon inconvenant béguin pour lui avait été supplanté par un autre. J'étais désormais amoureux d'une bibliothécaire qui aurait pu être ma mère. Nonobstant mon attraction apparemment contre nature pour

Richard Abbott, je ressentais un désir inédit pour Miss Frost – et, en plus, j'avais toute une littérature sérieuse à lire.

Comment s'étonner que, lorsque Richard et moi rentrâmes de notre excursion à la bibliothèque, ma grand-mère ait immédiatement posé la main sur mon front – je devais être écarlate, comme si j'avais de la fièvre ?

– Voilà trop d'émotions pour une veille de classe, Billy, s'insurgea Nana Victoria.

– Allons donc ! dit Grand-père Harry. Fais-moi voir tes livres, Bill.

– Miss Frost les a choisis pour moi, lui dis-je en lui tendant les trois romans.

– Tu parles d'une *Miss* ! s'exclama ma grand-mère, d'un ton méprisant.

– Vicky, Vicky, la tança Grand-père Harry, comme s'il la giflait d'un aller-retour.

– Maman, je t'en prie, dit ma mère.

– Voilà d'excellents romans, annonça mon grand-père. D'ailleurs, ce sont des classiques. Je vois bien que Miss Frost sait ce que doit lire un jeune garçon.

– Tiens donc ! persifla Nana Victoria, qui se permit ensuite plusieurs réflexions acerbes autant qu'incompréhensibles sur l'âge de Miss Frost. Je ne parle pas de son âge « avoué » ! s'écria-t-elle.

Je risquai qu'elle devait avoir l'âge de ma mère, un peu moins peut-être, mais Grand-père Harry et ma mère échangèrent un regard. Il y eut « un silence », la pratique du théâtre m'y avait habitué.

– Non, elle est plutôt de l'âge de Muriel, dit mon grand-père.

– Cette *femme* est plus âgée que Muriel ! dit sèchement ma grand-mère.

– En fait, elles sont à peu près du même âge, dit ma mère d'un ton posé.

Sur le moment, j'en conclus simplement que Miss Frost faisait plus jeune que Muriel. À la vérité, cela m'importait peu. Il était évident que Nana Victoria n'aimait pas Miss Frost, et que ses seins ou ses soutiens-gorge – l'un n'empêchant pas l'autre – ne trouvaient pas grâce aux yeux de Muriel.

Longtemps plus tard – je ne me rappelle pas quand au juste, mais des mois après, j'étais devenu un habitué de la Bibliothèque municipale et des livres que me conseillait Miss Frost –, je surpris ma teigne de tante en train de parler d'elle à ma mère sur le ton méprisant si habituel chez ma grand-mère : «Et je suppose qu'elle porte toujours ces ridicules soutiens-gorge d'entraînement ?» Ma mère répondit d'un simple hochement de tête.

Je décidai d'en parler à Richard Abbott, l'air de rien.

– C'est quoi, des soutiens-gorge d'entraînement, Richard ? lui demandai-je apparemment de but en blanc.

– Tu as lu ce mot dans tes romans, Bill ?

– Non, je me posais la question comme ça.

– Écoute, je ne suis pas expert en la matière, commença Richard, mais je pense que ce sont des soutiens-gorge conçus pour les très jeunes filles, leur premier soutien, en quelque sorte.

– Mais pourquoi d'*entraînement* ?

– Eh bien, Bill, voilà comment ça marche, selon moi : quand une fille voit ses seins pointer, elle leur met un soutien-gorge d'entraînement, le temps qu'ils comprennent à quoi ça sert.

J'étais sidéré. Littéralement. Je n'arrivais pas à concevoir pourquoi Miss Frost devait *entraîner* sa poitrine. L'idée que les seins aient quelque chose à comprendre était tout aussi nouvelle et perturbante pour moi. Et pourtant mon amour obsessionnel pour Miss Frost m'avait révélé que mon pénis pouvait lui aussi avoir des pensées parfaitement autonomes. Alors si les sexes pensaient, j'étais prêt à admettre que les seins puissent avoir eux aussi une opinion personnelle.

Dans la littérature dont Miss Frost m'abreuvait à un rythme de plus en plus soutenu, je n'avais pas encore rencontré de pénis narrateur, ni d'ouvrage dans lequel les seins ont des idées personnelles qui viennent perturber la vie d'une femme ou de ses proches. Pourtant, il était possible qu'il en existe, tout comme il était possible que, dans un avenir lointain, je couche avec Miss Frost.

Faut-il y voir une forme de prescience ? Miss Frost me fit attendre pour lire Dickens, elle lui prépara le terrain, pour ainsi dire. Car le premier roman de lui qu'elle me proposa n'était pas celui que j'ai qualifié de décisif ; *De grandes espérances* ne me fut pas proposé tout de suite. Je commençai donc, comme beaucoup de lecteurs de

Dickens, par *Oliver Twist*, roman de jeunesse, roman gothique, dominé par le gibet de Newgate qui étend son ombre macabre sur plusieurs des personnages les plus mémorables. Dickens et Hardy partagent la conviction fataliste que, surtout quand il est jeune et innocent, c'est le personnage au grand cœur qui court le plus de risques dans un monde hostile à divers titres. Miss Frost eut la sagesse de me faire attendre aussi pour lire Thomas Hardy. Ses romans ne s'adressent pas aux enfants de treize ans.

Je m'identifiai sans peine à Oliver l'orphelin, modèle de résilience, et à son parcours. Les ruelles infestées de rats et de criminels du Londres de Dickens offraient un charme exotique au natif de First Sister, Vermont, et j'étais plus indulgent que Miss Frost, qui trouvait les ficelles de cette œuvre de jeunesse « grosses comme des câbles ».

– On voit bien ici l'inexpérience de Dickens, me fit-elle remarquer.

Moi j'avais treize ans, même pas quatorze, l'inexpérience de l'écrivain m'échappait. Fagin était un monstre attachant. Bill Sikes me terrifiait – et même son chien, Œil-de-Taureau, me semblait maléfique. Dans mes rêves, j'étais séduit et même embrassé par le Renard, Jack Dawkins, pickpocket à l'habileté hors pair. Je pleurai lorsque Sikes assassinait la gentille Nancy, puis de nouveau quand le fidèle Œil-de-Taureau sautait du parapet sur les épaules du cadavre et, s'écrasant dans la rue, se fracassait le crâne.

– Quel mélo, tu ne trouves pas ? me demanda Miss Frost. Et Oliver pleure tout le temps ; pour moi, il est davantage l'avatar de la passion débordante qu'éprouvait Dickens pour les enfants meurtris qu'un personnage de chair et de sang.

Elle me dit que Dickens serait plus crédible sur ce thème, et sur les personnages d'enfants, dans ses romans de maturité – en particulier dans *David Copperfield* qu'elle me confia ensuite, et dans *De grandes espérances*, pour lequel je devrais encore patienter quelque temps.

Quand Mr Brownlow amenait Oliver devant ces « murs terribles de Newgate, qui cachent tant de misère et d'angoisses indicibles » – murs entre lesquels Fagin attendait d'être pendu –, je pleurai aussi pour le malheureux Fagin.

– C'est bon signe qu'un garçon pleure en lisant un roman, m'assura Miss Frost.

– Bon signe ?

– Cela veut dire que tu as plus de cœur que la plupart des garçons de ton âge.

Je lisais en forcené, «comme le monte-en-l'air pille le manoir», disait Miss Frost. Elle me lança un jour :

– Prends ton temps, William. Savoure, au lieu de bâfrer. Et quand tu aimes un livre, prends une de ses plus belles phrases – celle que tu préfères – et apprends-la par cœur. De cette façon, tu n'oublieras pas le style de l'histoire qui t'a ému aux larmes.

Elle qui trouvait qu'Oliver pleurait tout le temps, que devait-elle penser de moi ? Dans *Oliver Twist*, hélas, j'ai oublié quelle phrase j'avais choisi d'apprendre par cœur.

Après *David Copperfield*, Miss Frost me fit découvrir *Tess d'Urberville* de Thomas Hardy. Avais-je quatorze ans, quinze, peut-être ? Oui, je pense ; Richard Abbott faisait étudier le roman à ses élèves, mais ils étaient déjà en dernière année alors que j'étais encore au collège, ça, j'en suis sûr.

Je me souviens d'avoir regardé le titre avec circonspection, et d'avoir demandé à Miss Frost, avec une déception manifeste :

– *Tess d'Urberville ?* Ça parle d'une fille ?

– Oui, William, d'une fille qui joue de malchance. Mais, prends-en de la graine, ça parle aussi des hommes qu'elle rencontre. Puisses-tu ne jamais être de leur espèce, William.

J'allais bientôt savoir ce qu'elle voulait dire en parlant des hommes que rencontrait Tess ; et, bien évidemment, loin de moi l'envie d'appartenir à leur espèce.

D'Angel Clare, Miss Frost disait simplement : «Quelle nouille, celui-là !» Et devant mon air d'incompréhension totale, elle précisa : «Une nouille, William, tu sais bien, c'est flasque, c'est sans consistance…»

Je rentrais de l'École en courant pour lire ; je lisais à toute vitesse, au mépris du conseil de Miss Frost. Les jours de classe, je fonçais le soir à la Bibliothèque municipale sitôt sorti de la cantine. Je prenais exemple sur ce que Richard m'avait dit de sa propre enfance – je devenais un rat de bibliothèque, le week-end en particulier. Miss Frost m'installait toujours sur une chaise, dans un canapé ou à une table où la lumière était la meilleure. « Ne va pas t'abîmer les yeux, William. Tu en auras besoin toute ta vie, si tu veux être un grand lecteur. »

Et voilà que, tout d'un coup, j'eus quinze ans. C'était l'époque des *Grandes Espérances* – de la première fois que j'allais vouloir relire un roman –, l'époque de cette délicate conversation avec Miss Frost sur mon désir d'écrire. Ce n'était pas mon seul désir, comme vous le savez, mais, de l'autre, il ne fut pas question entre Miss Frost et moi... pas encore.

Voilà qu'était venue l'heure de m'inscrire à la Favorite River Academy. Et dans la mesure où elle jouait un rôle clé dans mon éducation en général, il était logique que Miss Frost me fasse remarquer la « faveur » que m'avaient faite ma mère et Richard Abbott. En effet, ils s'étaient mariés l'été 1957, sur quoi Richard m'avait adopté en bonne et due forme – je ne m'appelais plus William Francis Dean Jr., mais William Marshall Abbott. J'entrerais au lycée sous un tout nouveau nom – et celui-là, il me plaisait !

Richard habitait l'internat, où il partageait désormais son appartement de fonction avec ma mère, et j'y avais une chambre à moi. La résidence se trouvait à deux pas de la maison de mes grands-parents où j'avais grandi, et j'allais souvent leur rendre visite. Si je ne raffolais pas de ma grand-mère, j'adorais mon grand-père ; bien sûr je continuais d'aller le voir sur scène, habillé en femme, mais dès que je fus inscrit à la Favorite River, je cessai d'assister aux répétitions des First Sister Players.

Les devoirs me prenaient beaucoup plus de temps qu'au collège ou en primaire, et Richard Abbott était responsable du Club Théâtre de l'École. Ses ambitions shakespeariennes faisaient que j'étais plus attiré par son Club Théâtre que par les First Sister Players, même si j'assistais toujours à leurs représentations publiques. La scène du Club était plus vaste et plus élaborée que notre salle municipale au charme désuet. Le mot *désuet* était nouveau pour moi. Je devins un peu snob durant mes années de lycée, comme ne manqua pas de me le faire remarquer Miss Frost.

Et si mon béguin malencontreux pour Richard avait été « supplanté », comme je disais, par mon désir ardent pour Miss Frost, de même les deux amateurs doués, Grand-père Harry et Tante Muriel, avaient cédé la place à deux acteurs d'une autre envergure, Richard Abbott et Miss Frost, qui furent très vite des superstars sur la scène des First Sister Players – non seulement pour le rôle de cette névrosée de Hedda interprété par Miss Frost mais aussi pour celui du juge Brack, maîtrisé dans toute sa hideur par Richard ; à l'automne 56, Miss Frost joua Nora dans *Une maison de poupée*. Richard, ainsi qu'il l'avait supputé, se vit attribuer le rôle de Torvald Helmer, mari obtus et ennuyeux comme la pluie. Tante Muriel, souffrant pour une fois en silence, n'adressa plus la parole à son père pendant presque un mois : il lui avait chipé le rôle de Mme Linde. Quant au malheureux Krogstad, Richard et Miss Frost se liguèrent pour persuader Nils Borkman de le jouer, et le sombre Norvégien en fit un personnage damné, imbu de sa vertu agressive.

Événement plus marquant que cette création d'Ibsen par notre troupe hétéroclite, une nouvelle famille d'enseignants était arrivée à la Favorite River Academy à la rentrée scolaire 1956 – les Hadley. Ils avaient une fille unique à l'allure godiche, nommée Elaine. Mr Hadley était le nouveau professeur d'histoire. Mrs Hadley, qui jouait du piano, donnait des cours de chant et encadrait le travail sur la voix ; elle dirigeait les nombreuses chorales de l'École, elle était chef de chœur. Les Hadley s'étant liés d'amitié avec Richard et ma mère, Elaine et moi nous retrouvions souvent ensemble. J'avais un an de plus qu'elle – différence énorme, à cet âge, surtout dans la mesure où la gamine présentait un retard mammaire manifeste. Elle n'aurait sans doute jamais de seins, pensais-je alors, ayant remarqué que sa mère était quasiment plate – même lorsque sa poitrine aurait dû être gonflée par le chant.

Elaine était très hypermétrope ; à l'époque, cela ne s'opérait pas et on était condamné à ces lunettes aux verres très épais qui faisaient de gros yeux globuleux. Mais sa maman lui avait appris à chanter, et elle avait une élocution claire et sonore. Quand elle parlait, c'était presque comme si elle chantait, on entendait distinctement tous les mots qu'elle prononçait.

«Elaine sait faire porter sa voix», disait Mrs Hadley. Elle s'appelait Martha ; elle n'était pas jolie mais très gentille, et elle fut la première personne à remarquer qu'il y avait des mots que je ne parvenais pas à prononcer correctement. Elle dit à ma mère que des exercices de vocalisation ou du chant pourraient améliorer les choses, mais, en cet automne 1956, j'étais encore au collège et je ne pensais qu'à lire. Faire des «exercices vocaux» ou chanter ne m'intéressait pas.

Ces changements significatifs dans ma vie se télescopèrent et s'accélérèrent de façon inattendue : à l'automne 1957, j'étais lycéen à la Favorite River Academy ; j'étais en train de relire *De grandes espérances*, et, comme vous le savez, j'avais laissé entendre à Miss Frost que je voulais devenir écrivain. J'avais quinze ans, et Elaine Hadley quatorze ; c'était une adolescente hypermétrope, plate comme une planche et nantie d'une voix claironnante.

Un soir de septembre, quelqu'un vint frapper à la porte : c'était l'heure de l'étude – aucun garçon ne venait jamais à l'appartement, sauf en cas de malaise. J'ouvris, pensant me trouver face à un malade anxieux, mais c'était Nils Borkman, le directeur de la troupe, dans tous ses états ; on aurait dit qu'il venait de croiser un fantôme, peut-être un de ces suicidés des fjords.

– Je l'ai vue ! Je l'ai entendue parler ! Elle ferait une parfaite Hedvig ! s'écria-t-il.

Pauvre Elaine ! À moitié aveugle, plate comme une planche, une voix de crécelle... Dans *Le Canard sauvage*, la vue défaillante de Hedvig est un sujet de préoccupation majeur. Elaine Hadley, cette enfant asexuée à la diction parfaite, allait décrocher le rôle de la malheureuse Hedvig, et voilà que, grâce à Borkman, le redoutable *Canard sauvage* fondrait une fois de plus sur les citoyens atterrés de First Sister. Suite à son succès inattendu en Krogstad dans *Une maison de poupée*, Nils allait s'octroyer le rôle de Gregers, « ce lamentable donneur de leçons », selon la formule de Richard.

Bien décidé à faire ressortir la dimension idéaliste de Gregers, Nils Borkman en ferait un personnage clownesque à souhait – en toute inconscience, comme de juste.

Ni lui ni personne ne fut capable de préciser à Elaine Hadley si Hedvig se tuait accidentellement en tirant sur le canard, ou si – comme le dit le Dr Relling – elle avait vraiment l'intention de mettre fin à ses jours. Quoi qu'il en soit, Elaine fit une Hedvig fantastique – ou du moins parfaitement audible.

Lorsque le docteur disait : « La balle lui a traversé le sein », la formule prenait une résonance tragicomique : pauvrette, quel sein ?

Devant le public sidéré, Hedvig, du haut de ses quatorze ans, s'écrie : « Le canard sauvage ! »

Ceci juste avant de sortir. Les indications scéniques précisent :

elle s'esquive discrètement et prend le pistolet – discrètement, enfin, presque. Dans notre version, Elaine Hadley brandissait l'arme en quittant le plateau au pas de charge.

Ce qui la chagrinait le plus, c'était que l'auteur ne dévoile pas ce qu'il advenait du canard sauvage.

– Pauvre bête ! se lamentait-elle, il est blessé ! Il tente de se noyer, mais ce sale chien va le repêcher au fond de la mer. Et après on l'enferme au *grenier* ! Vous parlez d'une vie pour un canard sauvage ! En plus, après la mort de Hedvig, rien ne dit que le vieux cinglé de militaire – ou même Hjalmar, ce dégonflé qui ne s'apitoie que sur lui-même – ne va pas lui mettre une balle. Pauvre canard, quel traitement barbare !

J'ai bien conscience aujourd'hui que l'objectif premier de Henrik Ibsen n'est pas d'attirer la compassion du spectateur sur le canard, et il en allait de même pour Nils Borkman, auprès des gens simples qui formaient le public de First Sister, Vermont. Mais Elaine Hadley, plongée trop jeune et trop innocente dans le mélodrame incohérent que Borkman avait fait de la pièce, en resterait marquée à vie.

À ce jour, je n'ai jamais vu *Le Canard sauvage* interprété par une troupe professionnelle ; le voir convenablement mis en scène, du moins dans de meilleures conditions, serait pour moi insupportable. Quant à Elaine, c'était désormais une vraie amie pour moi et, par loyauté envers elle, je m'abstiendrai de critiquer son interprétation. Gina – Miss Frost – était le personnage le plus humain de la distribution, mais c'est le canard sauvage – volatile débile invisible pendant toute la pièce – qui garda la place de choix dans le cœur d'Elaine. L'éternelle question – «Et le canard, qu'est-ce qu'il devient ?» – résonne encore en moi. Elle est même devenue une salutation courante entre Elaine et moi. Tous les enfants apprennent à se parler en langage codé.

Grand-père Harry ne voulait surtout pas de rôle dans *Le Canard sauvage* ; s'il avait fallu, il aurait simulé une laryngite pour être exempté de la distribution. Et puis, il en avait assez d'être dirigé par Nils Borkman, son associé de longue date.

Dans notre école compassée, Richard Abbott était en train d'arriver à ses fins ; non seulement il enseignait Shakespeare, mais il le mettait en scène, avec des jeunes filles et des femmes dans les rôles féminins. (Et la collaboration d'un expert de l'imitation féminine, Harry Marshall, bien placé pour apprendre à ces lycéens comment jouer les jeunes filles ou les femmes accomplies.) Époux et consolateur de ma mère, objet de ma flamme secrète, Richard avait aussi trouvé une âme sœur en la personne de Grand-père qui, surtout quand il jouait un rôle de femme, préférait de loin avoir Richard comme metteur en scène plutôt que le sombre Norvégien.

Pendant ces deux premières années où Richard travailla pour les First Sister Players – tout en enseignant et en mettant en scène Shakespeare à la Favorite River Academy –, il y eut une phase où Grand-père céda à une tentation familière. Dans le répertoire inépuisable des pièces d'Agatha Christie, il y avait plus d'une histoire d'Hercule Poirot, le Belge replet passé maître dans l'art d'amener les criminels à se trahir. Tante Muriel et Grand-père Harry avaient joué Miss Marple un nombre incalculable de fois, mais il y avait «pénurie» – comme disait Muriel – de Belges replets capables de jouer ce personnage à First Sister, Vermont.

Richard ne jouait pas les gros, et d'ailleurs refusait de monter les pièces d'Agatha Christie. Nous n'avions pas d'Hercule Poirot, et Borkman en était morose à se jeter dans un fjord.

– Je viens d'avoir une idée toute bête, Nils, dit un jour Grand-père au Norvégien marasmique. Pourquoi se focaliser sur *Hercule* Poirot? Qu'est-ce que tu dirais d'une *Hermione* Poirot?

Et c'est ainsi que *Black Coffee* fut monté par les First Sister Players, avec Grand-père Harry dans le rôle de ladite Hermione, Belge fine et leste comme une ballerine. La formule d'un nouvel explosif est volée dans un coffre-fort; un personnage nommé Sir Claude est empoisonné, etc. Ce n'était pas plus transcendant que tout le reste de l'œuvre d'Agatha Christie, mais Harry Marshall cassa la baraque dans le rôle d'Hermione.

– Agatha Christie doit se retourner dans sa tombe, père, fut tout ce que ma réprobatrice tante Muriel put trouver à dire.

– Le contraire m'étonnerait, Harold! renchérit ma grand-mère.

– Mais tu l'enterres un peu vite, Vicky, annonça Grand-père à Nana Victoria, en me faisant un clin d'œil. Agatha Christie est tout ce qu'il y a de plus vivante, Muriel.

Ah que je l'aimais, cet homme-là – surtout en femme !

Malgré tout, durant ses deux premières années dans notre petite communauté, Richard ne parvint pas à persuader Miss Frost de jouer le moindre petit rôle dans ses pièces de Shakespeare.

– Je ne pense pas, Richard, lui dit Miss Frost. Je ne suis pas du tout sûre que ce serait bon pour ces garçons de me donner en spectacle, si je puis dire… vous savez, ils vivent entre garçons, ils sont impressionnables à cet âge…

– Mais Shakespeare est parfois divertissant, Miss Frost, répliqua Richard. Nous pouvons monter un divertissement.

– Je ne pense pas, Richard, répéta-t-elle.

Fin de non-recevoir. Miss Frost ne jouait pas Shakespeare, ou elle ne voulait pas – pas devant ces garçons si *impressionnables*. Je ne savais que penser de son refus ; la voir sur scène me procurait un grand trouble, à moi qui n'avais pas besoin d'une nouvelle stimulation pour l'aimer et la désirer.

Dès mon arrivée à la Favorite River, je me retrouvai parmi des garçons plus âgés que moi ; ils ne se montrèrent pas particulièrement chaleureux, mais certains me tournaient un peu la tête et je me mis à me consumer de loin pour un garçon au physique spectaculaire qui était membre de l'équipe de lutte ; son corps splendide n'était pas son seul atout. Je dis «de loin» parce que, au départ, je fis mon possible pour garder mes distances – pour passer au large. Alors là, comme penchant contre nature ! *Homo*, *pédé*, *tapette* : mes camarades n'avaient que ces mots blessants à la bouche ; il n'y avait pas de pire insulte, apparemment. Et ce n'était pas un effet de mon imagination.

Est-ce que ces «égarements», mes penchants contre nature, faisaient partie de mon patrimoine génétique ? Curieusement, j'en doutais ; je ne pensais pas avoir cette excuse, mon sergent de père n'était-il pas un coureur de jupons notoire ? Mon agressive cousine Gerry ne l'avait-elle pas qualifié de *coureur de jupons* ? Gerry devait le tenir de mon oncle Bob ou de ma tante Muriel – le terme aurait bien été dans sa manière.

Je suppose que j'aurais dû m'en ouvrir à Richard Abbott, mais je n'en fis rien ; je n'osai pas non plus en souffler mot à Miss Frost. Je gardai ces tristes penchants contre nature pour moi, comme le font – presque toujours – les enfants.

Je commençai à déserter la Bibliothèque municipale : Miss Frost était assez fine pour risquer de sentir que je lui faisais des infidélités – tout au moins en fantasme. De fait, mes deux premières années de lycée à la Favorite River se passèrent en quasi-exclusivité dans mon imagination, et la nouvelle bibliothèque de ma vie fut celle de l'École, plus moderne et mieux éclairée. J'allais y faire mes devoirs, et ce qu'il faut bien appeler mes premières armes d'écrivain.

Étais-je le seul garçon de l'École à découvrir que les combats de lutte lui procuraient une décharge érotique homosexuelle ? J'en doute. Mais les garçons comme moi ne le criaient pas sur les toits.

Je passais de ces penchants inavouables à des séances de masturbation avec le concours discutable d'un catalogue de vente par correspondance de ma mère. Je m'intéressais surtout aux pages de présentation des soutiens-gorge et des gaines. Pour les gaines, les mannequins étaient généralement des femmes mûres. Je m'entraînais précocement à une forme de créativité, en réalisant des collages habiles. Je découpais les visages de ces femmes mûres et je les collais sur les corps des jeunesses arborant des soutiens-gorge d'entraînement ; ainsi Miss Frost prenait-elle vie pour moi, même si, comme presque tout ce qui m'arrivait, cela se passait seulement dans mon imagination.

Sauf exceptions, les filles de mon âge ne m'intéressaient pas. Bien qu'elle fût plate et plutôt laide, je me pris d'un intérêt contre nature pour Mrs Hadley – sans doute parce que je la voyais souvent et qu'elle s'intéressait sincèrement à moi, ou du moins au nombre croissant de mes troubles du langage.

– Quels sont les mots que tu as le plus de mal à prononcer, Billy ? me demanda-t-elle un soir qu'elle, son mari et leur Elaine à la voix claironnante étaient venus dîner chez nous.

– Il a du mal à dire le mot *bibliothèque*, dit Elaine d'une voix sonore, comme toujours.

Je n'éprouvais aucune attirance sexuelle pour elle, mais je l'appréciais sur bien d'autres plans. Elle ne se moquait jamais de mes fautes de prononciation ; elle semblait tout autant que sa mère désireuse de m'aider à bien articuler les mots.

– C'est à Billy que je m'adresse, Elaine, dit Mrs Hadley.

– Elaine sait mieux que moi quels mots j'ai le plus de mal à prononcer.

– Il écorche *menace*, dit Elaine.

– Et je dis *pénif* aussi, ajoutai-je.

– Je vois, dit Martha Hadley.

Si la Favorite River Academy avait admis les filles à l'époque, Elaine Hadley et moi serions devenus les meilleurs amis du monde bien plus tôt, mais nous ne fûmes jamais camarades de classe. Je réussis cependant à la voir assez souvent, puisque nos parents se fréquentaient – ils étaient même devenus très bons amis.

Et c'est pourquoi il pouvait m'arriver d'imaginer en soutien-gorge d'entraînement la peu séduisante Mrs Hadley – je pensais à ses petits seins en observant attentivement les jeunes filles en fleurs dans le catalogue de VPC de ma mère.

Dans la bibliothèque de l'École, où j'étais en train de devenir écrivain – ou en tout cas d'en rêver –, j'aimais tout particulièrement la salle des Archives. Les autres élèves semblaient ne prêter aucune attention à cette salle ; on y rencontrait de loin en loin un professeur, en train de lire ou de corriger devoirs et cahiers.

La Favorite River Academy était un établissement vénérable, fondé au XIXe siècle. J'aimais bien en consulter les vieux annuaires. Peut-être le passé recelait-il des secrets ; après tout, le mien n'en était pas dépourvu. Si je continuais, pensais-je, je pourrais rattraper l'annuaire de ma promotion, mais il ne fallait pas compter y arriver avant le printemps de ma terminale. En cette première rentrée, j'attaquai les annuaires de 1914 et 1915. On était alors en pleine Guerre mondiale ; ces élèves de la Favorite River devaient avoir peur de ce qui les attendait. Je regardais attentivement les visages des terminales et découvrais leurs choix d'université et leurs ambitions professionnelles ; beaucoup étaient encore indécis. Tous avaient des surnoms, déjà à cette époque.

Je regardais d'encore plus près les photos de l'équipe de lutte et, avec un peu moins d'intérêt, celles du Club Théâtre ; on y voyait beaucoup de garçons maquillés et habillés en filles. Il apparaissait qu'il y avait toujours eu une équipe de lutte et un Club Théâtre à la Favorite River. (Rappelez-vous que cette recherche dans les annuaires de 1914-1915 avait lieu à l'automne 1959 ; la tradition très prisée des internats non mixtes était encore à l'honneur dans les années cinquante et soixante.)

Je pense que j'aimais cette salle des Archives, ses annuaires, et ses professeurs de passage, parce qu'on n'y rencontrait aucun autre lycéen – pas de petits durs, par exemple, et pas de béguins potentiels.

Quelle chance j'avais d'avoir ma chambre dans l'appartement de fonction de ma maman et de Richard ! Tous les pensionnaires avaient un compagnon de chambre. Je ne veux pas imaginer quels mauvais traitements, ou quelle forme plus subtile de cruauté j'aurais pu subir de la part d'un coturne. Et comment dissimuler les catalogues de VPC de ma mère ? L'idée même de ne pas pouvoir me masturber me paraissait une maltraitance en soi !

À l'automne 1959, j'avais dix-sept ans, et plus aucune raison de fréquenter la Bibliothèque municipale – aucune raison avouable, du moins. J'avais trouvé un coin tranquille pour faire mes devoirs ; la salle des Annuaires de la bibliothèque de l'École était l'endroit idéal pour écrire, ou laisser vagabonder son imagination. Mais il faut croire que Miss Frost me manquait. Je ne la voyais pas assez sur scène pour m'en satisfaire, puisque, à présent, je n'assistais plus aux répétitions des First Sister Players, mais seulement aux représentations publiques, comme aurait dit ma grand-mère, qui avait toujours le cliché à la bouche.

J'aurais pu en parler à Grand-père ; il aurait compris. J'aurais pu lui dire que Miss Frost me manquait, que j'avais de forts penchants pour elle et pour ces garçons plus âgés – j'aurais même pu lui parler de mon béguin précoce et contre nature pour mon beau-père, Richard Abbott. Mais je ne lui en dis rien – les aveux attendraient.

Dirait-on que Harry Marshall était un travesti à part entière ? Ou seulement un acteur qui aimait s'habiller en femme ? Aujourd'hui, le traiterait-on d'homosexuel refoulé, abonné aux rôles de femmes parce que c'était la seule initiative permise en la matière ? Honnêtement, je ne sais pas. Si ma génération a été tenue en lisière, et elle le fut assurément, il est aisé d'imaginer que celle de mon grand-père – homo ou hétéro – se soit ingéniée à déjouer les radars.

En ce qui me concernait, il n'existait aucun remède contre la privation de Miss Frost – sauf à trouver une bonne raison d'aller la voir. Le futur écrivain que je croyais être devait pouvoir s'en trouver une plausible. Et c'est ainsi que j'inventai une histoire – à savoir que le seul endroit où je pouvais travailler mon œuvre littéraire était la Bibliothèque municipale, parce que mes camarades de classe ne risquaient pas de venir m'importuner sans cesse. Après tout, Miss Frost n'était pas obligée de savoir que je n'avais pas beaucoup d'amis et que ceux-ci étaient aussi timides que moi, plutôt du genre à raser les murs qu'à interrompre qui que ce soit dans son travail.

Comme j'avais déclaré à Miss Frost que je voulais écrire, elle accepterait sans doute que sa bibliothèque me donne asile. Le soir, je le savais, il n'y avait pratiquement que des personnes âgées, encore étaient-elles peu nombreuses ; il pouvait aussi y avoir un mince échantillon de lycéennes boudeuses, condamnées à suivre leurs études à Ezra Falls. Bref, personne qui puisse me déranger. Et surtout, pas d'enfants.

Je craignais que Miss Frost ne me reconnaisse pas. J'avais commencé à me raser, et je me trouvais beaucoup moins mignon – j'avais considérablement grandi, à mon avis. Je savais qu'elle était au courant de mon changement de nom, et qu'elle avait dû me voir de temps en temps, durant les deux dernières années, soit dans les coulisses, soit dans l'assistance du petit théâtre des First Sister Players. Elle savait que j'étais le fils de la souffleuse – celui dont on parlait à mots couverts.

Le soir où je me présentai à la bibliothèque – non pour emprunter un livre, ni même pour en lire un sur place, mais pour entreprendre mon œuvre d'écrivain –, Miss Frost me dévisagea pendant un temps qui me parut infini. Je supposai qu'elle avait du mal à me reconnaître, et ça me déchira le cœur, mais elle se souvenait de moi au contraire, et bien mieux que je ne l'imaginais.

– Ça, par exemple, William Abbott, dit Miss Frost de manière abrupte. Je suppose que tu veux relire *De grandes espérances* une *troisième* fois. Ce sera un record absolu !

Je lui avouai que je n'étais pas venu emprunter un livre, mais que j'essayais de m'isoler de mes camarades – pour pouvoir enfin *écrire*.

– Tu es venu ici, à la bibliothèque, pour *écrire*, répéta-t-elle.

Je me souvenais que Miss Frost avait l'habitude de répéter tout ce qu'on disait. Nana Victoria y voyait une stratégie pour faire durer le plaisir de la conversation, et Tante Muriel était convaincue que personne n'aimait parler à Miss Frost.

– Oui, dis-je. Je veux écrire.

– Mais pourquoi *ici* ? Pourquoi à la bibliothèque ?

Que répondre ? Un mot, et puis un autre me vinrent à l'esprit, et Miss Frost m'intimidait tellement que le premier sortit tout seul, aussitôt suivi du second.

– La nostalgie, dis-je. Sans doute suis-je nostalgique.

– La nostalgie ! s'écria Miss Frost. Tu es *nostalgique* ! répéta-t-elle. Mais tu as quel âge au juste, William ?

– Dix-sept ans.

– Dix-sept ans ! s'exclama-t-elle, comme si on lui avait planté un couteau dans le corps. Eh bien, William Dean – pardon, William *Abbott* –, si tu es nostalgique à dix-sept ans, alors tu as de sérieux atouts pour devenir écrivain !

Elle fut la première à me le dire – pendant un certain temps, elle fut d'ailleurs la seule au courant –, alors je la crus. Je la considérais comme la personne la plus franche, la plus authentique de mon entourage.

3

Mascarade

Le lutteur au corps superbe entre tous s'appelait Kittredge : torse glabre, pectoraux définis à l'excès – un héros de bandes dessinées. Une fine ligne de poils brun foncé, presque noirs, descendait de son nombril à son pubis, et il avait un pénis tout ce qu'il y a de plus mignon, qui se recourbait vers sa cuisse droite, inexplicablement. À qui demander ce que signifiait cette torsion ? Dans les douches, au gymnase, je baissais les yeux ; je n'osais guère regarder plus haut que ses jambes musclées et velues.

Il avait la barbe dure, mais une peau parfaite et il était généralement rasé de près. Sa beauté mâle me ravageait au plus haut point quand il portait une barbe de deux ou trois jours, qui le faisait paraître plus vieux que les autres élèves, voire que certains professeurs de la Favorite River – dont Richard Abbott et Mr Hadley. Il jouait au foot à l'automne, et à la crosse au printemps, mais c'étaient les cours de lutte qui mettaient le mieux en valeur sa plastique de rêve, sport qui semblait en outre convenir à son agressivité naturelle.

Bien que je l'aie rarement vu brutaliser qui que ce soit – je veux dire, physiquement –, il était agressif et intimidant, et il avait le sarcasme assassin. Notre communauté mâle admirait en lui les performances sportives, mais c'est la portée de ses insultes qui me reste en mémoire. Il avait le trait acéré, cautionné pour ainsi dire par son physique ; personne ne faisait le poids contre lui. Ceux qui le détestaient ne s'en vantaient pas. Moi, j'en étais épris tout en le haïssant. Hélas, ma détestation ne suffisait pas à refouler mon attirance, que je dus traîner comme un boulet toute mon avant-dernière année. Comme il était en terminale, cependant, je me figurais qu'il ne me restait plus qu'un

67

an à souffrir ; un jour, pas si lointain, la tension de mon désir pour lui cesserait d'être un tourment.

Un coup du sort vint pourtant aggraver mon fardeau : Kittredge avait raté l'examen de langues ; il allait refaire une terminale ; nous nous retrouverions dans la même classe. Lui qui paraissait déjà plus âgé que les autres l'était devenu effectivement.

Au début de ces interminables années où nous fûmes codétenus, j'avais mal entendu son prénom – je pensais que tout le monde l'appelait « Jock », surnom classique des athlètes, ce qui lui allait très bien. Ce devait être son sobriquet – tous les gars cool comme lui en avaient un. Or son prénom, son vrai prénom, était *Jacques*. Zhak, comme nous disions.

Toqué de lui comme je l'étais, je me figurais que mes camarades le trouvaient si beau qu'on avait francisé son surnom.

Il était né à New York, d'un père dans la finance ou peut-être dans le droit international, et d'une mère française nommée Jacqueline. « Ma mère ou celle qui, d'après moi, se fait passer pour telle, est très vaniteuse », disait souvent Kittredge, mal placé pour critiquer la vanité des autres. Était-ce par vanité qu'elle avait donné à son fils – son fils unique – la forme masculine de son propre prénom ?

Je ne l'ai vue qu'une seule fois, à l'occasion d'un match de lutte. Elle était superbement habillée. Belle femme, sans conteste, mais je trouvais son fils encore plus beau. Mrs Kittredge avait un visage viril qu'on aurait dit taillé dans le marbre, et la mâchoire saillante, comme son fils. Comment Kittredge pouvait-il croire qu'elle n'était pas sa mère ? Ils se ressemblaient tellement !

– C'est tout le portrait de Kittredge, seins en plus, me dit un jour Elaine, avec l'autorité de sa voix claironnante. Comment pourrait-elle ne pas être sa mère ? Ou alors, c'est sa grande sœur. Allons, Billy, s'ils avaient le même âge, on les prendrait pour des jumeaux !

Pendant le match de lutte, Elaine et moi avions dévisagé la mère de Kittredge – sans l'embarrasser pour autant. L'architecture de son visage saisissante, ses seins en obus, ses vêtements élégants, d'une coupe parfaite, devaient lui attirer bien des regards.

– Je me demande si elle s'épile la lèvre supérieure, dis-je à Elaine.

– Pourquoi veux-tu qu'elle se l'épile ?

– Je me dis qu'elle doit avoir de la moustache.

– Ouais, mais sans un poil sur la poitrine, alors, comme lui.

Je suppose que Mrs Kittredge captivait notre attention parce que nous retrouvions son fils en elle, mais elle était fascinante à titre personnel, troublante. C'était la première fois qu'une femme mûre me donnait le sentiment d'être trop jeune et trop novice pour la comprendre. Je me souviens d'avoir pensé qu'une mère pareille devait être intimidante, même pour Kittredge.

Je savais qu'Elaine avait le béguin pour lui, parce qu'elle me l'avait dit. (Détail gênant, nous gardions tous deux en mémoire l'image de son torse glabre.) En cet automne 1959, j'avais dix-sept ans et je n'avais pas mis Elaine au courant de mes penchants ; je n'avais pas eu le courage de lui dire que Miss Frost et Jacques Kittredge m'attiraient sexuellement l'un comme l'autre. Et comment aurais-je pu lui parler de mon désir confondant pour sa mère ? Car il m'arrivait encore de me masturber en pensant à Martha Hadley, cette grande jument sans poitrine et sans charme, affligée d'une bouche en tirelire, et dont j'imaginais le visage allongé sur le corps de ces jeunes filles qui présentaient les soutiens-gorge d'entraînement dans les catalogues de VPC de ma mère.

J'aurais peut-être un peu consolé Elaine en lui avouant que je partageais le calvaire de ses sentiments pour Kittredge, qui s'était tout d'abord montré aussi cinglant ou indifférent (l'un n'empêchant pas l'autre) envers elle qu'il l'était envers moi, mais nous traitait un peu mieux depuis peu – c'est-à-dire depuis que Richard Abbott nous avait donné des rôles dans *La Tempête*. Richard avait eu la sagesse de prendre celui de Prospero : le tendre père de Miranda, le « vrai » duc de Milan, comme dit Shakespeare, le magicien dont douze années de vie insulaire ont aiguisé les pouvoirs. Rares étaient les lycéens susceptibles de projeter son aura.

Kittredge, peut-être, je ne dis pas. Mais ce fut le rôle de Ferdinand qui lui échut, et il campa un Ferdinand sexy à ravir ; il était convaincant en amoureux de Miranda, pour le plus grand malheur de celle qui la jouait et qui n'était autre qu'Elaine Hadley.

« Je ne voudrais au monde / D'autre compagnon que vous », dit Miranda à Ferdinand. Et Ferdinand de répliquer : « Au-delà des limites de ce monde / Je t'aime, te révère et t'honore. »

Dur pour Elaine ! Sur scène, elle entendait ces déclarations à chaque répétition – à la ville, Kittredge ne ratait pas une occasion de l'ignorer ou de la rabaisser. S'il nous traitait un peu mieux depuis le début des répétitions de *La Tempête*, il savait encore se rendre odieux.

À moi, Richard m'avait donné le rôle d'Ariel, que la distribution présente comme un «esprit des airs».

Non, je ne pense pas que notre metteur en scène avait perçu les prémices de mon orientation sexuelle déroutante. Il annonça aux autres membres de la distribution que le sexe d'Ariel était «polymorphe» – et relevait davantage de la mise en costume que d'une donnée génétique.

Dès son entrée en scène (acte I, scène 2), Ariel dit à Prospero : «Pour accomplir la tâche que tu exiges / Ariel et tout ce qu'il sait faire.» Richard avait attiré l'attention des acteurs, et tout spécialement la mienne, sur le pronom masculin. (Dans la même scène, les indications scéniques précisent : *il explique*.)

Pas de chance pour moi, Prospero commande aussitôt à Ariel : «Va te changer en nymphe marine, / Mais que personne ne te voie, sauf moi – demeure invisible / À toute autre prunelle.»

Hélas, je ne demeurai pas invisible aux regards du public. *Ariel entre, sous l'aspect d'une nymphe marine* déclencha l'hilarité générale – avant même que je sois maquillé et costumé, et c'est ainsi que Kittredge se mit à m'appeler «Nymphe».

Je me rappelle très bien comment Richard avait présenté les choses :

– Mieux vaut faire d'Ariel un personnage masculin que de prendre un petit chanteur de la chorale pour l'attifer en fille. (N'empêche que je serais bel et bien attifé en fille – ou du moins affublé d'une perruque.) Il se peut que Shakespeare ait vu un continuum de Caliban à Ariel en passant par Prospero, poursuivit Richard – une sorte d'évolution spirituelle. Caliban est fait de terre et d'eau, de force brutale et de duplicité. Prospero incarne la maîtrise humaine et la clairvoyance – il est l'alchimiste suprême. Et Ariel, conclut Richard, en se tournant vers moi, le sourire aux lèvres (un sourire qui ne fut pas perdu par Kittredge), Ariel est un esprit d'air et de feu, libéré des affaires qui préoccupent les mortels. Peut-être Shakespeare pressentait-il que présenter Ariel comme explicitement féminin aurait trahi ce continuum. Selon moi, le sexe d'Ariel est indécis.

– Le choix en revient au metteur en scène, si je comprends bien ? demanda Kittredge à Richard.

Notre metteur en scène et professeur le regarda prudemment avant de lui répondre :

– Le sexe des anges est indécis, lui aussi. Oui, Kittredge, le choix en revient au metteur en scène.

– Mais cette fameuse nymphe marine, elle aura l'air de quoi ? demanda Kittredge. Elle aura l'air d'une fille, non ?

– Probablement, répondit Richard, sans se compromettre.

J'avais beau me représenter comment je serais costumé et maquillé pour interpréter la nymphe des eaux, je n'avais pas prévu la perruque vert algue ni les collants vermillon. (Vermillon et gris argent – «gris de mort», comme disait Grand-père Harry – étaient les couleurs de la Favorite River Academy.)

– Alors, comme ça, Billy est de sexe… *indécis*, dit Kittredge, d'un air réjoui.

– Pas Billy, Ariel, rectifia Richard.

Mais la formule de Kittredge avait fait mouche ; les autres acteurs de *La Tempête* n'oublieraient pas le mot *indécis*. Le sobriquet dont m'avait affublé Kittredge – Nymphe – allait me coller à la peau. J'avais encore deux ans de scolarité à la Favorite River Academy et Nymphe je resterais.

– On pourra toujours t'attifer et te maquiller comme on voudra, tu seras jamais aussi *torride* que ta mère, me dit Kittredge sans témoins.

Ma mère était jolie, je ne l'ignorais pas ; j'avais dix-sept ans et les regards de mes camarades sur elle, dans ce lycée de garçons, ne pouvaient plus m'échapper. Mais aucun d'entre eux ne m'avait jamais dit que ma mère était *torride* ; alors, comme souvent avec Kittredge, je ne sus que répondre. On n'employait pas encore *torride* dans le sens de «sexy», à l'époque, mais c'était bien ce qu'il voulait dire.

Lorsqu'il parlait de sa propre mère, ce qu'il faisait rarement, il évoquait une substitution d'enfants. «Peut-être que ma mère est morte en couches, disait-il. Mon père a dû trouver une fille-mère dans le même hôpital – une malheureuse (son enfant était mort-né, mais elle ne l'a jamais su), une femme qui ressemblait à ma mère. D'où la substitution. Une manip de ce genre ne lui aurait pas fait peur. Je ne dis pas que cette femme sait qu'elle n'est que ma belle-mère. Elle imagine peut-être que mon père n'est que mon beau-père ! À l'époque, elle était sans doute sous anxiolytiques puissants – elle devait être en dépression – suicidaire, qui sait ? Je ne doute pas qu'elle croie sincèrement être ma mère – n'empêche qu'elle ne se conduit pas toujours en mère. Elle a fait des choses – des choses qu'une mère ne fait pas. Tout ce que je dis, c'est que mon père n'a jamais été capable d'expliquer son comportement envers les femmes, quelles qu'elles soient. Mon père, son truc, c'est les combines. Cette femme a beau me ressembler, ce n'est pas ma mère, ni celle de personne, du reste. »

– Kittredge est dans le déni jusqu'au cou, me dit Elaine. Cette femme pourrait être sa mère *et* son père à la fois !

Quand je lui rapportai ses propos sur ma mère, elle me suggéra d'aller lui dire ce que nous pensions de la sienne, nous qui l'avions dévisagée sans vergogne pendant un match de lutte.

– Dis-lui que sa mère lui ressemble, les seins en plus, dit Elaine.

– Va lui dire toi-même, répliquai-je.

Nous savions l'un comme l'autre que je n'en ferais rien. Quant à elle, elle n'oserait pas davantage.

Au début, elle avait presque autant la frousse de Kittredge que moi – elle n'aurait jamais prononcé le mot *seins* en sa présence. Elle était mortifiée d'avoir hérité de l'absence de poitrine de sa mère. Pourtant, elle était loin d'être aussi ingrate que celle-ci ; Elaine paraissait godiche, elle n'avait pas de nichons, mais elle était jolie de visage, et n'avait rien d'une jument. Elle était gracile, au contraire, ce qui rendait sa voix claironnante d'autant plus inattendue. Pourtant, au début, elle était tellement intimidée en présence de Kittredge qu'elle avalait ses mots, marmonnait ; par moments, elle disait même des choses incohérentes, tant elle avait peur de parler trop fort. « Kittredge m'embue les lunettes », disait-elle.

Dès leur première rencontre sur scène, Ferdinand et Miranda sont irrémédiablement portés l'un vers l'autre. En voyant Miranda, Ferdinand la qualifie de « merveille » et lui demande : « Êtes-vous fille, ou non ? »

« Merveille, non, / Mais fille certes », répondait Elaine-Miranda d'une voix de stentor. À la ville, Kittredge avait réussi à lui faire honte de sa voix. Après tout, elle n'avait que seize ans ; lui en avait dix-huit, et il en paraissait trente.

Un soir que nous rentrions chez nous après une répétition – les Hadley avaient leur appartement de fonction dans la même résidence que nous –, Kittredge surgit inopinément, selon son habitude.

– Vous faites un sacré couple, tous les deux, nous dit-il.

– On n'est pas un couple ! lâcha Elaine, beaucoup plus fort qu'elle ne l'aurait voulu.

Kittredge fit semblant de vaciller sur place, comme s'il avait été frappé par un coup invisible, et se boucha les oreilles.

– Je te préviens, Nymphe, tu risques fort de devenir sourd, me dit-il. Quand cette petite demoiselle aura son premier orgasme, n'oublie pas tes bouchons d'oreilles. Et si j'étais vous, je ne ferais pas ça dans la résidence. Elle va ameuter tout le monde.

Là-dessus, il s'éloigna par un chemin différent, dans la pénombre ; il habitait le foyer des sportifs, à côté du gymnase.

Dans le noir, impossible de voir si Elaine avait rougi. J'effleurai son visage pour m'assurer qu'elle n'était pas en train de pleurer ; elle ne pleurait pas, mais sa joue était brûlante et elle écarta vivement ma main.

– C'est pas demain la veille que j'aurai un orgasme avec l'un d'entre vous ! cria-t-elle en direction de Kittredge.

Nous étions dans le parc des résidences ; au loin, on voyait les fenêtres éclairées des chambres. Des braillements et des ovations retentirent – comme si des centaines de garçons avaient entendu ce qu'elle venait de crier. Sauf qu'elle était en proie à une agitation violente, et qu'avec sa voix de sirène des pompiers ça avait donné quelque chose comme « les deux mains de la vieille dans le marasme entre fous ». À part moi, ni Kittredge ni personne n'avaient dû comprendre, pensai-je. Je me trompais.

Kittredge avait bien entendu ; sa voix tout miel et tout fiel nous parvint depuis l'obscurité. Comble de cruauté, il emprunta la tirade du charmant Ferdinand pour répondre à Elaine, qui, en la circonstance, ne se sentait guère une âme de Miranda.

– Oh, si vous êtes vierge, / Et que votre affection n'a pas encore pris son essor, je vous ferai / Reine de Naples, roucoula-t-il.

L'internat était plongé dans un silence étrange ; quand les élèves de la Favorite River entendirent Kittredge, ils en restèrent cois d'effroi et de stupéfaction.

– Bonne nuit, Nymphe ! lança-t-il de loin. Bonne nuit, Naples !

Nos surnoms étaient trouvés. Lorsque Kittredge vous faisait l'honneur équivoque de vous rebaptiser, le sobriquet et le traumatisme qui en découlait avaient la vie dure.

73

– Merde ! dit Elaine. Ç'aurait pu être pire, Kittredge aurait pu m'appeler Fille ou Vierge.

– Elaine ? dis-je. Tu es ma seule vraie amie.

– Esclave abhorré, m'aboya-t-elle pour toute réponse.

Il s'éleva comme un jappement dans la cour de l'internat. Nous savions tous deux que c'est l'apostrophe de Miranda à Caliban, présenté dans la pièce comme un « esclave sauvage et difforme » et qui est surtout un monstre inachevé.

Prospero le rabroue en ces termes : « Tu as essayé de violer / L'honneur de mon enfant. » Caliban ne nie rien. Il hait en effet Prospero et sa fille (« Que crapauds, cafards, chauves-souris viennent se poser sur vous ! »), bien qu'il ait naguère convoité Miranda et regrette de ne pas avoir « peuplé » l'île de petits Calibans. Pas de doute, donc, sur son sexe à lui, c'est un mâle. Est-il humain ? Voilà qui fait question.

Quand Trinculo, le Fou, le découvre, il dit : « Qu'avons-nous donc ici ? Un homme ou un poisson ? Mort ou vif ? »

Je savais qu'Elaine Hadley plaisantait en m'assénant la phrase de Miranda à Caliban, mais comme nous approchions de notre résidence, je vis à la lumière des fenêtres son visage strié de larmes. En une ou deux minutes, la plaisanterie de Kittredge sur l'amour de Ferdinand et de Miranda avait fait son effet ; Elaine pleurait.

– Toi, tu es mon seul ami ! me dit-elle, des sanglots dans la voix.

Ému, je lui entourai l'épaule de mon bras ; nouveau déchaînement de hurlements, nouvelle ovation de la part des garçons invisibles. Le savais-je alors ? Cette nuit marqua le début de ma propre mascarade. Avais-je cherché à la faire passer pour ma petite amie auprès des pensionnaires ? Étais-je déjà en train de jouer un rôle ? Toujours est-il qu'Elaine fut mon masque. J'allais pendant un temps mystifier Richard Abbott et Grand-père Harry – sans parler de Mr Hadley et de sa Martha, ainsi que, moins longtemps et, dans une moindre mesure, ma mère elle-même.

Car, oui, je me rendais compte que ma mère changeait. Elle, si attentionnée quand j'étais petit… qu'était devenu le petit garçon qu'elle aimait ?

J'avais même commencé un de mes premiers romans par cette longue phrase alambiquée : « Selon ma mère, j'étais romancier avant

74

même d'avoir écrit le premier mot d'un roman, ce qui voulait dire, pour elle, que non seulement j'inventais, que je fabulais, mais que, contrairement au reste du monde, je préférais cette fantasmagorie, cet imaginaire à la réalité. »

Dans la bouche de ma mère, *imaginaire* n'était pas flatteur. Elle jugeait la fiction frivole, pour ne pas dire plus.

Un Noël – je crois que c'était la première fois que je revenais dans le Vermont pour Noël depuis plusieurs années –, j'étais en train de gribouiller quelques notes sur un carnet quand ma mère me demanda :

– Qu'est-ce que tu écris encore, Billy ?

– Un roman, lui répondis-je.

– Tiens, ça devrait te faire plaisir, à toi, lança-t-elle tout à coup à Grand-père, qui était déjà presque sourd – le bruit des scies à bois, je suppose.

– Moi ? Pourquoi devrais-je être particulièrement heureux que Billy écrive un nouveau roman ? Non pas que je n'aie pas aimé le précédent, Bill, je l'ai adoré, bon Dieu ! m'assura aussitôt mon grand-père.

– Pardi ! lui répliqua ma mère. Les romans sont un travestissement comme un autre, non ?

– Ah, bah… commença Grand-père, mais il s'interrompit.

Avec l'âge, il laissait de plus en plus souvent ses phrases en suspens.

Je comprends pourquoi. Quand j'étais adolescent et que je commençais à sentir que ma mère n'était plus aussi gentille avec moi, j'avais moi aussi pris l'habitude de ne pas terminer mes phrases. J'ai bien changé depuis.

Des années plus tard, longtemps après que j'eus quitté la Favorite River Academy, au plus fort de mon intérêt pour les transsexuelles – j'étais curieux de sortir avec elles, non pas de les imiter –, un soir que je dînais avec Donna, je lui parlai de Grand-père Harry et des personnages féminins qu'il incarnait sur scène.

– Seulement sur scène ? me demanda-t-elle.

– Que je sache, oui, répondis-je.

Mais on ne pouvait rien lui cacher. Elle ne s'en laissait pas conter : c'était l'un des quelques traits qui me mettaient mal à l'aise chez elle.

Nana Victoria était morte depuis plus d'un an quand Richard m'avait appris que Grand-père Harry tenait mordicus à conserver ses vêtements. (Même si, à la scierie, on ne le connaissait qu'en bûcheron.)

Je finirais par avouer à Donna qu'il passait ses soirées vêtu des atours de sa défunte femme – dans l'intimité de sa maison de River Street. Je ne dis rien de ses aventures travesties après qu'on l'avait placé dans la Maison de Retraite que lui et Nils Borkman avaient, bien des années auparavant, généreusement fait construire pour les anciens de First Sister. Les autres résidents s'étaient plaints : il faisait de fréquentes apparitions habillé en femme, sans crier gare. Il m'avait dit un jour : « Tu l'auras remarqué, les gens incultes ou d'un conformisme rigide prennent les travestis au premier degré. »

Par chance, la maison de Grand-père n'avait pas encore été vendue. Avec Richard, nous l'avions aussitôt réintégré dans son univers familier, celui où il avait vécu si longtemps avec Nana Victoria. Les vêtements de celle-ci retrouvèrent leur bercail en même temps que lui, et l'infirmière à demeure ne vit pas d'objection à sa transformation désormais permanente en femme. Elle se souvenait avec tendresse des prestations féminines de Harry sur scène.

– Ça ne t'a jamais chatouillé de te travestir, Billy ? m'avait demandé Donna un soir.

– Pas vraiment.

Mon attirance pour les transsexuelles était assez particulière. Désolé, on ne disait pas « transgenre » à l'époque – c'était avant les années quatre-vingt. Les travestis ne me suffisaient pas, et les transsexuelles devaient être « convaincantes », comme elles disent, c'est-à-dire faire parfaitement illusion – *illusion*, un de ces mots que j'ai du mal à prononcer aujourd'hui encore. Et puis il fallait que leur poitrine soit naturelle – d'accord pour les hormones, pas d'accord pour les prothèses –, d'ailleurs je ne surprendrai personne en disant que je préférais les petits seins.

Donna cultivait sa féminité. Elle était grande mais fine – elle avait même les bras graciles –, et sa peau était parfaitement douce (j'ai connu bien des femmes plus velues). Elle passait sa vie chez le coiffeur ; elle avait une allure folle.

Elle avait honte de ses mains, pourtant moins grandes et fortes que celles de Miss Frost. Elle n'aimait pas qu'on se tienne par la main, parce que les miennes étaient plus petites que les siennes.

Elle venait de Chicago et avait vécu un peu à New York, pour voir ; après notre rupture, j'ai appris qu'elle s'était installée à Toronto, mais elle pensait que le mieux pour quelqu'un comme elle était de vivre en Europe. Je l'emmenais avec moi à l'occasion de la sortie de mes livres dans divers pays, pour la promotion des traductions. Selon elle, l'Europe était plus accueillante à l'égard des transsexuelles, plus tolérante. Les Européens acceptaient la différence, ils étaient plus évolués, en général – seulement elle ne se croyait pas capable d'apprendre une langue étrangère.

Elle avait laissé tomber ses études, parce que les années d'université coïncidaient avec ce qu'elle appelait sa «crise d'identité sexuelle», et, du coup, elle doutait de ses capacités intellectuelles. C'était idiot, dans la mesure où elle lisait beaucoup – elle était très intelligente –, mais elle pensait avoir sacrifié à sa difficile décision de vivre dans la peau d'une femme les années pendant lesquelles on est censé nourrir et développer ses méninges.

Quand nous étions en Allemagne, pays dont je parlais la langue, Donna était très heureuse. Nous faisions ensemble ces voyages pour la promotion de mes livres en allemand, pas seulement en Allemagne mais aussi en Autriche et en Suisse germanophone. Elle adorait Zurich ; je sais que la ville l'avait épatée, comme tout le monde, par son côté cossu. Elle aimait aussi Vienne. Pour y avoir passé une de mes années d'études, je savais encore m'y orienter, enfin, à peu près. Mais surtout, elle raffolait de Hambourg – la ville la plus chic d'Allemagne, à ses yeux.

À Hambourg, mes éditeurs allemands m'installaient toujours au Vier Jahreszeiten ; l'élégance de l'hôtel faisait ses délices. Mais voilà qu'arriva une soirée abominable, qui sonna le glas de son bonheur à Hambourg – et sans doute avec moi.

Tout avait commencé de façon fort innocente. Un journaliste qui m'avait interviewé nous avait invités dans un night-club de Reeperbahn ; je ne connaissais pas cette rue, je ne savais pas quel genre de boîte c'était, mais ce journaliste et sa femme (ou sa petite amie) nous invitèrent, Donna et moi, à voir un spectacle avec eux. Ils s'appelaient Klaus, avec un K, et Claudia, avec un C. Nous voilà donc partis pour la boîte en taxi.

En voyant ces jeunes barmen filiformes, j'aurais dû comprendre.

Nous étions dans un *Transvestiten Cabaret* – une boîte de travelos. J'imagine que les barmen étaient les petits amis des artistes, parce que ce n'était pas un lieu de drague, et qu'à part eux on ne voyait pas d'homos dans l'assistance.

C'était un spectacle pour touristes sexuels – des types en travestis censés faire rire des couples hétéros. Les tables d'hommes étaient composées de jeunes gens venus là pour rigoler ; les tables exclusivement féminines étaient là pour mater les zizis. Les artistes étaient des humoristes ; ils assumaient leur genre et leur condition masculine. Ils n'arrivaient pas à la cheville de ma chère Donna pour la crédibilité ; c'étaient des travelos à l'ancienne qui ne cherchaient même pas à passer pour des femmes. Ils étaient maquillés avec soin, certes, et leurs tenues élaborées à la perfection ; ils étaient superbes, mais c'étaient des mecs superbes habillés en filles. Dans leurs robes et sous leurs perruques, ils ne trompaient personne – ce n'était pas le but du jeu.

Klaus et Claudia étaient loin de se douter que Donna était une transsexuelle : plus convaincante que les artistes, elle y mettait bien plus d'elle-même.

– Je ne savais pas, dis-je à Donna, je t'assure. Je suis désolé.

Donna restait sans voix. Il ne lui était pas venu à l'esprit – nous étions dans les années soixante-dix – que l'Europe, plus évoluée, plus tolérante en matière de diversité sexuelle, s'était déjà mise à en rire.

Voir ces artistes dans l'autodérision avait dû être très pénible pour Donna, qui avait eu tant de mal à se prendre au sérieux en tant que femme.

Il y avait un sketch dans lequel un très grand trave conduisait une voiture en carton-pâte, tandis que son chéri – un homme plus petit, craintif – essayait de lui tailler une pipe. Le petit bonhomme paniquait devant la bite monstrueuse du travelo, et devant les conséquences de sa manipulation approximative sur la conduite du chauffeur.

Donna ne comprenait pas un mot d'allemand ; le travelo n'arrêtait pas de dénigrer à tout-va le pompier malhabile. Ce fut plus fort que moi, j'éclatai de rire. Elle ne me l'a jamais pardonné, je crois.

Klaus et Claudia pensaient manifestement que j'avais une petite amie américaine typique, une coincée qui n'appréciait pas le spectacle. Impossible de leur expliquer ce qui se passait ; ce n'était pas le moment.

Quand nous quittâmes le cabaret, Donna était tellement contrariée qu'elle sursauta lorsqu'une des serveuses lui adressa la parole. La serveuse était un grand travelo ; elle aurait pu faire partie du spectacle. Elle dit à Donna (en allemand) : « Tu as un look d'enfer ! » C'était un compliment, mais elle avait deviné que Donna était une transsexuelle, j'en étais sûr. Presque personne ne s'en doutait, à cette époque. Donna n'en rajoutait pas ; elle faisait tous ses efforts pour être une femme, pas pour faire illusion de loin.

– Qu'est-ce qu'elle a dit ? me demanda Donna à plusieurs reprises, dès que nous fûmes dans la rue.

Reeperbahn n'était pas encore le piège à touristes qu'elle est devenue ; il y avait du tourisme sexuel, bien sûr, mais la rue elle-même était assez mal fréquentée, comme Times Square à la même époque, et pas encore envahie par les badauds.

– Elle te faisait un compliment : elle disait que tu as un look d'enfer. Que tu es belle, quoi.

– Elle voulait dire « pour un homme », c'est bien ça ? me demanda Donna.

Elle pleurait. Klaus et Claudia ne comprenaient toujours pas le pourquoi du comment.

– Je ne suis pas un travelo à deux balles ! pleurnicha Donna.

– Nous sommes désolés, nous avons sans doute eu tort de vous amener ici, dit Klaus, un peu pincé. C'est censé faire rire, pas choquer.

Je me bornai à hocher la tête ; la soirée était fichue, je le savais.

– Écoute, mon gars : j'ai une bite encore plus grosse que celle du travelo dans la fausse bagnole ! dit Donna à Klaus. Tu veux la voir ? ajouta-t-elle à l'intention de Claudia.

– Arrête, lui dis-je, sachant que Donna n'était pas du genre pudibond, loin de là.

– Dis-leur, alors, me fit-elle.

J'avais déjà écrit deux romans sur les sexualités différentes – sur la contestation et, parfois, la confusion des identités sexuelles. Klaus avait lu mes livres ; il m'avait même interviewé, bon Dieu – lui et sa femme (ou sa petite amie) auraient dû se douter que ma partenaire ne pouvait guère être prude.

– Donna a effectivement une bite plus grosse que celle du travesti dans la bagnole, dis-je à Klaus et Claudia. Mais, s'il vous plaît, ne lui demandez pas de vous la montrer – pas ici.

– Comment ça, «pas ici»? hurla Donna.

Sincèrement, je ne sais pas pourquoi j'avais dit ça; le flot des voitures et des piétons le long de Reeperbahn avait dû me faire craindre que Donna sorte brusquement son sexe, là, en pleine rue. Je ne sous-entendais en aucun cas – ce que je répétai à Donna, une fois à l'hôtel – qu'une autre fois, ailleurs, peut-être, sûrement!... Ça m'était venu comme ça.

– Je ne suis pas un travesti *amateur*, pleurnichait-elle, ça risque pas...

– Bien sûr que non, lui dis-je en apercevant Klaus et Claudia se carapater discrètement.

Donna m'avait pris par les épaules pour me secouer, et je suppose qu'ils avaient eu tout le loisir de voir ses grandes mains. Et avouons-le : elle avait effectivement une plus grosse bite que le travelo qui étouffait son mec avec la sienne, dans la bagnole en carton-pâte.

Cette nuit-là, au Vier Jahreszeiten, elle pleurait encore en se lavant la figure avant de se coucher. Nous avions laissé la lumière dans le dressing, et la porte entrouverte; cela nous servait de veilleuse, pour aller dans la salle de bains pendant la nuit. J'étais éveillé et je regardais Donna dormir. Dans la semi-obscurité, sans maquillage, son visage retrouvait un air de masculinité. Sans doute était-ce parce qu'elle ne s'appliquait pas à être une femme quand elle dormait; peut-être était-ce le dessin de sa mâchoire, de ses pommettes – un dessin très structuré.

Tandis que je regardais Donna dormir, Mrs Kittredge me revint en mémoire; sa séduction avait quelque chose de masculin, aussi – quelque chose de Kittredge en elle, de typiquement mâle. Mais quand une femme est volontaire, elle peut avoir des côtés virils, jusque dans son sommeil.

Je m'endormis à mon tour et, lorsque je me réveillai, la porte du dressing était fermée – alors que nous l'avions laissée ouverte, je le savais. Donna était sortie du lit; et, dans le rai de lumière qui passait sous la porte, je voyais bouger l'ombre de ses pieds.

Elle était nue, et se regardait dans le miroir. Cette habitude m'était familière.

– Tes seins sont parfaits, lui dis-je.

– En général, les hommes les préfèrent plus gros, répondit-elle.

Tu n'es pas comme la plupart des hommes que je connais, Billy. Tu aimes les vraies femmes, alors, hein…

– Ne maltraite pas tes jolis seins, ne leur fais rien qui les abîmerait.

– Ça m'avance à quoi, d'avoir une grosse bite, puisque tu es purement actif, et que ça ne va pas changer de sitôt ?

– J'adore ta grosse bite.

Donna haussa les épaules ; son souci, c'était la taille de ses seins.

– Tu sais la différence entre un travesti amateur et quelqu'un comme moi ? me demanda-t-elle.

Je connaissais la réponse – sa réponse à elle.

– Oui, je sais : tu es résolue à changer de corps.

– Je ne fais pas dans l'amateurisme, répéta-t-elle.

– Je sais : je te demande seulement de ne pas toucher à tes seins. Ils sont parfaits, lui dis-je en me recouchant.

– Tu sais ce que c'est, ton problème, Billy ?

J'étais déjà au lit, dos tourné à la lumière qui passait sous la porte du dressing. Je connaissais aussi sa réponse à cette question, mais je me tus.

– Tu ne ressembles à personne d'autre, Billy, c'est ça ton problème.

Il arrivait à Donna d'envisager une opération chirurgicale – pas seulement la pose de prothèses mammaires, qui tentait nombre de transsexuelles, mais l'entreprise radicale, le changement de sexe complet. Disons qu'en termes techniques Donna – et toutes les autres transsexuelles qui m'ont un jour ou l'autre attiré – était une « pré-opérée ». Je connais très peu de trans opérées. Celles que je connais sont très courageuses. Je les trouve redoutables à fréquenter ; elles se connaissent si bien ! Se connaître à ce point, savoir avec une telle certitude qui l'on est, moi ça me laisse rêveur.

Donna n'avait jamais réussi à me faire essayer ses vêtements pour me travestir. Elle m'avait dit un jour :

– Je suppose que tu n'as jamais eu la curiosité… enfin… d'être comme moi.

– C'est vrai, lui avais-je répondu, sincèrement.

– Je suppose que, toute ta vie, tu as voulu garder ton pénis : tu y tiens beaucoup, j'en suis sûre.

– J'aime aussi le tien, avais-je répondu, toujours aussi sincèrement.

– Je sais, avait-elle dit en soupirant. Seulement moi, justement, je ne l'aime pas toujours tant que ça.

Et elle avait aussitôt ajouté :

– Mais le tien, si.

Je me dis que ce pauvre Tom aurait trouvé Donna bien « compliquée », mais moi je la trouvais courageuse.

Cette certitude de se connaître elle-même, pour moi, me semblait bizarre, mais c'était aussi l'une des choses que j'aimais en elle – avec la jolie torsion de son pénis vers la cuisse droite, qui me rappelait qui-vous-savez. En réalité, les seules fois que j'aie eu l'occasion de voir le sexe de Kittredge, c'était dans les douches collectives du gymnase de la Favorite River, encore n'était-ce qu'un coup d'œil à la dérobée.

Celui de Donna, j'ai eu bien plus d'occasions de le contempler. Je pouvais la regarder tant que je voulais. Mais au début, j'avais un tel appétit d'elle (et d'autres transsexuelles, dans son genre ; les seules qui me plaisent) que je ne pouvais pas imaginer la voir ou l'avoir à satiété. Si j'ai dû tourner la page un jour, ce n'est pas parce que je m'étais lassé d'elle ou parce qu'elle aurait entretenu des doutes secrets sur son identité. Vers la fin, c'est de moi qu'elle doutait. Ce fut elle qui se lassa la première et sa perte de confiance en moi sapa mon assurance.

Quand je me séparai de Donna, ou, plutôt, quand elle se sépara de moi, je devins plus circonspect envers les transsexuelles – non que j'aie cessé de les désirer, car je continue à les trouver extraordinairement courageuses, mais parce que les transsexuelles et Donna, en particulier, m'avaient forcé à reconnaître, chaque jour de ma putain de vie, les aspects les plus déroutants de ma bisexualité ! Donna m'épuisait.

– D'habitude, j'aime les mecs hétéros, me rappelait-elle souvent. Les autres transsexuelles me plaisent aussi, pas seulement celles qui sont comme moi, tu sais.

– Je sais, Donna, lui assurais-je.

– Et je peux aussi m'envoyer des hétéros ; après tout, j'essaye de vivre ma vie de femme. Je suis une femme avec une bite en plus, c'est tout ! disait-elle en s'échauffant.

– Je sais, je sais, répondais-je.

– Mais toi, tu aimes aussi les mecs, les vrais, et en plus tu aimes les femmes, Billy.

– Oui, enfin, certaines, admettais-je. Et puis les beaux mecs... et encore pas tous, lui rappelais-je.

– Ouais, eh ben, tous ou pas tous, j'en ai rien à foutre. Moi, ce qui me dérange, c'est que je ne sais pas ce que tu aimes en moi, et ce que tu n'aimes pas en moi.

– Il n'y a rien que je n'aime pas en toi, Donna. J'aime tout de toi.

– Ouais, eh ben, si tu me quittais pour une femme, comme le ferait tout mec normal, je pourrais le comprendre. Ou si tu retournais avec des hommes, comme tout homo le ferait un jour, je le comprendrais aussi. Mais ce qui me démonte, Billy – mais alors totalement –, c'est que je ne sais pas du tout pour qui ou pour quoi tu vas me quitter.

– Moi non plus, lui avais-je dit, très sincèrement.

– Ben justement, c'est pour ça que je te quitte, Billy.

– Tu vas me manquer atrocement. (Ça aussi, c'était vrai.)

– Je suis déjà guérie de toi, Billy, avait-elle conclu simplement.

Mais, jusqu'à cette nuit à Hambourg, j'avais longtemps cru que Donna et moi avions une chance de rester ensemble.

J'ai cru aussi que ma mère et moi avions une chance, une chance de faire mieux que rester en bons termes. Je croyais que rien ne pourrait nous séparer. À une époque, elle s'inquiétait au moindre bobo – elle s'imaginait que ma vie était en danger dès que je commençais à tousser ou à éternuer. Il y avait quelque chose d'infantile dans ses angoisses ; mes cauchemars lui donnaient des cauchemars, m'avait-elle dit un jour.

Elle m'avait raconté qu'enfant je faisais des «rêves de fièvre». Alors, disons qu'ils ont persisté pendant mes années d'adolescence, même si une chose est sûre : c'était bien plus que des rêves. S'il y avait un fondement réel dans les plus récurrents d'entre eux, il m'a échappé pendant de longues années. Mais une nuit que j'étais malade – je sortais alors d'une scarlatine –, il me sembla que Richard Abbott me racontait une histoire de guerre ; pourtant la guerre de Richard se résumait à l'accident de tondeuse à gazon qui l'avait exonéré de service militaire, précisément. Non, cette histoire ne concernait pas Richard ; c'était une des histoires de guerre de mon père et Richard ne pouvait en aucun cas me l'avoir racontée.

L'histoire, ou peut-être le rêve, commence à Hampton, Virginie – Hampton Roads est le port d'où mon père a embarqué dans un Liberty ship pour l'Italie. Le personnel au sol de la 760ᵉ escadrille de bombardiers quitte la Virginie un jour de janvier sombre et menaçant ; les soldats prennent leur premier repas à bord à l'abri de la jetée – des côtes de porc, m'a-t-on dit, ou ai-je rêvé. Sitôt en haute mer, voilà les navires qui essuient une tempête hivernale comme il s'en déclenche souvent dans l'Atlantique. Les militaires du rang occupent les cales avant et arrière ; chaque homme a un casque accroché à sa couchette – les casques vont vite devenir des cuvettes à vomi.

Quant à mon père, ma mère m'a dit qu'il avait grandi à Cape Cod ; il avait navigué dès l'enfance, il était insensible au mal de mer. En conséquence, il fait son devoir – il vide les casques des soldats malades. Au milieu du bateau, au niveau du pont principal – après une laborieuse montée depuis la cale –, il y a des gogues de proue. Même dans le rêve, il faut que j'interrompe le récit pour demander de quoi il s'agit ; la personne que je prenais pour Richard, mais qui ne pouvait pas être lui, m'apprend qu'il s'agit de chiottes gigantesques, des latrines qui s'étendent sur toute la largeur du navire.

Durant l'une de ces épreuves de vidage de casques, mon père s'arrête et s'assied sur un siège de cabinets. Impossible de pisser debout, avec le tangage et le roulis – il faut s'asseoir. Il se pose donc sur le siège, en s'y accrochant des deux mains. L'eau de mer clapote autour de ses chevilles, trempant ses chaussures et son pantalon. À l'autre extrémité du long alignement de chiottes, un soldat est dans la même position, mais en équilibre précaire. Mon père voit qu'il est, lui aussi, immunisé contre le mal de mer ; il lit, en effet, ne tenant le siège que d'une main. Lorsque le bateau se met à tanguer plus fortement, le rat de bibliothèque lâche prise. Il glisse par-dessus les sièges – son cul fait un claquement sec – et il vient se cogner à mon père après avoir parcouru la rangée.

– Désolé, dit-il, j'arrive pas à lâcher mon bouquin !

Puis le bateau roule dans l'autre sens, projetant le soldat là d'où il vient, et le voilà qui repasse par-dessus les trônes. Une fois au bout, il laisse échapper son livre, en s'agrippant au siège des deux mains. Le livre se met à flotter dans l'eau de mer.

– Qu'est-ce que tu lis ? demande le codeur.

– *Madame Bovary !* crie le soldat parmi les éléments déchaînés.

– Je peux te raconter la fin, dit le sergent.

– Surtout pas ! Je tiens à la lire moi-même !

Dans le rêve, ou dans l'histoire dont le conteur n'est pas Richard Abbott, la traversée s'achève sans que mon père retrouve son camarade.

« Après avoir dépassé Gibraltar sans le voir ou presque, dit le rêve ou le conteur, le convoi s'est introduit en Méditerranée. »

Une nuit, au large des côtes de Sicile, les soldats endormis dans la cale sont réveillés par des impacts et des tirs d'artillerie ; la Luftwaffe attaque ! Par la suite, mon père apprend que le Liberty ship à côté du sien a été touché et qu'il a coulé corps et biens. Quant au soldat qui lisait *Madame Bovary* dans la tempête, mon père ne le reverra pas et il ignorera toujours son identité à l'arrivée des troupes à Tarente. La guerre va continuer et s'achever sans lui donner l'occasion de retrouver le nomade des latrines.

Bien des années plus tard, disait le rêve, ou le conteur, mon père terminait ses études à Harvard. Il était dans le métro de Boston, le MTA[1] ; il était monté à la station Charles Street et rentrait à Harvard Square. Un homme, monté à Kendall Square, le regardait fixement. Le sergent était «déconcerté» par l'intérêt que lui manifestait cet étrange individu ; «un intérêt *surnaturel* – le pressentiment de quelque chose de violent, ou du moins de désagréable». C'était le langage de l'histoire qui rendait ce rêve récurrent beaucoup plus réaliste pour moi que les autres. C'était un rêve à la première personne – un rêve qui avait une voix.

Dans le métro, l'homme se mit à passer de siège en siège pour s'approcher de mon père. Lorsqu'ils furent quasiment en contact physique, et alors que le métro ralentissait à l'approche de la station, l'inconnu se tourna vers mon père et lui dit : «Salut, je suis Bovary. Tu te souviens de moi ?» Arrivé à Central Square, le rat de bibliothèque sortit de la rame, et le sergent poursuivit vers Harvard Square.

On m'avait dit que, pour la scarlatine, la fièvre se calmait au bout d'à peu près une semaine – entre trois et cinq jours, le plus souvent. Je suis sûr que cette phase était révolue quand je demandai à Richard

---

1. Massachusetts Transportation Authority. *(Toutes les notes sont des traducteurs.)*

si c'était lui qui m'avait raconté l'histoire – peut-être à l'apparition de l'éruption, ou au cours de la période des maux de gorge, qui avait commencé deux jours avant. Ma langue, d'abord couleur fraise, était devenue rouge sang – une couleur plus proche de la framboise que de la fraise, d'ailleurs – et l'éruption commençait à s'estomper.

– Elle ne me dit rien cette histoire, Bill, m'avoua Richard. C'est la première fois que je l'entends.

– Ah bon.

– Ça ressemblerait à une histoire de Grand-père.

Mais quand je demandai à mon grand-père si c'était lui qui m'avait raconté l'histoire de *Madame Bovary*, il commença à tergiverser et à tourner autour du pot en me servant son sempiternel « Ah, bah ». Non, ce n'était « absolument pas lui » qui m'avait raconté cette histoire, m'affirma-t-il. Oui, il en avait entendu parler – « par quelqu'un qui la tenait de quelqu'un d'autre, si j'ai bonne mémoire », mais il ne pouvait pas se rappeler qui, ce qui l'arrangeait bien.

– C'était peut-être Oncle Bob, oui, c'est possible que ce soit Bob qui te l'ait racontée, Bill.

Puis mon grand-père toucha mon front et marmonna que la fièvre était tombée. Il me fit ouvrir la bouche et annonça :

– Ta langue est encore bien vilaine, mais l'éruption s'estompe.

– C'était trop réel pour être un rêve… enfin, au départ.

– Ah, quand on a beaucoup d'imagination, comme toi, Bill, certains rêves peuvent paraître très réels, conclut mon grand-père sans se compromettre.

– Je demanderai à Oncle Bob.

Bob mettait toujours des balles de squash dans mes poches ou dans mes chaussures – ou encore sous mon oreiller. C'était un jeu ; quand je les trouvais, je les lui rendais. « Oh, et moi qui la cherchais partout depuis je ne sais combien de temps, Billy, disait-il alors, ça me fait bien plaisir que tu l'aies retrouvée ! »

– De quoi ça parle, *Madame Bovary* ? lui demandai-je.

Il était venu voir comment je récupérais de ma scarlatine, et je venais de lui rendre la balle de squash trouvée au fond de mon verre à dents, dans la salle de bains que je partageais avec Grand-père Harry. Selon lui, Nana Victoria aurait « préféré mourir » plutôt que de partager une salle de bains avec lui, mais moi j'aimais bien.

– Pour être honnête, je n'ai pas lu *Madame Bovary*, Billy, m'avoua l'oncle Bob.

Il alla jeter un œil dans le couloir sur lequel donnait ma chambre, histoire de s'assurer que ma mère (ou ma grand-mère ou ma tante Muriel) ne pouvait pas nous entendre. Rien à l'horizon, mais il n'en baissa pas moins la voix :

– Je crois savoir que c'est une histoire d'adultère, Billy, de femme infidèle.

J'avais dû avoir l'air médusé, ahuri, parce qu'il ajouta aussitôt :

– Tu devrais demander à Richard ; la littérature, tu sais, c'est son domaine.

– C'est un roman ?

– Je ne pense pas que ce soit une histoire vraie, mais il pourra te le dire.

– Je pourrais aussi demander à Miss Frost.

– Oui, tu pourrais, mais ne dis pas que c'est moi qui t'en ai parlé.

– Je connais une histoire, commençai-je. Peut-être est-ce toi qui me l'as racontée.

– Tu veux dire l'histoire du gars qui lisait *Madame Bovary* sur une centaine de cuvettes de chiottes ? Je l'adore !

– Moi aussi. Elle est très drôle !

– Hilarante ! déclara l'oncle Bob. Non, je ne t'ai jamais raconté cette histoire, Billy. Pas que je me souvienne, du moins, ajouta-t-il aussitôt.

– Ah bon.

– C'est peut-être ta mère qui te l'a racontée.

Devant ma mine ahurie, il se reprit aussitôt :

– Non, ça m'étonnerait, en fait.

– C'est un rêve qui revient tout le temps, mais à l'origine quelqu'un a dû m'en parler.

– Une conversation au cours d'un dîner, peut-être. Une de ces histoires que les enfants surprennent, quand les adultes pensent qu'ils sont déjà au lit ou qu'ils ne risquent pas de les écouter, dit l'oncle Bob.

C'était déjà plus crédible que d'attribuer l'histoire à ma mère, mais ni Bob ni moi ne fûmes tellement convaincus.

– Il y a des mystères qui nous échapperont toujours, Billy, conclut-il avec plus d'assurance.

Et, tout de suite après son départ, je découvris une autre balle de squash, ou la même, qui sait, sous mes couvertures.

Je savais pertinemment que ce n'était pas ma mère qui m'avait raconté l'histoire de *Madame Bovary* dans les chiottes démultipliées, mais je lui posai la question à tout hasard.

– Moi, elle ne m'a jamais amusée cette histoire, me dit-elle. Jamais je ne t'aurais raconté une histoire pareille, Billy. C'est peut-être Grand-père, je lui avais pourtant dit de ne pas le faire !

– Non, ce n'est pas lui, j'en suis sûr.

– Alors je parie que c'est l'oncle Bob,

– Il dit qu'il n'a pas souvenir de me l'avoir racontée.

– Bob boit, il oublie. Et tu as eu beaucoup de fièvre ces derniers jours, me rappela-t-elle. Tu sais quels rêves la fièvre peut te provoquer, Billy.

– Je trouvais pourtant que c'était une histoire amusante, le cul du soldat qui claque en parcourant tous les sièges de cabinets !

– Ça ne me fait pas rire, Billy.

La scarlatine n'était plus qu'un souvenir quand je demandai à Richard son opinion sur *Madame Bovary*.

– C'est une œuvre que tu apprécieras davantage quand tu seras plus grand, Bill.

– À quel âge ?

Je devais avoir quatorze ans à l'époque, je suppose. Je n'avais pas encore lu et relu *De grandes espérances*, mais Miss Frost avait déjà fait de moi un lecteur assidu – ça, j'en suis certain.

– Et si je demandais à Miss Frost à quel âge je pourrai le lire ?

– À ta place, j'attendrais un peu avant de le lui demander, dit Richard.

– Un peu ? Jusqu'à quand ?

Richard Abbott, que je croyais omniscient, me répondit pourtant :

– Je ne sais pas au juste.

Je ne sais pas au juste quand ma mère devint souffleuse au Club Théâtre de la Favorite River Academy, mais je me souviens très bien qu'elle l'était pour *La Tempête*. Il y avait eu quelques conflits d'orga-nisation, parce qu'elle assurait toujours ce rôle auprès des First Sister Players, mais les souffleurs n'étaient pas tenus d'assister à toutes les répétitions, et les représentations de notre troupe de théâtre amateur n'avaient jamais lieu en même temps que celles du Club.

Pendant les répétitions, Kittredge faisait exprès d'estropier un vers pour que ma mère le reprenne.

– Ô très chère demoiselle, dit Ferdinand à Miranda durant une de nos répétitions, alors que nous en étions déjà à travailler sans le texte.

– Non, Jacques, corrigea ma mère. Il dit «Ô *maîtresse* très chère», pas *demoiselle*.

Mais Kittredge se trompait exprès pour engager la conversation avec ma mère.

– Je suis désolé, Mrs Abbott, cela ne se reproduira pas, disait-il.

Puis il loupait la réplique suivante. «Jamais, précieuse créature», doit dire Ferdinand à Miranda, et Kittredge disait : «Jamais, précieuse maîtresse.»

– Pas cette fois, Jacques, disait alors ma mère. C'est «Jamais, précieuse *créature*», pas *maîtresse*.

– C'est parce que j'essaie trop de vous plaire, je voudrais que vous m'aimiez, mais vous en êtes loin, je le crains, Mrs Abbott, disait Kittredge à ma mère.

Il flirtait avec elle et elle rougissait. J'étais gêné de la voir séduite à si bon compte ; on aurait dit qu'elle était simplette, si peu au fait des choses du sexe que le premier beau parleur venu la mettrait dans sa poche.

– Je t'aime bien, Jacques, ce n'est pas vrai que je ne t'aime pas ! lâcha ma mère, tandis qu'Elaine, en Miranda, bouillait de rage, n'ayant pas oublié qu'il trouvait ma mère *torride*.

– Vous me faites perdre mes moyens, dit Kittredge, qui paraissait au contraire de plus en plus sûr de lui.

– Arrête tes conneries ! glapit Elaine.

Kittredge eut un mouvement de recul au son de sa voix, et ma mère tressaillit comme si on l'avait giflée.

– Elaine, quel langage de charretier ! dit ma mère.

– Est-ce qu'on pourrait continuer la répèt' ? demanda Elaine.

– Ô Naples, quelle impatience ! fit Kittredge avec un sourire désarmant, d'abord à Elaine, puis à ma mère. Elaine a hâte d'arriver au passage où je lui tiens la main.

En effet, dans la scène qu'ils étaient en train de répéter – la scène 1 de l'acte III –, Ferdinand et Miranda se tiennent par la main. Cette fois, ce fut à Elaine de piquer un fard, mais Kittredge, parfaitement maître de la situation, lança un regard sérieux vers ma mère.

– J'ai une question, Mrs Abbott, commença-t-il, comme si Elaine et Miranda n'existaient pas – comme si elles n'avaient jamais existé. Quand Ferdinand dit : « J'ai eu pour maintes dames / Un regard complaisant, et souvent la musique de leur voix / A réduit mon oreille trop prompte au servage. » Vous savez, ces vers, je me demande si ça veut dire que j'ai eu beaucoup de maîtresses, et si je ne devrais pas, d'une manière ou d'une autre, laisser entendre que j'ai eu, disons, des *expériences sexuelles*.

Ma mère rougit encore davantage.

– Oh, Dieu du ciel ! s'écria Elaine Hadley.

Et moi – où étais-je donc ? J'étais Ariel, un esprit des airs. J'attendais que Ferdinand et Miranda *sortent* – *chacun de son côté*, comme précisaient les indications scéniques. J'attendais, avec Caliban, Stephano (un sommelier ivrogne, précise Shakespeare) et Trinculo ; nous faisions notre entrée dans la scène suivante, scène où j'étais censé demeurer invisible. Devant ma mère qui rougissait des manipulations habiles de Kittredge, je me sentais effectivement invisible – ou plutôt j'aurais payé cher pour le devenir.

– Je ne suis que la souffleuse, s'empressa de répondre ma mère, ta question s'adresse au metteur en scène, tu devrais demander à Mr Abbott.

Ma mère était troublée, c'était évident, et je la voyais soudain comme elle avait dû être des années auparavant, quand elle était enceinte de moi, ou juste après ma naissance – quand elle avait vu mon coureur de jupons de père embrasser *une autre personne*. Je me souvenais qu'elle avait appuyé sur le mot *autre* quand elle m'en avait parlé, de la même façon qu'elle appuyait sur les mots pour corriger les « erreurs » de Kittredge. Une fois que nous eûmes commencé les représentations publiques de *La Tempête*, Kittredge ne commit plus la moindre erreur sur le texte. Je me rends compte que je n'en ai encore rien dit, mais il était très bon sur scène.

Je souffrais de voir avec quelle facilité ma mère était défaite par la plus légère allusion sexuelle émise par un adolescent ! Je me détestais d'avoir été témoin de cette scène et d'avoir eu honte de ma mère, et aussi parce que je savais que la honte que je ressentais venait de la condescendance et des ragots réprobateurs de Muriel. Naturellement, je haïssais Kittredge d'avoir aussi aisément troublé ma mère, cette accidentée de la vie – et je le haïssais aussi pour sa dextérité à nous atteindre, Elaine et moi. C'est alors que ma mère avait appelé à l'aide :

– Richard ! Jacques a une question à te poser à propos de son personnage !

– Dieu tout-puissant ! soupira Elaine d'une voix à peine perceptible, curieusement, mais Kittredge l'avait entendue.

– Patience, chère Naples, lui dit-il en lui prenant la main.

Il la tenait exactement comme Ferdinand tient celle de Miranda – juste avant qu'ils ne quittent la scène à la fin de l'acte III, scène 1 –, mais Elaine la retira avec brusquerie.

– Qu'est-ce qui te tracasse dans ton personnage ? demanda Richard à Kittredge.

– Encore une de ses conneries, dit Elaine.

– Elaine, quel vocabulaire ! s'insurgea ma mère.

– Miranda a sans doute besoin d'un bol d'air, proposa Richard. Respire profondément une ou deux fois, Elaine, et crache tous les mots qui te viennent spontanément à l'esprit. Fais une pause. Et toi aussi, Bill, tu as besoin d'une petite pause. Nous voulons que notre Miranda et notre Ariel soient bien dans leur personnage. (Il avait dû remarquer que moi aussi, j'étais un tantinet perturbé.)

Il y avait un quai de chargement derrière les coulisses, à côté de la menuiserie, et Elaine et moi nous nous y retrouvâmes dans l'air frais de la nuit. Je tentai de lui prendre la main ; elle la retira, mais moins vivement qu'elle l'avait fait avec Kittredge. Puis, avant que la porte donnant sur le quai se referme, elle me reprit la main et elle posa sa tête sur mon épaule. Nous entendîmes Kittredge dire à quelqu'un, ou à la cantonade :

– Joli couple, hein ?

– Fils de pute ! Pue-du-bec ! hurla Elaine.

Puis elle aspira l'air frais à pleins poumons, jusqu'à ce que sa respiration redevienne normale. Quand nous revînmes à l'intérieur du théâtre, ses lunettes se couvrirent instantanément de buée.

– Ferdinand ne dit pas à Miranda qu'il a eu des expériences sexuelles,

91

expliqua Richard à Kittredge, il dit qu'il a été *attentionné* envers les femmes, et que beaucoup lui ont fait impression. Il veut seulement dire que personne ne lui a fait une impression comparable à celle que Miranda a provoquée chez lui.

– Il s'agit d'impressions, Kittredge, parvint à dire Elaine. Pas de sexe.

Ariel entre, invisible – indique la didascalie de la scène suivante (acte III, scène 2). Invisible, je l'étais déjà ; j'avais d'une certaine façon réussi à leur donner le change, à leur faire penser que j'étais amoureux d'Elaine. Ce dont elle avait l'air de s'accommoder, peut-être pour se protéger elle-même. Kittredge nous adressait des sourires entendus – d'un air narquois et supérieur, comme il savait si bien le faire. Je ne pense pas que le mot *impressions* avait une quelconque signification pour lui : dans son esprit tout se ramenait au sexe – à l'acte, en fait. Et si la troupe entière était persuadée qu'entre Elaine et moi il y avait quelque chose de sexuel, il est probable que seul Kittredge en doutait – en tout cas, c'est l'impression que son sourire narquois nous donna.

C'est sûrement la raison pour laquelle Elaine lui tourna soudain le dos et vint m'embrasser. Elle effleura à peine mes lèvres ; ce fut un contact fugace, mais réel ; je dus faire mine de répondre à son baiser, ne serait-ce que brièvement. Rien de plus. Juste un petit baiser, et il n'y eut même pas de buée sur ses lunettes.

Je doute qu'elle ait été attirée sexuellement par moi, et je crois qu'elle savait depuis le début que je faisais semblant d'avoir le béguin pour elle. Nous étions certes des acteurs amateurs – elle, l'innocente Miranda, et moi, l'invisible Ariel – mais nous jouions notre rôle, et il y avait une connivence implicite dans notre mascarade.

En somme, nous avions tous les deux quelque chose à cacher.

4

Le soutien-gorge d'Elaine

Aujourd'hui encore, je ne sais que penser du malheureux Caliban – le monstre qui tente de violer Miranda et s'attire ainsi la condamnation impitoyable de Prospero. Celui-ci ne semble pas s'embarrasser de responsabilités à son égard : « Cette chose de l'ombre / que j'admets posséder. »

Pour quelqu'un d'aussi imbu de sa personne que Kittredge, il était évident que *La Tempête* tournait autour du personnage de Ferdinand ; c'est une histoire d'amour, dans laquelle Ferdinand courtise Miranda et gagne ses faveurs. Mais Richard Abbott disait que la pièce est une « tragicomédie », et pendant ces deux, presque trois mois de l'automne 1959, alors qu'Elaine Hadley et moi étions en pleine répétition de la pièce, nous sentions que notre proximité quasi tactile avec Kittredge devenait notre tragicomédie personnelle – même si *La Tempête* se termine bien pour Miranda et Ariel.

Ma mère, qui persistait à affirmer qu'elle n'était que la souffleuse, avait l'étrange et mathématique habitude de chronométrer chaque acteur ; elle se servait d'un minuteur de cuisine bon marché et, en marge de son exemplaire de la pièce, elle notait, en pourcentages, les temps de présence de chaque personnage sur scène. L'intérêt de ce calcul me laissait perplexe, même si Elaine et moi fûmes ravis d'apprendre que Ferdinand occupait le plateau pendant seulement dix-sept pour cent de la durée totale de la pièce.

– Et Miranda ? demanda Elaine à ma mère, en s'arrangeant pour que Kittredge, toujours à l'affût d'une victoire sur autrui, puisse entendre la réponse.

– Vingt-sept pour cent, répondit ma mère.

– Et moi ? demandai-je.

– Ariel est sur scène pendant trente et un pour cent du temps total.

Kittredge ne manqua pas de tourner en dérision ces informations qui minoraient sa prestation.

– Et Prospero, notre metteur en scène hors pair, qui nous bourre le mou avec ses pouvoirs magiques ? demanda-t-il d'un ton sarcastique.

– Qui nous bourre le mou ! s'indigna Elaine d'une voix tonitruante.

– Prospero est sur scène pendant environ cinquante-deux pour cent de la durée totale, précisa ma mère à Kittredge.

– Environ, reprit Kittredge, avec dérision.

Richard nous avait dit que *La Tempête* était l'« adieu aux armes » de Shakespeare, que le barde de Stratford y faisait sciemment ses adieux au théâtre, mais je ne comprenais pas la nécessité de l'acte V – et surtout de cet épilogue rajouté, dit par Prospero.

Bien que je n'aie jamais écrit pour le théâtre, peut-être était-ce chez moi l'écrivain en devenir qui jugeait que *La Tempête* aurait dû s'achever sur l'adresse de Prospero à Ferdinand et Miranda : la tirade « Nos divertissements sont terminés » de l'acte IV, scène 1. Et il va de soi que Prospero aurait dû terminer cette tirade et la pièce par cette phrase sublime : « Nous sommes faits de l'étoffe des rêves, et notre petite vie est entourée de sommeil. » Qu'a-t-il besoin d'en dire davantage ? Peut-être se sent-il responsable du sort de Caliban, après tout.

Mais quand j'en fis la remarque à Richard, il me répondit :

– Eh bien, Bill, si tu prétends réécrire les pièces de Shakespeare du haut de tes dix-sept ans, tu as très certainement un grand avenir devant toi !

Richard n'avait pas l'habitude de se moquer de moi et cette réflexion me laissa un goût amer ; car Kittredge était prompt à rebondir sur le malaise des autres.

« Eh, *Rewriter* ! » me lança-t-il dans le parc des résidences. Hélas pour moi, le surnom ne tint pas la route ; Kittredge ne le reprit jamais, préférant toujours m'appeler Nymphe. J'aimais mieux Rewriter ; du moins était-ce plus approprié au genre d'écrivain que j'allais devenir un jour.

Mais je m'égare, je parlais du personnage de Caliban ; j'ai fait une digression, tout aussi caractéristique des écrivains dans mon genre. Caliban est sur scène pendant vingt-cinq pour cent de la durée de la pièce. Les calculs de ma mère ne tenaient pas compte des dialogues, mais du temps de présence des personnages sur scène. Ce fut ma première expérience de *La Tempête*, mais par la suite, à chaque représentation de la pièce, j'ai toujours trouvé Caliban profondément troublant ; en tant qu'écrivain, je le qualifierais de personnage « en suspens ». Le traitement impitoyable que Prospero lui fait subir nous permet de mesurer sa rancœur tenace. Mais Shakespeare, que voulait-il nous inspirer à l'endroit de ce monstre ? De la compassion, peut-être – ou alors de la mauvaise conscience.

En cet automne 1959, j'avais du mal à cerner l'idée que Richard se faisait de Caliban ; qu'il ait choisi Grand-père Harry pour le jouer livrait un message ambigu. Harry n'avait jamais interprété de rôle masculin ; laissant délibérément « en suspens » la question de l'humanité du monstre, il en fit un personnage résolument *féminin*. Caliban a convoité Miranda, nous savons qu'il a tenté de la violer ? Qu'à cela ne tienne ! Harry Marshall n'arrivait pas à être antipathique, même dans les rôles de méchants, pas plus qu'il ne pouvait être tout à fait *mâle*.

Richard, conscient peut-être que Caliban est un monstre dérangeant, se doutait que Grand-père Harry ne manquerait pas d'ajouter son grain de sel à la confusion des genres. Kittredge avait son explication, parfaitement claire, celle-là, dont il me fit part : « Ton grand-père est carrément spécial. » Pour tout dire, il l'appelait « Queen Lear », la Reine Lear.

Même moi, je trouvais que Harry se caricaturait dans Caliban ; il surjouait l'ambiguïté sexuelle – il en faisait une vieille chouette androgyne.

Grand-père étant chauve, sa perruque convenait pour les deux sexes. Son costume était celui d'une clocharde urbaine excentrique : pantalon de survêtement balayant le sol, sweat-shirt tombant sur les cuisses, l'un comme l'autre du même gris délavé que la perruque. Comble de l'équivoque, il portait un vernis à ongles tape-à-l'œil sur les orteils de ses pieds nus. Il avait mis une boucle d'oreille genre bouchon de carafe en strass – qui évoquait davantage le pirate ou le catcheur professionnel que la pute – et un collier en fausses perles, bijou de scène on ne plus cheap, par-dessus son sweat.

– C'est quoi, Caliban, en fait ? demanda Kittredge à Richard Abbott.

– La terre et l'eau, Kittredge, la force brutale et la duplicité, répéta Richard.

– Mais la duplicité, elle est de quel sexe, au juste ? Est-ce que Caliban est un monstre lesbien ? Et quand il a tenté de violer Miranda, il était mâle ou femelle ?

– Le sexe, toujours le sexe ! Tu penses qu'à ça ! s'écria Elaine.

– N'oublie pas tes bouchons d'oreilles, Nymphe, me dit Kittredge avec un sourire en coin.

Elaine et moi ne pouvions le regarder sans voir sa mère, jambes parfaitement croisées, sur les gradins inconfortables de la salle de lutte. Pendant que son fils battait à plate couture un adversaire surclassé, elle donnait l'impression de mater un film porno, mais avec la désinvolture d'une femme experte, qui savait qu'elle aurait fait mieux encore. « Ta mère, c'est un mec avec des seins en plus », aurais-je voulu dire à Kittredge, mais je n'osais pas, bien sûr. Sa réaction ne se serait pas fait attendre. « Tu veux parler de ma *belle-mère* ? » m'aurait-il demandé avant de me briser les os.

Une fois dans l'intimité de notre appartement, avec ma mère et Richard, je remis le sujet sur le tapis.

– Mais qu'est-ce qu'il a, Grand-père ? leur demandai-je. Parce que d'accord, le genre d'Ariel est polymorphe, mais cela relève davantage du costume que de la génétique, comme tu dis, Richard. Et tout ce que je porte, ma tenue de scène – la perruque, les collants –, tout suggère que le sexe d'Ariel est indécis. Mais Caliban, lui, est un monstre *mâle*, non ? On dirait que Grand-père joue Caliban comme une sorte de…

Je marquai un temps. Je me refusais à qualifier mon grand-père de « Reine Lear », parce que c'était Kittredge qui l'avait surnommé ainsi.

– … Comme une sorte de *gouine* ? poursuivis-je.

Le mot *gouine* était à la mode à la Favorite River – parmi ces lycéens, tel Kittredge, qui ne se lassaient pas d'employer les mots *homo*, *pédé*, *tapette*… comme des insultes.

– Papa ? Une *gouine* ? ! s'écria ma mère d'un ton cinglant.

Un ton nouveau pour elle ; de plus en plus, lorsqu'elle adoptait ce ton sec et cassant, c'était contre moi.

– Eh bien, Bill… commença Richard Abbott, puis il s'interrompit. Ne te fâche pas, trésor, dit-il à ma mère, dont l'agitation l'avait déconcerté. Il reprit :

– Ce que je pense, Bill, c'est que cette histoire de « genre » importait beaucoup moins à Shakespeare qu'à nous.

Il bottait en touche, à mon avis, mais je n'en dis mot. Commençait-il à me décevoir, avec le temps, ou étais-je simplement en train de grandir ?

« Ça te va pas comme réponse, hein ? » conclut Elaine Hadley un peu plus tard, quand je lui avouai que l'identité sexuelle de Grand-père Harry en Caliban était pour moi un sujet de perplexité.

Chose curieuse, quand nous étions tout seuls, Elaine et moi, nous ne nous tenions pas par la main, nous ne jouions pas les amoureux, alors qu'à l'extérieur nous nous prenions spontanément la main et restions collés l'un à l'autre aussi longtemps que nous avions un public. C'était une sorte de code entre nous, tout comme notre façon de nous demander : « Et le canard, qu'est-ce qu'il devient ? »…

Et pourtant, la première fois que nous allâmes à la Bibliothèque municipale, nous ne nous tenions pas la main. Je me disais que Miss Frost ne marcherait pas dans la combine, qu'elle ne penserait pas un instant qu'Elaine et moi étions amoureux l'un de l'autre. Nous cherchions seulement un endroit pour filer nos textes de *La Tempête*. Nous nous sentions à l'étroit dans nos appartements respectifs, qui manquaient d'intimité – sauf à répéter dans sa chambre ou dans la mienne, porte fermée. Mais nous avions si bien simulé le petit couple enamouré que ma mère et Richard, ou les parents Hadley, auraient disjoncté de nous voir fermer la porte de notre chambre quand nous étions ensemble.

Pas question de répéter dans la salle des Annuaires : il y avait presque toujours un professeur en train de travailler, et la pièce n'avait pas de porte ; on nous aurait entendus dans tout le bâtiment. Quant à la Bibliothèque municipale, beaucoup plus petite que celle de l'École, il était à craindre qu'on nous y entende partout !

– Nous nous demandions s'il n'y aurait pas une pièce plus intime, ici, expliquai-je à Miss Frost.

– Plus *intime* ? répéta la bibliothécaire.

– Où on ne pourrait pas nous entendre, précisa Elaine de sa voix supersonique. On voudrait filer nos répliques de *La Tempête*, mais sans gêner personne, ajouta-t-elle aussitôt (pour le cas où Miss Frost aurait cru que nous cherchions un endroit doté d'une isolation phonique suffisante pour étouffer les effets sonores du fameux premier orgasme d'Elaine).

Miss Frost se tourna vers moi :

– Tu veux filer ton texte dans une bibliothèque, dit-elle, comme si elle voyait là une nouvelle pièce s'insérant parfaitement dans le puzzle de mon désir d'*écrire* dans une bibliothèque.

Mais elle ne trahit pas mes intentions. Je n'avais pas encore parlé ouvertement à mon amie Elaine de mon projet littéraire ; ce désir-là, comme certains autres, faisait encore partie des secrets qu'elle devait ignorer.

– Nous pouvons essayer de répéter tout bas, proposa Elaine d'une voix inhabituellement feutrée.

– Non, non, chérie, vous devez vous sentir libres de dire votre texte aussi fort que sur les planches, lui dit Miss Frost en lui tapotant la main avec sa grande patte. Je crois connaître un endroit où vous pourrez crier sans qu'on vous entende.

Nous allions le découvrir : la véritable aubaine n'était pas tant l'existence d'un gueuloir étanche au sein de la bibliothèque que la nature même de cette pièce.

Miss Frost nous conduisit dans l'escalier menant à ce qui semblait, à première vue, être la chaufferie de la vieille bibliothèque. Les murs en brique rouge dataient de l'époque géorgienne, et la première chaudière était à charbon. On distinguait, encore accrochés à un vasistas, les restes noircis de la goulotte qui servait autrefois à déverser les boulets dans la cave. L'énorme foyer avait été couché sur le flanc pour être entreposé dans un coin, et on l'avait remplacé par une chaudière à mazout plus moderne, flanquée d'un tout nouveau chauffe-eau à gaz. Dans la partie supérieure du mur, au niveau de la goulotte, une ouverture rectangulaire avait été ménagée ; l'espace où se trouvait le vasistas était à présent une chambre-salle de bains fermée par une porte. Elle était meublée d'un lit à l'ancienne en cuivre, avec une tête de lit à barreaux, solides comme ceux d'une prison, auxquels on avait fixé une lampe de lecture. Il y avait aussi un petit lavabo surmonté d'un miroir dans un coin de la pièce, et, dans un autre coin, exposé aux regards, une sentinelle solitaire – pas un planton mais un siège de toilettes avec une lunette en bois. Sur la table de nuit étaient posées une pile de livres bien rangés et une grosse bougie parfumée. La pièce sentait la cannelle, sans doute pour masquer les effluves de mazout de la chaudière toute proche.

Dans une penderie sans porte, Elaine et moi aperçûmes quelques étagères, des cintres, deux, trois tenues de rechange, un minimum. Mais le pôle d'attraction de ce «bac à charbon reconverti», comme disait Miss Frost, était sans conteste une baignoire d'une opulence toute victorienne, dont on n'avait pas coffré la tuyauterie. (Le plancher en contreplaqué était inachevé, et les fils électriques apparents.)

– Les soirs de tempête de neige, je ne me sens pas toujours d'attaque pour rentrer chez moi à pied ou en voiture, nous dit Miss Frost – comme si cela expliquait l'aspect à la fois douillet et rudimentaire de ce sous-sol.

Ni Elaine ni moi ne savions où elle habitait, mais nous en déduisîmes que c'était à deux pas.

Elaine écarquillait les yeux devant la baignoire, avec ses robinets à tête de lion et ses pieds assortis. Pour ma part, je le confesse, j'étais médusé par le lit à barreaux en cuivre.

– Je suis désolée, mais il n'y a que le lit pour s'asseoir, dit Miss Frost, sauf si vous préférez répéter votre texte dans la baignoire.

Elle ne semblait pas autrement inquiète qu'Elaine et moi puissions faire *autre chose* sur le lit, ou que nous prenions un bain ensemble. Elle s'apprêtait à nous laisser en refermant la porte de sa chambre de fortune, son «nid secondaire» si commode, quand Elaine Hadley s'écria :

– C'est l'endroit idéal ! Merci de votre soutien, Miss Frost !

– Mais je t'en prie, Elaine. Je te garantis qu'ici William et toi pourrez crier à tue-tête, personne ne vous entendra.

Avant de s'éclipser, cependant, elle me jeta un regard et sourit.

– Si vous avez besoin d'un coup de main pour la répétition – si vous avez une question sur les mots à faire ressortir, ou si vous avez un problème de prononciation –, eh bien, vous savez où me trouver.

J'ignorais que Miss Frost avait remarqué mes troubles d'élocution ; en fait, je m'étais très peu exprimé en sa présence.

J'étais trop gêné pour dire quoi que ce soit, mais Elaine n'hésita pas un instant.

– Ah, à ce propos, Miss Frost, Billy n'a rencontré qu'une seule difficulté dans le texte d'Ariel, et nous étions en train de travailler sur ce passage.

– Quelle difficulté, William ? me demanda Miss Frost, avec son regard si pénétrant. (Dieu merci, il n'était pas question de pénis dans le texte d'Ariel.)

Lorsque Caliban traite Prospero de tyran, Ariel dit : « Mensonge ! » Comme il est invisible, Caliban croit que c'est Trinculo qui l'a traité de menteur. Dans la même scène, Ariel lance « Mensonge ! » à Stephano, qui pense à son tour que Trinculo l'a traité de menteur et le frappe.

— Je dois dire « Mensonge ! » à deux reprises, expliquai-je à Miss Frost en faisant attention de bien prononcer le mot correctement — avec ses deux sons distincts.

— Quelquefois, il prononce *Mon songe*, dit Elaine à Miss Frost.

— Oh là là, fit la bibliothécaire, en fermant les yeux devant l'horreur de la chose. Regarde-moi, William, dit-elle.

J'obtempérai sans broncher ; pour une fois, je pouvais la regarder autrement qu'à la dérobée.

— Dis-moi « en songe », William.

Ce n'était pas difficile, puisqu'elle était si souvent le sujet de mes rêveries.

— En songe, lui dis-je en la regardant dans les yeux.

— Bien, William, rappelle-toi seulement que « mensonge » rime avec « en songe », me dit Miss Frost.

— Vas-y, dis-le, me pressa Elaine.

— Mensonge ! fis-je exactement comme Ariel, invisible, doit le dire, en prononçant distinctement les deux sons voisins.

— J'espère que tous tes problèmes sont aussi faciles à résoudre, William, fit Miss Frost. J'adore filer un texte, confia-t-elle à Elaine, puis elle referma la porte derrière elle.

J'étais impressionné de constater que Miss Frost savait ce que « filer un texte » signifiait. Lorsque Richard lui avait demandé si elle avait déjà joué *en public*, Miss Frost lui avait aussitôt répondu : « Seulement dans ma tête. Quand j'étais plus jeune, tout le temps. » Cependant, elle avait réussi à se faire un nom et devenir une actrice exceptionnelle dans la troupe des First Sister Players.

« Miss Frost est un personnage d'Ibsen ! » avait dit Nils à Richard, et pourtant peu de rôles lui avaient échu — seulement ceux de ces femmes sévèrement éprouvées par le destin dans *Hedda Gabler*, *Une maison de poupée* et cette vacherie de *Canard sauvage*.

Bref, pour quelqu'un qui n'avait jusqu'à présent fréquenté les planches qu'en imagination et qui interprétait les femmes d'Ibsen avec un naturel confondant, Miss Frost avait visiblement l'habitude de tout ce qu'impliquaient ces filages et elle nous soutenait avec enthousiasme, Elaine et moi.

Au début, nous eûmes un peu de mal à trouver notre place sur le lit. C'était un matelas de cent quarante, mais le sommier était assez haut : bien sagement assis côte à côte, nos pieds ne touchaient pas le sol ; allongés sur le ventre, nous devions nous contorsionner pour nous voir de face ; il nous fallut donc glisser les oreillers contre la tête de lit et nous mettre sur le côté, face à face, pour dire notre texte – les feuillets disposés entre nous en cas de besoin.

– On dirait un vieux couple, constata Elaine.

Je n'étais pas loin de penser la même chose.

Lors de notre première soirée dans le « refuge » de Miss Frost, Elaine s'endormit. Je savais qu'elle se levait plus tôt que moi ; le matin, elle devait prendre le car pour Ezra Falls, si bien qu'elle était toujours fatiguée. Lorsqu'on frappa à la porte, elle sursauta ; elle se précipita dans mes bras et me tenait encore serré quand Miss Frost fit son entrée dans la pièce. Je ne crois pas qu'elle fut dupe de ces mamours. Nous n'avions certainement pas la mine d'ados qui viennent de se bécoter et elle se contenta de nous annoncer :

– Je vais bientôt fermer la bibliothèque. Shakespeare lui-même doit rentrer dormir.

Comme le savent tous ceux qui ont un jour ou l'autre fait partie d'une troupe de théâtre, après les répétitions stressantes et l'interminable mémorisation du texte – je veux dire quand les répliques coulent enfin avec naturel, il faut bien s'arrêter tôt ou tard. Il y eut quatre représentations de *La Tempête*. Je parvins à dire « mensonge » clairement chaque fois, mais le soir de la première je faillis dire « mes seins », quand il me sembla apercevoir la mère de Kittredge, superbement habillée, dans le public de la salle – pour apprendre de la bouche de celui-ci, pendant l'entracte, que je m'étais trompé. Cette femme n'était pas sa mère.

– La femme que tu prends pour ma mère est à Paris, me dit-il pour couper court.

– Ah bon.

– Tu as dû voir une quadra dans son genre, sapée à mort.

– Ta mère est très belle, lui dis-je, tout à fait sincère et purement laudatif.

– La tienne est bien plus torride, fit Kittredge sur le ton du simple constat, sans rien de sarcastique, ni de salace.

C'était dit avec naturel, comme il avait précisé que sa mère – ou celle qui se faisait passer pour telle – se trouvait en ce moment à Paris. Bientôt, le mot *torride*, dans le sens où il l'employait, allait faire fureur à la Favorite River.

Plus tard, Elaine n'avait pas manqué de me demander : « Qu'est-ce que tu manigances, Billy, tu essaies de faire *copain-copain* avec lui ? »

Elaine fut une excellente Miranda, malgré un petit couac durant la première de la pièce ; elle eut besoin de la souffleuse. Et c'était probablement de ma faute.

« Des flancs vertueux ont parfois porté un fils indigne », dit Miranda à son père – en parlant d'Antonio, le frère de celui-ci.

J'avais sans doute trop discuté avec Elaine de ce concept de flancs vertueux. Je lui avais parlé longuement de mes doutes sur mon père biologique – en lui disant pourquoi j'avais attribué aux gènes du codeur, et non à ceux de ma mère, tout ce qui semblait pernicieux en moi. À l'époque, je considérais toujours ma mère comme l'un des « flancs vertueux » du monde. Elle avait beau avoir été honteusement *facile à séduire* – c'est ainsi que je l'avais décrite à Elaine –, Mary Marshall Dean *ou* Abbott était par essence innocente de toute faute. Crédule, soit, *attardée* à ses heures – c'est le terme que j'employais avec Elaine pour éviter de dire *un peu demeurée* –, méchante, jamais.

Certes, il était cocasse que je n'arrive pas à prononcer correctement les mots *flancs vertueux*. Elaine et moi avions beaucoup ri du problème que me posait la lettre *c* de *flanc*. « C'est un *c* muet, Billy ! s'était écriée Elaine. Ça ne se prononce pas ! »

C'était plutôt comique, même pour moi. Qu'avais-je besoin d'employer le mot *flanc* ?

Mais je suis sûr que c'est la raison pour laquelle Elaine avait le mot *mère* en tête le jour de la première. « Des mères vertueuses ont parfois porté un fils indigne », dit-elle. Elle avait dû sentir le lapsus venir ; elle s'arrêta aussitôt après avoir dit « vertueuses ». Il y eut ensuite ce que tout acteur redoute le plus : un silence révélateur.

– Des flancs, chuchota ma mère au niveau sonore parfait, à la limite de l'audible.

– Des flancs ! hurla Elaine. (Richard – en Prospero – fit un bond en arrière.) Des flancs vertueux ont parfois porté un fils indigne.

Naturellement, après la représentation, Kittredge ne manqua pas de l'épingler.

– Il faut que tu travailles le mot *flanc*, Naples, dit-il à Elaine. C'est probablement un mot qui déclenche en toi une certaine tension nerveuse. Tu devrais essayer de te dire «chaque femme a un flanc» – un utérus, quoi ! – «et moi aussi j'en ai un». Il ne faut pas s'en faire un monde. On peut travailler ensemble la diction du mot, si ça peut t'aider. Par exemple, je dis : «les flancs», et toi tu dis : «les flancs, il ne faut pas s'en faire un monde», ou alors je dis : «un flanc» et tu réponds : «J'en ai un moi-même !» – enfin, tu vois, quoi.

– Merci, Kittredge, fit Elaine, c'est vraiment sympa de ta part.

Elle se mordait la lèvre inférieure, ce qu'elle faisait seulement quand elle se pâmait d'amour pour lui et se le reprochait amèrement (sentiment qui m'était familier à titre personnel).

Et voilà qu'après des mois d'intense promiscuité scénique, nous perdîmes ce contact direct avec Kittredge : grosse déprime, pour Elaine et pour moi. Richard essaya de nous parler de la dépression postnatale qui saisit parfois les acteurs à la fin d'une série de représentations.

– Ce n'est pas nous qui avons accouché de *La Tempête*, dit Elaine, agacée. C'est *Shakespeare* !

Pour ma part, je regrettais également le temps du filage sur le lit en cuivre de Miss Frost, mais quand j'en fis part à Elaine elle s'exclama :

– Et pourquoi ? C'est pas comme si on avait fait des galipettes dessus, quoi !

J'appréciais de plus en plus Elaine, même si ce n'était pas sur ce terrain-là. La prudence s'impose avec les amis, surtout quand on essaie désespérément de les aider à se sentir mieux dans leur peau.

– Ça n'est pas faute d'en avoir eu envie, lui répondis-je.

Nous étions dans sa chambre, porte grande ouverte, un samedi soir, à l'orée du trimestre d'hiver, quelque part du côté du Nouvel An 1960. Nous avions toujours le même âge : dix-sept ans pour moi et seize pour Elaine. C'était soirée cinéma à la Favorite River Academy, et, de la fenêtre de la chambre, nous distinguions la lueur intermittente du projecteur dans le nouveau gymnase ovoïde, contigu à l'ancien où, pendant les week-ends d'hiver, nous allions assister aux matchs de lutte de Kittredge. Or ce week-end-là, justement, les lutteurs étaient allés participer à un tournoi dans le Sud – à Mount Hermon ou à Loomis.

Quand les autocars de l'équipe revenaient de ce type de compétition, nous pouvions les voir arriver depuis la fenêtre de sa chambre, au cinquième étage. Même dans le froid de janvier, toutes fenêtres fermées, les éclats de voix des garçons se répercutaient sur les murs des résidences. À la descente du car, les lutteurs comme les autres athlètes charriaient leur matériel vers le nouveau gymnase, où se trouvaient les vestiaires et les douches. Si la séance de cinéma n'était pas terminée, certains restaient regarder la fin du film.

Mais ce samedi soir-là on projetait un western, et il fallait être carrément débile pour regarder la fin d'un western sans en avoir vu le début – d'ailleurs ces films se terminaient toujours de la même façon : il y avait un règlement de comptes général et les méchants étaient dûment punis. Kittredge allait-il rester au gymnase pour regarder la fin du film – à supposer que son car revienne à temps –, Elaine et moi avions pris des paris.

– Kittredge n'est pas un crétin, avait dit Elaine. Il ne va pas rester planté dans le gymnase pour regarder les quinze dernières minutes d'un opéra pour canassons.

Elaine affichait un souverain mépris pour les westerns, qu'elle traitait d'« opéras de canassons » et encore, quand elle était de bonne humeur ; le plus souvent, elle les qualifiait d'« intox machiste ».

– Kittredge est un sportif, il va rester dans le gymnase avec ses pareils, avais-je répondu. Quel que soit le film.

Les sportifs, qui ne restaient pas à traîner après leur trajet en car, n'avaient pas loin à aller. Leur résidence, appelée Tilley Hall, était un bâtiment en brique de cinq étages, attenant au gymnase. (Je n'avais pas repéré la photo du professeur Tilley à la faveur de mes recherches dans la salle des Annuaires. S'il s'agissait d'un professeur émérite, il avait dû enseigner à une époque plus récente que celle où le vieux Bancroft avait sévi.) Ça n'empêchait pas ces abrutis de faire un raffut de tous les diables dans le parc en rentrant au bercail.

Mr Hadley et son laideron de femme étaient de sortie avec Richard et ma mère, comme à leur habitude quand un film étranger passait à Ezra Falls. Le fronton du cinéma indiquait alors en toutes lettres que le film était en VO sous-titrée. Ce n'était pas seulement une forme d'avertissement à l'usage des natifs du Vermont intimidés ou rebutés par les sous-titres ; la mise en garde était d'un autre ordre, à savoir qu'un film étranger risquait de comporter une dose de sexe supérieure à ce que la moyenne des spectateurs avait coutume d'absorber.

Quand ma mère, Richard et les Hadley allaient à Ezra Falls pour voir un de ces films en VO sous-titrée, Elaine et moi n'étions évidemment pas invités à nous joindre à eux. Et c'est la raison pour laquelle, tandis que nos parents se rinçaient l'œil devant des films «osés», nous restions seuls – dans sa chambre ou dans la mienne, la porte toujours grande ouverte.

Elaine n'allait pas aux séances de cinéma du gymnase – même quand on y passait autre chose que des westerns. Il y régnait une ambiance trop «mec» à son goût. À partir d'un certain âge, les filles de professeurs n'appréciaient guère la compagnie de ces jeunes mâles. Ceux-ci se lançaient dans des concours de pets, sans parler d'autres comportements encore plus orduriers. Si on avait projeté des films de cul étrangers les soirs de ciné au gymnase, disait Elaine, certains garçons n'auraient pas hésité à se palucher sur le terrain de basket.

En général, quand on nous laissait tout seuls, Elaine et moi préférions sa chambre à la mienne. L'appartement de fonction des Hadley, au cinquième étage, avait une vue panoramique sur tout le parc des résidences, tandis que celui de Richard et de ma mère était au troisième. Notre résidence s'appelait Bancroft Hall, et il y avait un buste du vieux Bancroft – professeur émérite de la Favorite River mort depuis des lustres –, au rez-de-chaussée, dans ce qu'on appelait le *fumoir* des parties communes. Bancroft, ou tout au moins son buste, était chauve, avec les sourcils en broussaille.

C'était l'époque où je me passionnais pour le passé de la Favorite River Academy. J'avais retrouvé des photos du professeur Bancroft jeune – il avait encore ses cheveux – dans les vieux annuaires de la bibliothèque de l'École. Lorsque Elaine m'accompagna dans la salle des Annuaires, elle ne montra qu'un intérêt très relatif pour les numéros les plus anciens qui me fascinaient tant. J'avançais pas à pas dans la Première Guerre mondiale. Elle avait préféré les annuaires récents. Elle aimait regarder les photos des élèves qui étaient encore au lycée, ou qui venaient tout juste de passer en fac. Au rythme où nous allions, nous pensions nous rejoindre sur un annuaire du début de la Seconde Guerre mondiale – ou peut-être un peu avant.

«Tiens, il est beau, celui-là!» remarquait-elle parfois. «Fais voir», répondais-je alors – bon camarade, certes, mais toujours incapable de me révéler à elle. (Nous avions plus ou moins les mêmes goûts en matière de garçons.)

Je m'étonne encore d'avoir osé laisser entendre que j'avais envie de faire des galipettes avec elle. C'était un pieux mensonge, mais peut-être aussi une façon de lui donner le change. Qui sait si je ne redoutais pas qu'elle pressente chez moi ces désirs homosexuels que le Dr Harlow et le Dr Grau se proposaient de traiter de manière «vigoureuse».

Sur le moment, elle ne me crut pas.

– Tu viens de dire *quoi*, là? me demanda-t-elle.

Nous étions vautrés sur son lit, en tout bien tout honneur. Faute de distraction, nous écoutions une station de rock, tout en jetant des coups d'œil par la fenêtre du cinquième étage. Le retour des cars de sportifs n'offrait guère d'intérêt pour nous, sauf qu'il signifiait que Kittredge écumerait le parc à sa guise.

Il y avait sur le rebord de la fenêtre d'Elaine une lampe de lecture avec un abat-jour en verre bleu foncé, épais comme une bouteille de Coca. Kittredge savait d'où venait cette lueur, visible de tous les points du parc – y compris de Tilley Hall. Au temps où nous répétions *La Tempête*, il lui arrivait de pousser sa sérénade en direction du cinquième étage.

Je n'avais pas réalisé à quel point les rares sérénades de Kittredge importaient à Elaine; bien sûr, elles étaient lancées sur un mode parodique – «en patois shakespearien», comme elle disait. Pourtant je savais qu'elle s'endormait souvent la lampe bleue allumée, et qu'elle était triste les soirs où rien ne venait.

Ce fut sur fond de radio rock-and-roll et d'attente désœuvrée, dans la solitude de la chambre bleu foncé d'Elaine, que je lui proposai de nous ébattre un peu tous les deux. Ce n'était pas forcément une mauvaise idée en soi, mais je n'en pensais pas un mot et il est donc logique que sa première réaction ait été l'incrédulité.

– Tu viens de dire *quoi*, là?

– Je ne veux rien faire ou dire qui puisse gâcher notre amitié.
– Tu veux t'ébattre avec moi ?
– Oui… un petit peu.
– Tu veux dire… sans pénétration ?
– Non… Oui, c'est ça.

Elaine savait que j'avais du mal à prononcer le mot *pénétration* ; c'était justement un des mots qui me posaient problème, plus pour très longtemps, d'ailleurs.

– Dis-moi le mot, Billy, fit Elaine.
– Sans… aller jusqu'au bout…
– Mais qu'est-ce que tu entends au juste par *t'ébattre* ?

Je me mis à plat ventre sur le lit et, visage enfoncé dans le drap, je me couvris la tête d'un de ses oreillers. Cela dut lui paraître intolérable parce qu'elle m'enjamba aussitôt et s'assit sur mes reins. Je sentais son souffle sur ma nuque, elle avait son nez dans mon oreille.

– S'embrasser ? murmura-t-elle. Se caresser ?
– Oui, fis-je d'une voix étouffée.

Elaine retira l'oreiller de ma tête.

– Caresser quoi ? demanda-t-elle.
– Je sais pas.
– Pas tout, quand même…
– Ah non, sûrement pas !
– Tu peux toucher mes seins. De toute façon, j'en ai pas.
– Mais si, tu en as.

Elle avait *quelque chose* à cet endroit, et j'admets que l'idée de lui peloter les lolos ne me déplaisait pas. C'est comme ça : j'aime toucher les seins, quels qu'ils soient, et surtout les petits.

Elaine s'allongea contre moi et je me mis sur le côté pour la regarder.

– Est-ce que je te fais bander ? me demanda-t-elle.
– Oui, mentis-je.
– Oh, Seigneur, il fait une chaleur dans cette chambre ! s'écria-t-elle soudain en se redressant.

Plus il faisait froid dehors, plus les résidences étaient surchauffées – une chaleur décuplée dans les étages supérieurs. À l'heure de l'extinction des feux, les pensionnaires entrouvraient toujours les fenêtres pour laisser entrer un peu d'air frais, mais les antiques radiateurs faisaient monter la température.

Elaine portait une chemise de garçon – blanche, avec un col qu'elle laissait toujours ouvert, sans jamais fermer les deux boutons du haut. Elle sortit les pans de la chemise de son jean, la pinça entre le pouce et l'index et, l'écartant ainsi de son corps d'allumette, elle souffla sur sa poitrine pour la rafraîchir.

– Tu bandes, là, maintenant ? me demanda-t-elle.

Elle entrouvrit la fenêtre avant de s'allonger de nouveau contre moi sur le lit.

– Non, je dois être trop tendu.

– Détends-toi. On fait rien de plus que s'embrasser et se peloter, d'accord ?

– Oui, tu as raison.

Je sentais le filet d'air glacé qui passait par l'entrebâillement de la fenêtre quand Elaine m'embrassa, un petit baiser chaste sur les lèvres, qui dut la laisser sur sa faim autant que moi – parce qu'elle dit aussitôt :

– Avec la langue, c'est permis. On a droit au french kiss.

Le baiser suivant fut nettement plus intéressant. Il faut dire qu'avec la langue, ça change tout. Il y a une véritable montée en puissance dans le french kiss ; Elaine et moi étions parfaitement novices en la matière. Sans doute pour penser à autre chose, j'imaginais ma mère apercevant mon père volage en train d'embrasser goulûment une *autre personne*. Le french kiss a quelque chose de transgressif, dus-je penser à cet instant. Elaine dut elle aussi avoir besoin de penser à autre chose. Elle me retira vivement sa bouche et dit, hors d'haleine :

– Ah non, ils vont pas *encore* nous servir les Everly Brothers !

Je n'avais pas été très attentif à la programmation, mais Elaine roula sur elle-même et, le bras tendu, éteignit la radio sur la table de nuit.

– Je veux nous entendre respirer, dit-elle en se lovant dans mes bras.

C'est vrai, pensai-je, la respiration change quand on s'embrasse avec la langue. Sa chemise était sortie du pantalon, je la soulevai et me risquai à poser la main sur son ventre ; elle la fit glisser vers sa poitrine – enfin, vers son soutien-gorge, qui était petit et doux et tenait parfaitement dans ma paume.

– Est-ce que c'est un soutien-gorge d'entraînement ? demandai-je.

– C'est un soutien-gorge rembourré, répondit Elaine. Je ne sais pas ce que c'est qu'un soutien-gorge d'entraînement.

– C'est agréable au toucher, fis-je.

Je ne mentais pas ; le mot *entraînement* avait déclenché quelque chose, sans que je comprenne bien ce que je tenais dans ma main : était-ce son sein ou le soutien-gorge ?

Préfigurant ainsi l'avenir de notre relation, elle dut lire dans mes pensées. Elle dit fort et clair, comme d'habitude :

– Il y a plus de rembourrage que de sein, si tu veux savoir, Billy. Tiens, je vais te montrer.

Elle s'assit et déboutonna sa chemise blanche, puis la fit glisser sur ses épaules.

Le soutien-gorge était joli, plutôt gris perle que blanc, et quand ses mains allèrent chercher la fermeture dans son dos, il se gonfla. Je ne pus jeter qu'un coup d'œil à ses petits seins pointus avant qu'elle ne réenfile la chemise ; les mamelons étaient plus gros que ceux d'un garçon et ces disques foncés autour des tétons – les *aréoles*, encore un mot imprononçable – étaient presque aussi gros qu'eux. Elle reboutonna sa chemise ; ce fut son soutien-gorge, à présent entre nous sur le lit, qui retint mon attention. Je le pris ; les bonnets rembourrés, imitant la forme des seins, étaient faits d'une matière douce et soyeuse. À ma grande surprise, j'eus aussitôt envie de l'essayer – je voulais savoir quel effet ça faisait d'en porter un. Mais je n'en dis rien. Je ne fus pas plus sincère là-dessus que sur les autres désirs que j'avais cachés à mon amie Elaine.

Seule une entorse minime aux habitudes me fit prendre conscience qu'une frontière avait été franchie, dans cette relation qui s'esquissait : comme toujours, Elaine avait laissé ouverts les deux boutons du haut et le col de sa chemise d'homme. Mais, cette fois, elle ne boutonna pas non plus le bouton du bas. Ma main glissa plus facilement sous sa chemise à moitié sortie du jean ; et ce fut la réalité de sa chair, si menue fût-elle, qui vint remplir ma paume.

– Je ne sais pas à quoi tu t'attendais, Billy, dit Elaine, couchée face à moi sur un des oreillers, mais moi, j'avais toujours pensé que la première fois qu'un garçon toucherait mes seins, ce serait plus crade que ça.

– Plus *crade*, répétai-je, ne voyant pas du tout ce qu'elle entendait par là.

Je me remémorai alors le laïus du Dr Harlow lors d'une heure de vie scolaire, ce discours destiné à nous tous, les garçons, à propos de nos *maux guérissables*. Il avait dit, je crois, qu'une « attirance sexuelle de mauvais aloi envers les garçons ou les hommes » faisait partie de cette catégorie douteuse de maux guérissables.

J'ai dû refouler au fin fond de mon inconscient le discours du Dr Grau, le psy de l'École – « Herr Doktor Grau », comme l'appelaient les élèves. Il nous débitait tous les ans le même galimatias – à savoir que nous étions à un âge où le développement s'arrête, « se fige », disait-il, « comme celui des insectes inclus dans l'ambre ». À nos expressions goguenardes, on pouvait deviner que rares étaient ceux qui avaient déjà vu des insectes inclus dans de l'ambre. « Vous êtes dans une phase *perverse polymorphe*, nous assénait le Dr Grau. Il est normal, dans cette phase, de présenter des tendances sexuelles immatures. Les parties génitales ne sont pas encore identifiées comme seul et unique organe sexuel. » Mais comment l'importance flagrante de nos parties génitales aurait-elle pu nous échapper ? nous demandions-nous avec inquiétude. « Durant cette phase, ajoutait Herr Doktor Grau, le coït n'est pas nécessairement le but avoué de l'activité érotique. » Mais alors, pourquoi ne pensions-nous qu'à ça à longueur de journée ? nous demandions-nous avec effroi. « Vous êtes en train de vivre vos fixations libidinales prégénitales », martelait le Dr Grau, comme si cela devait nous rassurer. Professeur d'allemand à l'École, il était tout aussi incompréhensible dans ses cours. « Venez me parler de ces fixations », concluait systématiquement le vieil Autrichien. Aucun garçon de ma connaissance à la Favorite River n'aurait avoué de telles fixations ; d'ailleurs aucun ne se risqua à aller parler de quoi que ce soit au Dr Grau !

Richard Abbott m'avait dit, ainsi qu'au reste de la troupe, que le sexe d'Ariel était « polymorphe » – et relevait davantage de la mise en costume que d'une donnée génétique. Il avait conclu que le genre de mon personnage était *indécis*. Ce qui avait contribué à brouiller ma perception de mon orientation sexuelle et, accessoirement, de celle d'Ariel.

Pourtant, lorsque je lui avais demandé s'il faisait référence à la « phase *perverse polymorphe* » et au stade de « l'insecte inclus dans l'ambre » chers au Dr Grau, il avait énergiquement refusé toute analogie. « Mais qui écoute le vieux Grau, Bill ? Garde-t'en bien, surtout. »

Sage recommandation, mais s'il était possible de ne pas tenir compte des avis du Dr Grau, nous étions cependant bien obligés de l'écouter.

Et, allongé à côté d'Elaine, ma main posée sur son sein nu, nos jeux de langue nous faisant rêver de passer à la vitesse érotique supérieure, je sentis mon sexe changer de volume.

Nos bouches collées l'une à l'autre, elle trouva le moyen de me demander : « *Ça y est*, tu bandes ? » Je bandais en effet ; j'avais remarqué l'impatience d'Elaine à sa façon d'appuyer sur « ça y est ? », mais, dans ma confusion mentale, j'aurais eu du mal à dire ce qui avait déclenché mon érection.

Oui, le french kiss était excitant, et, aujourd'hui encore, peloter les seins nus d'une femme ne me laisse pas de marbre ; pourtant je crois que mon érection était venue à l'idée de porter moi-même le soutien-gorge rembourré d'Elaine. Est-ce à dire que je présentais les « tendances sexuelles immatures » contre lesquelles le Dr Grau nous avait mis en garde ?

Mais, nos langues fusant l'une contre l'autre, je me bornai à répondre un « Oui ! » étouffé. Cette fois, Elaine se dégagea d'un mouvement brusque et me mordit la lèvre inférieure.

– Pour de bon, t'as la trique, me fit-elle avec le plus grand sérieux.

– Oui, je te dis.

Je me palpai la lèvre inférieure pour m'assurer qu'elle n'était pas en sang, cherchant des yeux le soutien-gorge.

– Grands dieux, je ne veux pas voir ça ! s'écria Elaine.

J'étais tout aussi troublé qu'elle par cette expérience. Je ne lui avais pas proposé de voir ma bite en érection. Je ne voulais pas qu'elle la voie, au contraire. J'aurais été gêné qu'elle la voie ; je me disais qu'elle serait déçue, que ça la ferait rigoler, ou pire, dégueuler.

– Et si je la touchais, seulement ? proposa Elaine, plus judicieusement. Pas à même la peau ! ajouta-t-elle aussitôt. Peut-être que je peux juste la palper, à travers tes vêtements, quoi.

– D'accord, pourquoi pas ? répondis-je d'un ton dégagé.

N'empêche ; pendant les années qui ont suivi je me suis parfois demandé si l'on avait déjà vu une initiation sexuelle aussi âprement négociée.

À la Favorite River, les garçons n'avaient pas le droit de porter des jeans. Les bleus de travail, comme on disait, n'avaient pas droit de cité en classe ni au réfectoire, où le blazer-cravate était de rigueur. La plupart des élèves portaient des pantalons en toile ou – pendant l'hiver – des pantalons en flanelle ou en velours côtelé. Ce samedi soir de janvier, j'en avais justement mis un en velours côtelé, autant dire assez confortable et vague pour bander à l'aise, mais je portais aussi un slip, d'un confort de plus en plus relatif. C'étaient sans doute les seuls sous-vêtements masculins que l'on pouvait se procurer dans le Vermont en 1960, ces slips blancs. Mais, à la vérité, je n'en sais rien. À l'époque, c'était encore ma mère qui achetait mes affaires.

J'avais vu les sous-vêtements de Kittredge au gymnase – des boxer-shorts bleus, du même tissu que les chemises. Peut-être sa mère française les avait-elle achetés à Paris ou à New York. «Cette femme *ne peut qu'être* sa mère, m'avait dit Elaine. Si elle n'avait pas cette poitrine, on pourrait la prendre pour Kittredge – cette femme-là doit savoir où acheter des boxer-shorts.» En plus, les boxers bleus de Kittredge étaient repassés ; ce n'était pas par coquetterie de sa part : la laverie de l'École repassait tout – pas seulement les pantalons et les chemises, mais aussi les sous-vêtements et même les chaussettes. Tout le monde en rigolait, comme des avis du Dr Harlow et du Dr Grau.

Nonobstant cet historique sociofamilial, ma première érection provoquée par Elaine Hadley – ou par son soutien-gorge – prenait consistance dans un slip assez serré, qui menaçait de bloquer l'afflux sanguin de ma bandaison «inspirée». Avec une vigueur inattendue, Elaine prit tout à coup en main ces parties génitales dont le Dr Grau nous avait assurés que nous ne les identifiions pas encore comme nos organes sexuels ! Parfaitement au clair quant à mes «organes sexuels uniques ou du moins principaux», je sursautai lorsque Elaine les saisit à pleine main.

– Oh… mon… Dieu ! s'écria-t-elle, assourdissant momentanément une de mes oreilles. Je n'arrive pas à imaginer ce que ça fait d'en avoir un comme ça !

Dans ce contexte érotique, la phrase était équivoque. Voulait-elle dire quel effet ça faisait de sentir un pénis en elle, ou d'en avoir un à titre personnel ? Je ne lui posai pas la question. J'étais soulagé qu'elle m'ait lâché les couilles sans abandonner ma bite, et moi je continuais à lui caresser les seins. Si nous avions repris le french kiss là où nous l'avions interrompu, qui sait jusqu'où la «montée en puissance» dont j'ai parlé précédemment aurait pu nous mener, mais en fait nous venions juste de commencer à nous embrasser – timidement au début, du bout de la langue. Je vis qu'elle fermait les yeux, et je fermai les miens.

Et c'est ainsi que je découvris qu'il était possible de tenir les seins d'Elaine Hadley dans mes mains tout en imaginant que j'étais en train de caresser ceux d'une Miss Frost tout aussi consentante. Les seins de Miss Frost étaient sans doute un peu plus gros que ceux d'Elaine. Les yeux fermés, je pouvais supposer que la petite main d'Elaine serrant mon pénis était en vérité la main beaucoup plus grande de Miss Frost (il fallait croire que celle-ci n'y aurait pas mis toute sa vigueur). Et, tandis que nos baisers s'accéléraient – nous étions hors d'haleine –, je fantasmais que c'était la longue langue de Miss Frost qui bataillait contre la mienne et que nous étions enlacés sur le lit de son refuge au sous-sol de la Bibliothèque municipale de First Sister.

Lorsque les odeurs d'échappement du premier autocar ramenant les sportifs atteignirent la fenêtre entrouverte, je me figurai respirer les émanations de la chaudière à mazout attenante à la chambre-cave de Miss Frost. Et en ouvrant les yeux, j'espérai presque me trouver face à face avec elle ; c'est pourtant mon amie Elaine que je découvris, les yeux fermés.

Pendant que Miss Frost occupait toutes mes pensées, il ne m'était pas venu à l'esprit qu'Elaine soit, elle aussi, en train de fantasmer sur quelqu'un. Faut-il s'en étonner, le nom qu'elle avait sur les lèvres, et qu'elle marmonna dans ma bouche, fut celui de Kittredge ! Elle avait parfaitement identifié les odeurs d'échappement de l'autocar ; elle se demandait si c'était celui des lutteurs, car elle s'était rêvée dans les bras de Kittredge pendant que je m'imaginais dans ceux de Miss Frost.

Elle avait à présent les yeux grands ouverts. Je devais avoir l'air aussi coupable qu'elle. Une vibration parcourut mon pénis ; et si moi je le sentais palpiter, je savais qu'Elaine le sentait aussi.

– Ton cœur bat, Billy, me dit-elle.

– C'est pas mon cœur.

– Si, c'est ton cœur qui bat dans ton sexe. Est-ce que tous les garçons ont le cœur qui bat à cet endroit ?

– Je ne peux pas parler pour les autres, répondis-je.

Mais elle avait lâché mon sexe et s'était retournée.

Plusieurs autocars s'étaient arrêtés devant le gymnase et laissaient tourner leurs moteurs ; la lumière intermittente du projecteur de cinéma clignotait toujours sur le terrain de basket, et les cris des sportifs qui rentraient résonnaient sur toutes les façades des résidences – les lutteurs étaient-ils parmi eux ?

Elaine était maintenant allongée sur le lit, le front quasiment appuyé sur le rebord de la fenêtre, là où le vent coulis était le plus glacé.

– Pendant que je t'embrassais, que je serrais ton sexe dans ma main et que tu caressais mes seins, je pensais à Kittredge – ce salaud, me dit-elle.

– Je sais, c'est pas grave.

Je connaissais son indulgence et sa sincérité, mais pourtant je n'arrivais pas à lui dire que, de mon côté, j'avais pensé à Miss Frost.

– Si, justement, c'est grave, répondit-elle, des sanglots dans la voix.

Elle était allongée sur le flanc au bout du lit, face à la fenêtre, et je me glissai derrière elle, le torse contre son dos ; je pouvais lui embrasser la nuque et, d'une main, lui toucher les seins sous sa chemise défaite. Le battement dans mon pénis continuait de plus belle. Je doutais qu'elle s'en aperçoive à travers son jean et mon pantalon de velours côtelé, même si je me tendais contre elle et qu'elle balançait son petit cul vers moi.

Elle avait des fesses de garçon, inexistantes, et pas de hanches non plus ; elle portait un jean de garçon qui allait avec sa chemise de garçon et il me vint soudain à l'esprit, tandis que j'embrassais son cou et ses cheveux moites, qu'elle avait une odeur de garçon. Après tout, elle avait transpiré ; elle ne mettait pas de parfum, ne se maquillait pas, pas même du rouge à lèvres, et j'étais là en train de m'astiquer contre son postérieur de garçon.

– Tu bandes toujours, hein ? me demanda-t-elle.

– Oui.

Je me frottais contre elle, c'était plus fort que moi et j'en étais gêné, mais elle remuait les hanches ; elle aussi, elle se pétrissait contre moi.

– C'est pas grave, ce que tu fais, me dit Elaine.

– Si, c'est grave, répondis-je, sans la conviction que j'avais entendue dans sa voix, quelques instants auparavant, quand elle avait prononcé les mêmes mots.

La raison en était bien sûr que, moi aussi, je pensais à Kittredge.

Miss Frost était grande et forte ; elle était large d'épaules et de hanches. Elle n'avait pas des fesses de garçon et, malgré toute mon

114

imagination, je n'aurais jamais pu penser à elle tout en me frottant contre Elaine Hadley, qui pleurait en silence.

– Non, je t'assure, j'aime ça, moi aussi, dit-elle tout bas.

C'est alors que nous entendîmes Kittredge la héler :

– Ma douce Naples, est-ce ta lampe bleue que je vois allumée ?

Je la sentis se raidir aussitôt. Ça jacassait dans le parc – du côté de Tilley Hall –, mais seule la voix de Kittredge s'entendait distinctement.

– Je te l'avais bien dit que ça ne l'intéresserait pas, la fin d'un western, ce salaud, me chuchota Elaine.

– Ô Naples, ta lueur bleutée est-elle un message à moi destiné ? Es-tu vierge, encore, Naples, ou ne l'es-tu plus ? clama Kittredge. (Je comprendrais un jour qu'il était pseudo-shakespearien jusqu'à la moelle.)

Elaine éteignit la lampe en sanglotant. Quand elle replongea sur moi, elle pleurait pour de bon ; elle grognait en se frottant contre moi. Ses sanglots et ses grognements étrangement confus n'étaient pas sans rappeler les jappements d'un chien qui rêve.

– Ne te laisse pas avoir, Elaine, c'est un enfoiré, murmurai-je à son oreille.

– Chut, on ne parle pas, dit-elle dans un souffle, entre des sanglots à moitié étouffés.

– C'est toi, Naples ? continuait Kittredge. Tu éteins déjà ta lampe ? Seule dans ton lit, hélas !

Avec tous ces frottements, ma chemise sortait de mon pantalon. C'était une chemise bleue, de la même couleur que le boxer-short de Kittredge, pensai-je. Elaine émit une sorte de plainte.

– Continue ! Plus fort ! gémit-elle. Oui ! Comme ça – encore, encore, bon Dieu ! s'écria-t-elle d'une voix forte.

Je voyais la buée de sa respiration dans la lame d'air froid qui s'insinuait par la fenêtre entrouverte ; je m'échinais contre elle depuis une éternité lorsque je m'entendis enfin répéter : « Comme ça ? Comme ça ? » Ça ne s'appelait pas parler, je respectais la demande d'Elaine, mais nos voix s'entendaient dans le parc des résidences – jusqu'à Tilley Hall et au gymnase, où les autocars continuaient à décharger leur cargaison de sportifs.

La lumière du projecteur de cinéma s'était éteinte ; les fenêtres du terrain de basket étaient obscures. Le western terminé ; la fumée du règlement de comptes final dissipée – tout comme s'étaient dispersés les garçons de la Favorite River dans leurs résidences respectives. Sauf Kittredge.

– Bon, ça suffit, Naples ! cria-t-il.

Puis, s'adressant à moi :

– Tu es là aussi, Nymphe ?

Elaine poussa un long hurlement orgasmique. C'était plus un cri d'accouchement qu'un cri d'orgasme, m'expliquerait-elle plus tard… «Enfin, c'est ce que j'imagine, parce que je n'aurai jamais d'enfant. Tu as déjà vu des nouveau-nés ? La taille de leur tête ?»

Kittredge prit peut-être ces râles de chatte en amour pour un cri d'orgasme. Elaine et moi étions encore en train de tirer le couvre-lit quand nous entendîmes frapper à la porte de l'appartement.

– Dieu du ciel, où est passé mon soutien-gorge ? demanda Elaine.

Elle ne le retrouvait pas dans les couvertures, mais de toute façon elle n'aurait pas eu le temps de le remettre. Il fallait d'abord ouvrir la porte.

– C'est *lui*, l'avertis-je.

– Bien sûr que c'est lui, fit-elle.

Elle se dirigea vers le séjour et se regarda dans le long miroir de l'entrée, avant d'ouvrir la porte.

Je retrouvai son soutien-gorge dans les replis du dessus-de-lit, et le fourrai prestement dans mon slip. Mon érection n'était plus qu'un souvenir : le tout petit soutif d'Elaine s'y logea plus à l'aise que ma bite turgescente.

– Je voulais être sûr que tu allais bien, entendis-je Kittredge dire à Elaine. J'avais peur qu'il y ait le feu, quoi.

– C'est ça, il y avait le feu, mais tout va bien, répondit-elle.

Je sortis de la chambre. Elaine n'avait pas fait entrer Kittredge, il était encore sur le palier. Quelques pensionnaires passèrent à toute vitesse, et jetèrent des coups d'œil furtifs dans l'entrée de l'appartement.

– Ah, tu es là aussi, Nymphe, me dit-il.

Je vis qu'il avait une brûlure de tapis de lutte récente sur une joue, mais ça n'entamait pas son outrecuidance habituelle.

– Tu as gagné ton match, je suppose, lui dis-je.

– Tu l'as dit, Nymphe, répondit-il, les yeux fixés sur Elaine.

Comme sa chemise était blanche, on pouvait voir ses tétons à travers le tissu, et les disques plus foncés – ces aréoles imprononçables – ressortaient comme des taches de vin sur la blancheur de sa peau.

– Qu'est-ce que tu as fait de ton soutien-gorge ? Ça la fiche mal, Naples, dit Kittredge.

Elle se tourna vers moi avec un grand sourire.

– Tu l'as retrouvé ?

– Je l'ai pas vraiment cherché, mentis-je.

– Tu devrais penser à ta réputation, Naples.

Cette nouvelle tactique de sa part nous prit tous deux au dépourvu.

– Ma réputation, elle va très bien ! protesta Elaine, sur la défensive.

– Toi aussi, tu devrais penser à sa réputation, Nymphe, me dit-il. Pour une fille, l'honneur perdu ne se retrouve pas – si tu vois ce que je veux dire.

– Je ne te savais pas si puritain, lui lança Elaine, mais je voyais bien que le mot réputation – et toutes les insinuations connexes – l'avait profondément remuée. Je faisais semblant, Kittredge ! hurla-t-elle. Je jouais la comédie, c'était bidon.

– Bidon ? On n'aurait pas dit… pas vraiment. Fais attention au personnage que tu joues, Nymphe, me dit Kittredge, toujours sans quitter Elaine des yeux, comme s'il était seul avec elle.

– Bon, excuse-moi, Kittredge, il faut que je tâche de remettre mon soutien-gorge avant le retour de mes parents ; il est l'heure que tu y ailles, toi aussi, Billy, me dit-elle, les yeux sur Kittredge.

Ni l'un ni l'autre ne me regardait.

Il n'était pas encore onze heures du soir, Kittredge et moi nous retrouvâmes ensemble sur le palier du cinquième étage. Les internes de Bancroft Hall qui traînaient dans le couloir ou qui voyaient Kittredge passer, depuis la porte de leurs chambres, étaient manifestement stupéfaits de sa présence.

– T'as encore gagné ? lui demandèrent certains.

Kittredge se contenta de hocher la tête.

– Il paraît que l'équipe de lutte a perdu, dit un autre garçon.

– Je suis pas l'équipe à moi tout seul, lui répondit Kittredge. Je ne peux gagner que dans ma catégorie.

Au troisième étage, je lui souhaitai bonne nuit. Les résidences fermaient à onze heures le samedi soir, même pour les terminales.

– Richard et ta mère sont sortis avec les Hadley, je suppose, me dit Kittredge, d'un ton détaché.

– Oui, ils passent un film en VO à Ezra Falls.

– De la baise en français, en italien ou en suédois, dit-il.

J'éclatai de rire, mais il ne plaisantait nullement.

– Tu sais, Nymphe, ici, on n'est pas en France, ni en Italie ni en Suède. Tu devrais faire plus attention avec cette fille, que tu la sautes ou pas.

Je me demandai s'il était réellement soucieux de la «réputation» d'Elaine, comme il l'affirmait, mais on n'était sûr de rien avec lui ; on avait toujours du mal à saisir où il voulait en venir.

– Jamais je ne ferais quoi que ce soit qui puisse causer du tort à Elaine, lui dis-je.

– Écoute, Nymphe, tu peux faire du mal aux gens en baisant avec eux *ET* en ne baisant *PAS* avec eux.

– C'est vrai, dis-je, sans me compromettre.

– Ta mère, elle dort toute nue, ou elle met quelque chose ? me demanda-t-il, comme s'il continuait sur le même sujet.

– Elle met quelque chose.

– Eh bien, voilà, c'est ça les vraies mères, tu vois. En général, du moins.

– Il est bientôt onze heures. Tu devrais te dépêcher si tu ne veux pas te retrouver à la porte.

– Est-ce qu'Elaine dort toute nue ? me demanda Kittredge.

Bien sûr, j'aurais dû lui dire que mon désir de ne jamais rien faire qui porte tort à Elaine m'empêchait de communiquer cette information aux types dans son genre, mais, à la vérité, je ne savais pas dans quelle tenue elle dormait. Je m'en tirai par une pirouette :

– Quand je suis avec elle, elle dort pas.

Ce à quoi il répondit aussitôt :

– Tu es un mystère, pour moi, Nymphe. Je ne sais pas quoi penser de toi, mais je te percerai à jour – oui, j'y arriverai.

– Tu vas être en retard.

– Je vais à l'infirmerie, il faut que je fasse examiner ma brûlure, fit-il en désignant sa pommette.

Ça n'avait pas l'air bien grave, mais il précisa :

– L'infirmière de garde me plaît, celle du week-end ; la brûlure n'est

118

qu'un prétexte. Le samedi soir, c'est le bon moment pour essayer de passer la nuit à l'infirmerie.

Sur cette ultime provocation, il me quitta – c'était bien son genre. S'il avait vraiment l'intention de me comprendre, lui-même restait pour moi impénétrable. Y avait-il effectivement une infirmière spécifique le week-end à l'infirmerie de la Favorite River ? Avait-il une aventure avec une femme plus âgée ? Ou faisait-il semblant, jouait-il la comédie, comme Elaine… et comme moi ? Était-il dans les faux-semblants ?

J'arrivai à l'appartement deux minutes avant ma mère et Richard. J'eus à peine le temps d'extraire le soutien-gorge d'Elaine de mon slip. Et je n'avais pas plus tôt mis l'objet du délit sous mon oreiller que le téléphone sonna ; c'était mon amie.

– C'est toi qui as pris mon soutien-gorge, hein ? me demanda-t-elle.

– Et le canard, qu'est-ce qu'il devient ? répondis-je, mais elle n'était pas d'humeur.

– Tu as pris mon soutif, oui ou non, Billy ?

– Oui. Une pulsion subite.

– C'est bon, garde-le, ça me fait plaisir.

Je m'abstins de lui dire que Kittredge m'avait demandé si elle dormait toute nue.

C'est à ce moment précis que Richard et ma mère rentrèrent ; je leur demandai s'ils avaient aimé le film.

– Je l'ai trouvé dégoûtant ! dit ma mère.

– Je ne te savais pas aussi puritaine, lui dis-je.

– Modère ton langage, Bill, fit Richard.

– Moi, puritaine ! dit ma mère.

Elle avait l'air dans tous ses états, et je ne comprenais pas pourquoi. J'avais dit le mot en boutade, parce que Elaine l'avait lancé à Kittredge.

– Je ne connaissais pas le sujet du film, trésor, lui dit Richard. Je suis désolé.

– Regarde-toi, me dit ma mère. Tu as l'air de sortir du lit ! Il serait temps que tu lui parles, Richard.

Elle s'esquiva dans leur chambre et referma la porte derrière elle.

– Que tu me parles de quoi ? demandai-je à Richard.

– Il faut que tu prennes des précautions avec Elaine, Bill. Elle est plus jeune que toi. Pense à la protéger.

– Qu'est-ce que tu es en train de me dire ? De mettre une capote ? Parce qu'on n'en vend qu'à Ezra Falls, et ce connard de pharmacien ne voudra jamais en filer à un petit jeune comme moi.

– Ne dis pas «connard», Bill, en tout cas pas devant ta mère. Et si ce sont des capotes que tu veux, je t'en rapporterai, moi.

– Il n'y a aucun danger pour Elaine, lui dis-je.

– Ce ne serait pas Kittredge que j'ai vu sortir du bâtiment, tout à l'heure ?

– Je ne sais pas. Tu l'as vu ?

– Tu es à un âge… charnière, Bill. On te demande seulement de faire attention avec Elaine.

– Je fais attention.

– Tu devrais empêcher Kittredge de lui tourner autour.

– Et je fais comment ?

– Eh bien, Bill… commença Richard.

Mais ma mère ressortit de la chambre. Je me souviens d'avoir pensé que Kittredge aurait été déçu : elle avait mis un pyjama en flanelle, pas sexy du tout.

– Vous êtes encore en train de parler de sexe, n'est-ce pas ? nous demanda-t-elle, en colère. Je sais que vous parliez de ça. Et ça ne me fait pas rire.

– Nous n'étions pas en train de rire, trésor, commença Richard, mais elle ne le laissa pas poursuivre.

– Garde ta quéquette dans ton slip, Billy ! Vas-y doucement avec Elaine, et dis-lui de ne pas s'approcher de Jacques Kittredge, elle ferait bien de se méfier de lui ! Ce garçon ne se contente pas de séduire les femmes – ce qu'il veut, c'est les soumettre ! dit ma mère.

– Trésor, mon trésor, laisse tomber, tenta Richard.

– Tu ne sais pas tout, Richard, lui fit-elle.

– C'est vrai, admit-il.

– Je les connais, les garçons comme Kittredge, dit-elle en s'adressant à moi plutôt qu'à Richard – ce qui ne l'empêcha pas de rougir.

Je compris dès lors que si ma mère m'en voulait tellement, c'était parce qu'elle voyait en moi quelque chose de mon père, cet homme à femmes – et peut-être lui ressemblais-je physiquement de plus en plus. *Qu'est-ce que j'y pouvais!*

Je pensai au soutien-gorge d'Elaine, qui m'attendait sous l'oreiller – «Cela relève davantage de la mise en costume que d'une donnée génétique», avait dit Richard à propos du genre d'Ariel. Ce petit soutien-gorge rembourré, quelle mise en costume!

– Ça parlait de quoi, le film? demandai-je à Richard.

– De rien qui convienne à ton âge, me dit ma mère. Ne lui dis pas, Richard.

– Désolé, Bill, fit-il d'un air penaud.

– À tous les coups, ce n'est pas un sujet qui aurait fait peur à Shakespeare… dis-je à Richard, sans cesser de fixer ma mère.

Elle évita mon regard, retourna dans sa chambre et ferma la porte.

Si j'étais si peu franc du collier avec ma seule véritable amie, Elaine Hadley, la chose ne tenait qu'à ma mère; si j'étais incapable de parler à Richard de mon béguin pour Kittredge, et d'avouer à Miss Frost que je l'aimais, je n'avais aucun doute sur l'origine de ma tendance à la dissimulation. L'origine, c'était ma mère, bien sûr, mais peut-être aussi mon père, cet homme à femmes. D'un côté comme de l'autre, j'avais de qui tenir, je venais de le comprendre.

– Bonne nuit, Richard, je t'aime, dis-je à mon beau-père.

Il m'embrassa furtivement sur le front.

– Bonne nuit, Bill, je t'aime aussi.

Il me lança un sourire d'excuse. Je l'aimais, c'était vrai, et je tâchais de résister à la déception qu'il me causait.

Et puis, j'étais terriblement fatigué; c'est épuisant d'avoir dix-sept ans et de ne pas savoir qui l'on est, surtout si, de surcroît, le soutien-gorge d'Elaine vous réclame au fond de votre lit.

5

Quitter Esmeralda

Peut-être faut-il voir son propre univers chamboulé de fond en comble pour comprendre la raison d'être des épilogues (il suffit de se référer au cinquième acte de *La Tempête*, que l'épilogue, dit par Prospero, vient clore à la perfection). Le jour où j'avais ergoté de manière immature sur la pièce, mon univers n'avait pas été chamboulé. Pas encore.

« À présent tous mes charmes sont sens dessus dessous », dit Prospero au début de l'épilogue – un peu comme Kittredge aurait engagé la conversation, l'air de rien, sous un masque anodin.

Cet hiver 1960, pendant lequel Elaine et moi poursuivions notre comédie – nous allions jusqu'à nous tenir la main en assistant aux combats de Kittredge –, fut marqué par les premiers efforts officiels de Martha Hadley pour trouver la ou les causes probables de mes troubles du langage. Je dis officiels parce qu'il s'agissait de consultations en bonne et due forme dans son bureau du bâtiment de l'éducation musicale.

À dix-sept ans, je n'avais encore jamais vu de psychiatre. Aurais-je été tenté de parler à Herr Doktor Grau, je suis sûr que mon beau-père chéri, Richard Abbott, m'en aurait aussitôt dissuadé. D'ailleurs, durant l'hiver qui me vit tellement assidu aux consultations de Mrs Hadley, le vieux Dr Grau passa l'arme à gauche. Il serait remplacé par un autre psychiatre scolaire, plus jeune – sinon plus ouvert à la modernité –, mais il faudrait attendre la rentrée suivante.

En outre, dans la mesure où j'étais pris en charge par Martha Hadley, je n'avais pas besoin de psy ; en débusquant les myriades de mots que j'avais du mal à prononcer correctement, et en remontant très loin la genèse de ces difficultés, Mrs Hadley, vocaliste et professeur de chant, devint ma première thérapeute.

Nos contacts privilégiés me firent mieux comprendre les raisons de mon attirance pour elle en dépit de son physique ingrat. Elle avait une laideur toute masculine : les lèvres minces mais la bouche grande et les dents chevalines ; les mâchoires saillantes, comme Kittredge, mais un long cou féminin, contrastant avec le reste de son corps ; large d'épaules, comme Miss Frost, elle avait d'aussi grandes mains. Ses cheveux, qu'elle portait plus longs que ceux de ma bibliothécaire, étaient tirés en une sévère queue-de-cheval. Sa poitrine plate me rappelait les larges mamelons d'Elaine, je lui supposais ces disques foncés, les aréoles, qu'elles devaient s'être transmises de mère en fille. Mais, à la différence d'Elaine, Mrs Hadley dégageait une impression de force. Et moi, je découvrais à quel point j'aimais ce genre de physique.

Lorsque *aréole* vint s'ajouter à la longue liste des mots qui me donnaient du fil à retordre, Martha Hadley me demanda :

– Ton problème tient-il à la chose elle-même ?

– Peut-être, répondis-je. Heureusement, ce n'est pas un mot qu'on prononce tous les jours.

– Tandis que *bibliothèque*, et *pénis*…

– Oui, ce sont en effet des mots qui me posent problème.

– Mais je suppose que tu n'emploies pas non plus le mot *pénis* à tout bout de champ, Billy ?

– À tout bout de champ, non, lui dis-je.

S'il était exact que j'avais très peu l'occasion de prononcer le mot *pénis*, cela ne signifiait pas que je ne pensais pas tous les jours aux pénis, bien au contraire. Et c'est ainsi – sans doute parce que je n'avais rien révélé à Elaine ni à Richard Abbott ni à Grand-père Harry, et probablement parce que je n'avais rien osé dire à Miss Frost – que je déballai tout mon sac à Mrs Hadley. Enfin, *presque* tout.

Je commençai par mon béguin pour Kittredge.

– Tiens donc, comme Elaine ! s'étonna Martha Hadley. (Ainsi, Elaine s'en était même ouverte à sa mère…)

Je lui racontai qu'avant même d'avoir vu Kittredge, j'étais physiquement attiré par d'autres lutteurs et que, dans ma consultation attentive des Archives de l'École, j'aimais tout particulièrement regarder les photos des équipes de lutte, beaucoup plus que celles du Club Théâtre, qui ne m'intéressaient que moyennement.

– Je comprends, commenta Mrs Hadley.

Je lui parlai aussi de mon béguin déclinant pour Richard Abbott, qui avait connu son acmé avant qu'il ne devienne mon beau-père.

– Mon Dieu, ça a dû être très gênant ! s'exclama-t-elle.

Mais, arrivé au point où il aurait fallu confesser mon amour pour Miss Frost, je fus incapable de poursuivre, mes yeux s'emplirent de larmes.

– Qu'est-ce qui se passe, Billy ? Tu peux tout me raconter, tu sais, dit Mrs Hadley en prenant mes mains dans les siennes, tellement plus grandes et plus fortes.

Son long cou et sa gorge étaient sans doute les seules parties gracieuses de son corps ; sans pouvoir en jurer, je m'imaginais que ses petits seins étaient semblables à ceux d'Elaine.

Le bureau de Mrs Hadley comportait un piano avec son tabouret, un vieux canapé, sur lequel nous nous installions, et un bureau avec sa chaise. De la fenêtre, située au troisième étage, la vue était sans grand intérêt : deux érables aux troncs sinueux, la neige s'accrochant à leurs plus basses branches, le ciel parcouru de nuages gris et blancs. La photo de Mr Hadley, sur le bureau, était tout aussi banale.

Mr Hadley – j'ai depuis longtemps oublié son prénom à supposer que je l'aie su – n'était pas fait pour la vie de pensionnat. Avec sa tignasse en bataille et sa barbe clairsemée, il s'était engagé politiquement sur notre campus, où il avait apporté son expertise de professeur d'histoire lors des débats qui menèrent aux manifestations contre la guerre au Vietnam. Plus que le souvenir de Mr Hadley, ce qui m'est resté en mémoire, c'est le jour de ma confession dans le bureau de sa femme, sur le cou de laquelle je concentrais mon attention.

– Tu peux bien me dire ce que tu voudras, Billy, rien ne sortira de ce bureau, je te le jure, m'assura-t-elle.

Quelque part dans le bâtiment, un élève travaillait son piano ; il n'était pas très au point, ou alors c'étaient peut-être deux débutants qui jouaient chacun sur le sien.

– Je regarde les catalogues de VPC de ma mère, avouai-je à Mrs Hadley, je vous imagine parmi les photos des mannequins qui présentent les soutiens-gorge d'entraînement. Je me masturbe, lui dis-je – sans accrocher sur le mot, qui faisait pourtant partie de ceux qui me posaient problème.

– Oh, Billy, ça n'a rien de répréhensible ! me dit joyeusement Martha

Hadley. Ce qui m'étonne, c'est que tu fantasmes sur moi, qui ne suis vraiment pas belle ; je suis aussi un peu surprise que tu arrives si bien à prononcer le mot *soutien-gorge*. Je ne vois pas de schéma pathologique dans tout ça, dit-elle, brandissant la liste croissante des mots qui me demandaient des efforts notables.

– Je ne sais pas d'où me vient ce penchant pour vous.

– Et les filles de ton âge ?

Je secouai la tête. Elle précisa sa pensée :

– Et Elaine ?

J'hésitai, mais elle posa ses grandes mains sur mes épaules et pivota pour me regarder dans les yeux.

– Ne t'inquiète pas, Billy, Elaine ne se figure pas qu'elle t'intéresse sur ce plan-là. Et d'ailleurs tout ceci reste entre nous, je te le rappelle.

Mes yeux s'emplirent de nouveau de larmes ; Mrs Hadley prit ma tête dans ses mains et la mit contre sa poitrine plate et ferme.

– Billy, Billy, tu n'as rien fait de mal ! s'écria-t-elle.

C'est alors qu'on frappa à la porte ; le visiteur avait certainement entendu le mot *mal*.

– Entrez ! cria Mrs Hadley, d'une voix tellement stridente que je compris de qui Elaine tenait son timbre retentissant.

C'était Atkins, un garçon que tout le monde considérait comme un loser, et dont je ne savais pas qu'il prenait des cours de musique. Peut-être avait-il un problème de voix ou des difficultés à articuler certains mots.

– Je peux repasser, dit-il à Martha Hadley, les yeux fixés sur moi, faute d'oser la regarder, elle, qui sait ?

Il ne fallait pas être un fin limier pour s'apercevoir que je venais de pleurer.

– Reviens dans une demi-heure, lui demanda Mrs Hadley.

– D'accord, mais je n'ai pas de montre, répondit-il, sans me quitter des yeux.

– Prends la mienne.

Ce fut quand elle retira sa montre et la lui tendit que je compris ce qui m'avait tellement séduit chez elle. Ce n'était pas seulement son allure masculine – il émanait d'elle, dans chacun de ses gestes, une indiscutable autorité virile. Qu'elle soit aussi impérieuse et dominatrice dans la relation sexuelle, qu'elle puisse imposer sa volonté, et qu'il soit difficile de lui résister, ce n'était qu'une supposition. Mais pourquoi ce trait m'attirait-il ? Impossible d'évoquer cette question dans ma confession sélective, bien entendu.

Atkins regardait la montre sans dire un mot. Était-il demeuré au point de ne pas savoir lire l'heure ?

– Dans une demi-heure, lui rappela Martha Hadley.

– C'est des chiffres romains, fit Atkins, consterné.

– Regarde juste l'aiguille des minutes. Compte trente minutes. Et reviens à ce moment-là, lui dit Mrs Hadley.

Atkins sortit, les yeux rivés à la montre, laissant la porte ouverte derrière lui. Mrs Hadley se leva pour la refermer.

– Billy, Billy, dit-elle en revenant vers moi. C'est tout à fait normal, tout ce que tu ressens, il n'y a pas de problème.

– J'ai pensé en parler à Richard.

– C'est une bonne idée. Tu peux te confier à Richard, j'en suis persuadée.

– Mais pas à ma mère.

– Ta mère, Mary. Ma chère amie Mary… commença Mrs Hadley ; puis elle s'interrompit. Non, pas à ta mère, ne lui dis rien. Le moment n'est pas venu.

– Pourquoi ? (Je pensais savoir pourquoi, mais je voulais l'entendre de la bouche de Mrs Hadley.) Parce que c'est une… *accidentée de la vie* ? Ou parce qu'elle a toujours l'air de m'en vouloir – de quoi, je l'ignore ?

– *Accidentée de la vie*, je ne me prononcerais pas là-dessus, dit Martha Hadley. C'est vrai qu'elle a l'air de t'en vouloir, et moi non plus, je ne suis pas sûre de savoir pourquoi. Je pense qu'elle perd facilement les pédales – dans certains domaines et sur certains sujets.

– Quels domaines ? Et quels sujets ?

– Certaines questions d'ordre sexuel la perturbent. Billy, je sais qu'il y a des choses qu'elle t'a cachées.

– Ah bon ?

– Le goût du secret, ce n'est pas ce que je préfère dans la Nouvelle-Angleterre ! s'écria soudain Mrs Hadley.

Elle regarda son poignet, où aurait dû se trouver sa montre, puis elle rit d'elle-même.

– Je me demande comment Atkins se débrouille avec les chiffres romains, dit-elle.

Nous éclatâmes de rire tous les deux, puis elle ajouta :

– Tu peux parler à Elaine aussi, tu sais. Tu peux tout lui dire. D'ailleurs, je pense qu'elle a déjà deviné.

Je m'en doutais aussi, mais je ne dis rien. Je pensais à ma mère, qui *perdait facilement les pédales*. Je regrettais de ne pas avoir consulté le Dr Grau avant sa mort, ne serait-ce que pour me familiariser avec sa théorie de l'homosexualité comme un mal *guérissable*. Cela m'aurait moins perturbé durant les années suivantes, où j'ai dû faire face plus d'une fois à cette théorie répressive et d'une connerie sans fond.

– Ça m'a fait beaucoup de bien de vous parler, dis-je.

Mrs Hadley s'effaça pour me laisser sortir. J'avais peur qu'elle me prenne les mains ou me saisisse aux épaules, ou qu'elle attire ma tête contre sa poitrine plate et ferme, car alors je n'aurais pas pu me retenir de la serrer contre moi ou de l'embrasser, dussé-je me hisser sur la pointe des pieds pour atteindre sa bouche. Mais elle ne me toucha pas ; elle s'effaça pour me laisser passer.

– Tu n'as pas de vrai problème de diction, Billy. Je n'ai pas vu de malformation ni de la langue, ni du palais, me dit-elle.

J'avais oublié qu'elle avait examiné l'intérieur de ma bouche lors de la première consultation. Elle m'avait demandé d'appuyer la langue contre le palais ; puis elle avait attrapé le bout de ma langue avec une compresse de gaze et, avec une autre compresse, en avait tamponné le dessous, cherchant apparemment quelque chose qui ne s'y trouvait pas. Ces agaceries stomatologiques m'avaient déclenché une érection assez gênante, nouvelle manifestation de ce que le vieux Dr Grau appelait « les tendances sexuelles immatures ».

– Sans vouloir diffamer les morts, m'avait dit Mrs Hadley au moment où je prenais congé, j'espère que tu t'es rendu compte que feu le Dr Grau, tout comme notre seul professeur de médecine encore vivant, je veux parler du Dr Harlow, était un sombre crétin.

– C'est ce que dit Richard.

– Écoute ce que dit Richard. C'est un gentil garçon.

Avec le recul du temps, je remarque que ce petit pensionnat de seconde zone présentait un échantillonnage d'adultes assez large – il y avait les sensibles, les généreux, qui tentaient de rendre le monde des grands plus compréhensible et plus supportable pour les jeunes, et puis il y avait ces dinosaures d'une rigidité inflexible, les docteurs

Grau et Harlow, ainsi que tous les incorrigibles *homophobes* que les gens de leur acabit et de leur génération avaient produits.

– Au fait, comment est-il mort, le Dr Grau ? demandai-je à Mrs Hadley.

La version officielle – celle que le Dr Harlow nous avait donnée lors de notre heure de vie scolaire – voulait que le Dr Grau ait trébuché et qu'il se soit évanoui dans le parc, un soir d'hiver. Les chemins étaient verglacés ; le vieil Autrichien était tombé sur la tête. Le Dr Harlow n'avait pas dit que le Dr Grau était mort de froid – je crois qu'il avait parlé d'« hypothermie ».

L'équipe des cuisines avait trouvé le corps au petit matin. L'un des cuistots avait rapporté que le visage de Grau était blanc comme neige, et un autre avait prétendu que les yeux du vieil Autrichien étaient grands ouverts, tandis qu'un troisième avait affirmé qu'au contraire, il avait les yeux fermés. Mais un détail avait fait l'unanimité : le chapeau tyrolien du Dr Grau, orné d'une plume de faisan dégoulinante de gras, avait été découvert à quelques pas du corps.

– Grau était ivre mort, me dit Martha Hadley. Il sortait d'une soirée de professeurs dans une des résidences. Il a dû glisser, il s'est cassé la figure – il est peut-être tombé sur la tête, mais une chose est sûre, il était complètement saoul. Il est resté sans connaissance toute la nuit dans la neige, et il est mort de froid, voilà.

Le Dr Grau, comme nombre d'enseignants de la Favorite River, avait choisi ce poste en raison de la proximité des stations de sports d'hiver, mais il avouait n'être pas monté sur une paire de skis depuis des années. Il était bien trop gros. Il skiait encore très bien, disait-il, seulement, quand il tombait, il était incapable de se relever, à moins de déchausser. Je l'imaginais, le nez dans la poudreuse, en train de se débattre comme un beau diable pour libérer les fixations, et de brailler « tendances sexuelles immatures » en anglais et en allemand.

Je n'avais jamais eu Grau comme professeur. J'avais pris allemand première langue à la Favorite River uniquement parce qu'on m'avait garanti qu'il y en avait trois autres : ses confrères étaient autrichiens, eux aussi – et deux d'entre eux skiaient, contrairement à la troisième, Fräulein Bauer, ma préférée.

En quittant le bureau de Mrs Hadley, je me rappelai ce que Fräulein Bauer m'avait dit un jour : certes, je faisais des fautes de grammaire en allemand, l'ordre des mots me rendait fou, mais ma prononciation était impeccable. Il n'y avait pas un seul mot que je ne puisse prononcer. Et pourtant, quand j'en avais parlé à Martha Hadley, ce paradoxe n'avait pas eu l'air de l'intéresser.

– C'est dans la tête, Billy. Tu es capable de tout dire, enfin, de tout articuler convenablement. Mais quand tu accroches sur un mot, c'est parce qu'il déclenche quelque chose chez toi, ou…

Je l'interrompis :

– Quelque chose qui a rapport avec le sexe, c'est ça ?

– Probablement, fit-elle en haussant les épaules.

Le caractère sexuel de mes troubles d'élocution ne semblait pas l'arrêter davantage ; comme si les spéculations dans ce domaine lui paraissaient tout aussi peu significatives que mon excellente prononciation de l'allemand. (Avec l'accent autrichien, ça va de soi.)

– À mon avis, tu as autant de rancune contre ta mère qu'elle en a contre toi, me dit Martha Hadley. Parfois, Billy, je pense que c'est la colère qui t'empêche de parler.

En prenant l'escalier, j'entendis quelqu'un monter. C'était Atkins, les yeux toujours fixés sur la montre de Mrs Hadley. Il fallait s'estimer heureux qu'il ne se soit pas cassé la figure en montant.

– Ça fait pas encore trente minutes, signala Atkins.

– Je m'en vais, tu peux entrer, lui dis-je.

Il s'était arrêté une marche au-dessous du palier du troisième étage, je le contournai pour descendre. La cage d'escalier était vaste ; j'étais presque arrivé au rez-de-chaussée quand j'entendis Mrs Hadley dire :

– Si tu veux bien entrer…

– Mais ça ne fait pas encore trente minutes. Ce n'est pas…

Atkins ne termina pas – ou ne put terminer – sa phrase.

– Ce n'est pas *quoi* ? demanda la voix de Martha Hadley.

Je me rappelle m'être arrêté dans l'escalier pour les écouter.

– Je sais que tu peux le dire, insistait-elle gentiment. Tu peux dire *le*, hein ?

– Ce n'est pas… *le*, réussit à articuler Atkins.

– Maintenant, dis-moi *re*, comme dans *renard*, proposa Martha Hadley.

– Je peux pas, lâcha Atkins.

– Entre, maintenant…

– Ce n'est pas *le*… *re* ! reprit Atkins avec difficulté.

– Et voilà, c'est bien ; c'est mieux, en tout cas. Allez, entre, lui répéta Martha Hadley.

J'atteignis le rez-de-chaussée et sortis du bâtiment, où j'avais entendu au passage des bribes de chansons, des chorales ; au deuxième étage, des instruments à cordes et, au rez-de-chaussée, quelques gammes au piano. Mais je n'avais qu'une idée en tête : Atkins était un sacré loser et un pauvre débile – ne pas arriver à prononcer le mot *heure* ! Quel nul !

Au milieu du parc, là où Grau était mort, une idée me traversa soudain l'esprit : au fond, mon raisonnement était assimilable à de l'homophobie. Moi qui n'arrivais pas à dire le mot *pénis*, voilà que je me sentais supérieur à un garçon qui ne parvenait pas à dire le mot *heure*.

Je me souviens d'avoir pensé que, ma vie durant, j'aurais besoin de gens comme Martha Hadley, il me faudrait m'entourer de personnes comme elle ; mais il y aurait toujours d'autres individus prêts à me haïr et à m'insulter, voire à m'agresser physiquement. Cette pensée fut aussi tonifiante que l'air glacial qui avait tué le Dr Grau. Je venais d'en apprendre beaucoup en une seule consultation chez une vocaliste et professeur de chant bienveillante. De plus, je m'étais aperçu non sans inquiétude qu'elle avait une personnalité dominatrice ; et que cet élément m'attirait. M'attirait ou *pas* ? Je compris dès lors que mon plus grand désir n'était pas tant de coucher avec Mrs Hadley que d'être dominant moi-même.

Peut-être était-elle une *hippie* avant l'heure ; le vocable n'existait pas encore en 1960. À cette époque, j'avais à peine entendu le mot *gay* ; c'était un terme très peu usité dans notre milieu car pas assez négatif, sans doute, ou tout au moins trop neutre pour tous ces homophobes. Je savais donc ce que *gay* voulait dire, même si ce n'était pas un terme qui avait cours dans le cercle étroit de mes connaissances ; en revanche, inexpérimenté que j'étais, je n'avais pas beaucoup réfléchi à ce qu'impliquaient les concepts de « domination » et de « soumission » dans le monde apparemment inaccessible des relations homosexuelles.

Quelques années plus tard, alors que je vivais avec Larry – de tous les hommes et femmes avec qui j'ai tenté l'expérience de la vie commune, c'est avec lui que je suis resté le plus longtemps –, il

131

me charriait volontiers en racontant à tout le monde que j'avais été « choqué » de la façon dont il m'avait dragué à Vienne, dans ce bar gay, si mystérieux pour moi.

C'était lors de mon année à l'étranger, en premier cycle universitaire. Outre mon cursus secondaire à la Favorite River Academy, mes deux ans d'allemand à la fac me préparaient à ce séjour en pays germanophone. Mais mes deux années de vie à New York ne m'avaient préparé qu'à moitié à ce que représentait un bar gay underground à Vienne, en cette année universitaire 1963-1964. À New York, on fermait la plupart des bars gays, au contraire. Le maire avait pris prétexte de l'Exposition universelle pour en nettoyer la ville, histoire de faire bonne impression aux touristes de passage. Un bar new-yorkais, le « Julius », était resté ouvert – il y en eut peut-être d'autres – mais, même au Julius, il n'était pas question que les clients se touchent.

Je ne veux pas dire que Vienne était plus « underground » ; la situation y était pratiquement la même. Mais dans le bar où Larry m'avait levé, il y avait du pelotage, licite ou pas. Je me souviens seulement que c'est Larry qui m'avait scandalisé, pas Vienne.

– Actif ou passif, joli Bill ? me demanda-t-il.

J'en restai baba, mais pas à cause de la question.

– Actif, répondis-je sans hésiter.

– Vraiment ? fit Larry, avec un étonnement sincère ou feint (chez lui, il était souvent difficile de faire la part des choses). Tu m'as plutôt l'air d'un passif, déclara-t-il.

Puis, après un silence, silence tellement long que je commençais à penser qu'il se disposait à emballer un autre gars, il ajouta :

– Allez, Bill, on y va.

J'en fus sidéré, certes, mais seulement parce que j'étais étudiant et Larry professeur. J'étais inscrit à l'Institut für Europäische Studien de Vienne – *das Institut*, comme disaient les étudiants. Nous étions américains, issus de tous les coins du pays, mais les enseignants étaient plus cosmopolites : quelques Américains – Larry était le plus connu d'entre eux –, un Anglais, fabuleux excentrique, et plusieurs Autrichiens, enseignants à l'université de Vienne.

En ce temps-là, l'Institut d'études européennes se trouvait à l'extrémité de la Wollzeile, près de la Doktor Karl Lueger Platz et du Stubenring. Les étudiants se plaignaient de la distance entre *das*

Institut et l'université car beaucoup, notamment ceux qui parlaient le mieux l'allemand, prenaient aussi des cours à l'université. Pas moi, je ne souhaitais pas de rallonge. J'étais allé en fac à New York parce que je voulais vivre à New York ; et c'était pour vivre à Vienne que j'y poursuivais mes études. La proximité de l'université, je m'en fichais.

Mon niveau en allemand avait été jugé suffisant pour me faire embaucher dans un excellent restaurant de la Weihburggasse – au bout de la Kärntnerstrasse en venant de l'Opéra. Il s'appelait le Zufall, c'est-à-dire «la coïncidence», et j'avais obtenu le job parce que j'avais déjà été serveur à New York et que, peu de temps après mon arrivée, ils avaient viré leur seul employé anglophone.

Je l'avais appris dans ce mystérieux bar gay, le Kaffee Käfig, «la cage à café», sur la Dorotheergasse, une des petites rues perpendiculaires au Graben. Le jour, c'était plutôt le rendez-vous des étudiants ; on y voyait aussi des filles, et c'est d'ailleurs pendant la journée qu'une fille m'avait averti que le serveur du Zufall s'était fait remercier. Mais, le soir, il y venait des hommes plus âgés et les filles n'y mettaient plus les pieds. C'est ainsi qu'un soir j'étais tombé sur Larry, qui m'avait posé ex abrupto la question *actif-passif*.

Durant le premier trimestre, je ne l'avais pas eu pour professeur. Il faisait cours sur les tragédies de Sophocle. Il était poète, et moi je voulais devenir écrivain – je m'étais dit que j'en avais fini avec le théâtre et je n'écrivais pas de poésie. Mais je savais qu'il s'agissait d'un auteur reconnu, et je lui demandai s'il accepterait de monter un atelier d'écriture, aux deuxième et troisième trimestres de l'année scolaire.

– Oh, grands dieux, un cours de *création littéraire, nooon* ! s'exclama Larry. Je sais, vous allez me dire qu'un jour cette discipline sera enseignée *partout* !

– Ça m'intéresserait de montrer ce que j'écris à un autre écrivain, c'est tout, lui dis-je. Il est vrai que je ne suis pas poète, je suis romancier. Je peux comprendre que ça ne vous intéresse pas.

Je tournai les talons – l'air faussement blessé –, mais il m'arrêta.

– Attendez, attendez... comment vous appelez-vous, jeune romancier ? Parce que, vous savez, des romans, j'en lis, précisa-t-il.

Je me présentai (sous le prénom de «Bill», parce que je réservais *William* à Miss Frost. Plus tard, je signerais mes romans William Abbott, mais je n'ai jamais permis à personne d'autre de m'appeler William).

– Eh bien, Bill, je vais y réfléchir, fit Larry.

Je voyais bien qu'il était homo, et qu'il réfléchirait à tout autre chose qu'à la question que je lui avais posée, mais je ne devins son élève qu'en janvier 1964, au début du deuxième trimestre, dès qu'il accepta de monter son atelier d'écriture à l'Institut.

Pour ses confrères et ses étudiants, Larry était un poète distingué sous le nom de Lawrence Upton, mais ses amis homos et sa coterie d'admiratrices l'appelaient Larry. À l'époque, j'avais déjà fréquenté des hommes plus âgés que moi. Même si je n'avais pas vécu avec eux, j'avais eu des amants et je me targuais de savoir où je me situais dans l'alternative *actif-passif*.

Ce n'était donc pas le caractère cru de la question qui m'avait offusqué ; même ses nouveaux étudiants savaient que Lawrence Upton, snob insigne, pouvait se muer en un rustre tout aussi notoire. Ce qui m'avait choqué, c'était que mon propre professeur, figure littéraire de renom, m'ait fait du rentre-dedans. Mais Larry avait sa version de l'histoire, et il n'était pas question de le contredire.

Il prétendait ne m'avoir jamais demandé si j'étais *actif* ou *passif*.

– Dans les années soixante, mon cher Bill, personne ne disait *actif* ou *passif* ; à l'époque, on disait *pitcher* ou *catcher* – t'envoies ou t'encaisses ? –, sauf chez vous, dans le Vermont, peut-être. Visionnaires, précurseurs que vous êtes, vous disiez déjà *plus* ou *moins* ? Nous autres, les attardés, on en était restés à *t'envoies* ou *t'encaisses*, qui deviendraient un jour *actif* ou *passif*. Dans les années soixante, on n'en était pas encore là, cher Bill. À Vienne, quand je t'ai dragué, je *sais parfaitement* que je t'ai demandé si tu étais pitcher ou catcher.

Là-dessus, il se tournait vers nos amis – les siens, surtout, car à Vienne, comme plus tard à New York, ils étaient plus âgés que moi, en général – et il déclarait :

– Bill est romancier, mais il écrit à la première personne, sur le mode de la confession intégrale ; en réalité, sa fiction est on ne peut plus proche de l'autobiographie.

Se tournant de nouveau vers moi – et me regardant comme si nous étions seuls –, il ajoutait :

– Et pourtant tu pêches par anachronisme, mon cher Bill. Dans les années soixante, les mots *actif* et *passif* n'avaient pas cours.

Tel était Larry, ainsi pérorait-il : il avait toujours raison. J'appris à ne pas le contredire sur des points mineurs. Je disais : « Oui, professeur », parce que si je lui avais soutenu mordicus qu'il se trompait, qu'il avait bel et bien employé les mots *actif* et *passif*, il m'aurait lancé une autre vanne sur mes origines vermontoises, ou il aurait déblatéré sur le fait que je me proclamais pitcher alors que, pour lui, j'avais tout du catcher.

– Vous ne trouvez pas qu'il a l'air d'encaisser, plutôt ? demandait-il régulièrement à ses amis.

Le poète Lawrence Upton appartenait à cette génération de gays bien persuadée que tous les homos sont a priori des *passifs*, quoi qu'ils en disent – ou que ceux qui se disent *actifs* n'en finiront pas moins *passifs*. Du fait que notre première rencontre avait eu lieu à Vienne, le désaccord sur notre entrée en matière fit long feu. Dans les années soixante, en effet, beaucoup d'Européens considéraient – ils le considèrent encore aujourd'hui – que les Américains se polarisaient bien trop sur la question *actif-passif*. Ils nous avaient toujours trouvés trop à cheval sur ce distinguo : faut-il absolument que les gays soient l'un ou l'autre ? – comme me le disent aujourd'hui certains jeunes avec un parfait aplomb.

Larry – type même du *passif*, s'il en fut – jouait parfois les incompris, tantôt sur le mode agacé, tantôt avec des pudeurs de vierge.

– Je suis bien plus ouvert que toi à l'inversion des rôles ! me dit-il un jour, les yeux baignés de larmes. Tu auras beau dire ou prétendre que tu aimes aussi les femmes, de nous deux, ce n'est pas moi qui campe le plus sur mes positions.

Vers la fin des années soixante-dix, « l'Ère de la Bienheureuse Licence », selon Larry, nous nous fréquentions encore, sans plus vivre ensemble. C'était seulement dans les bars « cuir » aux codes affichés qu'on pouvait savoir à coup sûr qui faisait quoi : un mouchoir dans la poche arrière gauche signifiait *actif*, et un dans la poche arrière droite *passif*. Un mouchoir bleu, je baise, un mouchoir rouge je *fiste*. On s'en fiche pas mal aujourd'hui... Autre signe distinctif, la position des clés sur la boucle de ceinture du jean, à gauche ou à droite. À New York, où je les accrochais sans réfléchir à ce détail, je me faisais toujours draguer par un actif qui s'en tenait au code, alors que j'étais actif moi-même. Cela devenait irritant, à la longue.

Même à la fin des seventies, une décennie ou presque après la libération gay, les doyens de la communauté – ceux qui étaient plus vieux que moi et même plus vieux que Larry – regrettaient cette polarité. «Pourquoi vouloir tuer le mystère comme ça, les gars? C'est une composante excitante dans le sexe, le mystère, non?»

J'aimais avoir un look d'homo – du moins assez pour que les gays, jeunes et moins jeunes, aient un temps d'hésitation en me regardant. Mais je voulais que les femmes se posent la question, elles aussi. Je voulais conserver quelque chose d'agressivement masculin dans mon apparence. «Tu t'affiches *actif* ce soir?» me demanda Larry un jour. Oui, sans doute.

Les répétitions de *La Tempête* me revenaient en mémoire, avec les commentaires de Richard sur le genre «indécis» d'Ariel : il disait que le sexe des anges était également indécis. «Le choix en revient au metteur en scène?» avait alors demandé Kittredge.

Sans doute cultivais-je cette indécision dans l'allure pour m'approprier quelque chose de la sexualité aléatoire d'Ariel. J'étais plutôt petit, mais je me savais mignon. Je pouvais aussi devenir invisible à ma guise : comme lui, je pouvais me transformer en «esprit des airs». Il y a bien des manières de signaler sa bisexualité, telle était la mienne.

Larry se moquait volontiers de ma «conception utopique de l'androgynie»; le look efféminé n'était plus de saison pour les gays soi-disant libérés de sa génération. Il me trouvait des airs, un look un peu «folle» – et c'est sans doute la raison pour laquelle il aurait eu tendance à m'attribuer le rôle passif.

Mais moi je me considérais comme quelqu'un de presque normal. Par «normal», j'entends que je ne donnais pas dans le look cuir et que le petit jeu du mouchoir ne m'intéressait pas. Au cours des années soixante-dix, à New York, comme dans la plupart des grandes villes, on draguait beaucoup dans la rue. À l'époque, comme maintenant, j'aimais le look androgyne. Soit dit en passant, les mots *androgyne* et *androgynie* ne m'ont jamais posé de problème de prononciation.

– Tu es joli garçon, Bill, me disait souvent Larry, mais ne va pas croire que tu resteras mince toute ta vie. Ne va pas te figurer qu'en t'habillant en *emo-boy* ou en drag-queen, tu vas miner un tant soit peu les codes machistes contre lesquels tu t'insurges. Tu ne changeras pas la nature profonde des hommes-des-vrais, et d'ailleurs tu n'en seras jamais un !

– Oui, professeur, me contentais-je de lui répondre en général.

Durant les fabuleuses années soixante-dix, lorsque je draguais un mec, ou que je me faisais draguer, il y avait toujours un moment où je lui mettais la main au cul ; s'il aimait se faire baiser, il se mettait à gémir et à se contorsionner dans tous les sens pour me faire comprendre que j'avais touché le « point magique ». Mais s'il s'avérait qu'il était *actif*, on passait à un 69 vite fait, et basta ! Voire un 69 super brutal, parfois : les codes machistes, comme disait Larry, avaient toutes les chances de prévaloir ; pas ma « conception utopique de l'androgynie ».

Ce fut sans doute la jalousie féroce de Larry qui m'éloigna de lui ; j'étais encore très jeune, certes, mais l'admiration ne peut pas indéfiniment tenir lieu d'amour. Quand il me soupçonnait d'avoir couché avec un autre, il faisait en sorte de me toucher le trou du cul pour vérifier s'il était humide, ou s'il avait été lubrifié.

– Je suis un *actif*, je te le rappelle. Tu ferais mieux de me flairer la bite, plutôt.

Mais la jalousie de Larry lui faisait perdre toute logique ; me connaissant comme il me connaissait, il persistait pourtant à penser que j'étais capable de jouer les *passifs* avec un autre partenaire.

Au moment de notre rencontre, il s'intéressait de près à l'opéra ; c'était d'ailleurs la raison de sa présence à Vienne. C'était aussi, en partie, celle de mon choix de cette ville. On s'en souvient, Miss Frost avait fait de moi un admirateur inconditionnel des romans du XIXᵉ siècle. Les opéras que j'aimais *étaient* des romans du XIXᵉ siècle !

Poète reconnu, Lawrence Upton rêvait d'écrire un livret d'opéra. « Après tout, Billy, me disait-il, je sais jouer de la rime. » Il s'était mis en tête d'écrire un opéra gay. Dans sa poésie, il s'imposait des contraintes strictes ; sans doute pensait-il pouvoir se lâcher davantage en tant que librettiste. Mais lui qui se proposait d'écrire tout un opéra gay n'avait jamais été fichu de composer un seul poème ouvertement gay. Ça, ça me foutait en boule, et pas qu'un peu.

Il avait choisi pour narratrice de son opéra une drag-queen cynique, qui lui ressemblait étrangement. Elle chantait une complainte délibérément absurde, je ne me rappelle même plus comment ça rimait : « Trop d'Indiens et pas assez de chefs. Tant de poulets, si peu de coqs. » Pour se lâcher, il s'était lâché.

Il y avait un chœur de passifs – très nombreux, les passifs, naturellement – et un chœur beaucoup plus restreint d'actifs. Si Larry avait achevé son opéra, il est probable qu'il y aurait eu un chœur d'ours – moins nombreux que les passifs et plus que les actifs –, mais la vogue des ours restait à venir. Il a fallu attendre le milieu des années quatre-vingt pour voir arriver ces mecs poilus, volontairement négligés, qui se voulaient en rébellion contre le diktat de l'homme impeccable, propre sur lui, sexe rasé et corps bodybuildé. C'était rafraîchissant, ces ours, au début.

Faut-il le dire, l'opéra de Larry ne vit jamais le jour ; sa carrière de librettiste avorta. C'est le poète qui resterait dans les mémoires, mais son idée d'opéra gay est restée dans la mienne – ainsi que toutes les soirées passées au Staatsoper, le vaste Opéra national viennois, dans ma prime jeunesse.

Assister à l'échec personnel d'un grand homme, d'un poète accompli, est riche d'enseignements pour un écrivain en devenir : on ne s'écarte d'une discipline acquise qu'avec circonspection. Au temps où je m'attachai à Larry, je n'avais pas encore complètement assimilé que l'écriture est une ascèse. L'opéra peut être une forme de narration flamboyante, mais le librettiste doit respecter certaines règles ; on n'écrit rien de bon quand on « se lâche ».

Portons-le à son crédit, il fut le premier à admettre son fiasco. Ça aussi, c'était riche d'enseignements.

– Quand tu transiges sur tes fondamentaux, Bill, ne va pas incriminer la forme que tu as choisie. L'opéra n'y est pour rien en soi, je ne suis pas la victime de cet échec, Bill, j'en suis l'artisan.

Il y a toujours beaucoup à apprendre auprès d'un amant, mais, en général, on garde ses amis plus longtemps, et c'est auprès d'eux qu'on s'instruit le plus. Dans mon cas, ça s'est toujours vérifié. J'irai jusqu'à dire que Martha Hadley, la mère de mon amie Elaine, a eu plus d'influence dans ma vie que Lawrence Upton.

Pendant l'hiver 1960, alors que j'étais en deuxième année à la Favorite River Academy, en bon Vermontois candide, je n'avais jamais entendu les mots *actif* ni *passif*, du moins dans le sens où Larry et la plupart de mes amis et amants gays l'entendaient, mais je savais déjà que j'étais un *actif* avant même d'avoir couché avec qui que ce soit.

Le jour de ma confession inachevée à Martha Hadley, où son ascendant manifeste produisit sur moi une impression aussi forte que déconcertante, je compris que je n'aurais de cesse de désirer baiser avec des hommes, mais toujours en tant qu'actif, en leur plantant mon sexe dans le cul ; je n'ai jamais eu envie de me faire pénétrer par le pénis d'un autre. Une bite dans la bouche, soit, dans le cul, niet.

Malgré tout mon désir pour Kittredge, j'en étais déjà conscient : je voulais le baiser, je voulais le prendre dans ma bouche, mais je ne voulais pas qu'il me baise, lui. Connaissant Kittredge, il fallait que je sois fou. À supposer qu'il envisage une relation homosexuelle, la répartition des rôles serait impitoyablement claire : si Kittredge était gay, aucun doute, il était actif.

Il est révélateur que j'aie mis entre parenthèses ma première année d'études à l'Institut pour aborder mon interlude viennois en vous parlant de Larry. Il aurait été plus logique que je commence par évoquer ma première vraie petite amie, Esmeralda Soler, d'abord parce que je l'avais rencontrée peu de temps après mon arrivée, en septembre 1963, et aussi parce que je vivais avec elle depuis plusieurs mois quand je suis devenu l'élève de Larry – et, dans la foulée, son amant.

Mais je crois savoir pourquoi je ne vous ai pas parlé tout de suite d'Esmeralda. Les gays de ma génération ont coutume de dire qu'il est tellement plus facile, pour un adolescent d'aujourd'hui, de faire son « coming out ». Or je peux vous affirmer qu'à cet âge-là, ce n'est jamais facile.

Moi, j'avais honte de mon appétit sexuel pour les garçons ; j'avais lutté contre ce penchant. Peut-être pensez-vous que j'ai exagéré mon attirance pour Miss Frost et Mrs Hadley dans un effort désespéré pour paraître « normal » ; peut-être êtes-vous convaincus que je n'ai jamais vraiment été attiré par les femmes. Mais *j'étais* et *je suis toujours* séduit par les femmes. Seulement voilà : à la Favorite River Academy tout particulièrement, et parce que c'était une école de garçons, je devais refouler mon attirance pour la gent masculine.

Après cet été en Europe avec Tom, au sortir de mes études secondaires, puis plus tard, quand j'étais en fac à New York, enfin seul, je fus en mesure d'assumer la composante homosexuelle de ma personnalité. (Si, je suis bien décidé à vous en dire davantage sur Tom, mais le sujet est délicat, c'est un fait.) Et, après Tom, j'ai eu beaucoup de relations sexuelles avec des hommes. À dix-neuf et vingt ans – j'ai eu vingt et un ans en mars 1963, peu de temps après avoir appris que mon dossier avait été accepté à l'Institut d'études européennes de Vienne –, j'avais déjà fait mon coming out. Et quand j'arrivai à Vienne, je menais depuis deux ans la vie d'un jeune gay new-yorkais.

Cela ne voulait pas dire que je n'étais plus attiré par les femmes, elles me plaisaient toujours. Mais céder à cette attirance m'aurait semblé régresser au stade où je refoulais mon homosexualité. En outre, à l'époque, mes amis et amants gays pensaient tous que celui qui se proclame bi n'est en réalité qu'un gay qui garde un pied dans le placard. Alors, vers dix-neuf ou vingt ans, je suppose qu'il y avait une part de moi qui le croyait aussi. Pourtant je savais que j'étais bisexuel, tout comme je savais que j'étais attiré par Kittredge, et de quelle façon. Mais, au tournant de la vingtaine, je réfrénais mon attrait pour les femmes, comme je l'avais fait auparavant pour le sexe masculin. Malgré mon jeune âge, je pressentais sans doute déjà que les bi étaient suspects; peut-être serons-nous d'ailleurs indéfiniment perçus comme des personnages équivoques, toujours est-il que nous l'étions à ce moment-là.

Je n'ai jamais eu honte d'être attiré par les femmes, mais une fois que j'ai eu des amants – et de plus en plus de copains gays – j'ai compris que ce goût paraissait louche, voire faisait peur aux autres homos. En conséquence, je réprimais mes désirs, je n'en parlais pas; les femmes, je me contentais de les regarder; je les regardais même beaucoup. Pendant l'été 1961, lors de notre fameux voyage en Europe, ce pauvre Tom m'avait pris sur le fait.

Nous étions un petit groupe d'étudiants américains, admis à l'Institut für Europäische Studien de Vienne pour l'année universitaire 1963-1964. Nous avions embarqué sur un bateau de croisière dans le port de New York et traversé l'Atlantique, comme Tom et moi l'avions fait deux étés auparavant. Je constatai bien vite qu'il n'y avait pas d'homos dans le lot d'étudiants de l'Institut cette année-là, aucun, en tout cas, qui aurait fait son coming out – aucun qui aurait pu m'intéresser sur ce plan.

Pour nous rendre à Vienne, il fallut parcourir l'Europe de l'Ouest en autocar : ces deux semaines de voyage furent nettement plus instructives que l'été entier avec Tom. Je n'avais pas de passé commun avec les autres étudiants. Je me fis des amis – des garçons et des filles hétéros à ce qu'il me semblait. Il y avait bien quelques filles envisageables, mais avant même notre arrivée à Vienne je décidai que le groupe était trop restreint ; j'aurais été mal inspiré de coucher avec une des filles qui allaient fréquenter l'Institut en même temps que moi. De plus, j'avais déjà laissé entendre au groupe que «je voulais rester fidèle» à une petite amie demeurée aux États-Unis. Vis-à-vis de mes condisciples, je m'étais construit une image d'hétéro, apparemment bien décidé à rester sur la réserve.

Avec ce boulot d'unique serveur anglophone au Zufall sur la Weihburggasse, j'achevai de prendre mes distances vis-à-vis de l'Institut d'études européennes – mes camarades ne pouvaient pas venir dîner dans ce restaurant, bien trop cher pour leur bourse. En dehors des cours sur la Doktor Karl Lueger Platz, je pouvais donc vivre l'aventure du jeune écrivain en pays étranger – à savoir me réserver du temps pour moi, exercice crucial.

C'est par le plus grand des hasards que j'ai rencontré Esmeralda. Je l'avais remarquée à l'Opéra, à cause de sa stature – les femmes grandes et larges d'épaules m'ont toujours attiré – et aussi parce qu'elle prenait des notes. Elle se tenait au fond de la salle du Staatsoper, griffonnant furieusement dans un carnet. Le premier soir, je la pris pour une journaliste, critique lyrique. Elle n'avait que trois ans de plus que moi – soit vingt-quatre ans à l'automne 1963 –, mais elle paraissait plus.

Je la revis plusieurs fois, toujours debout au fond de la salle. Je compris que si elle avait vraiment été critique, elle aurait au moins disposé d'une place assise. Mais elle demeurait derrière les rangées de sièges, comme moi et les autres étudiants. À l'époque, les étudiants pouvaient en effet assister gratuitement aux représentations, à condition de rester debout au fond de la salle.

Le Staatsoper dominait le carrefour de la Kärntnerstrasse et de l'Opernring. Il était à moins de dix minutes à pied du Zufall. Les soirs de représentation, le restaurant proposait deux services : un souper léger avant l'Opéra et un dîner plus gastronomique après. Quand j'assurais les deux services, c'est-à-dire presque tous les soirs, j'arrivais à l'Opéra après le début du premier acte, et je repartais avant la fin du dernier.

Un soir, pendant l'entracte, Esmeralda m'aborda. Elle s'adressa à moi directement en anglais, ce qui me vexa profondément – avais-je à ce point une tête d'Américain ?

– Qu'est-ce que vous fabriquez ? me demanda-t-elle. Vous arrivez toujours en retard et vous repartez toujours avant la fin !

Elle était américaine elle-même, on ne pouvait pas s'y tromper ; elle me dirait plus tard qu'elle était originaire de l'Ohio.

– Je travaille, je suis serveur. Et *vous*, vous faites quoi ? Pourquoi prenez-vous toujours des notes ? Vous voulez devenir écrivain ? Moi, oui.

– Je suis doublure, j'ai l'intention de faire une carrière de soprano. Vous voulez devenir écrivain ? répéta-t-elle lentement.

Elle me plut d'emblée.

Un soir que je n'étais pas de service au Zufall, je restai à l'Opéra jusqu'au baisser du rideau et lui proposai de la raccompagner chez elle.

– Mais je n'ai pas la moindre envie de rentrer « chez moi » tout de suite ! Je n'aime pas l'endroit où je vis. J'y passe le moins de temps possible, me dit-elle.

Moi non plus, je n'aimais pas l'endroit où j'habitais – et, comme elle, j'y passais le moins de temps possible. Mais je travaillais au restaurant de la Weihburggasse pratiquement tous les jours, et je n'étais pas encore très au fait des endroits où sortir le soir.

Et c'est dans ce bar gay, sur la Dorotheergasse, que j'emmenai Esmeralda ; il se trouvait à deux pas et je n'y étais allé qu'en plein jour, où il était surtout fréquenté par les étudiants des deux sexes. Je ne savais pas encore que, le soir, la clientèle du Kaffee Käfig était exclusivement masculine, exclusivement gay.

Nous ne mîmes pas longtemps à comprendre mon erreur.

– Ce n'est pas comme ça dans la journée, confiai-je à Esmeralda en sortant de l'établissement.

Dieu merci, Larry n'était pas présent ce soir-là, je l'avais déjà sollicité pour ouvrir un atelier d'écriture à l'Institut ; il ne m'avait toujours pas donné sa réponse.

Le quiproquo du Kaffee Käfig avait fait beaucoup rire Esmeralda – « Eh bien, pour notre première sortie ! » s'était-elle exclamée, tandis que nous remontions à pied le Graben vers le Kohlmarkt. Il y avait une brasserie dans le Kohlmarkt ; je n'y étais jamais allé mais, à première vue, elle semblait hors de prix.

– Je connais un endroit près de chez moi, me dit Esmeralda. On peut y aller et, après, tu me raccompagneras.

Quelle surprise : nous habitions le même quartier – derrière la Ringstrasse, à la périphérie du premier district, dans les environs de la Karlskirche. Il y avait là un bistrot, comme il y en a beaucoup à Vienne, au coin de l'Argentinierstrasse et de la Schwindgasse. Il faisait à la fois café et bar ; c'était là que j'avais mes habitudes dans le quartier, dis-je à Esmeralda au moment où nous y prenions place. J'y venais souvent pour écrire.

C'est ainsi qu'on se mit à parler de nos logements, aussi peu enviables l'un que l'autre. Nous habitions tous deux sur la Schwindgasse, dans le même immeuble, par-dessus le marché. Contrairement à moi, Esmeralda disposait d'un véritable appartement. Elle avait sa chambre, une salle de bains personnelle et une kitchenette, mais elle partageait l'entrée avec sa propriétaire. Tous les soirs, en rentrant « chez elle », elle devait passer devant le séjour, où la vieille chouette revêche était scotchée sur son canapé, les yeux rivés à la télévision, son insupportable petit chien sur les genoux.

La télévision, Esmeralda l'entendait constamment de sa chambre, où elle écoutait des opéras, généralement en allemand, sur un vieux phono. Il lui était demandé de les écouter en sourdine, comme si l'opéra s'écoutait ainsi. La musique était cependant assez forte pour couvrir le bourdonnement de la télé, et Esmeralda écoutait tant et plus les sons de l'allemand, tout en chantant pour elle – en sourdine. Il fallait qu'elle perfectionne son accent, m'expliqua-t-elle.

Comme j'avais besoin, pour ma part, de faire des progrès en syntaxe et d'enrichir mon vocabulaire, je vis d'emblée qu'Esmeralda et moi pouvions nous rendre mutuellement service. L'accent était le seul domaine dans lequel mon allemand était meilleur que le sien.

Les serveurs du Zufall m'avaient averti : à la fin de l'automne, et de la saison touristique, il y avait des soirs où l'on ne voyait pas le moindre client anglophone dans le restaurant. J'avais intérêt à perfectionner mon allemand avant les mois d'hiver. Les Autrichiens n'étaient pas tendres avec les étrangers. À Vienne, *Ausländer*, « étranger », n'avait pas de connotations positives ; on sentait une forte propension xénophobe chez les Viennois.

Au café-bar de l'Argentinierstrasse, je commençai donc à raconter ma vie à Esmeralda, en allemand. Nous avions d'ores et déjà décidé de nous parler dans cette langue.

Malgré son nom, qui signifie « émeraude », Esmeralda ne parlait pas espagnol. De mère italienne, elle parlait et chantait en italien, mais la carrière de diva imposait une maîtrise parfaite de l'allemand, et un accent irréprochable. Au Staatsoper, le statut de doublure n'était pas pris au sérieux, disait-elle : elle passait après la soprano. Pour qu'elle monte sur scène, il faudrait que la soprano en titre soit tombée raide morte. Ou que l'opéra soit en italien.

Elle parlait un allemand sans faute, mais je distinguais des inflexions typiquement clevelandiennes dans son accent. Dès l'école primaire une enseignante avait découvert ses dons pour le chant. Elle avait suivi des cours au conservatoire de musique d'Oberlin, Ohio, puis passé un an à Milan, où, interne à la Scala, elle s'était découvert une passion pour l'opéra italien.

Lorsqu'elle s'exprimait en allemand, elle avait l'impression d'avoir des copeaux de bois dans la bouche. Son père avait quitté le foyer familial pour partir en Argentine, où il avait rencontré une autre femme. Elle était convaincue que cette femme devait avoir des parents nazis.

– Quelle autre raison pourrais-je avoir de ne pas maîtriser l'accent ? me demandait Esmeralda. Je me suis défoncée à apprendre l'allemand !

Je repense encore aujourd'hui à ce qui nous rapprochait : nous avions tous deux un père en goguette, nous vivions dans le même immeuble sur la Schwindgasse et nous parlions de tout ça au fond d'un café-bar de l'Argentinierstrasse, dans notre allemand approximatif. *Unglaublich !* « Incroyable ! »

Les étudiants de l'Institut étaient logés un peu partout dans Vienne. La plupart avaient une chambre à eux, mais devaient partager la salle de bains ; beaucoup logeaient chez des veuves de guerre et n'avaient pas accès à la cuisine. J'habitais chez une veuve, où j'avais une chambre à moi, et je partageais la salle de bains avec la fille de la veuve, une divorcée qui vivait avec son fils de cinq ans, Siegfried. La cuisine était constamment occupée et en grand désordre, mais j'avais tout de même le droit d'y faire du café et d'entreposer quelques bières au réfrigérateur.

Ma propriétaire esseulée pleurait à longueur de temps ; jour et nuit, vêtue d'un peignoir-éponge effiloché, elle traînait la savate dans l'appartement. La divorcée était une maîtresse femme à poitrine opulente qui me rappelait bien involontairement mon autoritaire tante Muriel. Quant au petit Siegfried, il avait une façon sournoise, quasi démoniaque, de me regarder ; le matin au petit déjeuner, il avalait un œuf à la coque avec sa coquille.

La première fois que je le vis faire, je me précipitai dans ma chambre pour consulter mon dictionnaire bilingue, ne sachant pas dire « coquille » en allemand. Quand j'annonçai à la mère ce que son lardon venait d'avaler, elle haussa les épaules et me dit que la coquille était sans doute meilleure pour lui que l'œuf lui-même. Le matin, lorsque je faisais mon café et que je regardais le petit Siegfried avaler son œuf intégral, la divorcée était généralement fagotée dans un pyjama d'homme trop grand pour elle, qui avait dû appartenir à son ex-mari. Elle laissait ouverts la plupart des boutons de la veste et avait la déplorable habitude de se gratter.

Chose étonnante, dans la salle de bains que nous partagions, la porte disposait d'un œilleton, ce qui est plutôt réservé aux portes des chambres d'hôtel. J'imaginai qu'il avait été installé pour que la personne qui quittait la salle de bains – peut-être à moitié nue, ou drapée dans une serviette – puisse s'assurer que le champ était libre, qu'il n'y avait personne dans le couloir. Mais pourquoi donc ? Qui aurait envie de se balader à poil dans le couloir, quand bien même le champ serait libre ?

Le mystère s'épaissit quand je constatai que le cylindre de l'œilleton était réversible. Je découvris en outre qu'il était fréquemment inversé et que la position inversée devenait la plus courante – du couloir, on pouvait donc voir ce qui se passait dans la salle de bains, qui s'y trouvait et ce que la personne y faisait.

Essayez de raconter *ça* en allemand, et vous pourrez tester votre niveau de langue, mais c'est pourtant ce que je m'efforçai d'expliquer à Esmeralda – en allemand – le soir de notre première sortie.

« *Holy cow !* » s'exclama Esmeralda, retrouvant soudain sa langue natale. Elle avait le teint café au lait clair et une ombre de moustache. Ses cheveux étaient d'un noir de jais et ses yeux brun foncé paraissaient presque noirs. Elle avait les mains plus grandes que les miennes – elle était d'ailleurs un peu plus grande que moi –, mais sa poitrine, à mon grand soulagement, était « normale », autant dire modeste à proportion du reste de sa personne.

Bon, allez, je vais tout vous dire. Si j'avais tant hésité à connaître ma première expérience sexuelle avec une femme, c'était sans doute parce que j'aimais la pénétration anale. J'aimais même beaucoup ça ! Et il ne faisait pas de doute qu'une partie de moi-même appréhendait la pénétration vaginale et ses sensations.

Ce fameux été en Europe avec Tom – quand je vis le malheureux perdre pied et se sentir menacé alors que je ne faisais que regarder les filles et les femmes –, je me souviens de lui avoir dit, non sans exaspération :

– Pour l'amour du ciel, Tom, tu n'as pas encore remarqué à quel point *j'aime* le coït anal ? Le rapport vaginal, très peu pour moi ! Autant enfiler sa bite dans un hall de gare !

Si le mot *vaginal* avait précipité le pauvre Tom dans les toilettes – où je l'avais entendu dégueuler tripes et boyaux –, c'est la formule *hall de gare*, pourtant employée en boutade, qui était restée gravée en moi. Impossible de me la sortir de la tête. Qu'allait-il se passer si j'avais la sensation d'entrer dans un hall de gare lors de ma première expérience de pénétration vaginale ? Cette arrière-pensée ne m'empêchait pourtant pas d'être systématiquement attiré par les femmes plus grandes que la moyenne.

Nos conditions de vie peu enviables n'étaient pas les seuls obstacles qui se dressaient entre Esmeralda et moi. Nous nous étions rendus l'un chez l'autre avec circonspection, dans nos chambres respectives.

– Passe encore pour l'œilleton sur la porte de la salle de bains, m'avait-elle dit, mais ce gosse me fait froid dans le dos !

Elle le traitait de « bouffeur de coquille » ; mais, à mesure que notre relation avançait, j'allais me rendre compte que ce n'était pas Siegfried lui-même qui flanquait la frousse à Esmeralda.

Plus problématique pour elle que l'œilleton réversible de la salle de bains était sa phobie des enfants. La perspective d'en avoir un l'affolait ; comme beaucoup de jeunes femmes à l'époque, elle avait une peur panique de tomber enceinte, non sans raison. Une grossesse aurait sonné le glas de sa carrière.

– Je ne suis pas prête à devenir soprano-au-foyer, m'annonça-t-elle.

Nous savions qu'il y avait quelques pays d'Europe où il était possible de se faire avorter – l'Autriche, contrée catholique, n'en faisait pas partie –, mais qu'en général l'avortement était interdit, dangereux et illégal. De plus, avec une mère italienne très catholique, Esmeralda aurait beaucoup hésité à se faire avorter, fût-ce en toute sécurité et en toute légalité.

– Ce n'est pas une capote qui m'empêchera de me faire engrosser, me dit-elle, je suis fertile à la puissance dix.

– Comment le sais-tu ?

– Je *me sens* fertile. Je le *sais*, un point c'est tout.

Nous étions très chastement assis sur son lit ; sa terreur de la grossesse me semblait un obstacle insurmontable. La décision, savoir dans quelle chambre nous pouvions essayer de «faire la chose», s'était imposée à nous ; si nous devions vivre ensemble, il nous faudrait partager le petit appartement d'Esmeralda. Ma veuve éplorée s'était en effet plainte à l'Institut de ma conduite déviante : j'aurais inversé le sens de vision de l'œilleton sur la porte de la salle de bains ! *Das Institut* avait accepté mes protestations d'innocence, mais il me fallut déménager.

– Je parie que c'est le bouffeur de coquille, avait dit Esmeralda.

Je n'avais pas voulu la contredire, mais le petit Siegfried aurait dû monter sur un escabeau ou une chaise pour atteindre cette vacherie d'œilleton. Je penchais plutôt pour la divorcée débraillée.

La propriétaire d'Esmeralda fut ravie de trouver une nouvelle source de revenus ; elle n'avait probablement jamais imaginé que l'appartement, avec sa cuisine riquiqui, puisse accueillir deux personnes ; mais Esmeralda et moi ne faisions jamais la cuisine, nous prenions tous nos repas à l'extérieur.

Esmeralda disait que sa propriétaire était de meilleure humeur depuis que j'avais emménagé ; si la vieille femme avait froncé les sourcils en apprenant qu'elle aurait un petit ami à demeure, l'augmentation du loyer subséquente avait manifestement tempéré sa désapprobation. Même l'insupportable petit chien m'avait accepté.

Ce soir-là, Esmeralda et moi étions donc assis bien sagement sur son lit, tentant de nous remettre du choc culturel : la vieille dame nous avait invités dans son séjour pour nous montrer que son chien et elle étaient en train de regarder un film américain à la télé. Entendre

147

Gary Cooper parler allemand, c'est dur à avaler. Comment ont-ils pu doubler *High Noon*[1]? me demandais-je.

Le bourdonnement de la télé nous parvenait vaguement dans la chambre. Tex Ritter chantait *Do Not Forsake Me*.

– Au moins, ils n'ont pas doublé Tex Ritter, remarquait Esmeralda tandis que, bien timidement, je mettais la main sur sa poitrine parfaite. Il faut que je te dise, Billy, commença-t-elle, en me laissant faire.

J'aurais juré qu'elle avait déjà prononcé ces mots. En d'autres circonstances, m'avoua-t-elle plus tard, la formule avait mis un terme aux entreprises de ses petits amis. Pas cette fois.

Je n'avais pas remarqué le préservatif jusqu'au moment où elle me le tendit – il était encore dans son sachet en papier alu.

– Il faut que tu mettes ça, Billy, même si cette saloperie n'est pas forcément étanche, au moins c'est plus propre.

– D'accord, dis-je en prenant le préservatif.

– Mais il faut que je te dise, Billy. Le pire, c'est que tu devras me prendre par-derrière. La pénétration anale, je veux bien, mais c'est ça ou rien.

Puis elle reprit tout bas, comme honteuse :

– Je sais que c'est un pis-aller pour toi, mais c'est comme ça. Par-derrière ou rien. Je comprendrais très bien que ce ne soit pas ton truc, ajouta-t-elle.

N'en disons pas trop, pensai-je. Ce qu'elle proposait n'était pas un «pis-aller» pour moi – le rapport anal, j'aimais ça. Quant à ce «par-derrière ou rien» censément dissuasif, c'était tout le contraire, j'étais soulagé. L'expérience tant redoutée du hall de gare était une nouvelle fois remise à plus tard. La prudence s'imposait pourtant : surtout, ne pas avoir l'air trop enthousiaste.

Ce fut sans mentir tout à fait que je lui déclarai :

– Je suis un peu nerveux, c'est la première fois pour moi. (D'accord, d'accord, je me gardai bien d'ajouter : «... avec une femme».)

Esmeralda alluma le phono. Elle mit sur la platine *Lucia di Lammermoor*, le fameux enregistrement de 1961 avec Joan Sutherland en soprano déjantée – et je compris que ce n'était pas pour faire des

---

1. *Le train sifflera trois fois.*

148

progrès en phonétique. Donizetti constituait un fond sonore bien plus romantique que Tex Ritter.

Et c'est ainsi que je m'embarquai plein d'élan dans ma première expérience amoureuse avec une femme – sur le mode d'un pis-aller qui n'en était pas un pour moi, puisque nous aurions un rapport «par-derrière ou rien». Le terme «ou rien» n'était d'ailleurs pas tout à fait exact : nous eûmes beaucoup de rapports oraux. Ça ne me faisait pas peur, et Esmeralda *adorait* ça – ça lui donnait envie de chanter, disait-elle.

C'est ainsi également que je découvris le vagin, pas dans toutes ses dimensions cependant, puisque l'entrée dans le hall de gare (si hall de gare il y avait) était différée ; je n'en étais pas mécontent, j'étais même heureux d'avoir à attendre. Moi qui redoutais tant cette rencontre, je trouvai au vagin une séduction et un attrait insolites. J'adorais faire l'amour avec Esmeralda. Et, d'ailleurs, j'adorais cette fille.

Il y avait ces moments après l'amour où, dans un demi-sommeil, oubliant que j'étais avec une femme, je lui effleurais la vulve – pour retirer aussitôt ma main, surpris. Je cherchais son pénis.

– Pauvre Billy, me disait-elle, se méprenant sur ce retrait instinctif, persuadée que je voulais pénétrer son vagin, que j'étais frustré de tout ce qui m'était refusé.

– Mais non, pas «pauvre Billy», «ce veinard de Billy» au contraire, «Billy le bienheureux», lui disais-je à chaque fois.

– Tu es vraiment un chic type ! concluait-elle.

Elle n'avait pas idée à quel point j'étais heureux, et quand je touchais sa vulve – dans mon sommeil, ou par inadvertance – elle était loin de se douter de ce que j'y cherchais, qu'elle n'avait pas et qui me manquait peut-être.

Der Oberkellner («le chef de rang») au Zufall était un jeune homme à la mine sévère, qui faisait plus vieux que son âge. Borgne, il portait un bandeau sur l'œil ; il n'avait pas trente ans, mais à cause de ce bandeau, ou des circonstances dans lesquelles il avait perdu son œil, il avait la gravité d'un homme bien plus âgé. Il s'appelait Karl et ne parlait jamais de son infirmité, mais les autres serveurs m'en avaient raconté l'origine. À la fin de la Seconde Guerre mondiale, Karl, alors âgé de dix ans, avait vu des soldats russes violer sa mère et il avait essayé de s'interposer. Un des Russes l'avait frappé avec la crosse de son arme, et il avait perdu son œil.

Vers la fin du mois de novembre, Esmeralda eut enfin sa chance d'être première soprano sur la triple scène du Staatsoper. Comme elle l'avait prévu, c'était pour un opéra italien, le *Macbeth*, de Verdi. Doublure de la soprano qui jouait Lady Macbeth, elle travaillait le rôle depuis le début de l'automne, depuis que nous vivions ensemble à vrai dire, et, tout en attendant patiemment son heure, elle avait fini par cesser d'y croire.

« *Vieni, t'affretta!* » chantait-elle dans son sommeil. C'est la scène où Lady Macbeth lit la lettre de son mari narrant sa première rencontre avec les sorcières.

Je demandai à Karl la permission de quitter le premier service plus tôt que d'ordinaire, et de revenir plus tard pour le second : mon amie chanterait le rôle de Lady Macbeth ce vendredi soir.

– Vous avez une amie, alors… cette jeune doublure est vraiment votre amie, exact ?

– Oui, c'est exact, Karl, lui répondis-je.

– Je suis heureux de l'apprendre, Bill… les gens parlent, me dit Karl, son œil unique braqué sur moi.

– Esmeralda est mon amie, et elle sera Lady Macbeth ce vendredi.

– C'est la chance de sa vie, Bill, faites en sorte qu'elle ne la rate pas.

– Je ne voudrais surtout pas manquer le début, et puis j'aimerais bien rester jusqu'à la fin.

– Bien sûr, bien sûr. Je sais que nous sommes vendredi, mais il n'y a pas foule au restaurant. On n'est plus en haute saison. Comme les feuilles, les touristes se sont envolés. Ce devrait être le dernier week-end où nous aurons besoin d'un serveur anglophone, mais nous pourrons nous débrouiller sans vous, Bill.

Karl était très fort pour me culpabiliser, tout en donnant l'apparence de me soutenir. Il me faisait penser à Lady Macbeth invoquant les suppôts de l'enfer.

« *Or tutti sorgete* », chantait Esmeralda dans son sommeil ; un air qui faisait froid dans le dos, et n'améliorait en rien mon allemand.

« *Fatal mia donna!* » dit Lady Macbeth à son pleutre de mari ; elle prend le poignard avec lequel il a tué Duncan et barbouille de sang les vêtements des gardes endormis. J'avais hâte de voir Esmeralda en virago qui fait la loi à Macbeth dans cette scène capitale de l'acte I.

Voilà pourquoi je ne voulais surtout pas arriver en retard : pas question de manquer une minute de la scène des sorcières.

– Je suis très fier de vous, Bill, me dit Karl. Je veux dire, fier que vous ayez une amie, pas spécialement cette grande bringue de soprano, une amie, un point c'est tout. Ça fera taire les malveillants.

– Quels malveillants, Karl ?

– Oh, les autres serveurs, un des sous-chefs… Vous savez, les gens bavassent, Bill.

En fait, si quelqu'un, au Zufall, avait besoin d'une preuve que je n'étais pas gay, c'était bien Karl ; et si quelqu'un colportait la rumeur que je l'étais, ce ne pouvait être que lui.

J'avais regardé Esmeralda pendant son sommeil. Si Lady Macbeth fait une apparition en somnambule dans l'acte IV – pour déplorer que la tache ne parte pas sur ses mains –, Esmeralda, elle, ne marchait pas dans son sommeil. Allongée confortablement et profondément endormie, elle chantait, presque toutes les nuits, « *Una macchia* ».

La soprano en titre, qui ne chanterait pas ce vendredi-là, souffrait d'un polype aux cordes vocales ; et si cette affection était assez fréquente chez les chanteurs d'opéra, on prêtait beaucoup d'attention au petit polype de Gerda Mühle. Fallait-il l'opérer ?

Esmeralda portait aux nues Gerda Mühle ; elle avait une voix puissante, jamais forcée, et un registre impressionnant. Elle vibrait sans effort de la note *sol* bas aux confins du contre-*it*. Sa voix de soprano avait assez d'ampleur, de densité pour chanter Wagner, tout en trouvant l'agilité requise pour les roulades rapides et les trilles ouvragés du style italien du début du XIXᵉ siècle. N'empêche que Gerda enquiquinait tout le monde avec son polype, m'avait confié Esmeralda. « Ça lui prend la tête… et ça nous prend la tête à tous. » Elle était passée de la dévotion pour la soprano à la haine pour la femme, qu'elle surnommait désormais le « Polype ».

Ce vendredi soir-là, le Polype reposait ses cordes vocales. Esmeralda était impatiente d'obtenir ce qu'elle qualifiait de « coup d'essai » au Staatsoper, et elle ne prenait pas le polype de Gerda Mühle au sérieux. Dans son adolescence à Cleveland, elle avait souffert d'une obstruction nasale chronique et subi une opération des sinus, très risquée pour la suite de sa carrière, opération qui lui avait peut-être laissé pour séquelles des vestiges d'accent américain en allemand. Alors cette Gerda Mühle qui faisait tout un foin avec son polype de diva, pas question de la plaindre.

Je ne faisais plus attention aux blagues du personnel de cuisine et des serveurs sur les aléas de la vie avec une soprano. Tout le monde m'envoyait des vannes à ce propos, sauf Karl, ce n'était pas son genre.

– On doit en avoir *plein les oreilles*, dans certaines circonstances, m'avait dit le chef du Zufall, ce qui avait déclenché l'hilarité générale aux cuisines.

Je m'étais bien gardé de le leur raconter, mais Esmeralda n'atteignait l'orgasme que par le cunnilingus. Ses orgasmes étaient volcaniques, disait-elle, mais leurs effets sonores ne me perturbaient pas, et pour cause : ses cuisses enserraient mes oreilles, je n'entendais rien de rien.

– Mon Dieu, je crois que j'ai atteint le contre-*mi* bémol – et que je l'ai *tenu*, m'avait-elle dit après un de ces orgasmes prolongés.

Hélas, cette performance fut perdue pour moi : j'avais les oreilles chaudes et moites, et la tête dans l'étau de ses cuisses.

Je ne me souviens pas du temps qu'il faisait à Vienne en ce vendredi de novembre. Je sais seulement que lorsque Esmeralda avait quitté notre petit appartement de la Schwindgasse, elle portait son badge de soutien à Kennedy. C'était son porte-bonheur, m'avait-elle dit. Elle était très fière d'avoir milité pour JFK dans l'Ohio en 1960, et trouvait dégueulasse que son État de naissance, ayant voté Nixon, ait basculé à une faible majorité en faveur des républicains.

Je n'étais pas aussi politisé qu'Esmeralda. En 1963, j'étais trop résolu à devenir écrivain pour m'impliquer dans le débat politique ; je lui avais fait de grands discours sur ce chapitre : je ne cherchais pas à assurer mes arrières, moi, contrairement à certains jeunes pour qui le militantisme politique était une porte de sortie en cas d'échec dans une carrière artistique – vous voyez le genre de baratin.

– Alors, parce que je suis plus engagée politiquement que toi, ça voudrait dire que j'attache moins d'importance à ma carrière de soprano que toi à ta carrière d'écrivain ? m'avait-elle demandé.

– Jamais de la vie !

Ce que j'aurais dû lui dire, si j'avais osé, c'était que j'étais bisexuel. Ce n'était pas l'écriture qui me détournait de l'action politique ; c'était le fait qu'en 1963 ma sexualité double me tenait lieu de manifeste ; quoi de plus politique, en effet, qu'une sexualité indécise à vingt et un ans ?

Mais, en ce vendredi de novembre, j'allais bientôt regretter d'avoir dit à Esmeralda que son engagement politique était une façon d'assurer ses arrières pour le cas où elle raterait sa carrière de diva.

Au premier service du Zufall, il y eut davantage de clients américains que prévu. Ils étaient les seuls touristes étrangers, anglophones, en tout cas : plusieurs couples ayant largement dépassé l'âge de la retraite, ainsi qu'une table de dix obstétriciens et gynécologues venus à Vienne pour un congrès.

Je leur appris que, pour l'opéra, ils n'auraient pas pu mieux tomber et leur parlai de cette scène de l'acte III où les sorcières font apparaître un enfant ensanglanté qui adresse à Macbeth cette prophétie célèbre : « aucun fils né de femme » ne pourra lui nuire. Bien sûr, Macbeth se fait avoir. Macduff, qui finira par le tuer, lui révélera qu'il est né par césarienne.

– C'est certainement le seul opéra où l'on parle de césarienne, annonçai-je à la table des dix obstétriciens gynécologues, tuyau qui me valut un généreux pourboire.

Karl raconta à qui voulait l'entendre que mon amie allait chanter le rôle de Lady Macbeth ce soir-là, ce qui m'assura mon petit succès parmi les clients du premier service. Il tint en outre sa promesse de me laisser quitter le restaurant assez tôt pour ne pas manquer le début de l'acte I.

Mais, une fois dans la salle, j'eus l'impression qu'il se passait quelque chose de bizarre. Le public n'avait pas l'air de vouloir prendre place – et tout spécialement ces rustres d'Américains. Un couple semblait au bord de la rupture ; la femme pleurait, et son mari avait beau dire et beau faire, elle demeurait inconsolable. Vous avez déjà compris que ce vendredi soir n'était autre que le 22 novembre 1963. À 12 h 30, heure du Texas, le président Kennedy venait de prendre une balle en pleine tête. Il était sept heures de plus à Vienne et, à ma grande surprise, le spectacle tardait à commencer. Esmeralda m'avait dit que le Staatsoper commençait toujours à l'heure. Pas ce soir-là car, je ne pouvais pas le savoir, la situation était aussi chaotique en coulisses que dans la salle.

Le couple d'Américains qui me paraissait candidat au divorce avait déjà quitté la salle. Et voilà que d'autres Américains semblaient eux aussi en perdition. Il restait des sièges vides. Pauvre Esmeralda! Ne pas faire salle comble, le soir de ses débuts! Il était une heure de l'après-midi quand JFK avait rendu l'âme, huit heures du soir à Vienne.

Le rideau ne se levait toujours pas sur cette lande écossaise désolée et je commençais à me faire du souci pour Esmeralda. Avait-elle le trac? Une extinction de voix? Gerda Mühle aurait-elle décidé de tenir le rôle, finalement? Un feuillet glissé dans le programme annonçait qu'Esmeralda Soler serait Lady Macbeth en ce vendredi 22 novembre 1963. J'avais déjà décidé de l'encadrer et de le lui offrir pour Noël. D'autres Américains parlaient entre eux dans la salle, certains s'éclipsaient, en pleurs. Je décidai que mes compatriotes étaient culturellement sous-développés, handicapés des rapports sociaux, ou qu'alors, c'étaient tous des béotiens.

Enfin, le rideau se leva sur les sorcières. Au moment où Macbeth fit son entrée avec Banquo, qui ne serait bientôt plus qu'un fantôme, je me dis qu'il était bien trop vieux et trop gros pour être le mari d'Esmeralda, même sur une scène d'opéra.

Quelle ne fut pas ma surprise quand, dans cette première scène de l'acte I, ce ne fut pas mon Esmeralda qui vint chanter «*Vieni, t'affretta!*». Ce ne fut pas elle non plus qui appela les suppôts de l'enfer à sa rescousse: «*Or tutti sorgete.*» Là, sur le plateau, se trouvaient Gerda Mühle et son polype. J'imaginais la surprise effarée des clients du premier service du Zufall – y compris les dix obstétriciens et gynécologues. Ils devaient se dire: c'est cette soprano aux allures de matrone, ce gros tas, qui sort avec notre mignon petit serveur?

Lorsque Lady Macbeth vint essuyer le poignard ensanglanté sur les vêtements des gardes endormis, j'imaginai qu'Esmeralda avait été assassinée dans les coulisses – ou qu'elle connaissait un sort tout aussi funeste.

À la fin de l'acte II, la moitié de la salle était en pleurs. Était-ce la nouvelle de l'assassinat de Banquo qui affectait le public à ce point, ou la présence de son spectre à la table du festin? Au moment où ce fantôme surgit devant Macbeth pour la seconde fois, j'étais sûrement le seul spectateur à ignorer que le président Kennedy avait été assassiné. Je dus attendre l'entracte pour apprendre ce qui venait de se passer.

Je restai ensuite pour revoir les sorcières, et ce terrifiant bébé ensanglanté qui dit à Macbeth qu'«aucun fils né de femme» ne peut lui faire de mal. J'attendis jusqu'au milieu de l'acte IV, parce que je voulais voir la scène de somnambulisme – Gerda Mühle et son polype en train de chanter « *Una macchia* », l'air de la tache de sang qui souille irrémédiablement les mains de Lady Macbeth. Peut-être espérais-je qu'Esmeralda allait surgir des coulisses et me rejoindre, au milieu des autres étudiants restés debout avec constance au fond de la salle du Staatsoper, mais – à l'acte IV – il y avait tellement de sièges inoccupés que la plupart de mes camarades avaient trouvé de quoi s'asseoir.

Je ne savais pas qu'il y avait un téléviseur, son coupé, dans les coulisses et qu'Esmeralda était collée devant ; elle me dirait plus tard qu'elle n'avait pas eu besoin du son pour comprendre ce qui venait d'arriver à JFK.

Je partis avant la fin de l'acte IV, ne tenant pas à voir « la forêt de Birnam marcher sur Dunsinane », comme l'a écrit Shakespeare, ni à entendre Macduff annoncer à Macbeth sa naissance par césarienne. Je courus donc tout le long de la Kärntnerstrasse noire de monde puis de la Weihburggasse, croisant des gens en pleurs, dont la plupart n'étaient même pas américains.

Dans les cuisines du Zufall, le personnel et les serveurs regardaient tous la télévision sur un petit poste en noir et blanc. Je vis les reportages muets de l'assassinat qu'Esmeralda venait sans doute de regarder.

– Vous êtes en avance, finalement, observa Karl. Est-ce que votre amie a raté ses débuts ?

– Ce n'était pas elle qui chantait ce soir, c'était Gerda Mühle, répondis-je.

– *Blöde Kuh!* s'écria Karl. « La grosse vache ! »

Les Viennois amateurs d'opéra qui ne supportaient plus Gerda Mühle l'avaient surnommée la grosse vache bien avant qu'Esmeralda ne l'appelle le Polype.

– Esmeralda a dû être trop retournée pour chanter ; elle n'a pas eu le cran ; c'était une inconditionnelle de Kennedy.

– C'est bien ça, elle a tout foiré, dit Karl. Il va vous falloir gérer l'après-*Macbeth*. Je ne vous envie pas.

Il y avait déjà quelques clients anglophones dispersés dans la salle, m'annonça-t-il ; de toute évidence, aucun d'entre eux n'avait vu *Macbeth*.

– Encore des obstétriciens et des gynécologues, observa Karl, dédaigneusement. (Il trouvait qu'il naissait trop de bébés dans le monde. «La surpopulation est le problème majeur de notre société», disait-il.) Et puis, il y a une table de pédés. Ils viennent d'arriver, mais ils sont déjà saouls. Des tapettes, sans le moindre doute.

Il était aisé de repérer la table des obstétriciens gynécos; ils étaient douze – huit hommes et quatre femmes, tous médecins. Le soir de l'assassinat de Kennedy, je jugeai malvenu de briser la glace en leur annonçant qu'ils avaient raté la césarienne dans *Macbeth*.

À la table des homos – des *tapettes*, comme avait dit Karl – étaient assis quatre hommes, tous ivres. L'un d'eux était le fameux poète américain qui enseignait à l'Institut, Lawrence Upton.

– Je ne savais pas que vous travailliez ici, jeune romancier, dit Larry. Vous vous appelez bien Bill, n'est-ce pas?

– En effet.

– Grands dieux, Bill, vous en faites, une tête! C'est à cause de Kennedy, ou ça n'a rien à voir?

– J'étais à la représentation de *Macbeth*, ce soir… commençai-je.

– Ah, j'avais entendu dire que c'était le soir de la doublure, alors je n'y suis pas allé, m'interrompit-il.

– C'est vrai, ce devait être le soir de la doublure. Mais comme elle est américaine, elle était sans doute trop secouée pour chanter. C'est Gerda Mühle qui s'est produite, comme d'habitude.

– Gerda est fantastique, dit Larry. Ça a dû être une merveilleuse soirée.

– Pas pour moi. La doublure de la soprano est mon amie. J'espérais la voir en Lady Macbeth. Je l'avais entendue chanter dans son sommeil, dis-je à la table des homos éméchés. Elle s'appelle Esmeralda Soler. Un jour, peut-être, vous entendrez parler d'elle.

– Vous avez une petite amie? dit Larry, manifestant la même incrédulité narquoise que plus tard, lorsque je me déclarerais *actif*.

– Esmeralda Soler, répétai-je. Elle a dû être trop bouleversée pour chanter.

– Pauvrette, dit Larry. Je suppose qu'il n'y a pas pléthore d'occasions pour les doublures.

– C'est vrai.

– Je ne perds pas de vue votre demande, me dit Larry. Je n'exclus pas de l'ouvrir, cet atelier d'écriture.

Karl ne m'enviait pas de devoir supporter «l'après-*Macbeth*», mais en regardant Lawrence Upton et ses amis homos j'entrevis tout à coup une autre façon, sans doute pas joli-jolie, de gérer l'après-Esmeralda.

Parmi les spectateurs anglophones de l'opéra, très peu vinrent dîner au Zufall après la représentation du *Macbeth* de Verdi. L'assassinat de JFK avait sans doute quelque peu coupé l'appétit à la plupart de mes compatriotes. La table des obstétriciens gynécos était morose; ils partirent tôt. Seuls Larry et ses tapettes s'attardaient.

Karl me pressait de rentrer :

– Partez retrouver votre dulcinée, elle ne doit pas aller très fort.

Mais soit Esmeralda était avec les gens de l'opéra, soit elle était déjà rentrée dans notre petit appartement de la Schwindgasse. Elle savait où je travaillais; si elle voulait me voir, elle saurait où me trouver.

– Les tapettes s'éternisent, elles ont décidé de finir leurs jours ici, disait Karl. On dirait que vous connaissez celui qui est bel homme, qui fait de grands discours.

Lawrence Upton enseignait à l'Institut, mais je ne l'avais pas comme professeur, lui expliquai-je.

– Rentrez vite auprès de votre amie, Bill, me répéta Karl.

Mais je frémissais à l'idée de voir passer en boucle les reportages sur l'assassinat de Kennedy à la télé qui trônait dans le séjour; la vision de l'insupportable petit chien me retenait au Zufall, où je pouvais toujours jeter un œil sur le petit écran en noir et blanc de la cuisine.

– C'est la mort de la culture américaine, proclamait Larry aux trois autres tapettes. Non pas qu'il existe une culture du livre aux États-Unis, mais Kennedy nous avait donné l'espoir qu'il soutiendrait les écrivains. Prenez Frost, par exemple. Son poème inaugural, c'était pas mal. Au moins, le président Kennedy avait du goût. Combien de temps faudra-t-il attendre le prochain?

Je sais, je sais – je ne vous présente pas Larry sous son meilleur jour. Mais ce qu'il y avait de formidable chez cet homme, c'est qu'il parlait vrai sans tenir compte du contexte, ni des «sentiments» de ses interlocuteurs du moment.

Il aurait très bien pu y avoir, dans l'assistance, des gens pétris de compassion pour le président assassiné, qui se sentaient comme naufragés sur une côte lointaine, battue par la houle puissante du patriotisme. Larry n'en avait cure ; s'il pensait détenir la vérité, il la disait. Pour moi, cette audace n'enlevait rien à son charme.

En plein milieu de son speech, Esmeralda fit irruption dans le restaurant. Elle ne pouvait jamais avaler quoi que ce soit avant de chanter, m'avait-elle dit, je savais donc qu'elle n'avait rien mangé de la soirée, mais aussi qu'elle avait dû descendre quelques verres de vin blanc, ce qui n'est jamais fameux quand on est à jeun. Elle s'était d'abord assise au bar, en pleurs. Karl l'avait rapidement conduite à la cuisine, où elle s'était mise devant le petit poste de télé. Il lui avait servi un verre de blanc avant de venir m'annoncer qu'elle était là ; je ne l'avais pas vue entrer : j'étais en train d'ouvrir la énième bouteille de vin rouge à la table des tapettes.

– C'est votre amie, Bill. Vous devriez la raccompagner, me dit Karl. Elle est dans la cuisine.

Larry parlait assez bien l'allemand, il avait compris ce que le chef de rang venait de me dire.

– C'est votre doublure, Bill ? me demanda-t-il. Dites-lui de venir à notre table, on va la réconforter.

J'en doutais ; une conversation sur la mort de la culture américaine, il y avait mieux pour lui remonter le moral.

– Laissez-moi m'occuper des tapettes, me dit Karl. Je partagerai les pourboires avec vous. Ramenez-la chez vous, Bill.

– Je crois que je vais vomir si je continue à regarder la télévision, me dit Esmeralda dans la cuisine.

Elle avait l'air flageolante sur le tabouret. Je savais qu'elle allait probablement vomir de toute façon, à cause du vin blanc. De la Ringstrasse à la Schwindgasse, le trajet serait délicat, mais j'espérais que la promenade lui ferait du bien.

– Il est rare de voir une Lady Macbeth aussi jolie, lança la voix de Larry, alors que j'extirpais Esmeralda du restaurant. Je n'ai pas oublié l'atelier d'écriture, jeune romancier ! ajouta-t-il au moment où nous passions la porte.

– Je crois que je vais vomir quand même, dit Esmeralda.

Il était tard lorsque nous arrivâmes à la Schwindgasse. Elle avait vomi au moment où nous traversions la Karlsplatz, et elle disait se sentir mieux. La propriétaire et son odieux cabot étaient couchés, le séjour plongé dans le noir, le téléviseur éteint – ou alors ils étaient tous aussi morts que Kennedy, télé comprise.

– Pas Verdi, dit Esmeralda en me voyant hésiter devant le tourne-disque.

Je posai sur le plateau *Lucia di Lammermoor* de Donizetti, par Joan Sutherland dont c'était le rôle emblématique ; je savais combien Esmeralda aimait cet opéra. Je le mis en sourdine.

– C'est un grand jour pour toi, ton grand soir, Billy, et pour moi aussi. Je n'ai jamais eu de rapports vaginaux. Ça ne fait rien si je tombe enceinte, à présent. Quand une doublure cale, c'est fini pour elle, dit-elle.

Elle se brossa les dents et se rinça la figure, elle était encore un peu pompette, je crois.

– C'est de la folie. Tu ne peux pas dire ça. La chance se représentera des tas de fois.

– Écoute, tu as envie de faire l'amour, ou pas ? J'ai envie d'essayer le rapport vaginal, Billy : je te le demande, pour l'amour de Dieu ! J'ai envie de savoir ce que ça fait !

– Soit.

Bien entendu, je mis un préservatif ; j'en aurais mis deux, si elle me l'avait demandé. Pas de doute, elle était encore un peu pompette.

Et voilà toute l'histoire. La nuit de la mort de notre président, j'ai connu mon premier rapport vaginal – et je dois dire que ça m'a plu, ça m'a emballé, même. Je pense qu'Esmeralda eut un orgasme phénoménal pendant la scène de la folie ; pour être honnête, je n'ai jamais su si c'était Joan Sutherland qui atteignait le contre-*mi* bémol, ou Esmeralda. Cette fois, mes oreilles n'étaient pas protégées par ses cuisses ; j'entendis le petit chien de la propriétaire aboyer, mais j'avais les oreilles qui sifflaient.

– Oh putain ! s'écria Esmeralda, c'était *prodigieux* !

J'étais moi-même épaté – et soulagé. J'avais aimé ça, c'est peu de le dire, j'avais *adoré* ! Était-ce aussi bien – ou mieux – que le rapport anal ? Eh bien, c'était *différent*. Pour être diplomate, quand on me le demande, je dis toujours que j'aime autant l'un que l'autre. Mes appréhensions autour du vagin étaient infondées.

Mais, hélas, je fus un peu lent à réagir au «putain !» d'Esmeralda et à son «c'était *prodigieux* !». J'étais en train de penser combien ça m'avait plu, mais je n'en disais rien.

159

– Billy ? demanda Esmeralda. C'était comment pour toi ? Tu as aimé ?

Notre problème, à nous romanciers, c'est que, plus encore que le commun des mortels, quand nous suivons le fil d'une idée, même si nous n'en disons rien, nous n'arrivons pas à nous interrompre.

– Ça n'a rien d'un hall de gare, résumai-je simplement pour la pauvre Esmeralda, au terme d'une journée pareille.

– Ça n'a rien d'un *quoi* ?

– Euh, c'est une expression vermontoise, bredouillai-je, c'est une manière de parler.

– Mais pourquoi dire quelque chose de négatif ? me demanda Esmeralda. « N'a rien d'un machin-chose », c'est négatif. Ça m'a tout l'air d'exprimer une déception monumentale.

– Alors là, pas du tout. J'ai *adoré* ton vagin ! m'écriai-je.

L'insupportable petit chien se remit à aboyer ; Lucia se répétait – elle était revenue au début, au temps où elle était encore la jeune épouse confiante mais prompte à perdre les pédales.

– Je ne suis pas un hall de gare, pourquoi pas un gymnase, une cuisine, pendant que tu y es ?

Puis vinrent les larmes : les larmes pour Kennedy, pour ses débuts avortés dans la carrière, pour son vagin dédaigné – des flots de larmes.

Comment faire machine arrière quand on a lâché : « Ça n'a rien d'un hall de gare », phrase on ne peut plus malencontreuse après un premier rapport vaginal ? Comment revenir sur mes allégations quant à son militantisme politique et son manque de motivation artistique ? Nous allions vivre ensemble toute la période de Noël et du jour de l'An, mais le ver était dans le fruit.

Une nuit, je dus parler dans mon sommeil. Le lendemain, Esmeralda me demandait :

– Ce type d'âge mûr, plutôt beau, au Zufall… tu sais, le soir de la catastrophe, il t'a parlé d'un atelier d'écriture, qu'est-ce qu'il voulait dire ? Pourquoi est-ce qu'il t'a traité de « jeune romancier », Billy ? Il te connaît ? Tu le connais ?

Ah, il n'était pas facile de répondre. Et puis, un soir – en janvier 64, après ma journée –, je traversai la Kärntnerstrasse et descendis la Dorotheergasse vers le Kaffee Käfig. Je savais parfaitement quel type de clientèle j'y trouverais à cette heure : uniquement des hommes, uniquement des gays.

– Mais voilà le romancier, ou je me trompe fort ! avait dû dire Larry, à moins qu'il ne m'ait demandé : Vous êtes bien Billy, n'est-ce pas ?

Ce devait être le jour où il m'annonça qu'il avait décidé de monter l'atelier d'écriture que je lui réclamais ; je n'avais encore suivi aucun de ses cours, en tout cas. Ce soir-là, au Kaffee Käfig – peu de temps avant qu'il me drague pour de bon –, il m'avait sans doute demandé :

– Vous êtes venu sans votre doublure ? Où est donc cette jolie, jolie fille ? Ça n'est pas une Lady Macbeth modèle courant, Bill, n'est-ce pas ?

– Modèle courant, non, avais-je sans doute marmonné.

Il ne s'était rien passé de plus ; nous avions bavardé, voilà tout.

Au lit, plus tard dans la nuit, Esmeralda me posa une question lourde de sens :

– Ton accent autrichien, ça me tue. Ton allemand n'est pas parfait, mais quand tu parles, on dirait un natif. D'où te vient ton allemand, Billy ? Je me demande pourquoi je ne t'ai jamais posé la question.

Nous avions fait l'amour. D'accord, ça n'avait pas été très spectaculaire – le chien de la propriétaire n'avait pas aboyé, mes oreilles n'avaient pas résonné – mais nous avions fait l'amour « classiquement » pour notre plus grand plaisir mutuel.

– Plus de sexe anal entre nous, Billy, j'ai tourné la page, m'avait dit Esmeralda.

Je savais fort bien qu'il n'en allait pas de même pour moi. J'avais aussi compris que le vagin d'Esmeralda n'était pas le seul qui me plairait ; j'avais déjà accepté l'idée que je ne tournerais jamais la page vagin, au risque d'une forme de servitude. Bien sûr, ce n'était pas seulement le vagin d'Esmeralda qui m'avait asservi. Ce n'était pas de sa faute si elle n'avait pas de pénis.

Elle avait commis l'erreur de me demander : « D'où te vient ton allemand ? » La question m'incita à réfléchir sur l'origine de nos désirs, genèse aussi obscure que tortueuse. Et c'est cette nuit-là que je compris que j'allais quitter Esmeralda.

6

Les photos d'Elaine que j'ai conservées

Lors de mon avant-dernière année à la Favorite River Academy, j'avais déjà fait trois ans d'allemand. L'hiver de la mort du Dr Grau, la classe de Fräulein Bauer récupéra quelques-uns de ses élèves – dont Kittredge. Le groupe avait pris du retard ; Herr Doktor Grau était un piètre pédagogue. Trois années d'une même langue vivante étaient nécessaires pour valider le diplôme de fin d'études secondaires ; si Kittredge n'était qu'en troisième année d'allemand en terminale, cela voulait dire qu'il avait raté sa certification l'année précédente, ou bien qu'il avait changé de langue vivante et, pour une raison ou une autre, finalement opté pour l'allemand.

– Ta mère est française, non ? lui avais-je demandé, présumant qu'on parlait français chez lui.

– J'en avais assez de faire les quatre volontés de ma soi-disant mère, m'avait répondu Kittredge. Ça ne t'est jamais arrivé à toi, Nymphe ?

Avec son intelligence incisive, j'étais surpris qu'il soit si médiocre en allemand ; je le fus moins de découvrir qu'il était cossard. Il faisait partie de ces gens à qui tout réussit, mais qui ne se fatiguent pas pour mériter leurs dons. Les langues vivantes exigent un effort de mémoire, du rabâchage. Le fait que Kittredge n'ait eu aucune difficulté à apprendre son rôle dans une pièce de théâtre montrait qu'il possédait les capacités requises pour ce genre de discipline ; il jouait avec une maîtrise parfaite. Mais il lui manquait la rigueur indispensable pour apprendre une langue – l'allemand, surtout. «Ces vacheries d'articles, *der, die, das, den, dem*, merde alors ! » maugréait-il, sa patience à rude épreuve.

L'année où il aurait dû obtenir son diplôme, je concède que j'eus ma part de responsabilité dans son échec, notamment parce que j'avais accepté de lui donner un coup de main dans le travail à la maison ; mais

163

recopier mes traductions jour après jour ne lui était d'aucun secours lors des devoirs sur table, où il lui fallait se débrouiller tout seul. Je redoutais par-dessus tout qu'il échoue à son examen de troisième année d'allemand ; je voyais déjà les conséquences de son redoublement : je risquais en effet de me retrouver dans la même classe que lui. Mais quand il demandait de l'aide, comment refuser ?

« Comment lui refuser quoi que ce soit, un point c'est tout », me dirait un jour Elaine. Moi, ce que je me reproche le plus, c'est de ne pas avoir deviné qu'ils avaient une histoire ensemble.

Durant ce trimestre d'hiver, Richard Abbott fit passer des auditions pour ce qu'il appelait le « Shakespeare de printemps », par opposition à celui monté l'automne précédent. À la Favorite River, il nous faisait aussi jouer du Shakespeare au deuxième trimestre.

Ça m'arrache la langue de le reconnaître, mais je crois que la participation de Kittredge au Club Théâtre fut pour beaucoup dans le succès de nos représentations à l'École – Shakespeare ou pas. Richard suscita bien plus qu'un intérêt poli en annonçant à voix haute la distribution de *La Nuit des rois* pendant l'heure de vie scolaire ; la distribution fut ensuite affichée au réfectoire, où les élèves se pressèrent pour savoir qui jouerait qui.

Orsino, duc d'Illyrie, était interprété par notre professeur et metteur en scène, Richard Abbott. Le personnage ouvre *La Nuit des rois* par cette phrase célèbre, toute en lyrisme : « Si la musique nourrit l'amour, alors jouez toujours. » Dans ce registre, il n'avait nul besoin de l'assistance de ma souffleuse de mère.

Le duc Orsino déclare d'abord son amour à Olivia, comtesse interprétée par mon acariâtre tante Muriel. Olivia l'ayant éconduit, il tombe aussitôt amoureux de Viola, ce qui fait de lui un personnage exalté – « sans doute plus amoureux de l'amour que de l'une ou l'autre de ces femmes », commentait Richard Abbott. J'ai toujours pensé que si Muriel avait accepté sereinement de jouer la comtesse, c'est précisément parce qu'elle éconduisait Orsino. Richard était encore trop « jeune premier » pour elle ; elle n'était jamais tout à fait à l'aise auprès de ce séduisant beau-frère.

À Elaine échut le rôle de Viola, qui va se déguiser en Césario. Richard avait anticipé ce travestissement en la choisissant, m'expliqua-t-elle aussitôt :

– Il faut que Viola soit plate, parce que, pendant les trois quarts de la pièce, elle est en mec.

Pour ma part, j'étais un peu perturbé qu'Orsino et Viola finissent par tomber amoureux l'un de l'autre, étant donné la différence d'âge entre Richard et Elaine ; mais elle n'avait pas l'air de s'en émouvoir. «Je crois que les filles se mariaient bien plus jeunes, à l'époque» fut son seul commentaire. Si j'y avais réfléchi à deux fois, j'aurais dû me douter qu'elle avait déjà, dans la vraie vie, un amant plus âgé qu'elle !

Quant à moi, on me confia le rôle de Sébastien, frère jumeau de Viola.

– Pour vous, c'est du sur-mesure, nous déclara Kittredge avec une pointe de condescendance. Vous avez déjà une relation frère-sœur, comme chacun sait.

Sur le moment, je ne relevai pas ; Elaine avait dû lui dire que notre relation n'était pas sur le mode amoureux.

Avouons-le, il y avait de quoi être un peu désorienté : Muriel, jouant Olivia, tombait d'abord amoureuse d'Elaine déguisée en Césario, puis de moi, Sébastien – c'était du renoncement à la vraisemblance, ou je ne m'y connais pas ! La seule idée de tomber amoureux de Muriel me paraissait tellement saugrenue que je gardais en permanence les yeux fixés sur sa poitrine de diva. Pas une seule fois Sébastien ne regarda Olivia dans les yeux – ni quand il s'exclamait : «Si c'est cela un rêve, ne me réveillez pas ! », ni quand Olivia, aussi autoritaire dans la pièce que Muriel dans la vie, lui demandait : «Accepteras-tu de te laisser gouverner par moi ? » Alors, le regard braqué sur ses seins qui étaient, détail cocasse, situés au niveau de mes yeux, je lui répondais d'une voix énamourée : «Je l'accepte, Madame. »

– Ah, bah, Bill, me dit un jour mon grand-père, *La Nuit des rois* n'est jamais qu'une comédie, ne l'oublie pas !

Bien plus tard, Muriel me reprocha de reluquer sa poitrine. Mais c'était dans une autre pièce, qui n'avait rien d'une comédie, et je me rends compte à présent que lorsque nous jouions Olivia et Sébastien dans *La Nuit des rois*, elle ne s'était pas aperçue que je reluquais ses seins, pour la bonne raison que, compte tenu de ma taille à l'époque, ils me cachaient à sa vue.

Le mari de Muriel, mon cher oncle Bob, avait très bien compris la dimension comique de *La Nuit des rois*. L'alcoolisme de Bob, fardeau pour Muriel, devint un sujet de raillerie quand Richard lui demanda d'interpréter Messire Toby Belch, parent d'Olivia et, dans les morceaux de bravoure de la pièce, ivrogne éhonté. Mais tout le monde aimait Bob autant que moi à la Favorite River : il faut dire qu'il était à la coule. Il ne faisait pas grand cas de sa popularité.

– Normal qu'ils m'apprécient, Billy. C'est moi qui leur ai fait passer leur entretien d'admission, et je les ai tous admis !

Il était aussi moniteur de tennis et de squash – d'où les balles cachées un peu partout. Les courts étaient situés au-dessous du gymnase, dans un sous-sol humide. Quand l'un des courts de squash empestait la bière, les élèves disaient que Bob était venu y jouer, histoire de suer les poisons imbibés la veille.

Tante Muriel et Nana Victoria se plaignirent à Grand-père Harry : donner un rôle de poivrot à Bob, c'était du pousse-au-crime. Richard avait tort, selon elles, de prendre à la légère la souffrance de Tante Muriel chaque fois que Bob picolait. Mais si ma tante et ma grand-mère ne se privaient pas de râler auprès de Grand-père, elles se gardaient bien de reprocher quoi que ce soit à Richard lui-même.

Après tout, il était arrivé à point nommé, selon la formule cliché de Nana Victoria, pour secourir ma pauvre mère en détresse ; à croire que personne d'autre n'aurait pu la sauver. Depuis que Richard était apparu et les en avait débarrassées, ma mère ne relevait plus de leur responsabilité.

C'est tout au moins l'impression que j'en avais : pour ma tante et ma grand-mère, Richard était proprement infaillible ! C'est pourquoi, lorsqu'elles n'étaient pas satisfaites de ses faits et gestes, c'est à Grand-père qu'elles adressaient le détail de leurs doléances, attendant de lui qu'il en parle à Richard. Ma cousine Gerry et moi le savions pour avoir surpris leurs conversations : lorsque Richard et ma mère n'étaient pas dans les parages, ma grand-mère réprobatrice et mon indiscrète tante parlaient d'eux sans arrêt. Elles continuaient de les appeler « les tourtereaux » sur le mode de la dérision alors qu'ils étaient mariés depuis vingt ans ! En grandissant, je comprenais à quel point non seulement Nana Victoria et Tante Muriel, mais aussi Grand-père et Richard considéraient ma mère comme une petite fille caractérielle. En sa présence, ils marchaient sur des œufs, comme ils l'auraient fait avec une gamine qui risquait de se blesser toute seule.

Grand-père ne critiquait jamais Richard, reconnaissant en lui le bienfaiteur de ma mère, mais je me dis qu'il était assez intelligent pour comprendre qu'il l'avait surtout sauvée des griffes de Nana Victoria et de Tante Muriel, bien plus que de tel ou tel vil séducteur qui lui aurait tourné la tête, puisqu'elle était censément si *facile à séduire*.

Quoi qu'il en soit, cette *Nuit des rois* semblait vouée à l'échec, car Grand-père lui-même émettait des doutes sur la distribution. Pour sa part, il y avait hérité du rôle de Maria, la dame de compagnie d'Olivia. Je le trouvais et il se trouvait beaucoup trop vieux pour le rôle, et, comble de gêne, il était censé avoir Messire Toby Belch pour mari.

– Tu me vois marié avec mon gendre ? Avec une différence d'âge pareille ! disait tristement Grand-père, un dimanche soir où je dînais avec lui et Nana Victoria.

– Souviens-toi, Grand-père, *La Nuit des rois* n'est jamais qu'une comédie, lui rappelai-je.

– Ça n'est jamais que du théâtre, heureusement, conclut-il.

– Toi et ton théâtre ! dit Nana Victoria, d'un ton pincé. Je me dis parfois que tu deviens spécial, avec l'âge, Harold.

Grand-père me fit un clin d'œil.

– Un peu de tolérance, Vicky, un peu de tolérance, répliqua-t-il.

C'est sans doute cette attitude qui me décida à lui parler de tout ce que j'avais révélé à Mrs Hadley : mon béguin légèrement défraîchi pour Richard, mon attirance de plus en plus prégnante pour Kittredge et même mes séances de masturbation devant l'improbable collage de Martha Hadley en mannequin pour soutiens-gorge ; mais je n'étais toujours pas prêt à m'ouvrir de mon fol amour pour Miss Frost.

– Tu es le meilleur des garçons, Bill, je veux dire par là que tu te soucies des autres et que tu fais très attention à ne pas les blesser dans leurs sentiments. C'est admirable, vraiment admirable, mais prends garde aussi que tes sentiments ne te blessent pas, *toi*. Mieux vaut être attiré par certaines personnes que par d'autres.

– Tu veux dire qu'il est dangereux d'être attiré par les garçons ? lui demandai-je.

– Ça dépend. Mais il faut avoir affaire à un garçon qui sorte de l'ordinaire pour lui avouer tes sentiments. Les autres peuvent te faire du mal.

– Tu penses à Kittredge, c'est ça ?

– Probablement, oui. (Il soupira.) Il ne faut peut-être pas te lancer ici, Bill – dans cette école, maintenant. Cette attirance pour les garçons, ou pour les hommes, il va falloir attendre un peu pour la vivre.

– Attendre jusqu'à quand, jusqu'où ?

– Alors là… commença Grand-père. (Il s'interrompit puis reprit :) J'ai souvenir que Miss Frost a parfaitement choisi tes livres de bibliothèque. Je veux bien croire qu'elle pourra t'en recommander d'autres… tu sais, sur le thème de l'attirance pour des garçons, des hommes, quand et où… passer à l'acte. Remarque, moi, je n'en ai pas lu, Bill, mais je me doute qu'on en a écrit, des histoires là-dessus ; ça existe, des livres comme ça et Miss Frost les connaît peut-être.

À cet instant, je faillis lui avouer que Miss Frost était l'objet de l'un de mes béguins les plus déroutants, mais quelque chose me retint ; c'était un amour trop intense pour le dévoiler tout de suite.

– Mais que dois-je dire à Miss Frost ? demandai-je à Grand-père. Je ne sais pas par quel bout commencer, par quel biais aborder la question.

– Tu peux confier à Miss Frost tout ce que tu viens de me raconter, Bill. J'ai l'impression qu'elle t'écoutera d'une oreille bienveillante.

Il m'embrassa sur le front et me prit dans ses bras – je vis passer beaucoup d'affection mais aussi beaucoup d'anxiété dans son regard. Il m'apparut tel que je l'avais vu si souvent sur scène, dans ses rôles de femmes. Sa façon de prononcer le mot *bienveillante* avait réveillé un souvenir ancien ; ce pouvait être mon imagination, pourtant je parierais qu'il s'agissait bien d'un souvenir.

J'avais quoi, dix, onze ans, pas plus. C'était longtemps avant l'arrivée de Richard Abbott ; je m'appelais Billy Dean et ma mère l'esseulée n'avait pas de soupirant. Elle était déjà la souffleuse en titre des First Sister Players et, malgré mon âge tendre et mon ingénuité, j'étais depuis peu accepté en coulisses. Je pouvais m'y installer où je voulais, à condition de ne pas gêner le passage des acteurs et de rester silencieux. Je me souviens que ma mère m'avait dit : « Tu n'es pas en coulisses pour bavarder, Billy. Tu es là pour regarder et pour écouter. »

Un poète anglais – Auden ? – a dit qu'avant d'écrire quoi que ce soit, il faut d'abord observer et écouter. Je tiens la phrase de Lawrence Upton et, comme il aimait beaucoup ce poète, j'ai tendance à la lui attribuer.

Peu importe l'auteur, d'ailleurs, la phrase relève de l'évidence. Avant d'écrire quoi que ce soit, il faut d'abord observer et écouter. Cette partie de mon enfance – ces moments passés dans les coulisses de notre petit théâtre municipal – constitua la phase *d'observation et d'écoute* de ma future carrière d'écrivain. Ainsi j'ai très vite remarqué, la chose allait de soi, que les uns et les autres appréciaient diversement la performance de mon grand-père dans ses rôles féminins.

J'adorais être en coulisses : voir, écouter. J'aimais aussi les périodes de transition – par exemple, ces moments où les acteurs étaient censés connaître leur texte par cœur, et où ma mère faisait son entrée dans le processus des répétitions. Alors se produisait la grande métamorphose, même chez des comédiens amateurs : ils entraient dans la peau de leur personnage. Des répétitions, j'en ai vu des centaines, mais je me rappelle parfaitement ce moment, cette illusion fugitive où soudain la pièce prend vie. Ce qui n'empêche pas qu'à la générale on découvre toujours quelque chose de nouveau. Et quelle excitation de voir et d'entendre la pièce interprétée pour la première fois en public !

Je me souviens que, les soirs de première, j'avais autant le trac que les acteurs. Je les voyais évoluer sur la scène – même si mon champ de vision n'était que partiel – depuis mon petit coin de coulisses. Mais c'était le public que je pouvais le mieux observer, du moins les spectateurs des deux ou trois premiers rangs. Selon l'endroit où ma mère s'installait pour souffler, j'avais une vue des premiers rangs côté cour, ou côté jardin.

Je voyais les visages plutôt de face que de profil, même s'ils fixaient les acteurs ; ils ne me regardaient jamais. À vrai dire, j'avais l'impression d'écouter aux portes, d'espionner le public… enfin, une petite partie de celui-ci. Les lustres de la salle étaient éteints, mais les têtes des premiers rangs éclairées par la rampe. Naturellement, au fil de la pièce, l'éclairage variait en intensité, pourtant j'arrivais presque toujours à distinguer les visages et à saisir leurs mimiques.

Cette impression d'espionner les spectateurs des premiers rangs tenait à une raison très simple : dans le public, l'attention se porte sur les acteurs et on n'imagine pas un instant qu'on puisse être observé soi-même. C'est pourtant ce que je faisais ; j'observais leurs expressions, je déchiffrais tout ce qu'ils pensaient, tout ce qu'ils ressentaient. À la première représentation, je connaissais déjà la pièce par cœur ;

normal, j'avais assisté à la plupart des répétitions. J'étais donc bien plus captivé par la réaction du public que par ce qui se passait sur la scène.

À chaque première et quel que soit le rôle que jouait Grand-père Harry, j'étais fasciné par les réactions du public face à son personnage féminin.

Il y avait le sympathique Mr Poggio, l'épicier de notre quartier. Aussi chauve que Grand-père, mais cruellement myope, il s'asseyait toujours au premier rang, et même là il s'usait les yeux. Au moment où Grand-père montait sur scène, Mr Poggio réprimait un éclat de rire ; les larmes lui coulaient le long des joues, et je devais me forcer à ne pas regarder sa dentition à trous pour éviter de pouffer moi-même.

Curieusement, Mrs Poggio appréciait beaucoup moins Grand-père dans ses rôles féminins ; elle fronçait les sourcils dès qu'elle le voyait apparaître et se mordait la lèvre inférieure. Elle ne semblait pas goûter non plus la jubilation de son mari devant le spectacle.

Et puis il y avait Mr Ripton, Ralph Ripton, qui maniait la scie de tête dans l'entreprise de mon grand-père. C'était un poste à risques, qui nécessitait une grande compétence. Ralph Ripton y avait perdu le pouce et les deux premières phalanges de l'index de la main gauche. On m'avait relaté cet accident x fois : plus les histoires étaient saignantes, plus Grand-père et son associé, Nils Borkman, se délectaient à les raconter.

J'avais toujours cru que Grand-père Harry et Mr Ripton étaient amis – ils étaient bien plus que de simples collègues, assurément. Et pourtant Ralph n'aimait pas voir Grand-père Harry en femme ; la fureur et la réprobation se lisaient immanquablement sur son visage. L'épouse de Mr Ripton était assise à côté de lui, sans expression aucune, comme si la seule idée de voir Harry Marshall jouer un rôle de femme lui avait causé des lésions cérébrales irréversibles.

Ralph Ripton était habile à bourrer sa pipe, sans jamais quitter la scène des yeux. Au début, je me figurais qu'il bourrait sa pipe pour la fumer à l'entracte – il se servait toujours du moignon de son index pour tasser le tabac dans le fourneau –, mais je remarquai plus tard que les Ripton ne regagnaient jamais leurs sièges après l'entracte. Ils venaient au théâtre dans la pieuse intention de détester le spectacle et de quitter la salle dès que possible.

Ralph Ripton était obligé de s'asseoir au premier ou au deuxième rang s'il voulait entendre quelque chose, m'avait expliqué Grand-père ; le hurlement de la scie de tête l'avait rendu sourd. Mais je voyais bien qu'il traînait des séquelles pires encore.

Il y avait d'autres visages dans le public, la plupart des habitués des premiers rangs. Et si j'ignorais en général leurs noms et leurs professions, je n'avais aucune difficulté, même enfant, à remarquer leur ferme réprobation lorsqu'ils voyaient Grand-père en femme. Soyons juste : quand le rôle de Harry Marshall comportait un baiser – c'est-à-dire quand il embrassait un partenaire masculin sur scène –, le gros du public rigolait, poussait des vivats et applaudissait. Mais j'avais le don de distinguer les visages hostiles : il y en avait toujours quelques-uns. Certains spectateurs avaient un mouvement de recul ou détournaient le regard, outrés. Oui, je voyais leurs paupières se plisser de dégoût quand Grand-père embrassait comme à Hollywood.

Harry Marshall jouait toutes sortes de rôles féminins. Il était la folle qui n'arrête pas de se mordre les mains, la fiancée éplorée, abandonnée au pied de l'autel, la tueuse en série – coiffeuse de son état – qui empoisonne ses amants, la policière boiteuse. Il adorait le théâtre, et j'adorais le voir jouer, mais peut-être y avait-il à First Sister, Vermont, des gens qui manquaient un tantinet d'imagination. Ils connaissaient un Harry Marshall bûcheron et n'acceptaient pas de le voir interpréter un rôle de femme.

De fait, il m'est arrivé de saisir davantage que du mécontentement et de la réprobation dans le regard des habitants de notre petite ville – j'ai vu plus que de la dérision, pire que de la méchanceté. J'ai vu de la haine, parfois.

Il y avait un visage sur lequel j'aurais été incapable de mettre un nom avant notre première heure de vie scolaire. C'était celui du Dr Harlow, notre médecin qui, lorsqu'il nous parlait, à nous les élèves, était tellement chaleureux et complice. Dans le regard du Dr Harlow, je lisais que le goût de Harry Marshall pour les rôles de femmes était un *mal*. Je lisais la croyance dure comme fer que la passion de Grand-père pour le travesti était *guérissable*. C'est pourquoi le Dr Harlow m'inspira de l'inquiétude et de l'antipathie avant même que je sache qui il était.

Et moi, l'enfant des coulisses, je pensais : *Allons donc ! Vous ne voyez pas que c'est de la comédie !* Mais les visages restaient impénétrables, et ils exprimaient : « Il y a des choses avec lesquelles on ne joue pas la comédie. »

J'avais peur de ce que je voyais, toujours invisible depuis les coulisses, dans ces regards du public. Je n'ai jamais oublié certaines de ces expressions. Quand, à dix-sept ans, je me décidai à révéler à mon grand-père mes béguins pour des garçons et mon attirance contre nature pour Martha Hadley en mannequin pour soutiens-gorge, je gardais le souvenir traumatisant de ce que j'avais lu sur ces visages dans le public des First Sister Players.

– Théâtre ou pas, ils avaient horreur de ça, un point c'est tout. Ils ne te supportaient pas. Ralph Ripton et sa femme, même Mrs Poggio, sans parler du Dr Harlow. Ils avaient horreur de te voir en femme, avais-je raconté à Grand-père.

– Que veux-tu que je te dise, Bill ? me demanda-t-il. Je pense qu'on a bien le droit de se mettre dans la peau de qui l'on veut.

Les larmes me montèrent aux yeux : j'avais peur pour moi, un peu comme j'avais eu peur, enfant, depuis les coulisses du théâtre, pour Grand-père Harry.

– J'ai chipé le soutien-gorge d'Elaine parce que je voulais le porter, laissai-je échapper.

– Ah, bah, personne n'est parfait, Bill. Il n'y a pas de quoi s'inquiéter, me rassura Grand-père.

Quel étrange soulagement ! Je ne parvenais pas à le scandaliser. Il ne se préoccupait que de ma sécurité, comme j'avais jadis craint pour la sienne.

– Est-ce que Richard te l'a dit ? me demanda-t-il soudain. Des crétins ont interdit *La Nuit des rois* au cours des siècles, de pauvres ignares ont censuré *La Nuit des rois* de Shakespeare, et pas qu'une fois !

– Mais pourquoi ? m'écriai-je. C'est complètement fou ! C'est une comédie, une comédie romantique ! Pourquoi l'interdire ?

– Ah, eh bien, si tu veux mon avis, Viola, la sœur jumelle de Sébastien, ressemble beaucoup à son frère ; c'est tout le ressort de l'intrigue, d'accord ? Du coup, les gens les confondent, surtout quand Viola se déguise en homme et se fait appeler Césario. Tu vois le problème, Bill ? Viola se travestit ! Voilà pourquoi Shakespeare a eu des ennuis ! Après tout ce que tu m'as dit, je pense que tu as remarqué que les gens conformistes, intolérants ou ignorants n'ont pas le moindre sens de l'humour dès qu'il s'agit de travestis.

– Oui, j'ai remarqué.

Mais ce qui allait me hanter par la suite, c'était ce que je n'avais pas remarqué, justement. Pendant toutes les années où je me tenais dans les coulisses, ces visages des premiers rangs, je les voyais comme les voit le souffleur, mais j'avais négligé de regarder la souffleuse elle-même. Pas une seule fois je n'avais saisi l'expression de ma mère, face à son père en femme.

Ce dimanche soir d'hiver, en retournant à pied à Bancroft Hall après ma conversation avec Grand-père, je me jurai d'observer le visage de ma mère pendant qu'il jouerait Maria dans *La Nuit des rois*.

Je savais que je trouverais l'occasion d'espionner ma mère en coulisses et de déchiffrer son expression – il y avait des passages dans la pièce où Maria est en scène et pas Sébastien. Je craignais ce que j'allais découvrir sur son joli visage, et je doutais d'y voir un sourire.

Depuis le début, j'avais un mauvais pressentiment à propos de *La Nuit des rois*. Kittredge avait beaucoup insisté auprès de ses partenaires de lutte pour qu'ils postulent. Richard avait donné à quatre d'entre eux ce qu'il appelait des «rôles mineurs».

Or le personnage de Malvolio, prétendant arrogant qui s'imagine qu'Olivia s'intéresse à lui, n'est pas un rôle mineur et ce fut le poids lourd de l'équipe de lutte qui l'obtint. Madden, individu maussade et râleur, éternelle victime à la ville, était parfait dans le rôle ; Kittredge nous avait dit, à Elaine et à moi, que Madden souffrait du «syndrome du dernier».

À l'époque, on commençait toujours les rencontres individuelles de lutte par les plus légers ; les poids lourds intervenaient à la fin. Si le score était serré, la responsabilité du tournoi retombait sur celui qui avait gagné le match des poids lourds – or, généralement, Madden était battu. Il avait l'expression de quelqu'un qui se sent lésé. C'était parfait pour le rôle de Malvolio, qui est enfermé comme fou et qui proteste de sa bonne foi – «Jamais homme ne fut si notoirement outragé», se plaignait Madden, en Malvolio.

– Si tu veux entrer dans la peau du personnage, Madden, entendis-je Kittredge dire à son infortuné camarade de lutte, pense en toi-même combien il est *injuste* d'être un poids lourd.

– Mais c'est effectivement injuste d'être un poids lourd ! protestait Madden.

– Tu vas être un excellent Malvolio, j'en suis sûr, lui dit Kittredge, condescendant comme à son habitude.

Un autre lutteur – un léger qui faisait tout son possible pour ne pas dépasser le poids à chaque pesée – obtint le rôle de Messire Andrew Aguecheek, compagnon de Messire Toby. Le garçon, qui s'appelait Delacorte, était d'une maigreur spectrale. À force de perdre du poids, il était tellement déshydraté qu'il avait la bouche en coton. Il se la rinçait dans un gobelet en carton, et recrachait dans un autre. « Va pas te gourer de gobelets, Delacorte », lui recommandait Kittredge. Une fois, il l'avait même appelé « Deux Gobs ».

Je n'aurais pas été surpris de voir Delacorte tomber d'inanition. Il désertait le réfectoire et se passait en permanence les doigts dans les cheveux pour s'assurer qu'il ne les perdait pas.

– La malnutrition peut se traduire par la chute des cheveux, nous déclara-t-il gravement.

– Et par la perte du bon sens ! lui lança Elaine, mais cette repartie lui passa par-dessus la tête.

– Pourquoi Delacorte ne monte-t-il pas dans la catégorie supérieure ? demandai-je à Kittredge.

– Parce qu'il prendrait la raclée de sa vie !

Deux autres lutteurs reçurent les rôles des capitaines. Celui qui se lie d'amitié avec Viola après que son navire a fait naufrage est tout à fait mineur. Je ne me rappelle pas le nom du lutteur qui le jouait. J'avais craint que Richard ne donne à Kittredge le rôle du second capitaine, le brave et fougueux Antonio, ami de Sébastien. Il se dégage une tendresse si sincère dans leur amitié, vous voyez d'ici le problème des démonstrations sur scène !

Mais Richard s'était rendu compte de mon appréhension, ou alors il pressentait que Kittredge n'était pas fait pour le rôle d'Antonio. Selon toute vraisemblance, il lui réservait un rôle plus important.

Antonio fut attribué à un beau gosse nommé Wheelock, qui sut parfaitement rendre la fougue du personnage.

« C'est bien tout ce qu'il sait rendre », me dit Kittredge. Je fus surpris de le voir se montrer condescendant vis-à-vis de ses coéquipiers ; jusque-là, je croyais que cette attitude nous était réservée, à Elaine et à moi. C'était sous-estimer Kittredge : il se considérait supérieur à tout le monde.

Richard lui confia le rôle de Feste, le Bouffon – un bouffon très intelligent, plutôt cruel dans son genre. Comme tous les fous du répertoire, Feste brille aux dépens de ceux qui l'entourent. Car, comme chacun sait, les fous de Shakespeare sont souvent plus fins que les beaux messieurs et belles dames avec qui ils partagent la scène. Le Bouffon de *La Nuit des rois* ne fait pas exception à la règle. Du reste, dans presque toutes les représentations que j'ai vues, Feste ravit la vedette aux autres personnages. Ainsi fit Kittredge, sans conteste. En cette fin d'hiver 1960, il sut ravir bien davantage.

J'aurais dû me douter, ce soir-là, en traversant le parc du pensionnat après ma conversation avec Grand-père, que la lumière bleue à la fenêtre d'Elaine, au cinquième étage, était un « signal », comme disait Kittredge ; et il avait raison : c'était bien pour lui qu'elle brillait, cette lampe.

L'idée m'avait un jour traversé que la loupiote bleue d'Elaine était la dernière lueur que le Dr Grau avait vue, après sa chute. Idée tirée par les cheveux, me direz-vous. Le Dr Grau était tombé sur la tête, il avait perdu connaissance dans la neige. Il est peu probable qu'il ait vu la moindre lumière, si faible fût-elle.

Et Kittredge, qu'avait-il vu dans cette lueur bleue, quel encouragement ? « Je l'ai encouragé, Billy », m'avoua Elaine bien plus tard. Elle ne m'en dit rien à l'époque ; j'ignorais complètement qu'ils baisaient ensemble.

Et pendant ce temps-là, mon excellent beau-père, Richard Abbott, m'apportait des préservatifs – « Au cas où, Bill », me dit-il en me gratifiant d'une douzaine de capotes. Je n'en avais pas l'usage, mais je les conservais fièrement ; de temps à autre, j'en prenais une pour me masturber dedans.

Bien sûr, j'aurais dû donner une douzaine de préservatifs – voire davantage – à Elaine. J'aurais dû rassembler mon courage pour donner tout le paquet à Kittredge, si j'avais su !

Elaine ne m'a jamais dit depuis quand elle savait qu'elle était enceinte. On était en plein troisième trimestre, à quelques semaines de la première représentation de *La Nuit des rois* ; les répétitions avançaient bien, nous en étions à travailler sans le texte depuis un moment. L'oncle Bob, qui jouait Messire Toby Belch, nous faisait pleurer de rire chaque fois qu'il lançait : « Penses-tu, parce que tu es vertueux, qu'il n'y aura plus de gâteaux ni d'ale ? »

Quant à Kittredge, qui avait une bonne voix, il chantait à Messire Toby et Messire Andrew Aguecheek « Ô ma maîtresse, où êtes-vous, ma vagabonde ? », chanson douce et mélancolique qui se termine par la phrase : « La jeunesse est une étoffe qui trop vite s'use. » C'était dur de l'entendre la chanter aussi joliment, non sans un soupçon d'ironie dans la voix – l'ironie du personnage de Feste, ou la sienne propre, impossible à dire. Quand j'appris la grossesse d'Elaine, un vers de cette antienne me revint en mémoire : « À la rencontre des amants, s'achèvent les voyages. »

Les rencontres d'Elaine et de Kittredge ne pouvaient avoir eu lieu que dans la chambre du cinquième étage. Les Hadley avaient conservé l'habitude d'aller au cinéma à Ezra Falls avec Richard et ma mère. Je me souviens qu'on y projetait quelques films en VO sous-titrée qui ne méritaient pas le qualificatif de films osés. Cette année-là, c'était un film de Jacques Tati, *Mon oncle*, ou alors *Les Vacances de M. Hulot*. J'étais donc allé au cinéma à Ezra Falls avec ma mère, Richard et les Hadley.

Elaine n'avait pas voulu venir ; elle était restée chez elle.

– Ce n'est pas un film de sexe, Elaine, lui avait pourtant assuré ma mère. C'est un film français, mais c'est une comédie, quelque chose de léger.

– Ça ne me dit rien de voir un film léger, une comédie, avait répondu Elaine.

Elle vomissait parfois durant les répétitions de *La Nuit des rois*, mais personne ne s'était aperçu qu'il s'agissait des nausées de la grossesse.

C'est peut-être ce jour-là qu'Elaine apprit à Kittredge qu'il l'avait mise enceinte, pendant que ses parents et les miens étaient devant un film de Tati à Ezra Falls.

Dès qu'elle avait su qu'elle attendait un enfant, elle s'en était ouverte à sa mère ; Martha Hadley ou son mari avait dû en informer aussitôt Richard et ma mère. J'étais au lit, j'avais le soutien-gorge d'Elaine sur moi, quand ma mère fit irruption dans ma chambre. Richard avait bien essayé de la retenir : «Non, trésor, doucement», mais elle avait déjà allumé ma lumière.

Je me redressai dans mon lit, serrant contre moi le soutien-gorge d'Elaine comme pour cacher une poitrine inexistante.

– Regarde-toi ! hurlait ma mère. Elaine est enceinte !

– C'est pas moi, lui dis-je.

Elle me balança une gifle.

– Bien sûr que ce n'est pas toi, ça je m'en doute, Billy, continua ma mère. Et pourquoi, hein ? Pourquoi est-ce que ça n'est pas toi ?

Elle sortit de ma chambre en sanglotant et Richard entra à son tour.

– C'est sûrement Kittredge, dis-je à Richard.

– Oui, Bill, bien sûr que c'est Kittredge.

Il s'assit sur le bord du lit, faisant tout son possible pour ne pas remarquer le soutien-gorge.

– Il faut que tu excuses ta mère, elle est dans tous ses états, me dit-il.

Je ne répondis pas. Je pensais à ce que m'avait dit Mrs Hadley – à propos des «sujets d'ordre sexuel» qui perturbaient ma mère : «Je sais qu'il y a des choses qu'elle t'a cachées.»

– Elaine va devoir partir un certain temps, je pense, m'annonça Richard.

– Partir où ça ? lui demandai-je, mais il ne le savait pas, ou ne voulait pas me le dire.

Il se borna à secouer la tête.

– Je suis vraiment désolé, Bill, tout ça me navre, me dit-il.

Moi, je venais d'avoir dix-huit ans.

Et c'est à ce moment-là que je compris que je n'avais plus le béguin pour Richard, même pas le plus petit béguin. J'avais de l'affection pour lui – j'en ai toujours – mais, ce soir-là, je découvris ce qui me déplaisait chez lui. D'une certaine manière, il était faible, il se laissait manipuler par ma mère. Ce secret qu'elle m'avait caché, quelle qu'en fût la nature, je venais de comprendre que Richard me le cachait aussi.

Elle est très courante chez les adolescents – cette phase où l'on se découvre du ressentiment ou de la défiance envers des adultes qu'on adorait hier sans conditions. Certes, il est plus fréquent qu'elle survienne plus tôt, mais moi j'avais attendu mes dix-huit ans pour cesser d'être sur la même longueur d'onde que ma mère et Richard. Je n'en faisais confiance que davantage à Grand-père Harry, et j'aimais toujours l'oncle Bob. Mais Richard Abbott et ma mère étaient peu à peu tombés dans la zone de discrédit déjà occupée par Tante Muriel et Nana Victoria, pour cause de chicaneries et de remarques perfides qu'il valait mieux ignorer ou éviter ; quant à eux, c'était à leurs cachotteries que je voulais échapper.

Elaine fut éloignée par étapes. Pour ce qui s'était dit entre Mrs Kittredge et les Hadley, j'en étais réduit à des suppositions, car les adultes jugent rarement utile de s'expliquer sur leurs arrangements. Les Hadley acceptèrent que Mrs Kittredge emmène Elaine en Europe. Elle souhaitait elle-même avorter, je n'en doute pas. Martha Hadley et son mari avaient dû convenir que c'était en effet la meilleure solution pour elle. Et c'était aussi ce que voulait Mrs Kittredge. Française, sans doute savait-elle dans quel pays d'Europe aller ; mère de Kittredge, elle avait peut-être déjà connu cette situation.

Je me figurais en effet qu'il n'en était pas nécessairement à son coup d'essai. Par ailleurs, Mrs Kittredge avait peut-être eu à se tirer d'une situation embarrassante à titre personnel quand elle était plus jeune. Difficile de dire ce qui me faisait penser ça. Lors d'une répétition de *La Nuit des rois*, j'avais surpris une conversation entre Kittredge et son coéquipier Delacorte, dit «Deux Gobs». J'avais l'impression qu'ils se disputaient. Delacorte avait l'air terrorisé par Kittredge, mais enfin, il n'était pas le seul.

– Non, ce n'est pas ce que je voulais dire, j'ai seulement dit que c'est la plus belle de toutes les mères que j'aie jamais vues. C'est la plus canon, voilà ce que j'ai dit, plaida Delacorte avec anxiété.

Puis il se rinça la bouche et cracha dans son gobelet.

– Encore faudrait-il qu'elle soit mère, tu veux dire, s'insurgea Kittredge. Tu la trouves *maternelle*, toi ? Elle fait plutôt allumeuse, oui.

– Je ne parlais pas de ça, insista Delacorte. Je t'ai seulement dit que c'est la plus belle. La mieux, physiquement.

– Je sais pourquoi elle n'a pas l'air d'une mère. C'est parce qu'elle n'est pas mère, affirma Kittredge.

Delacorte semblait trop affolé pour prolonger la conversation ; il n'arrêtait pas de se rincer la bouche et de cracher, serrant dans ses mains les deux gobelets en carton.

Cette idée que Mrs Kittredge ait eu un jour à se sortir d'une situation délicate me venait donc de son fils lui-même ; c'était bien lui qui avait dit : « Elle fait plutôt allumeuse. »

En tirant Elaine de ce mauvais pas, Mrs Kittredge n'était peut-être pas exempte de toute arrière-pensée ; toujours est-il que l'arrangement conclu avec les Hadley permit à Kittredge de rester à l'École. Parmi les motifs de renvoi de la Favorite River Academy figurait la « turpitude morale ». Moi, je trouvais qu'un élève de terminale qui engrossait la fille d'un professeur – la fille mineure, car Elaine n'avait pas dix-huit ans, ne l'oublions pas – se conduisait en voyou et en dépravé. N'empêche que Kittredge ne fut pas renvoyé.

– Tu vas voyager avec la mère de Kittredge, vous serez toutes seules ? demandai-je à Elaine.

– Bien sûr qu'on sera toutes seules, Billy, pourquoi veux-tu qu'on ait besoin d'un chaperon ?

– Vous allez *où*, en Europe ?

Elle haussa les épaules ; elle avait toujours des nausées, mais qui s'espaçaient.

– Quelle importance, Jacqueline connaît.

– Tu l'appelles Jacqueline, à présent ?

– C'est elle qui me l'a demandé.

– Ah bon.

Richard avait confié le rôle de Viola à Laura Gordon. Celle-ci était en terminale au lycée d'Ezra Falls. Selon ma cousine Gerry, elle « couchait » ; moi je n'avais pas le moindre indice sur la question, mais Gerry semblait bien renseignée. Elle était maintenant à l'université, enfin libérée des astreintes d'Ezra Falls.

Si la poitrine de Laura Gordon était trop imposante pour le rôle de Hedvig dans *Le Canard sauvage*, elle aurait dû la disqualifier tout autant pour celui de Viola, qui se déguise en homme une partie de la pièce. On avait beau lui bander les seins, c'était peine perdue. Mais Richard la savait capable d'apprendre son texte en un rien de temps ; elle fit d'ailleurs une Viola honorable, quoique, pour une jumelle, elle me ressemblât fort peu. Le spectacle continua. Elaine n'en vit rien ; elle s'attardait en Europe – et elle récupérait, selon toute vraisemblance.

La Nuit des rois s'achève sur la chanson de Feste, le Bouffon, seul en scène. « Car la pluie pleut tous les jours », répète-t-il à quatre reprises.

– Pauvre gosse, c'était sa première fois, m'avait dit Kittredge à propos d'Elaine. Pas de pot, hein ?

J'en restai sans voix, comme souvent avec lui.

Les devoirs d'allemand de Kittredge étaient-ils meilleurs ou moins bons qu'auparavant ? Je n'avais pas fait attention. Comme je n'avais pas fait attention à l'expression de ma mère lorsqu'elle voyait son père en femme sur scène. J'étais tellement contrarié pour Elaine que j'avais complètement oublié ma résolution d'observer la souffleuse.

J'ai dit plus haut qu'Elaine avait été éloignée « par étapes ». En réalité, le voyage en Europe – outre qu'il s'imposait – marqua pour elle le début d'une nouvelle vie.

Les Hadley avaient décidé que leur appartement de fonction, au cœur même d'un internat de garçons, n'était pas l'endroit idéal pour elle, si elle voulait décrocher son diplôme. Ils allaient donc l'envoyer dans un pensionnat de jeunes filles, mais comme il faudrait attendre la rentrée suivante, ce printemps 1960 fut une perte sèche pour Elaine, qui dut redoubler.

Selon la version officielle, elle avait fait une dépression nerveuse, mais dans un bled comme First Sister, Vermont, quand une lycéenne lâche l'école avant la fin de l'année, tout le monde sait ce que ça cache. Tout le monde savait ce qui était arrivé à Elaine. Atkins lui-même avait compris. Un jour, quelque temps après qu'elle eut débarqué en Europe avec Mrs Kittredge, alors que je quittais le bureau de Mrs Hadley dans le bâtiment de l'éducation musicale, je le croisai entre le rez-de-chaussée et le premier étage. Déconcertée par l'aisance avec laquelle j'avais prononcé le mot *avortement*, Martha Hadley m'avait laissé partir vingt minutes avant la fin de la séance. Je voyais bien ce qui passait par la tête d'Atkins : ce n'était pas encore l'heure de son rendez-vous, mais sa difficulté à prononcer le mot *heure* l'empêchait de me le dire. À la place, il me déclara :

– C'était quoi, sa dépression ? Quelles raisons avait-elle d'être nerveuse ?

– Tu le sais bien, va, lui dis-je.

Atkins avait un visage tourmenté, avec un côté sauvage, mais des yeux bleus éblouissants, la peau fine et lisse comme celle d'une fille. Dans la même classe que moi, il paraissait plus jeune, car il était encore imberbe.

– Elle est enceinte, c'est ça ? De Kittredge, hein ? C'est ce que tout le monde dit, et il ne s'en défend même pas, me lança Atkins. Elle était vraiment sympa, comme fille ; elle me disait toujours des trucs sympas.

– C'est vrai, elle est sympa, confirmai-je.

– Mais qu'est-ce qu'elle fiche avec la mère de Kittredge ? Tu l'as vue, la mère de Kittredge ? On dirait pas une maman. On dirait une de ces actrices, dans les vieux films, qui se changent en sorcières ou en dragons.

– Je vois pas de quoi tu parles.

– Une femme qui a été aussi jolie ne peut pas accepter… (Il s'interrompit net.)

– … que ça soit l'heure d'une autre ? suggérai-je.

– Oui, c'est ça, s'écria-t-il. Les femmes comme Mrs Kittredge *haïssent* les filles plus jeunes. C'est Kittredge qui me l'a dit. Son père a abandonné sa mère pour une femme plus jeune – pas plus belle, plus jeune, c'est tout.

– Ah bon ?

– Voyager avec la mère de Kittredge ? Quelle idée ! s'exclama Atkins. Tu crois qu'elles vont au moins faire chambre à part ?

– J'en sais rien.

Je n'y avais pas réfléchi. La pensée qu'Elaine partage la chambre de Mrs Kittredge me faisait froid dans le dos. Et si elle n'était pas la mère de Kittredge, après tout ? Ni la mère de personne ? Non, elle était *forcément* la mère de Kittredge. Impossible que ces deux-là ne soient pas apparentés.

Atkins descendit une ou deux marches pour se mettre à ma hauteur ; je pensais que nous en avions terminé. Mais il me dit ex abrupto :

– Il n'y a pas beaucoup de gens ici qui comprennent les garçons comme nous. Elaine, elle nous comprenait. Mrs Hadley aussi.

– Oui, lui répondis-je sobrement, tout en continuant à descendre.

J'essayais de ne pas trop réfléchir à ce qu'il venait de dire, mais j'étais sûr qu'il ne pensait pas seulement à nos problèmes de prononciation. Atkins me faisait-il du gringue ? Je me posai la question, en traversant le parc. Était-ce la première avance qu'un garçon *comme moi* me faisait ?

Le ciel s'était dégagé. La nuit ne tomberait pas de sitôt, mais elle était déjà tombée depuis longtemps en Europe. Elaine n'allait pas tarder à se mettre au lit, dans sa chambre (dans leur chambre ?). Il faisait meilleur, à présent – bien qu'on ne puisse pas vraiment parler de printemps dans le Vermont –, mais je grelottais en traversant le parc pour aller répéter *La Nuit des rois*. J'aurais dû penser à mon texte, à ce que dit Sébastien, mais dans ma tête tournait cette chanson du Bouffon avant le tomber du rideau, la chanson que Kittredge chantait : «Car la pluie pleut tous les jours.»

À ce moment précis, il se mit à pleuvoir. Je me dis que la vie d'Elaine avait pris un tournant définitif, tandis que moi, j'en étais toujours à jouer un rôle.

J'ai conservé les photos qu'Elaine m'a envoyées ; des photos pas très bonnes, de simples instantanés en noir et blanc ou en couleurs. À force de prendre la lumière sur les divers bureaux qui ont été les miens au fil des années, elles ont aujourd'hui bien pâli, mais je n'ai aucun mal à me rappeler en quelles circonstances elles ont été prises.

Je regrette de n'en avoir aucune du séjour d'Elaine en Europe avec Mrs Kittredge, mais enfin, qui les aurait faites ? Comment imaginer Elaine photographiant la mère de Kittredge, cette gravure de mode – en train de faire quoi ? De se brosser les dents, de lire au lit, de s'habiller ou de se déshabiller ? Et dans quelle posture Elaine aurait-elle inspiré l'artiste-photographe qui se cachait peut-être en Mrs Kittredge ? À genoux en train de vomir dans la cuvette des WC ? Poirotant, nauséeuse, dans le hall de tel ou tel hôtel parce que sa chambre – ou celle qu'elle partageait avec la mère de Kittredge – n'était pas encore prête ?

Je doute qu'il y ait eu tellement de sujets ou d'occasions susceptibles d'aiguillonner l'imagination de Mrs Kittredge. Certainement pas la visite chez le médecin – ou à la clinique – et encore moins la sanguinolente mais banale intervention elle-même. Elaine était enceinte de moins de trois mois. Je suppose qu'on lui avait fait une dilatation et un curetage – la procédure habituelle, quoi.

Après l'avortement, alors qu'Elaine était encore sous antalgiques, Mrs Kittredge contrôlait régulièrement la quantité de sang dans sa serviette hygiénique pour vérifier qu'il n'y avait pas d'hémorragie et lui tâtait le front pour s'assurer qu'elle n'avait pas de fièvre. Elle en avait profité pour lui raconter des histoires scandaleuses. La prise d'antalgiques pouvait-elle avoir altéré ses facultés d'écoute dans le détail ?

– Je n'en ai pris qu'un jour ou deux, m'a-t-elle toujours dit, et pas à haute dose, je ne souffrais pas tant que ça, Billy.

– Mais tu buvais en plus, non ? Tu m'as dit que Mrs Kittredge te laissait boire tout le rouge que tu voulais. On n'est pas censé faire le mélange, que je sache.

– Je n'ai jamais bu plus d'un ou deux verres de vin rouge, Billy. J'ai entendu chaque mot prononcé par Jacqueline. Alors soit ces histoires sont vraies, soit elle les a inventées – mais pourquoi veux-tu qu'une mère invente des choses pareilles ?

J'admets volontiers que je ne vois pas pourquoi, en effet, une mère raconterait des histoires sur son fils unique – encore moins celles-ci ; seulement je ne tiens ni Kittredge ni sa mère en haute estime. Quoi que je puisse penser de ces racontars, Elaine les croyait sans réserve.

Selon Mrs Kittredge, son fils unique était un petit garçon maladif ; il manquait d'assurance et il était le souffre-douleur des autres gosses, surtout des garçons. Ça, j'avais du mal à le croire, et il me semblait plus inimaginable encore que les filles aient pu l'intimider ; c'était pourtant au point qu'il bégayait en s'adressant à elles, moyennant quoi elles le narguaient ou l'ignoraient purement et simplement.

En sixième, il faisait couramment semblant d'être malade pour manquer l'école – c'étaient des écoles « très élitistes », à Paris et à New York, avait expliqué Mrs Kittredge à Elaine – et, au début de sa cinquième, il avait cessé de parler aux garçons et aux filles de sa classe.

– Alors, je l'ai séduit, je n'avais plus tellement le choix, avait dit Mrs Kittredge à Elaine. Le pauvre garçon, il fallait bien qu'il prenne un peu d'assurance dans un domaine au moins.

– Il faut croire qu'il en a pris pas mal, avait risqué Elaine.

La mère de Kittredge s'était bornée à hausser les épaules.

Elle avait une façon insouciante de hausser les épaules ; on se demandait si c'était atavique ou si, après que son mari l'avait quittée pour une femme plus jeune et incontestablement moins jolie qu'elle, elle avait développé une indifférence instinctive à toute forme d'abandon.

Elle avait tranquillement confié à Elaine avoir couché avec son fils « tant qu'il voulait », c'est-à-dire jusqu'au moment où il avait manifesté un manque d'enthousiasme, un désintérêt pour les choses du sexe.

– C'est plus fort que lui, il se lasse en vingt-quatre heures, avait-elle conclu. Et comme il s'ennuyait, il ne risquait pas de reprendre tellement d'assurance.

Croyait-elle excuser ainsi le comportement de son fils aux yeux d'Elaine ? Tout le temps que dura cette révélation, elle continua à vérifier si la quantité de sang dans la serviette hygiénique d'Elaine était normale, et à lui toucher le front pour s'assurer qu'elle n'avait pas de fièvre.

Il n'existe pas de photos de leur séjour en Europe. Avec les années, je me suis constitué des images grâce aux détails soutirés à Elaine et mon imagination a fait le reste : ma chère amie allant avorter de l'enfant de Kittredge, puis sa convalescence auprès de la mère de celui-ci. Si Mrs Kittredge avait séduit son propre fils pour lui rendre un peu d'assurance, cela expliquait-il qu'elle présente à ses yeux une atrophie (ou peut-être une hypertrophie) du sentiment maternel ?

– Ça a duré combien de temps, cette relation de Kittredge avec sa mère ? demandai-je à Elaine.

– Pendant toute sa quatrième, il devait avoir treize ou quatorze ans, et peut-être trois ou quatre fois après son arrivée à la Favorite River – il devait avoir quinze ans quand ça a cessé.

– Et pourquoi ils ont cessé ? demandai-je, dubitatif sur le fond.

Peut-être Elaine avait-elle assimilé le haussement d'épaules insouciant de Mrs Kittredge.

– Connaissant Kittredge, je suppose qu'il en a eu marre, dit-elle.

Elle était en train de boucler ses valises, car elle se préparait à partir pour sa première année à Northfield. C'était la rentrée 1960 ; nous étions dans sa chambre à Bancroft Hall. Ce devait être à la fin du mois d'août, il faisait chaud. La lampe à abat-jour bleu avait été remplacée par un machin sans couleur, un éclairage de bureau anonyme, et Elaine avait coupé ses cheveux très court – presque comme un garçon.

Tout en présentant des allures de plus en plus garçonnières à la veille de son départ, elle disait qu'elle n'aurait jamais de liaison avec une femme. Elle avouait pourtant avoir tenté l'expérience. L'avait-elle tentée avec Mrs Kittredge ? À supposer qu'Elaine ait été attirée par les femmes, je voulais bien croire que cette dernière l'ait guérie de son penchant, mais elle était toujours restée dans le vague sur ce chapitre. Moi, je penserais plutôt que ma chère amie avait toujours été attirée

184

par des hommes qui ne lui convenaient pas, mais, là encore, flou artistique, elle concluait après coup :

– Avec ce genre de mecs, ça ne peut pas durer, voilà tout.

Revenons aux photos : celles que j'ai gardées sont les tirages qu'elle m'a envoyés durant ses trois années à Northfield. Ces clichés amateurs en noir et blanc ou en couleurs qu'on croirait banals ne sont pourtant pas dénués d'un certain sens artistique.

Commençons par la photo d'Elaine dans la galerie d'une maison de bois à deux étages ; visiblement, elle n'est pas chez elle – elle est peut-être en visite. Avec le nom du bâtiment et la date de sa construction – *Moore Cottage, 1899* – il y a ce souhait exprimé de son écriture soignée, au dos de la photo : *J'aimerais bien habiter ce foyer.* Il faut donc croire qu'elle n'y habitait pas – et n'y habita d'ailleurs jamais.

Le rez-de-chaussée de Moore Cottage était en bois peint en blanc ; il se prolongeait par des bardeaux blancs au premier et au deuxième étage – comme pour suggérer, outre le passage du temps, une indécision persistante. Cette équivoque concernait l'usage de Moore Cottage. Au fil des années, il avait servi de dortoir pour jeunes filles – et plus tard de maison d'hôtes pour les parents en visite. Compte tenu de la taille de la maison, il devait y avoir une douzaine de chambres, voire davantage – pas toutes pourvues d'une salle de bains, à mon avis –, ainsi qu'une vaste cuisine jouxtant la pièce commune.

Les parents auraient sans doute préféré qu'il y ait davantage de salles de bains, alors que les lycéennes étaient depuis longtemps habituées à faire contre mauvaise fortune bon cœur. Elle était paradoxale, la présence de cette galerie où se tenait Elaine, avec un manque d'assurance peu coutumier chez elle. Quel usage les lycéennes pouvaient-elles en faire ? Dans une bonne école comme Northfield, les élèves ont trop de travail pour se prélasser dans une galerie, plus adaptée aux gens qui ont du temps devant eux – les visiteurs, par exemple.

Cette photo à Moore Cottage était l'une des toutes premières qu'Elaine m'avait envoyées de Northfield. Peut-être y éprouvait-elle encore la timidité du visiteur. Curieusement, il y avait quelqu'un à la fenêtre d'une des pièces donnant sur la galerie : une femme entre deux âges, à en juger par ses vêtements et la longueur de ses cheveux.

Son visage se perdait dans l'ombre, à moins qu'il n'ait été brouillé par un reflet flou dans le carreau.

Parmi les autres photos qu'Elaine m'avait envoyées au début de son séjour dans sa nouvelle école qui était, de fait, une très *ancienne* école, figurait une image du lieu de naissance de Dwight L. Moody. *La maison natale de notre fondateur, on dit qu'elle est hantée*, avait-elle écrit au dos de la photo, mais à la fenêtre de la maison natale, au premier étage, ce n'est pas le fantôme de D.L. en personne que l'on distingue. C'est une femme, de profil. Ni jeune ni vieille mais indiscutablement jolie, sans expression visible. Au premier plan apparaît Elaine, tout sourire, elle montre du doigt la fenêtre. Une de ses amies, sans doute, m'étais-je dit en la découvrant.

Et puis il y avait la photo intitulée *L'Auditorium, 1894 – sur une petite colline*. «Petite», comparée aux montagnes du Vermont. C'est, me semble-t-il, la première photo où l'inconnue a l'air de poser; après l'avoir vue, je me suis mis à la rechercher sur les autres tirages. L'Auditorium était un bâtiment de brique rouge aux fenêtres et aux portes cintrées, avec deux tours qui lui donnaient des allures de château. L'ombre portée de l'une des tours s'étendait sur la pelouse où Elaine se tenait, au pied d'un arbre gigantesque. Surgissant de derrière l'arbre – dans la lumière, et non dans l'ombre de la tour – une jambe de femme joliment galbée et chaussée d'un soulier fonctionnel, marron, pointé en direction d'Elaine; la chaussette était bien tirée jusqu'au genou, au-dessus duquel une longue jupe grise avait été remontée à mi-cuisse.

– Qui est cette femme, ou cette fille? avais-je demandé à Elaine.

– Je ne vois pas de qui tu parles. *Quelle* femme? *Quelle* fille?

– Sur les photos. Il y a toujours quelqu'un, sur tes photos. Allez, tu peux me le dire. Qui est-ce? Une de tes amies, peut-être, ou un professeur?

Sur la photo d'East Hall, le visage de la femme apparaît tout petit, et caché en partie par un foulard, à une fenêtre des étages supérieurs. De toute évidence, East Hall était un foyer; Elaine ne me l'avait pas dit, mais l'escalier de secours réglementaire le donnait à penser.

Sur la photo de Stone Hall, il y a un beffroi vert-de-gris, avec de très hautes fenêtres; il devait y régner une lumière chaude, lors des rares journées ensoleillées de l'année scolaire à l'ouest du Massachusetts.

Elaine est bizarrement positionnée sur le côté de l'image ; elle regarde l'objectif, elle se tient presque parfaitement dos à dos avec quelqu'un. Sa main gauche a deux ou trois doigts de trop ; une troisième main s'est posée sur sa hanche droite.

Il y a aussi la photo de la chapelle de l'école. Chapelle, enfin, si l'on peut dire : plutôt une cathédrale imposante avec un lourd portail de bois incrusté de fonte. Le bras nu d'une femme le maintient ouvert pour Elaine, qui semble ne pas remarquer ce bras – un bracelet au poignet, des bagues à l'index et à l'auriculaire –, à moins que la présence de la femme ne lui fasse ni chaud ni froid. On peut lire au-dessus de la porte de la chapelle : ANNO DOMINI MDCCCCVIII. Elaine avait traduit au dos de la photo : *En l'an de grâce 1908*. Elle avait ajouté : *C'est ici que je voudrais me marier, si j'en arrive un jour à cette extrémité – auquel cas, merci de me flinguer.*

Je crois que la photo que je préfère est celle de Margaret Olivia Hall, le bâtiment consacré aux études musicales, parce que je savais à quel point Elaine aimait chanter – sa voix puissante était faite pour le chant. « J'aime chanter jusqu'à en pleurer, et puis continuer à chanter », m'écrivit-elle un jour.

Des noms de compositeurs étaient gravés sous les fenêtres des étages supérieurs. Je les ai retenus : Palestrina, Bach, Haendel, Beethoven, Wagner, Gluck, Mozart, Rossini. À la fenêtre située au-dessus du *u* de Gluck, qui était pointu comme un *v*, on distinguait une femme sans tête, un torse en somme, vêtue d'un soutien-gorge. Contrairement à Elaine, qui s'appuie au mur du bâtiment, la femme sans tête à la fenêtre possède une poitrine spectaculaire, avec des seins généreux.

– Qui est-ce ? demandai-je à Elaine maintes fois.

Le bâtiment de la musique, avec les noms de tous ces compositeurs, aurait suffi à renseigner sur le niveau de l'École de Northfield. À côté, la Favorite River Academy faisait piètre figure. Et, par rapport au lycée public d'Ezra Falls, Elaine avait fait un bond colossal.

La plupart des « Prep Schools » de la Nouvelle-Angleterre n'étaient pas mixtes à l'époque. Les pensionnats de garçons attribuaient souvent aux filles de professeurs des bourses leur permettant de s'inscrire dans des pensionnats de jeunes filles, afin qu'elles ne se retrouvent pas dans n'importe quelle école publique. Soyons juste tout de même, les écoles publiques du Vermont n'étaient pas toutes aussi mauvaises que le lycée d'Ezra Falls.

À la suite du départ d'Elaine à Northfield – au début, les Hadley y étaient de leur poche –, Favorite River prit la mesure qui s'imposait, et décida de fournir aux filles de ses professeurs des chèques-inscription. Ma cousine Gerry m'en rebattait les oreilles ; en effet, ce changement de politique était arrivé trop tard pour lui épargner le lycée public d'Ezra Falls. Comme je l'ai dit, Gerry était déjà à l'université quand Elaine était partie en Europe avec Mrs Kittredge. «Si j'avais été plus maligne, je me serais fait engrosser il y a des années – mais encore fallait-il que l'heureux papa ait eu une mère française» : c'était le genre de phrase que Muriel, sa mère, aurait pu prononcer à l'adolescence. Sauf que, pour avoir fixé la poitrine de ma tante pendant *La Nuit des rois*, me la figurer adolescente me faisait dresser les cheveux sur la tête.

Je pourrais parler des autres photos qu'Elaine m'a envoyées de Northfield – je les ai toutes gardées –, mais grosso modo le schéma restait le même. On y voyait toujours l'image partielle, imparfaite, d'un autre personnage féminin, parmi les impressionnants bâtiments du campus de Northfield.

– Qui est-ce ? Je sais que tu sais de qui je parle : elle est toujours là, Elaine, lui répétai-je maintes fois. Ne fais pas ta sainte-nitouche.

– Je ne fais pas ma sainte-nitouche ; ça te va bien, tiens, d'employer ce mot pour qualifier quelqu'un d'évasif, qui ne dit pas les choses directement. Tu vois où je veux en venir ?...

– D'accord, d'accord, il faut que je devine, c'est ça ? Je n'ai pas été franc avec toi et tu me rends la pareille ? Est-ce que je chauffe, au moins ?

Elaine et moi allions tenter la vie commune, bien des années plus tard, après avoir tous deux essuyé assez de désillusions dans nos vies respectives. Ça ne marcherait pas – du moins pas très longtemps –, mais nous étions trop bons amis pour ne pas essayer. Et puis nous étions assez grands, quand nous nous sommes embarqués dans cette aventure, pour savoir que les amis valent mieux que les amants – et surtout que l'amitié dure généralement plus longtemps que les amours. Bien sûr, il ne faut pas généraliser, mais il en est ainsi pour nous.

Nous avions un appartement à San Francisco, un appartement miteux au huitième étage, dans Post Street – la partie entre Taylor et Mason Street, près d'Union Square. Nous avions chacun notre bureau, pour écrire. La chambre était vaste et confortable ; elle donnait sur les toits de Geary Street et l'enseigne verticale de l'Hôtel Adagio. La nuit, les lettres au néon du mot *hôtel* ne s'allumaient pas – elles avaient dû griller –, si bien que seul resplendissait le mot *adagio*. Durant mes insomnies, je me levais, me mettais à la fenêtre et regardais fixement l'enseigne rouge sang qui disait ADAGIO.

Une nuit, en me recouchant, je réveillai Elaine sans le vouloir, et je lui demandai le sens d'*adagio*. Je savais que c'était un mot italien ; j'avais entendu Esmeralda le dire, et je l'avais vu écrit dans ses notes. Grâce à mes incursions dans le monde de l'opéra et de la musique classique – tant avec Esmeralda qu'avec Larry, à Vienne –, je savais qu'il s'agissait d'un terme de musique. J'étais sûr qu'Elaine en connaîtrait le sens ; comme sa mère, elle était très mélomane. À cet égard, Northfield lui allait comme un gant, on y dispensait un enseignement musical solide.

– Ça veut dire quoi ? demandai-je à Elaine, allongé à côté d'elle dans notre appartement miteux de Post Street.

– Adagio signifie *lentement, en douceur*, me répondit-elle.

On n'aurait su mieux définir nos travaux d'approche érotiques. Parce que nous avions essayé de faire l'amour, aussi – expérience tout aussi infructueuse que celle de la vie commune –, mais nous avions essayé. «*Adagio*», disions-nous, avant l'amour, ou après, quand nous cherchions le sommeil. Le mot s'était installé : nous l'avons dit en quittant San Francisco, et nous l'écrivons encore aujourd'hui au bas des lettres ou des e-mails que nous échangeons. Tel est l'amour, pour nous – *adagio* –, lentement, en douceur. L'amour des amis, en somme.

Je réitérai ma question à Elaine, dans l'agréable chambre surplombant l'enseigne au néon à demi éteinte de l'Hôtel Adagio :

– C'était qui, allez, dis-le-moi, quoi… la femme sur les photos ?

– Tu sais, Billy, elle n'a pas cessé de s'occuper de moi. Elle ne cessera jamais de m'entourer de sa présence, elle met sa main sur mon front pour voir si j'ai de la fièvre, elle vérifie ma serviette hygiénique pour voir si je n'ai pas d'hémorragie, si la quantité de sang est «normale». Elle a toujours été normale, d'ailleurs, mais elle vérifie encore – elle voulait que je sache qu'elle s'occuperait toujours de moi, et que je ne quitterais jamais ses pensées.

J'étais là, allongé, à réfléchir à ce qu'elle venait de me dire. À l'extérieur, seules émergeaient de l'obscurité la nébuleuse pâle d'Union Square et l'enseigne au néon hémiplégique, qui disait en lettres verticales rouge sang le seul mot ADAGIO.

– Tu veux dire que Mrs Kittredge est *encore*…

– Billy, m'interrompit Elaine. Je n'ai jamais été aussi intime avec quelqu'un que je l'ai été avec cette femme abominable et je ne serai jamais plus aussi proche de qui que ce soit.

– Et Kittredge, alors ?

Ça, ce n'était pas une question à lui poser – depuis le temps.

– Kittredge, on n'en a rien à foutre ! C'est sa mère qui m'a *marquée* ! C'est elle que je n'oublierai jamais !

– Intime *à quel point* ? Marquée *comment* ? demandai-je, mais elle se mit à pleurer.

Il ne me restait plus qu'à la prendre dans mes bras – lentement, en douceur –, sans rien dire. Je lui avais déjà posé toutes les questions concernant son avortement ; mais il ne s'agissait pas de cela. Elle avait avorté une deuxième fois, après le voyage en Europe.

– C'est un moindre mal, quand on sait ce que garder l'enfant signifie.

Elaine ne m'en dit pas davantage sur ses avortements. Si Mrs Kittredge l'avait *marquée*, ce n'était pas lié à ça. Et si Elaine a effectivement eu une expérience homosexuelle avec Mrs Kittredge, elle entretiendra jusqu'au tombeau le même flou artistique sur cette question.

Les photos d'Elaine que j'ai conservées correspondaient à ce que je pouvais imaginer de la mère de Kittredge, ou de sa « proximité » avec elle. Les ombres et les fragments de femme que l'on voit sur ces photos sont plus vivants pour moi que mes souvenirs de Mrs Kittredge durant le match de lutte, la seule et unique fois que je l'ai vue en chair et en os. Je connais mieux cette « femme abominable » par l'effet qu'elle a eu sur mon amie Elaine – tout comme je me connais mieux par mes erreurs d'aiguillage amoureux… Moi qui ai été façonné par toutes ces années où j'ai caché mon secret à ceux que j'aimais.

7

Mes anges terribles

Si la grossesse non désirée était l'abîme qui s'ouvrait sous les pas de la fille imprudente – *abîme*, mot de ma mère, sans doute emprunté à cette saleté de Muriel –, un abîme d'une tout autre nature s'ouvrait sous les pas d'un garçon comme moi : le passage à l'acte homosexuel. Ces amours-là étaient en elles-mêmes porteuses de folie et si je réalisais mes pires fantasmes, c'était la descente fatale aux enfers du désir. Ainsi pensais-je du moins en ce premier trimestre de terminale où je me rendis une fois de plus à la Bibliothèque municipale, cette fois pour y chercher mon salut. J'avais dix-huit ans, d'innombrables interrogations sur le sexe ; j'en arrivais à me faire horreur.

À l'automne 1960, dans un pensionnat de garçons, quelqu'un comme moi se sentait absolument seul, en proie à la haine de soi, dans l'impossibilité de faire confiance à qui que ce soit et surtout pas à ses camarades. Me sentir seul, j'en avais l'habitude, mais la haine de soi est bien pire que la solitude.

Elaine attaquait sa nouvelle vie à Northfield. Quant à moi, je passais chaque jour davantage de temps à fouiner dans les Archives de la bibliothèque de l'École. Lorsque Maman et Richard me demandaient où j'allais, je répondais invariablement : « Je vais à la bibliothèque. » Sans préciser laquelle. Et comme Elaine n'était plus là pour ralentir mes investigations – c'était plus fort qu'elle, il fallait qu'elle me montre les garçons les plus sexy des annuaires récents –, je traversais comme une fusée les promotions d'un passé de moins en moins lointain. Très en avance sur le programme que je m'étais fixé, j'avais laissé derrière moi la Première Guerre mondiale. À ce rythme, j'allais retrouver ma propre année avant le printemps 1961, et donc avant mon diplôme de fin d'études secondaires.

191

En fait, j'étais à quelque trente ans de ma promo ; le soir de septembre où je quittai la bibliothèque de l'École pour rendre visite à Miss Frost, j'avais commencé à consulter celle de 1931. La présence d'un garçon beau comme un dieu sur la photo de l'équipe de lutte m'avait troublé et j'avais précipitamment refermé l'annuaire. Je me disais : je ne peux pas continuer à penser à Kittredge et aux garçons comme lui, il ne faut pas que je cède à ces penchants, sinon je suis perdu.

Or qu'était-ce au juste qui m'empêchait encore de me perdre ? Il m'était de plus en plus difficile de me masturber devant l'image improbable du visage ingrat de Martha Hadley accolé à des poitrines de jeunes filles en fleurs dans un catalogue de VPC. Je n'avais donc plus pour ultime rempart contre Kittredge et ses semblables que mes fantasmes enfiévrés sur Miss Frost.

Les annuaires de la Favorite River Academy avaient pour titre générique *La Chouette*. Quand je lui avais demandé la raison de cette appellation, Richard m'avait répondu : « Ceux qui auraient pu te répondre sont morts, je présume. » Je rangeai donc *La Chouette* de 1931, rassemblai mes carnets de notes et mes devoirs d'allemand, et fourrai le tout dans mon cartable.

J'étais inscrit en quatrième année d'allemand, bien que ce soit une matière facultative pour le diplôme. Je continuais à aider Kittredge sur le programme de la troisième année, qu'il avait dû redoubler. Comme nous n'étions plus dans la même classe, il m'était plus facile de lui donner un coup de main. Au fond, je me bornais à lui faire gagner du temps. Le plus difficile, en troisième année, c'était l'introduction aux œuvres de Goethe et de Rilke. On les étudiait beaucoup plus en profondeur en quatrième année. Chaque fois que Kittredge bloquait sur une phrase, je la lui traduisais sommairement. Achopper encore sur des passages de Goethe et de Rilke étudiés l'année précédente le mettait hors de lui ; mais franchement, les notes et les commentaires rapides que nous échangions me posaient moins de problèmes que nos conversations antérieures. J'évitais sa compagnie.

C'est d'ailleurs la raison pour laquelle je renonçai à prendre un rôle dans le Shakespeare d'automne – ce que Richard regretta maintes fois. Il avait confié à Kittredge le rôle d'Edgar dans *Le Roi Lear*, et m'avait proposé celui du Fou, sans en prévoir les conséquences. Quand j'avertis Mrs Hadley que je refusais le personnage parce que Kittredge s'était vu attribuer un «rôle de héros» – un double rôle, à vrai dire, puisque Edgar se déguise en Pauvre Tom –, elle me demanda si j'avais lu le texte à fond. Étant donné le nombre croissant de mes «imprononçables», avais-je pressenti que le rôle présentait des problèmes potentiels d'élocution? Insinuait-elle que mes difficultés seraient un prétexte tout trouvé pour le décliner?

– Où voulez-vous en venir? lui demandai-je. Vous pensez que je n'arriverai pas à articuler *coupe-bourse* ou *courtisane*, ou bien vous avez peur que je me fasse cueillir par *braye* à cause du bidule-machin-chose qui se trouve derrière, ou parce que j'ai des difficultés avec le mot qui désigne le bidule-machin-chose?

– Tu es trop sur la défensive, Billy.

– Ou bien est-ce l'association de mots *fieffée putain* qui pourrait me faire trébucher? Ou encore *outrecuidant*?

– Calme-toi, dit Mrs Hadley, nous avons un contentieux avec Kittredge, l'un comme l'autre.

– Kittredge avait déjà le mot de la fin dans *La Nuit des rois*! m'écriai-je. Et voilà que Richard lui donne de nouveau le rôle qui couronne la pièce! On va devoir l'entendre déclamer: «Il nous faut subir le fardeau de cette triste époque: / Dire ce que nous ressentons, non ce qu'il faudrait dire.»

«Ce sont les plus anciens qui ont le plus souffert», continue Kittredge-Edgar. Dans *Le Roi Lear* – compte tenu de ce qui arrive à Lear, sans parler de Gloucester, joué par Richard, qui se fait crever les yeux –, c'était sûrement vrai. Mais quand Edgar conclut la pièce en déclarant: «Nous qui sommes jeunes / N'en verrons jamais autant, ni ne vivrons aussi longtemps», ma foi, je me demande s'il s'agit ou non d'une vérité universelle.

Est-ce que je conteste la philosophie de cette pièce sublime au seul motif que je n'arrive pas à dissocier Edgar de Kittredge? Mais qui – fût-il Shakespeare en personne – peut savoir comment souffriront les générations futures, à supposer qu'elles souffrent?

– Richard ne pense qu'à servir la pièce, Billy, me dit Martha Hadley. Ne va pas y voir une prime à Kittredge pour avoir séduit Elaine.

Et pourtant, c'était un peu l'impression que j'avais. Pourquoi lui confier un rôle aussi capital que celui d'Edgar, alias Pauvre Tom? Et d'ailleurs, après ce qui s'était passé dans *La Nuit des rois*, pourquoi lui donner un rôle dans *Le Roi Lear* ? J'étais bien décidé à ne pas jouer ce jeu : être ou ne pas être le Fou de Lear, telle n'était pas ma question.

– Tu n'as qu'à dire à Richard que tu cherches à éviter Kittredge, Billy, me suggéra Mrs Hadley. Il comprendra.

Je ne pouvais pas avouer à Martha Hadley que je cherchais aussi à éviter Richard. Observer l'expression de ma mère voyant son père interpréter un rôle de femme perdrait tout intérêt : Grand-père jouait Goneril, la fille aînée de Lear, personnage tellement abominable qu'il ne pourrait lui inspirer qu'une expression révulsée, indépendamment de l'acteur. Tante Muriel était Regan, l'autre fille de Lear, tout aussi détestable. Il était tout aussi probable que ma mère lui lance des regards noirs.

Kittredge n'était pas la seule et unique raison de mon refus. Je redoutais de voir mon oncle Bob faire la preuve qu'il n'avait pas l'étoffe d'un premier rôle : Bob au bon cœur – Bob-balle-de-squash, comme l'appelait Kittredge – avait été choisi pour jouer le roi Lear lui-même. Assurément, il lui manquait la dimension tragique requise, mais ce n'était pas l'avis de Richard. Peut-être avait-il pitié de lui et lui trouvait-il un côté tragique, sachant qu'il était marié à ma tante Muriel – une tragédie en soi.

Il n'avait déjà pas le physique de l'emploi. Athlétique, costaud, avec une tête trop petite pour son corps et bizarrement ronde : une balle de squash sur une carrure de mastodonte. L'oncle Bob était à la fois trop débonnaire et trop puissant pour incarner le roi Lear.

Assez tôt dans la pièce (acte I, scène 4), Bob-roi-Lear s'écrie : « Qui donc peut me dire qui je suis ? » Ce que le Fou répond au roi, ça ne s'oublie pas. Quoique. Je réussis même à oublier que j'avais une réplique.

– Qui donc peut me dire qui je suis, Bill ? me demanda Richard.

– C'est à toi, Nymphe, me chuchota Kittredge. Je savais bien que tu aurais des problèmes avec cette phrase.

Tout le monde attendait pendant que je cherchais dans mon texte la réplique du Fou. Au début, je n'étais pas conscient du problème d'élocution éventuel ; ma difficulté à dire le mot était tellement récente que je ne l'avais même pas remarquée, Martha Hadley non plus, d'ailleurs. Mais Kittredge, lui, avait deviné qu'il serait pour moi potentiellement imprononçable.

– On t'écoute, Nymphe, dit-il. Vas-y, essaye, au moins.

« Qui donc peut me dire qui je suis ? » demande Lear. Le Fou répond : « L'ombre de Lear. »

Depuis quand avais-je perdu la capacité de prononcer correctement le mot *ombre* ? Depuis qu'Elaine était revenue de son voyage en Europe avec Mrs Kittredge, et qu'elle n'était plus que l'ombre d'elle-même ? Depuis qu'elle était rentrée d'Europe, et qu'une ombre inconnue semblait marcher sur ses talons, ombre qui n'était pas sans évoquer le spectre sophistiqué de Mrs Kittredge ? Depuis qu'Elaine était repartie, cette fois à Northfield, laissant une ombre sur mes pas, la sienne sans doute, inquiétante et qui criait vengeance ?

– L'on… de Lear, dis-je.

– L'on, si long ! s'exclama Kittredge.

– Essaye encore, m'encouragea Richard.

– Je n'y arrive pas.

– Il faudrait peut-être qu'on cherche un autre Fou, insinua Kittredge.

– C'est à moi d'en décider, répondit Richard.

– Ou à moi, fis-je.

– Ah, bah… commença Grand-père, mais l'oncle Bob l'interrompit.

– Il me semble, Richard, que Billy pourrait dire à la place « l'image de Lear », ou même « le fantôme de Lear »… Si, à ton avis, cela correspond au sens de la réplique, suggéra-t-il.

– Mais là, on s'écarte du texte de Shakespeare, remarqua Kittredge.

– Le texte dit « l'ombre de Lear », Billy, reprit ma souffleuse de mère. Soit tu peux le dire, soit tu ne peux pas.

– Je t'en prie, trésor… commença Richard, mais je l'interrompis à mon tour.

– Lear doit avoir un Fou à la hauteur, un Fou capable de dire tout son texte.

Je savais, en quittant la salle, que je venais de vivre ma dernière répétition de lycéen à la Favorite River Academy, et sans doute ma dernière répétition de Shakespeare. Et, en effet, *Le Roi Lear* fut ma dernière pièce de Shakespeare en tant qu'acteur.

Richard donna le rôle de Cordelia à une fille de professeur qui m'était tellement inconnue que je suis incapable de me rappeler son nom. « Une fille encore mal sortie de l'enfance, mais dotée d'une mémoire stupéfiante », m'avait dit Grand-père. « Ce n'est pas une beauté et ça n'en sera jamais une » fut tout ce que ma tante Muriel se contenta de dire sur la malheureuse Cordelia, impliquant par là qu'elle n'aurait jamais trouvé de mari dans la pièce – quand bien même elle ne serait pas morte.

Le Fou fut repris par Delacorte. Comme il faisait partie de l'équipe de lutte, il avait probablement su par Kittredge qu'il y avait un rôle vacant. Kittredge m'informa plus tard que, dans la mesure où les répétitions et la représentation du Shakespeare d'automne avaient lieu avant le début de la saison de lutte, Delacorte était moins assujetti que d'habitude aux contraintes de son régime. Cependant, le poids léger qui, selon Kittredge, se serait fait massacrer dans la catégorie supérieure, souffrait toujours de son dessèchement chronique de la bouche, même quand il n'était pas déshydraté. Ou alors c'est qu'il rêvait de perdre du poids en dehors de la saison. C'est pourquoi il passait son temps à se rincer la bouche dans un gobelet en carton pour recracher dans l'autre. S'il était encore vivant aujourd'hui, je suis sûr qu'il se passerait toujours les doigts dans les cheveux. Mais le malheureux est mort, comme tant d'autres. Voir Delacorte mourir allait être une des épreuves marquantes de ma vie.

Delacorte, dans le rôle du Fou, disait avec discernement : « Sache avoir plus que tu ne montres, / Parler moins que tu ne sais, / Prêter moins que tu n'as. » Sage recommandation, mais qui ne réussit pas à sauver le Fou dans la pièce, et ne sauva pas davantage Delacorte.

Kittredge se comportait de manière pour le moins singulière envers Delacorte, avec un mélange d'affection et d'agacement. On aurait dit qu'il voyait en lui un ami d'enfance qui l'aurait déçu en ne « tournant » pas comme il l'espérait.

Et comme le trouble obsessionnel compulsif de Delacorte le réjouissait outre mesure, il suggéra même à Richard de l'intégrer dans la mise en scène.

– Mais alors on s'écarte de Shakespeare, remarqua Grand-père.

– Ne compte pas sur moi pour souffler ces gargarismes, Richard, prévint ma mère.

– Delacorte, tu me feras le plaisir d'aller te rincer la bouche en coulisses, lui enjoignit Richard.

– C'était une idée comme ça, maugréa Kittredge avec un haussement d'épaules dégagé. Déjà bien qu'on ait un Fou qui arrive à prononcer le mot *ombre*.

Avec moi, il fut plus philosophe :

– Vois les choses comme elles sont, Nymphe, un acteur qui bafouille son texte, ça n'existe pas. D'ailleurs mieux vaut être conscient assez tôt de ses propres limites. Par le plus grand des hasards, tu sais maintenant que tu ne seras jamais acteur.

– Tu veux dire que je n'ai pas intérêt à le programmer comme une carrière ? demandai-je, paraphrasant Miss Frost, le jour où je lui avais annoncé mon intention de devenir écrivain.

– C'est ça, Nymphe. En tout cas, si tu veux conserver une chance de t'en sortir. Et tu serais bien avisé, Nymphe, de te prononcer sur autre chose… Tu sais, avant même de penser à une carrière.

Sans rien dire, j'attendais la suite. Je connaissais assez bien Kittredge pour savoir quand il essayait de me piéger.

– Sur tes préférences sexuelles, poursuivit-il.

– Mes préférences sexuelles sont claires comme de l'eau de roche, lui répondis-je, un peu étonné de ma prouesse : même en pleine mascarade, je m'étais exprimé tout à fait normalement.

– Je n'en sais rien, Nymphe, dit Kittredge. (Un frémissement, volontaire ou non, parcourut les muscles puissants de son cou de lutteur.) Pour ce qui est de tes préférences sexuelles, tu m'as plutôt l'air d'afficher « travaux en cours ».

– Ah, C'est *toi* ! fit Miss Frost joyeusement. (Elle paraissait surprise de me voir.) Je croyais que c'était ton camarade. Il vient de partir. J'ai cru qu'il avait oublié quelque chose.

– Qui ça ? demandai-je.

J'avais l'image de Kittredge en tête, mais… camarade, non, pas vraiment.

– Tom. Il était là à l'instant. Je ne comprends pas très bien ce qu'il vient faire. Il me réclame toujours un livre qu'il dit ne pas trouver à la bibliothèque de l'École, mais je sais pertinemment qu'ils l'ont. De toute façon, je n'ai jamais ce qu'il veut. C'est peut-être toi qu'il cherche, ici.

– Tom *qui* ?

À première vue, je ne connaissais pas de Tom.

– Atkins, c'est bien ça ? Moi, je le connais sous le nom de Tom.

197

– Et moi sous le nom d'Atkins.

– Oh, William, je me demande jusqu'à quand l'usage du nom de famille va perdurer dans cette école abominable.

– Il ne faudrait pas qu'on parle tout bas ?

Nous étions dans une bibliothèque, tout de même. Je m'étonnais de l'entendre parler à haute et intelligible voix, non sans me réjouir de l'entendre déclarer que la Favorite River Academy était une « école abominable ». C'était bien mon avis, mais par loyauté envers l'oncle Bob et Richard Abbott, et en bon fils de prof, je n'aurais jamais osé le dire.

– Nous sommes tout seuls, me chuchota Miss Frost. Nous pouvons parler aussi fort que nous le voulons.

– Ah bon.

– Tu es venu ici pour écrire, je suppose, reprit-elle à haute voix.

– Non, j'ai besoin de vos conseils de lecture.

– Sur les erreurs d'aiguillage amoureux, toujours ?

– Erreurs fatales, murmurai-je.

Elle se pencha vers moi. Elle me dominait de la tête et des épaules et j'avais l'impression d'avoir oublié de grandir.

– On peut en parler à voix basse, si tu préfères, susurra-t-elle.

– Vous connaissez Jacques Kittredge ?

– Qui ne le connaît pas ? fit-elle d'un ton neutre qui ne me renseignait pas sur ce qu'elle pensait de lui.

– J'ai le béguin pour Kittredge, mais je bataille pour m'en affranchir. Est-ce qu'il existe un roman qui parle de ça ?

Miss Frost posa les mains sur mes épaules. Elle pouvait parfaitement se rendre compte que je tremblais comme une feuille.

– Oh, William, il y a des choses bien pires que ça, tu sais. Mais oui, j'ai le livre qu'il te faut, souffla-t-elle.

– Je sais pourquoi Atkins vient ici, laissai-je échapper. Ce n'est pas moi qu'il cherche. Il a sans doute le béguin pour *vous* !

– Mais pourquoi aurait-il le béguin pour moi ?

– Pourquoi pas ? Pourquoi un garçon ne pourrait-il pas avoir le béguin pour vous ?

– Eh bien, ça ne m'est pas arrivé depuis un certain temps. Mais c'est très flatteur. C'est très gentil de ta part de me dire ça, William.

– Moi aussi, j'ai le béguin pour vous. Depuis toujours. Et il est beaucoup plus fort que mon béguin pour Kittredge.

– Mon jeune ami, alors là oui, tu fais erreur ! Ne t'ai-je pas dit qu'il y a des choses pires qu'un béguin pour Jacques Kittredge ? Écoute-moi bien, William : un béguin pour Kittredge, c'est beaucoup moins dangereux !

– Comment Kittredge pourrait-il être moins dangereux que vous ? m'écriai-je.

Je sentais que je tremblais de nouveau. Cette fois, quand elle mit ses grandes mains sur mes épaules, elle m'attira sur sa large poitrine. J'éclatai en sanglots sans pouvoir m'arrêter.

Je me haïssais de chialer comme ça, mais je ne me maîtrisais plus. Le Dr Harlow nous avait dit que, chez les garçons, les torrents de larmes dénotaient une tendance homosexuelle à proscrire absolument. Inutile de préciser que cet abruti s'était bien gardé de nous expliquer comment ! En outre, j'avais entendu ma mère dire à Muriel : « Honnêtement, je ne sais plus quoi faire quand Billy se met à pleurer comme une fille ! »

Et voilà que je pleurais comme une fille entre les bras musclés de Miss Frost – après lui avoir avoué que j'avais pour elle un béguin plus fort que pour Jacques Kittredge. Elle allait me prendre pour une sacrée chochotte !

– Mon cher enfant, tu ne me connais pas. Tu ne sais pas qui je suis… Tu ne sais *rien* de moi, n'est-ce pas ? William ? N'est-ce pas ?

– Je ne sais pas *quoi* ? bafouillai-je. Je connais pas votre prénom, admis-je à travers mes sanglots.

Je lui rendais son étreinte, mais en moins fort. Je sentais toute sa force et, je le redis, la petitesse de sa poitrine, qui faisait un contraste frappant avec la puissance qui se dégageait d'elle. Je sentais aussi la douceur de ses seins, ses petits seins si doux étaient pour moi en complète disproportion avec ses larges épaules et ses bras vigoureux.

– Je ne parlais pas de mon prénom, William. Mon prénom, on s'en fiche. Ce que je veux dire, c'est que tu ne me connais pas.

– Mais c'est quoi, votre prénom, au fait ? insistai-je.

Elle poussa un soupir de théâtre, puis se dégagea brusquement de mon étreinte, comme si elle me repoussait.

– C'est très important pour moi qu'on m'appelle Miss Frost, William, dit-elle. Je n'ai pas acquis ce *Miss* par hasard.

Ne pas aimer le nom que l'on porte, ça, je connaissais. J'avais détesté m'appeler William Francis Dean Jr.

– Vous ne l'aimez pas, votre prénom ? lui demandai-je.

– On pourrait commencer par là, répondit-elle, amusée. Ça te serait venu à l'idée d'appeler une fille Alberta ?

– Comme la province canadienne ?

Je n'aurais jamais imaginé que Miss Frost puisse s'appeler Alberta.

– C'est plus seyant pour une province. Alors dans le temps, tout le monde m'appelait Al.

– Al ?

– Tu comprends maintenant pourquoi j'aime tant mon *Miss*, dit-elle en riant.

– Et moi j'aime tout de vous.

– Doucement, William. Il ne faut pas foncer tête baissée dans les béguins contre nature.

Bien sûr, je ne comprenais pas pourquoi elle se classait dans la catégorie des amours impossibles, ni comment elle pouvait imaginer que Kittredge soit moins dangereux pour moi. Je croyais qu'elle voulait seulement me mettre en garde contre la différence d'âge : peut-être jugeait-elle taboue une relation entre un garçon de dix-huit ans et une femme dans la quarantaine. J'étais majeur, enfin, tout juste, et s'il était vrai que Miss Frost avait à peu près le même âge que ma tante Muriel, elle devait avoir quarante-deux ou quarante-trois ans.

– Les filles de mon âge ne m'intéressent pas, lui dis-je. Je suis plutôt attiré par les femmes d'âge mûr.

– Mon cher enfant, répéta-t-elle. Ce n'est pas une question d'âge. La question, c'est ce que *je suis* en réalité. William, tu ignores à qui tu as affaire, n'est-ce pas ?

Comme si cette question existentielle n'était pas assez déroutante, Atkins choisit ce moment pour entrer, l'air alarmé, dans le vestibule mal éclairé de la bibliothèque. Il me dit plus tard qu'il avait été effrayé par son propre reflet dans le miroir de l'entrée, qui faisait discrètement office d'agent de sécurité.

– Ah, c'est toi, Tom, dit Miss Frost, qui n'avait pas l'air surprise.

– Vous voyez ? Qu'est-ce que je vous avais dit ? dis-je à Miss Frost, tandis qu'Atkins continuait de se regarder avec appréhension dans le miroir.

– Tu fais erreur, me dit Miss Frost en souriant, tu ne sais pas à quel point.

– Kittredge te cherche, Bill, fit Atkins. Je suis passé à la salle des Archives, mais on m'a dit que tu étais parti.

– La salle des Archives, répéta Miss Frost.

Elle eut l'air étonnée. Je décelai une inquiétude inhabituelle dans son expression.

– Bill a entrepris une recherche systématique dans les annuaires de la Favorite River depuis leur origine jusqu'à nos jours, lui expliqua Atkins. C'est Elaine qui me l'a dit, précisa-t-il en se tournant vers moi.

– Putain, Atkins, j'ai l'impression que toi, tu fais une recherche systématique sur moi, lui fis-je.

– C'est Kittredge qui veut te parler, dit-il d'un ton renfrogné.

– Depuis quand es-tu son messager ?

– Eh, ça fait un peu beaucoup pour une seule soirée ! s'écria-t-il avec emphase, levant au ciel ses bras fluets. Passe encore de me faire insulter par Kittredge, il insulte tout le monde. Mais maintenant c'est toi qui t'y mets, Bill. Merde ! Ras-le-bol !

Dans son élan pour quitter la bibliothèque, il se retrouva de nouveau face au miroir menaçant de l'entrée pour me lancer la flèche du Parthe :

– Je ne te suis pas comme ton ombre, Bill. C'est Kittredge qui te suit.

Il était déjà parti et n'entendit pas mon :

– Qu'il aille se faire foutre !

– Surveille ton langage, William, me dit Miss Frost en plaçant ses longs doigts sur mes lèvres. Nous sommes tout de même dans une bibliothèque, bordel !

Le mot *bordel* n'était pas celui qui me venait à l'esprit quand je pensais à ce lieu, de même que Miss Frost faisait pour moi une improbable Alberta. Mais en tournant les yeux vers elle, je vis qu'elle souriait. Elle me taquinait. Ses longs doigts effleurèrent mes joues.

– Il arrive comme les cheveux sur la soupe, ce mot *ombre*, William, dit-elle. Ne serait-ce pas le mot imprononçable qui a été la cause de ton départ inopiné du *Roi Lear* ?

– Et comment ! Vous savez ça aussi ? Dans une petite ville, tout le monde est au courant de tout, décidément !

– Peut-être pas de tout, et peut-être pas tout le monde, William. Il me semble, par exemple, que tu n'es pas au courant de ce qui me concerne, personnellement.

Je savais que Nana Victoria n'aimait pas Miss Frost, mais pourquoi, je l'ignorais. En revanche, je n'ignorais pas que Tante Muriel réprouvait les choix de Miss Frost en matière de soutiens-gorge, mais comment aborder ce sujet alors que je venais de dire à Miss Frost que j'aimais tout en elle ?

– Ma grand-mère, commençai-je, et ma tante Muriel…

Doucement, Miss Frost posa de nouveau ses longs doigts sur mes lèvres.

– Chut, William, murmura-t-elle. Je n'ai que faire de ce que ces dames pensent de moi. Mais je serais curieuse de savoir ce que tu recherches dans la vieille salle des Archives.

– Oh, ce n'est pas vraiment une recherche. Je regarde surtout les photos des équipes de lutte… Et les photos des pièces qui ont été jouées par le Club Théâtre.

– Vraiment ? fit Miss Frost d'un air rêveur.

Pourquoi avais-je l'impression qu'elle était en train de jouer un rôle, disons, de façon intermittente ? Qu'avait-elle dit quand Richard Abbott lui avait demandé si elle avait déjà été *sur les planches*, si elle avait été *actrice* ? « Seulement dans ma tête, avait-elle répondu, en roucoulant. Quand j'étais plus jeune, tout le temps… »

– Et tu en es à quelle année, dans ces vieux annuaires, William, à quelle promotion ?

– 1931, répondis-je.

Ses doigts avaient glissé de mes lèvres, ils effleuraient à présent le col de ma chemise, comme si elle avait un faible pour les chemises de garçon, comme si elles avaient pour elle une valeur sentimentale, peut-être.

– Tu te rapproches, dit Miss Frost.

– De quoi ?

– Tu te rapproches, c'est tout. Le temps nous est compté.

– C'est déjà l'heure de fermer ? demandai-je, mais Miss Frost se contenta de sourire.

Puis, la question méritant sans doute d'être posée, elle jeta un coup d'œil à sa montre.

– Eh bien, quel mal y a-t-il à fermer un peu plus tôt ce soir ?

– C'est vrai, pourquoi pas ? Il n'y a que nous. Je ne pense pas qu'Atkins va revenir.

– Pauvre Tom. Il n'a pas le béguin pour moi, William, il a le béguin pour toi !

202

À l'instant même où elle prononçait ces paroles, je réalisai que c'était vrai. Ce «pauvre Tom», car c'est ainsi que je penserais à lui, désormais, avait probablement deviné que j'avais le béguin pour Miss Frost. Il devait être jaloux.

– Ce pauvre Tom vient seulement nous espionner, toi et moi, me dit Miss Frost. Et de quoi Kittredge veut-il te parler? me demanda-t-elle brusquement.

– Oh, rien, c'est pour ses devoirs d'allemand. Je l'aide.

– Tom Atkins serait un choix plus rassurant pour toi que Jacques Kittredge, William, dit Miss Frost.

J'en étais parfaitement conscient, mais Atkins ne m'attirait pas, sauf qu'un adorateur finit toujours par vous plaire un peu. Mais, à terme, la relation est vouée à l'échec, n'est-ce pas?

Cependant, alors que je commençais à dire à Miss Frost que je n'étais pas spécialement attiré par Atkins – que tous les garçons ne m'attiraient pas forcément, seulement quelques-uns, en réalité –, elle posa ses lèvres sur les miennes. Elle m'embrassa carrément. C'était un baiser assez ferme, je dirais modérément offensif. Une pression nette de la pointe de sa langue chaude sur la mienne. Croyez-moi: je vais bientôt avoir soixante-dix ans; des baisers, j'en ai connu dans ma vie, mais il y avait plus de franchise dans celui-là que dans n'importe quelle poignée de main d'homme à homme.

– Je sais, je sais, murmura-t-elle contre mes lèvres. Le temps nous est compté, plus un mot sur ce pauvre Tom.

Je la suivis dans le vestibule, en me disant qu'elle ne pensait pas seulement à l'heure de fermeture de la bibliothèque, car elle avait dit:

– Je suppose que l'heure du couvre-feu pour les terminales est toujours à vingt-deux heures, William... Sauf le samedi soir, où ce doit encore être vingt-trois heures, si je ne me trompe. Rien ne change jamais dans cette école abominable, hein?

J'étais impressionné par sa connaissance des heures de couvre-feu à la Favorite River Academy. Ce qu'elle avait dit était parfaitement exact.

Je la regardai fermer à clé la porte de la bibliothèque, puis éteindre l'éclairage extérieur. Elle laissa allumée la loupiote du vestibule et me conduisit dans la salle principale, éteignant une à une les lampes de lecture. Je dois dire que j'avais complètement oublié lui avoir demandé un livre qui m'aide à vivre mon béguin pour Kittredge et mes efforts pour m'en affranchir, quand elle me tendit un mince ouvrage qui n'avait que quarante-cinq pages de plus que *Le Roi Lear*, ma dernière lecture en date.

C'était *La Chambre de Giovanni*, un roman de James Baldwin. J'eus du mal à en déchiffrer le titre parce que Miss Frost avait éteint la grande salle. Il ne restait que la loupiote du vestibule, à peine suffisante pour nous permettre de trouver l'escalier qui menait au sous-sol.

Dans la pénombre de l'escalier, guidé par la faible lueur qui émanait de l'alcôve de Miss Frost, derrière la cloison la séparant de la chaudière, je me souvins brusquement qu'il y avait un autre livre sur lequel je souhaitais avoir son avis.

J'avais le nom *Al* sur le bout de la langue, mais je ne parvins pas à le dire. À la place, je lançai :

— Miss Frost, qu'est-ce que vous pouvez me dire sur *Madame Bovary*? Est-ce que vous pensez que ce roman me plairait?

— Plus tard, William, plus tard tu vas même *l'adorer.*

— C'est un peu ce que m'ont dit Richard et l'oncle Bob.

— Ton oncle Bob a lu *Madame Bovary*? Pas Bob, le mari de *Muriel*! s'exclama Miss Frost.

— Il ne l'a pas lu. Il m'a seulement dit de quoi ça parlait.

— Quand on n'a pas lu un livre, on ne peut pas vraiment savoir de quoi il parle, William. Il vaut mieux attendre. L'heure viendra de lire *Madame Bovary* quand tu auras vu s'anéantir tes espoirs et tes désirs romantiques, et que tu croiras que l'avenir ne te réserve plus que des relations décevantes, voire destructrices.

— D'accord, j'attendrai ce moment-là.

Sa chambre-salle de bains, autrefois cave à charbon, n'était éclairée que par la lampe de chevet, fixée sur la tête de lit à barreaux. Elle alluma la bougie parfumée à la cannelle sur la table de nuit et éteignit la lampe. Alors, elle me demanda de me déshabiller.

— Complètement, William, s'il te plaît, n'oublie surtout pas d'enlever tes chaussettes.

Je fis ce qu'elle voulait, en lui tournant le dos, parce qu'elle avait souhaité «un peu d'intimité». Elle s'assit un instant sur le siège des toilettes. Je crois l'avoir entendue pisser et tirer la chasse, puis, au bruit de l'eau qui coulait, se débarbouiller et se laver les dents dans le petit lavabo.

J'étais nu sur le lit. À la lumière vacillante de la bougie, je parvins à lire que *La Chambre de Giovanni* avait été publié pour la première fois en 1956. Sur la carte de bibliothèque agrafée dans le livre, je vis qu'il n'avait été emprunté qu'une seule fois en quatre ans, et je me demandai si ce lecteur unique de Mr Baldwin n'était pas Miss Frost elle-même. Je n'avais pas fini les deux premiers paragraphes quand elle me dit :

– S'il te plaît, ne lis pas ça maintenant, William. C'est très triste et ça risque fort de te perturber.

– Comment ça ? demandai-je.

Je l'entendais accrocher ses vêtements dans la penderie. L'imaginer nue me déconcentrait, mais je poursuivis ma lecture.

– Ça ne sert à rien de lutter contre ton béguin pour Kittredge, William. C'est l'échec assuré, dit Miss Frost.

J'arrêtai ma lecture à l'avant-dernière phrase du second paragraphe. Je mis le livre de côté et fermai les yeux.

– Je croyais t'avoir demandé de ne plus lire, dit Miss Frost.

La phrase commençait ainsi : « Il y aura une fille assise en face de moi qui va se demander pourquoi je n'ai pas essayé de la draguer. » Je m'étais arrêté là, me demandant si j'oserais poursuivre.

– Ne montre pas ce livre à ta mère, me prévint Miss Frost, et si tu n'es pas prêt à parler à Richard de ton béguin pour Kittredge, à ta place, je ne le lui montrerais pas non plus.

Elle s'était allongée sur le lit derrière moi. Je sentais sa peau contre mon dos, mais elle n'était pas entièrement nue. Sa grande main empoigna doucement mon sexe.

– Il existe un poisson qui s'appelle l'omble, dit-elle.

– L'omble ? demandai-je. (Mon sexe se mit à durcir.)

– Oui, c'est comme ça qu'on le nomme. Il vit dans les eaux froides des lacs canadiens, migre en mer et remonte vers les lacs pour frayer et pondre. Ses œufs sont très appréciés.

– Ah bon.

– Dis-moi les mots *omble* et *pondre*, William.

– Omble et pondre.

– Essaye de dire *omble* avec la même terminaison que *pondre*.

– Ombre, dis-je sans y penser.

Mon attention était plutôt dirigée vers mon sexe et sa main.

– Comme l'ombre de Lear ?

– L'ombre de Lear, dis-je sans accrocher. De toute façon, je ne voulais pas jouer dans la pièce.

– Mais, au moins, tu as parfaitement prononcé le mot *ombre*.

– L'ombre de Lear, répétai-je.

– Et qu'est-ce que je tiens dans ma main ?

– Mon *pénif*.

– Je n'échangerais pas ce *pénif* pour tout l'or du monde, William, prononce le mot comme tu voudras.

La suite allait faire advenir l'inégalable. Ce que me fit Miss Frost n'a jamais eu d'équivalent dans ma vie. Elle m'attira brusquement vers elle et m'embrassa sur la bouche. Elle portait un soutien-gorge, non pas rembourré, comme celui d'Elaine, mais transparent avec des bonnets un peu plus gros que je ne l'imaginais. Le tissu était satiné, plus soyeux que le coton du soutien-gorge d'Elaine, et, contrairement aux sous-vêtements utilitaires des catalogues de VPC de ma mère, il n'entrait pas dans la catégorie des modèles d'entraînement. Il était à la fois plus sexy et plus raffiné. Miss Frost portait aussi une combinaison, de ces combinaisons moulantes que les femmes glissent sous la robe – celle-ci était de couleur beige –, et quand elle se mit à califourchon sur mes hanches et s'assit sur moi, elle la remonta à mi-cuisse. Son poids et la force avec laquelle elle me tenait m'enfonçaient dans le creux du lit.

Je mis une main sur un de ses seins petits et doux. De l'autre main, je cherchais son corps sous la combinaison, mais elle me dit :

– Non, William. Ne me touche pas là, s'il te plaît.

Elle saisit ma main baladeuse et la plaqua sur son autre sein.

Ce fut mon sexe qu'elle glissa sous sa combinaison. Je n'avais jamais pénétré personne, et quand je connus cette incroyable sensation de friction, je n'eus pas le moindre doute. Ce n'était pas douloureux, et pourtant mon sexe n'avait jamais été aussi fermement enserré – et, au moment où j'éjaculai, je poussai un cri dans ses seins petits et doux. J'étais surpris de me retrouver la figure contre ses seins, au creux de son soutien-gorge soyeux, parce que je ne me souvenais pas du moment où elle avait cessé de m'embrasser. Elle avait dit : « Non, William. Ne me touche pas là, s'il te plaît. » De toute évidence, elle n'avait pas pu prononcer cette phrase et m'embrasser en même temps.

J'avais tellement de choses à lui dire, à lui demander, mais elle n'était pas d'humeur causante. Peut-être était-elle encore chagrinée par les bizarres contraintes de temps dont elle avait fait état – je parvins du moins à m'en persuader.

Elle me fit couler un bain. J'espérais qu'elle allait retirer le reste de ses vêtements et y entrer avec moi, mais elle n'en fit rien. Elle s'agenouilla à côté de la baignoire aux robinets à tête de lion et aux pieds assortis et elle fit gentiment ma toilette, en s'occupant tout particulièrement de mon pénis. Elle en parla même avec affection, en prononçant *pénif* d'une façon qui nous fit rire tous les deux.

Mais elle gardait l'œil sur sa montre.

– Si tu arrives après le couvre-feu, tu risques une punition, William. Et la punition pourrait bien consister à te faire rentrer plus tôt. Fini les visites à la Bibliothèque municipale après la fermeture, ça ne serait pas pour nous plaire, hein ?

Quand je pus jeter un coup d'œil à sa montre, je vis qu'il n'était pas encore vingt et une heures trente. Je n'étais qu'à quelques minutes à pied de Bancroft Hall, ce que je lui fis remarquer.

– Oui, mais on ne sait jamais, William, tu risques de rencontrer Kittredge, d'avoir à discuter de ses devoirs d'allemand, m'objecta-t-elle.

J'avais remarqué une sensation humide, soyeuse sur mon sexe, et quand je l'avais touché avant d'entrer dans le bain, il avait laissé un parfum léger sur mes doigts.

Peut-être Miss Frost utilisait-elle un gel lubrifiant parfumé – dont je retrouverais l'odeur des années plus tard, en sentant pour la première fois ces gels douche à l'huile d'amande douce ou d'avocat. Cependant, le bain la fit disparaître.

– Ne repasse pas par la salle des Archives, pas ce soir, William, me dit Miss Frost.

Elle m'aida à m'habiller, comme un enfant le jour de la rentrée. Elle alla jusqu'à mettre une noisette de pâte dentifrice sur son doigt et me le passer dans la bouche.

– Va te rincer au lavabo, me dit-elle. Tu retrouveras ton chemin tout seul, je pense, et moi je fermerai en partant.

Elle m'embrassa alors, un long baiser insistant... Mes mains se posèrent d'elles-mêmes sur ses hanches.

Elle intercepta rapidement mes mains, les fit passer de sa combinaison fluide à ses seins, où, c'est l'impression que j'en eus, elle estimait qu'elles avaient davantage vocation à se trouver. À moins qu'elle n'ait eu une bonne raison d'empêcher mes mains de descendre au-dessous de sa taille, et de la toucher à cet endroit.

En remontant l'escalier obscur guidé par la loupiote du vestibule, je me rappelai une recommandation inepte lors d'une heure de vie scolaire matinale – une de ces admonestations casse-désir du Dr Harlow, à l'occasion d'un bal de week-end organisé avec une école de filles. «Ne touchez jamais vos cavalières au-dessous de la ceinture, avait dit notre inénarrable docteur, vous et vos cavalières ne vous en porterez que mieux ! »

Mais ça ne *pouvait pas* être vrai, étais-je en train de penser quand j'entendis Miss Frost clamer :

– Rentre directement chez toi, William, et reviens me voir très vite !

Le temps nous est compté ! faillis-je lui rappeler – constat prémonitoire dont je me souviendrais bien plus tard, et pour toujours, mais que je ne lui aurais lancé que pour la faire réagir, puisque c'était elle qui semblait en être persuadée, pour une raison mystérieuse.

Une fois dans la rue, j'eus une pensée pour ce pauvre Atkins – ce pauvre Tom. Je regrettais d'avoir été dur avec lui, et en même temps je riais tout seul d'avoir cru qu'il avait le béguin pour Miss Frost. C'était comique de les imaginer ensemble – Atkins qui n'arrivait pas à dire *heure*, et Miss Frost qui n'avait que ce mot à la bouche !

J'avais jeté à peine un coup d'œil au miroir de l'entrée en sortant, mais dans la nuit étoilée de septembre je me faisais l'effet d'être bien plus adulte qu'auparavant – avant cette *rencontre* avec Miss Frost, bien sûr. Pourtant, en marchant dans River Street en direction du campus, je me dis que l'expression de mon visage dans la glace ne trahissait en rien ce que je venais de vivre : la première relation sexuelle de ma vie.

Cette pensée s'accompagnait d'une autre, troublante, et qui me coupait les jambes : ai-je vraiment fait l'amour ? Y a-t-il eu pénétration ? Et puis je me dis : quelle question absurde en cette soirée qui a été la plus délectable de toute ma jeune vie !

Je ne pouvais pas savoir qu'il est possible d'avoir un plaisir charnel inouï sans faire vraiment l'amour, sans pénétration – un plaisir qui pour moi, à ce jour, demeure sans égal.

Mais que savais-je, avec mes dix-huit ans ! Ce soir-là, *La Chambre de Giovanni* de James Baldwin dans mon cartable, mes erreurs d'aiguillage amoureux ne faisaient que commencer.

La salle commune de Bancroft Hall s'appelait, comme celle des autres résidences, le fumoir ; les élèves de terminale qui fumaient avaient l'autorisation d'y passer leurs heures d'étude. Beaucoup de non-fumeurs pensaient que c'était un privilège qui ne se refusait pas, et ils s'y installaient par choix.

Personne ne nous avait mis en garde contre le tabagisme passif à cette époque intrépide, et surtout pas notre imbécile de médecin. Je ne me rappelle pas une seule heure de vie scolaire dévolue à la nocivité de la cigarette ! Le Dr Harlow avait consacré son temps et ses talents au traitement des pleurs de mauvais aloi – dans la logique de son absolue certitude que, chez les jeunes hommes en devenir, les tendances homosexuelles étaient guérissables.

J'avais un quart d'heure d'avance sur le couvre-feu. Alors que j'entrais dans le nuage de fumée familier du fumoir, Kittredge m'accosta. J'ignore par quelle prise de lutte il me bloqua le bras. J'ai essayé plus tard de la décrire à Delacorte – qui par ailleurs ne se débrouillait pas mal dans le rôle du Fou de Lear, disait-on. Entre deux *rincer-cracher*, Delacorte m'expliqua : « Ça ressemble à une clé de bras. Les clés de bras de Kittredge sont meurtrières. »

Clé ou pas, la prise ne faisait pas mal. Je voyais seulement que je ne pourrais pas m'en libérer, et je n'essayai pas. C'était carrément enivrant de me sentir serré si fort par Kittredge juste après l'avoir été par Miss Frost.

– Salut, Nymphe, où tu étais passé ?

– J'étais à la bibliothèque.

– On m'a dit que tu en étais parti il y a déjà un bon moment.

– Je suis allé à l'autre. Il y a une bibliothèque publique, la Bibliothèque municipale.

– Il faut croire qu'une seule bibliothèque ne suffit pas à un bosseur comme toi, Nymphe. Herr Steiner nous file un contrôle demain ; à mon avis, y aura plus de Rilke que de Goethe, qu'est-ce que tu en dis ?

J'avais eu Herr Steiner, l'un des skieurs autrichiens, en deuxième année d'allemand. Ni mauvais prof, ni mauvais bougre, mais archi prévisible. Kittredge avait raison, il y avait beaucoup plus de chances que ça tombe sur Rilke que sur Goethe. Steiner aimait Rilke, mais qui ne l'aime pas ? Herr Steiner aimait aussi les grands mots, tout comme Goethe. Kittredge avait des problèmes en allemand parce qu'il confondait traduction et devinette. Mais dans une langue étrangère, et tout spécialement dans une langue aussi précise que l'allemand, on ne peut pas se fier au hasard. On sait ou on ne sait pas.

– Il faut que tu saches par cœur les grands mots de Goethe, Kittredge. Le contrôle ne portera pas seulement sur Rilke, le prévins-je.

– Les formules que Steiner aime chez Rilke sont les plus longues, se plaignit Kittredge. Elles sont difficiles à retenir.

– Chez Rilke il y en a aussi de lapidaires. Tout le monde les aime, pas seulement Steiner : *Musik : Atem der Statuen.*

– Merde ! Je connais ça, c'est quoi ?

– « Musique : le souffle des statues », traduisis-je, mais je pensais à la clé de bras, si c'était le nom de cette prise de lutte. (J'espérais qu'il allait me retenir ainsi pour l'éternité.) Et il y a celle-là : *Du, fast noch Kind*, tu la connais ?

– Encore une histoire d'enfance de merde ! Il fait un gros blocage sur l'enfance, ou quoi, putain ?

– « Toi, encore presque un enfant »… Je te garantis que Steiner va la mettre dans le contrôle, Kittredge.

– Et *reine Übersteigung* ? La « pure transcendance » de merde ! s'écria Kittredge en me serrant plus fort. Elle y sera aussi, celle-là !

– Avec Rilke, tu peux t'attendre à quelque chose sur le thème de l'enfance… C'est un thème récurrent.

– *Lange Nachmittage der Kindheit*, me chantonna Kittredge dans l'oreille. « Les longs après-midi de l'enfance ». Ça t'en bouche un coin que je la connaisse, celle-là, hein, Nymphe ?

– Si ce sont les longues phrases qui t'inquiètent, n'oublie pas : *Weder Kindheit noch Zukunft werden weniger* – « Ni l'enfance ni l'avenir ne vont en diminuant ». Tu t'en souviens, de celle-là ?

– Putain, je croyais que c'était de Goethe !

– Ça parle de l'enfance, hein ? Alors c'est de Rilke.

Dass ich dich fassen möcht – si seulement je pouvais te serrer dans mes bras, pensais-je (c'était de Goethe). Mais je lui dis seulement :

– *Schöpfungskraft.*

– Merde de merde. Ça, je sais que c'est de Goethe.

– Oui, mais ça ne veut pas dire «merde de merde», lui dis-je. (Je ne sais pas s'il avait resserré la clé de bras, mais la prise commençait à me faire mal.) Ça veut dire «puissance créatrice» ou quelque chose comme ça. (La douleur cessa. J'y avais presque trouvé plaisir.) Je parie que tu ne sais pas ce que veut dire *Stossgebet*, tu as foiré la traduction l'année dernière, lui rappelai-je. (La douleur revint, c'était rudement bon.)

– Je te sens bien intrépide, ce soir, Nymphe. Je me trompe? Les deux bibliothèques ont dû booster ta confiance en toi.

– Il s'en sort, Delacorte, avec «l'ombre de Lear» et tout le reste? demandai-je.

Il lâcha la pression sur mon bras. Il me retenait à présent du bout des doigts.

– C'est quoi, une putain de *Stossgebet*, Nymphe?

– Une prière éjaculatoire.

– Putain de putain de merde! dit-il d'un ton résigné qui ne lui ressemblait pas. Putain de Goethe.

– Tu as eu des problèmes avec *überschlechter*, aussi, l'année dernière. Si Steiner est un peu sournois, il va caser un adjectif dans la phrase. J'essaye seulement de t'aider.

Kittredge lâcha complètement mon bras.

– Je pense que je connais, ça veut dire «vraiment mauvais», je me trompe?

Comprenez bien que, pendant toute cette passe d'armes – ni tout à fait lutte à bras-le-corps ni tout à fait joute oratoire –, les lycéens qui se trouvaient dans le fumoir étaient littéralement captivés. Kittredge était toujours le point de mire, dès qu'il y avait du monde autour de lui, et voilà qu'en apparence du moins je résistais pied à pied.

– Ne te laisse pas avoir par *Demut*, d'accord? C'est un mot court, mais c'est quand même du Goethe.

– Je le connais aussi celui-là, Nymphe, me dit Kittredge en souriant. C'est «humilité», non?

– Oui. (Je fus surpris qu'il connaisse le mot, même en anglais.) Rappelle-toi, quand ça sonne comme une homélie ou un proverbe, c'est probablement du Goethe.

– « La vieillesse est un monsieur poli », ce genre de connerie, c'est ça que tu veux dire ?

À ma grande surprise, Kittredge connaissait aussi l'aphorisme en allemand, il me le cita : *Das Alter ist ein höflich'Mann.*

– Il y a aussi une phrase qui ressemble à du Rilke mais qui est de Goethe.

– C'est celle qui parle du baiser, putain. Dis-la-moi en allemand, Nymphe, m'ordonna-t-il.

– *Der Kuss, der letzte, grausam süss*, dis-je, pensant au baiser franc et direct de Miss Frost.

Je ne pus m'empêcher de m'imaginer en train d'embrasser Kittredge, aussi. Je me mis de nouveau à trembler.

– « Le baiser, le dernier, d'une douceur cruelle », traduisit Kittredge.

– C'est ça. Tu peux dire aussi « le dernier de tous les baisers », si tu veux. *Die Leidenschaft bringt Leiden !* ajoutai-je, prenant chaque mot à cœur.

– Putain de Goethe ! s'écria Kittredge.

Je voyais bien qu'il ne connaissait pas la phrase. Il ne pouvait pas non plus en deviner le sens.

– « La passion apporte la souffrance », traduisis-je.

– Oh que oui, beaucoup de souffrance !

– Eh, les gars, lança l'un des fumeurs, c'est l'heure du couvre-feu.

– Putain de putain de merde ! s'écria Kittredge.

Je savais qu'il n'aurait pas de mal à piquer un sprint à travers le parc jusqu'à Tilley Hall, ni, s'il était trop en retard, à s'inventer une brillante excuse.

– *Ein jeder Engel ist schrecklich*, lui dis-je au moment où il quittait le fumoir.

– C'est de Rilke, hein ?

– Absolument. C'est une phrase célèbre. « Tout ange est terrible. »

Kittredge s'arrêta net à la porte. Il me regarda avant de repartir en courant. Un regard qui me cloua sur place, parce que son beau visage exprimait à la fois une empathie sincère et un mépris absolu. À croire qu'il savait tout de moi : non seulement qui j'étais, et ce que je cachais, mais aussi tout ce qui m'attendait dans l'avenir. Mon *Zukunft* menaçant, ma descente aux enfers, comme aurait dit Rilke.

– Tu es un garçon à part, n'est-ce pas, Nymphe ? m'avait dit Kittredge à la volée, sans même s'arrêter pour attendre la réponse.

Il me cria seulement en pleine course :

– Je parie que tous tes anges de merde, tu vas les trouver terribles !

Ce n'est pas ce que Rilke entendait par « tous tes anges », bien sûr, mais je me dis que Kittredge, Miss Frost, peut-être ce pauvre Tom Atkins aussi – et Dieu sait qui d'autre dans l'avenir – étaient mes anges terribles, à moi.

Qu'est-ce qu'elle m'avait dit, Miss Frost, en me conseillant d'attendre pour lire *Madame Bovary* ? Que faire si mes anges terribles – en commençant par elle et Jacques Kittredge –, si mes « futures relations amoureuses » se révélaient décevantes, voire destructrices ? C'étaient ses termes mêmes.

– Qu'est-ce qui t'arrive, Bill ? me demanda Richard, en me voyant entrer dans l'appartement.

Ma mère était déjà partie se coucher, du moins la porte de leur chambre était-elle fermée, comme la plupart du temps.

– On dirait que tu viens de croiser un fantôme ! ajouta Richard.

– Un fantôme, non, dis-je, mais mon avenir, peut-être.

Je décidai de le laisser méditer cette réponse énigmatique ; j'allai tout droit dans ma chambre, dont je fermai la porte.

J'y trouvai, comme presque toujours, le soutien-gorge rembourré d'Elaine sous mon oreiller. Je m'étendis sur mon lit en le regardant longuement : je n'y vis guère l'image de mon avenir, ni celle de mes anges terribles.

8

Big Al

«Ce qui me déplaît le plus chez Kittredge, c'est sa cruauté», écrivis-je à Elaine cet automne-là. «Patrimoine génétique», me répondit-elle par retour.

Il était difficile de contester le bien-fondé de ce jugement. Elaine avait été assez intime avec Mrs Kittredge, cette «femme abominable», pour tenir un discours catégorique sur le processus de transmission: «Kittredge aura beau nier jusqu'à la saint-glinglin qu'il est son fils, Billy, je peux t'assurer qu'elle fait partie de ces mères qui allaitent leur enfoiré de garçon jusqu'à sa première mousse à raser.»

«Admettons, écrivis-je en réponse, mais comment peux-tu être tellement sûre que la cruauté soit héréditaire?»

«La façon d'embrasser. Ils embrassent tous deux pareil. Et ça, c'est génétique, je peux te le dire.»

Dans la lettre où elle avançait sa théorie sur les chromosomes de Kittredge, elle m'annonça aussi son intention de devenir écrivain. Oui, même pour ce qui concerne cette ambition sacro-sainte, elle a été plus franche avec moi que je ne l'ai été avec elle. Alors même que je m'embarquais dans la grande aventure si longtemps rêvée avec Miss Frost, je ne lui en avais toujours rien dit.

Ni à personne d'autre, bien entendu. J'avais aussi résisté à la tentation d'avancer dans la lecture de *La Chambre de Giovanni* jusqu'au moment où je me rendis compte que j'avais envie de revoir Miss Frost au plus tôt. Et il n'était pas question de me rendre à la Bibliothèque municipale de First Sister sans m'être préparé à parler du livre de James Baldwin avec elle. Je me replongeai donc dans le roman, mais fus très vite arrêté dans mon élan par une nouvelle phrase. Elle se trouvait au début du deuxième chapitre, et mit un terme à ma lecture pour le reste de la journée.

«Je comprends maintenant que le dégoût qu'il m'inspirait avait partie liée avec le dégoût que j'avais de moi-même.» En lisant cette phrase, je pensai aussitôt à Kittredge, à mon aversion à son égard, inextricablement liée à mon dégoût de moi-même du fait qu'il m'attirait. Décidément, le récit de James Baldwin comportait une dose de vérité un peu trop forte pour moi, mais je me forçai néanmoins à en reprendre la lecture le soir suivant.

Toujours dans le deuxième chapitre, je trouvai une description de «ces garçons minces comme des lames de couteau, avec leur pantalon moulant» qui me rebuta dans mon for intérieur : j'allais bientôt devoir adopter leur allure et rechercher leur compagnie, et la pensée de cette profusion de «garçons minces comme des lames de couteau» dans mon proche avenir me glaça le sang.

Malgré mes appréhensions, j'atteignis en un rien de temps la moitié du roman, et continuai de le dévorer. Même ce passage où la haine du narrateur pour son amant devient aussi forte que son amour et se «nourrit aux mêmes racines». Ou celui où Giovanni est décrit comme un être toujours désirable, mais dont la seule haleine donne «envie de vomir» au narrateur. D'une certaine façon, ces passages du livre me faisaient horreur, mais seulement parce que je redoutais d'éprouver les mêmes sentiments à titre personnel.

Oui, cette attirance troublante pour les garçons me faisait craindre ce que Baldwin appelle «le terrible fléau de la morale publique», mais je n'étais pas au bout de mes frayeurs, notamment au moment où le narrateur évoquait sa réaction lorsqu'il couchait avec une femme : «J'étais extraordinairement intimidé par ses seins, et, lorsque j'entrai en elle, j'eus l'impression que je n'en sortirais jamais vivant.»

Pourquoi n'avais-je pas ressenti cette impression ? me demandai-je. Était-ce uniquement parce que Miss Frost avait des petits seins ? Si elle avait eu une forte poitrine, aurais-je été «intimidé» au lieu d'être aussi singulièrement stimulé ? Encore une fois me revenaient naturellement ces questions importunes : l'avais-je réellement pénétrée ? Si ce n'était pas le cas mais que ça se produisait la fois suivante, éprouverais-je du dégoût, au lieu de cette plénitude qui avait été la mienne ?

Comprenez bien qu'avant *La Chambre de Giovanni* je n'avais jamais rien lu qui m'ait choqué, alors que, pour mes dix-huit ans, j'avais déjà lu pas mal de romans, excellents pour la plupart. Ce qu'écrivait

James Baldwin était excellent aussi mais cela ne m'empêchait pas d'être choqué, tout particulièrement quand Giovanni interpellait son amant : « Tu veux quitter Giovanni parce qu'il te fait puer. Tu voudrais bien détester Giovanni parce que la puanteur de l'amour ne lui fait pas peur. » Cette formule, « la puanteur de l'amour », me secouait et me faisait prendre la mesure de ma naïveté. Baiser avec un garçon ou un homme, j'avais cru que ça sentait quoi ? Est-ce que Baldwin faisait bel et bien allusion à l'odeur de la merde ? Parce que c'est ça, qu'elle devait sentir, la bite, après qu'on a enculé un homme.

Cette lecture m'avait plongé dans une agitation profonde. Je ressentais le besoin d'en parler avec quelqu'un et faillis réveiller Richard.

Mais je me souvenais de la recommandation de Miss Frost. Je n'étais pas prêt à révéler à Richard mon béguin pour Kittredge. Je restai donc au lit. Le soutien-gorge d'Elaine comme toujours bien calé sur ma poitrine, je poursuivis la lecture de *La Chambre de Giovanni* jusque tard dans la nuit.

Me revint en mémoire l'odeur de mes doigts qui avaient touché mon sexe, au moment de me plonger dans le bain que Miss Frost m'avait fait couler. Cette odeur d'huile d'amande douce ou d'avocat n'avait rien à voir avec celle de la merde. Mais enfin, Miss Frost était une femme, et, à supposer que je l'aie effectivement pénétrée, ce n'était toujours pas par là !

Mrs Hadley fut dûment impressionnée de m'avoir entendu triompher du mot *ombre*, mais faute de pouvoir (ou de vouloir) lui parler de Miss Frost comment lui expliquer de quelle manière j'avais résolu un de mes principaux problèmes d'élocution ?

– Qu'est-ce qui t'a amené à prononcer *ombe* avec le *re* à la fin, Billy ?

– Ah, bah… commençai-je, puis je m'interrompis comme le faisait Grand-père.

Comment appliquer à mes autres difficultés d'élocution la technique qui avait si bien réussi pour le mot *ombre* ? C'était un mystère, tant pour Mrs Hadley que pour moi.

Naturellement, en quittant le bureau de Mrs Hadley, je croisai Atkins dans l'escalier.

– Ah, c'est toi, Tom ? lui dis-je, d'un air aussi dégagé que possible.

– Alors maintenant, c'est Tom, si je comprends bien ?

– J'en ai archi marre de cette habitude de s'appeler par le nom de famille, dans cette école abominable. Pas toi ?

– Puisque tu le dis, répondit Atkins d'un ton amer.

Je voyais bien qu'il m'en voulait encore de notre prise de bec à la Bibliothèque municipale.

– Écoute, excuse-moi pour l'autre fois, lui dis-je. Je n'aurais pas dû en rajouter sur ce que Kittredge t'avait fait subir, en t'appelant son « messager ». Je suis désolé.

Atkins avait souvent l'air au bord des larmes. Si le Dr Harlow avait un jour voulu nous présenter un exemple frappant de la « pleurnicherie intempestive chez les garçons », il lui aurait suffi de claquer des doigts pour que Tom Atkins fonde en larmes à l'heure de vie scolaire.

– J'ai dû vous interrompre, toi et Miss Frost, dit Atkins, qui voulait visiblement en savoir plus.

– Avec Miss Frost, nous discutons beaucoup de littérature. Elle me conseille les livres que je dois lire. Je lui parle de ce qui m'intéresse et elle me confie un roman.

– Elle t'a prêté un roman l'autre soir ? Lequel ? C'est quoi, ce qui t'intéresse ?

– Les béguins contre nature, les erreurs d'aiguillage amoureux.

Ma première expérience sexuelle m'avait enhardi, plus vite que je ne pensais. Je me sentais encouragé, voire contraint, de dire des choses qu'auparavant je n'aurais exprimé qu'avec réticence, non seulement à un esprit timoré comme Atkins, mais aussi à un tourmenteur puissant, comme Jacques Kittredge, mon amour interdit.

D'accord, il était plus facile d'affronter Kittredge en allemand. Je ne me sentais pas assez « enhardi » pour lui avouer la vraie nature de mes sentiments et de mes pensées ; je n'aurais jamais osé dire « erreur d'aiguillage amoureux » à Kittredge, pas même en allemand. Sauf à prétendre que c'était une citation de Goethe ou de Rilke.

Je voyais qu'Atkins faisait une tentative désespérée pour sortir un mot. Peut-être voulait-il savoir l'*heure*, ou dire quelque chose à ce propos. Mais je me trompais. C'était *erreur* que ce pauvre Tom ne parvenait pas à prononcer.

Il lâcha brusquement :

218

– Les *horreurs* d'aiguillage amoureux, ça m'intéresse beaucoup, moi aussi !

– J'ai dit «erreurs», Tom.

– Je n'y arrive pas. Mais c'est vrai que le sujet m'intéresse. Quand tu auras fini de lire le roman que Miss Frost t'a confié, peut-être que tu pourras me le prêter. J'adore lire des romans, tu sais.

– C'est un roman de James Baldwin.

– Ça parle d'amour avec une personne noire ?

– Non. Qu'est-ce qui te fait penser ça, Tom ?

– James Baldwin est noir, non ? À moins que ce ne soit un autre Baldwin ?

James Baldwin était noir, bien sûr, mais je l'ignorais. Je n'avais lu aucun de ses autres romans. Je n'avais jamais entendu parler de lui. Et comme *La Chambre de Giovanni* était un livre de bibliothèque, il n'avait pas de jaquette, donc pas de photo de l'auteur.

– C'est l'histoire d'un homme qui aime un autre homme, dis-je calmement.

– Oui, murmura Tom. C'est bien ce que j'ai pensé, quand tu as dit «contre nature».

– Je te le passerai quand j'aurai fini de le lire.

Je l'avais fini, ce livre, mais je voulais le relire et en parler avec Miss Frost avant de le passer à Atkins.

J'étais tout à fait sûr qu'il n'était mentionné nulle part que le narrateur était noir. Quant au malheureux Giovanni, il était italien. En fait, je me souvenais même d'une phrase, à la fin du roman, où le narrateur se regarde dans un miroir : «Mon corps est terne, et blanc et sec.» Mais je voulais absolument relire *La Chambre de Giovanni* illico. Le roman m'avait profondément marqué. C'était le premier que je souhaitais relire depuis *De grandes espérances*.

À près de soixante-dix ans, rares sont les romans que je peux relire en constatant que je les aime toujours, du moins parmi les lectures de mon adolescence. Mais j'ai relu récemment *De grandes espérances* et *La Chambre de Giovanni* et ils me plaisent encore autant qu'à l'époque.

Oh, je sais, il y a des passages interminables chez Dickens. Et alors ? Et qui étaient les travelos parisiens des années cinquante que décrit James Baldwin ? Probablement des travestis pas très convaincants.

Ils ne plaisent pas au narrateur de *La Chambre de Giovanni*. «J'ai toujours eu du mal à croire qu'ils arrivaient à coucher avec qui que ce soit, parce qu'un homme qui aime les femmes préfère certainement en avoir une vraie dans son lit, tandis qu'un homme qui aime les hommes ne voudrait jamais d'eux», écrit Baldwin.

Bon, je doute que Mr Baldwin ait jamais rencontré le genre de transsexuelles que l'on voit communément aujourd'hui. Il n'a pas connu quelqu'un comme Donna, une transgenre qui peut parfaitement passer pour une femme, avec de beaux seins et pas une ombre de duvet sur le visage. Pas une once de masculinité chez une transsexuelle comme elle, hormis, entre les jambes, ce *pénif* parfaitement opérationnel.

Je doute aussi que James Baldwin ait voulu d'un amant qui ait à la fois des seins et une bite. Mais, croyez-moi, je ne lui reproche pas de ne pas avoir été attiré par les travestis de son époque, «*les folles**[1]*», comme il les appelait.

Tout ce que je peux dire, c'est : fichons la paix aux *folles**. Laissons-les vivre leur vie, sans les juger. Nous ne leur sommes pas supérieurs, ne les dénigrons pas.

En relisant *La Chambre de Giovanni* récemment, je me suis rendu compte que le roman était aussi parfait que dans mon souvenir. Mais pas seulement. J'ai aussi découvert quelque chose qui m'avait échappé, à côté de quoi j'étais passé, à dix-huit ans. Je veux parler du passage où Baldwin écrit : «Malheureusement on n'invente pas nos points d'ancrage, nos amants ni nos amis, pas plus qu'on ne peut inventer nos parents.»

Oui, c'est vrai. N'empêche qu'à dix-huit ans j'étais constamment en train de me *réinventer*. Pas seulement sur le plan sexuel. En outre, je n'avais pas conscience qu'il me faudrait des points d'ancrage, et combien, et moins encore qui jouerait ce rôle dans ma vie.

Le pauvre Tom Atkins en avait cruellement besoin, lui. Cette évidence s'imposait à moi tandis que nous parlions, ou tentions de parler, des erreurs (ou des *horreurs*) d'aiguillage amoureux. L'espace d'un moment, je crus que nous étions figés pour l'éternité dans l'escalier du bâtiment de l'éducation musicale, et que notre drôle de conversation s'enlisait sans espoir.

1. Les mots en italique suivis d'un astérisque sont en français dans le texte.

– Tu en es où, de tes problèmes d'élocution ? Tu as fait des progrès, Bill ? me demanda-t-il maladroitement.

– Un peu, à vrai dire. Maintenant j'arrive à dire le mot *ombre*.

– C'est bien, je suis content pour toi, dit-il, sincère. Moi, j'en suis toujours au même point. Ça fait un moment que je stagne, disons.

– Désolé pour toi, Tom. Ça doit être dur d'écorcher des mots qui reviennent tout le temps. Des mots comme *heure*, par exemple.

– Oui, celui-là, il est enquiquinant. Et toi, sur quoi tu butes le plus ?

– Sur le ɒidule-machin-chose. Tu sais, la bite, le zob, la queue, la pine, le phallus, la quéquette, la verge, le zizi…

– Tu n'arrives pas à dire *pénis* ?

– Bah non, je dis *pénif*.

– Au moins, ça reste compréhensible, Bill, fit Atkins d'un ton encourageant.

– Et pour toi, il y en a un qui est pire que le mot *heure* ?

– L'équivalent femelle de ton pénis. Je n'arrive pas du tout à le dire. Ça me tue, rien que d'essayer.

– Vagin ? C'est ça, Tom ?

Atkins fit oui, énergiquement, de la tête. À sa façon de hocher perpétuellement la tête, je me dis qu'il était au bord des larmes. Mais Mrs Hadley coupa court à ces sanglots potentiels, du moins momentanément.

– Tom Atkins ! cria-t-elle du haut de la cage d'escalier. J'entends ta voix ! Tu es en retard à ton rendez-vous ! Je t'attends !

Atkins se rua dans l'escalier sans réfléchir. Il me jeta, par-dessus l'épaule, un regard amical, vaguement embarrassé. Je l'entendis distinctement crier à Mrs Hadley, tandis qu'il gravissait les marches quatre à quatre :

– Désolé, j'arrive ! Je n'ai pas vu l'heure passer !

Tout comme moi, Martha Hadley avait parfaitement entendu.

– J'ai comme l'impression qu'il y a du progrès dans l'air, Tom ! lui criai-je dans l'escalier.

– Qu'est-ce que tu viens de dire, Tom Atkins ? Redis-le-moi, s'il te plaît ! entendis-je Mrs Hadley lui enjoindre du haut de son troisième étage.

– Heure, heure, heure ! s'écria Atkins, avant de fondre en larmes.

– Ah, ne pleure pas, petit idiot ! dit Martha Hadley. Tom, Tom, arrête de pleurer s'il te plaît. Tu devrais être content, au contraire !

Mais Atkins pleurait comme un veau : une fois lâchée la bonde, impossible d'endiguer le flot de larmes. Et je m'y connaissais sur la question.

– Écoute-moi, Tom, lui criai-je. Tu es en veine, mec ! Maintenant vas-y, essaye *vagin*. Je suis sûr que tu peux ! Si tu as réussi à dire *heure*, tu peux me croire, vagin est aussi facile ! Allez, je t'écoute, dis-moi *vagin*, Tom, vagin ! Vagin ! Vagin !

– Billy, surveille ton langage ! me gronda Mrs Hadley du haut de l'escalier.

J'aurais bien continué de prodiguer mes encouragements à ce pauvre Tom, mais je ne voulais pas que Martha Hadley, ou tout autre prof du bâtiment, me colle une punition.

J'avais rendez-vous – et quel rendez-vous, putain ! – avec Miss Frost. Alors je cessai de répéter le mot *vagin*. Je repris ma descente vers le rez-de-chaussée et, jusqu'à la sortie, j'entendis Tom Atkins sangloter.

Avec le recul, je vois bien de quelle façon je me suis trahi. Je n'avais pas l'habitude de prendre une douche et de me raser les soirs où j'allais en bibliothèque. Et comme je n'avais pas l'habitude non plus de dire à Richard ou à ma mère à quelle bibliothèque je me rendais, j'aurais dû être assez malin pour emporter *La Chambre de Giovanni* avec moi. J'avais laissé le livre sous mon oreiller, avec le soutien-gorge d'Elaine, puisque je n'avais pas l'intention de le rapporter. Je voulais le prêter à Tom Atkins, mais non sans avoir demandé son avis à Miss Frost d'abord.

– Te voilà bien beau, ce soir, Billy, fit ma mère au moment où je sortais de l'appartement.

Elle ne me faisait presque jamais de compliments sur mon physique. Certes, elle m'avait dit plus d'une fois que j'allais « devenir beau gosse », mais pas depuis au moins deux ans. Je n'étais sans doute déjà que trop beau gosse pour son goût : ce compliment sonnait comme un reproche.

– Tu vas à la bibliothèque, Bill ? me demanda Richard.

– Absolument, répondis-je.

Quel idiot, j'avais laissé mes affaires d'allemand! À cause de Kittredge, Goethe et Rilke ne me quittaient jamais. Or, ce soir-là, mon cartable était presque vide. Un cahier, c'était tout.

– C'est pour aller en bibliothèque que tu t'es fait aussi beau? insinua ma mère.

– Je ne vais quand même pas me balader en loques, comme l'ombre de Lear, si? leur lançai-je à tous les deux.

Pure esbroufe, et l'avenir le prouverait, cette démonstration de ma toute nouvelle assurance était bien mal avisée.

Un petit peu plus tard dans la soirée – j'étais certainement encore dans la salle des Archives de l'École –, Kittredge passa à l'appartement de Bancroft Hall. Il me cherchait. Ma mère alla ouvrir la porte, mais quand elle vit Kittredge, je suis sûr qu'elle ne l'invita pas à entrer.

– Richard! avait-elle dû s'écrier, c'est Jacques Kittredge!

– J'espérais pouvoir dire un mot à mon répétiteur d'allemand, avait dû dire Kittredge d'un ton charmeur.

– Richard! avait sans doute répété ma mère.

– J'arrive, trésor, avait, je présume, répondu Richard.

L'appartement n'était pas grand. Tout en ne tenant pas à discuter avec Kittredge, ma mère ne dut pas perdre un mot de sa conversation avec Richard.

– Si c'est le répétiteur d'allemand que tu cherches, Jacques, je suis désolé mais il vient de partir à la bibliothèque.

– Quelle bibliothèque? Il en fréquente deux, de bibliothèques, ce répétiteur d'allemand. L'autre soir, il était à la Bibliothèque municipale.

– Qu'est-ce que Billy fiche à la bibliothèque publique, Richard? avait peut-être dit ma mère.

En tout cas elle avait dû le penser, quitte à poser la question une fois Kittredge parti, pour s'entendre répondre : « Je suppose que Miss Frost continue à lui donner des conseils de lecture. »

– Il faut que je me sauve, avait dû dire Kittredge. Dites seulement au répétiteur d'allemand que le contrôle s'est très bien passé. Je n'ai jamais eu une aussi bonne note. Dites-lui qu'il a mis dans le mille sur le passage « la passion apporte la souffrance ». Et dites-lui qu'il ne s'est pas trompé à propos de « tout ange est terrible » : j'ai eu bon là-dessus aussi.

– Je lui dirai. Tu as eu bon pour « la passion apporte la souffrance » et pour «tout ange est terrible». Je ne manquerai pas de lui en faire part.

À ce moment-là, ma mère avait sans doute déjà découvert le livre dans ma chambre. Elle savait que je cachais le soutien-gorge d'Elaine sous mon oreiller. Je parie même que c'était le premier endroit où elle avait regardé.

Richard Abbott était un homme averti; *La Chambre de Giovanni*, il en connaissait peut-être plus ou moins le sujet. Dans ma chambre, mes affaires d'allemand – les éternels Goethe et Rilke – devaient être bien visibles. Ce que j'allais faire en bibliothèque, ce n'était pas, à l'évidence, mes devoirs d'allemand. Sans oublier que, glissées dans les pages du superbe roman de Mr Baldwin, devaient se trouver toutes mes notes manuscrites – citations de *La Chambre de Giovanni* incluses, bien entendu, dont «la puanteur de l'amour» et cette phrase qui me faisait tellement penser à Kittredge: «Toutes les parties de mon être criaient: Non! Et pourtant mon être tout entier soupirait: Oui.»

Kittredge devait avoir quitté Bancroft Hall depuis un certain temps quand Richard et ma mère jugèrent avoir des preuves suffisantes pour convoquer les autres. Sans doute pas Mrs Hadley – du moins, au début –, mais à coup sûr ma tante Muriel-de-quoi-je-me-mêle, et mon oncle Bob, l'éternel dénigré, sans oublier Nana Victoria et Grand-père Harry, cette gloire locale dans les grands rôles féminins. Je venais de quitter la salle des Archives quand ils parvinrent aux conclusions qui s'imposaient; ils en étaient peut-être même à ébaucher un plan d'action. Au moment où ce plan prenait tournure, moi j'étais déjà en route vers la Bibliothèque municipale de First Sister, où j'arrivai un peu avant la fermeture.

Miss Frost accaparait entièrement mes pensées – depuis la découverte que je venais de faire dans *La Chouette* de 1935. Je m'étais efforcé de ne pas m'attarder sur le sublime lutteur de 1931; aucun garçon n'avait attiré mon attention dans l'annuaire de 1932, même au sein de l'équipe de lutte. Sur les photos du Club Théâtre de 33 et 34, quelques gars habillés en filles avaient l'air assez convaincants, je dois dire – du moins sur les planches –, mais je ne les regardai pas de très près, et Miss Frost m'échappa complètement sur les photos des équipes de lutte de 1933 et 1934, tout simplement parce qu'elle se trouvait en arrière-plan, au dernier rang.

La révélation se nichait dans l'annuaire de 1935. C'était l'année de terminale de Miss Frost à la Favorite River Academy. Cette année-là, même en garçon, on ne pouvait pas la rater. Elle était assise en plein milieu du premier rang : « A. Frost », capitaine de l'équipe de lutte de 1935. La légende de la photo ne portait que cette initiale. Même assise, son grand torse lui faisait dominer les autres garçons de la première rangée, et je fus frappé par ses larges épaules et ses grandes mains, tout autant que si elle avait été habillée et maquillée en fille.

Son beau visage allongé était très reconnaissable, malgré la coupe en brosse insolite. Je passai aussitôt aux portraits des diplômés. À ma grande surprise, *Albert* Frost était originaire de First Sister, Vermont – il était externe et non pensionnaire –, et si cet Albert de dix-huit ans n'avait pas indiqué l'université de son choix, le domaine professionnel qu'il envisageait était hautement significatif. Il avait indiqué « une carrière dans la fiction » – on ne saurait mieux dire pour un futur bibliothécaire, doublé d'un beau gosse en passe de devenir une belle femme crédible, malgré une petite poitrine.

Comment Tante Muriel aurait-elle oublié Albert Frost, le beau capitaine de l'équipe de lutte en 1935 ? C'était donc d'un garçon qu'elle parlait en disant que Miss Frost avait été « superbe ». De fait, Albert était superbe.

Je ne fus pas surpris de découvrir le surnom d'Albert Frost à la Favorite River Academy. C'était « Big Al ».

Miss Frost n'avait pas menti non plus en disant que « tout le monde l'appelait Al ». Tout le monde, y compris ma tante Muriel. Je fus surpris, en revanche, de reconnaître un autre visage dans les portraits des bacheliers de 1935. Robert Fremont – mon oncle Bob –, dont le surnom était Racquet Man, se trouvait dans la même classe que Miss Frost. Il l'avait donc connue au temps où elle était Big Al. Les hasards de la vie avaient voulu que, dans *La Chouette* de 1935, ils aient leurs photos en regard.

Le temps de cette courte marche entre la salle des Annuaires et la Bibliothèque municipale, j'avais compris que toute ma famille, y compris Richard qui y était entré depuis quelques années, devait savoir où Miss Frost était née, qu'elle était née homme et, selon toute vraisemblance, l'était toujours. Ils s'étaient bien gardés de me le dire, à moi. On le sait, la cachotterie était une maladie endémique dans ma famille.

Tout en observant ma figure effarée dans le miroir du vestibule mal éclairé de la bibliothèque, là où son propre reflet avait fait sursauter Tom Atkins tout récemment, l'idée me vint que la quasi-totalité des habitants de la ville au-dessus d'un certain âge devait savoir que Miss Frost était un homme. Et à coup sûr tous les plus de quarante ans qui l'avaient vue sur scène jouer les grands rôles féminins des pièces d'Ibsen lors des représentations de la troupe amateur des First Sister Players.

En revenant en arrière, j'avais dûment retrouvé Miss Frost sur les photos des équipes de lutte des annuaires de 1933 et 1934, époques où A. Frost n'était pas encore aussi grand(e) et carré(e) d'épaules. En réalité, il avait l'air tellement peu sûr de lui dans les derniers rangs que je ne l'avais même pas remarqué.

À dire vrai, je ne l'avais pas remarqué non plus sur les photos du Club Théâtre. A. Frost jouait toujours des rôles féminins. Il avait interprété une grande variété de personnages, avec des perruques tellement ridicules et des poitrines tellement énormes que je ne l'avais pas reconnu au premier coup d'œil. Quelle rigolade ça avait dû être pour les garçons, de voir le capitaine de leur équipe de lutte, Big Al, virevoltant en jupons sur la scène du théâtre ! Et pourtant, lorsque Richard avait demandé à Miss Frost si elle avait déjà fait de la scène – si elle avait été actrice –, elle avait répondu « seulement dans ma tête ».

Quel tissu de mensonges ! pensai-je en me regardant trembler comme une feuille dans le miroir du vestibule.

J'entendis Miss Frost demander :

– Il y a quelqu'un ? C'est toi, William ?

Elle avait crié assez fort pour me faire comprendre que nous étions seuls dans la bibliothèque.

– Oui, c'est moi, Big Al, répondis-je.

– Oh, mon Dieu ! fit-elle en exagérant un soupir prolongé. Je te l'avais bien dit que le temps nous était compté !

– Mais il y a pas mal de choses que vous ne m'avez pas dites !

Je constatai qu'en m'attendant elle avait déjà éteint les lampes de lecture dans la grande salle de la bibliothèque. La lueur provenant du sous-sol, à travers la porte ouverte de l'escalier, enveloppait Miss Frost d'un halo doux et flatteur. Elle était assise au bureau de prêt, ses grandes mains sur les genoux. Je dis que la lumière était flatteuse parce qu'elle la rajeunissait, mais j'étais sans doute influencé par ce que je venais de voir dans ces vieux annuaires de l'École.

– Viens m'embrasser, William, me dit Miss Frost. Si je ne me trompe, il n'y a aucune raison pour que tu ne veuilles pas m'embrasser.

– Vous êtes un homme, n'est-ce pas?

– Mon Dieu, à quoi ça tient d'être un homme? Kittredge est bien un homme, et tu as envie de l'embrasser, lui. Alors, tu ne veux plus m'embrasser, William?

Et comment! J'avais terriblement envie de l'embrasser. Je voulais aller jusqu'au bout avec elle, mais j'étais en colère, retourné, et je me rendais compte à l'intensité de mon tremblement que j'étais au bord des larmes, moi qui ne voulais surtout pas pleurer.

– Vous êtes une *transsexuelle*! lui dis-je.

Miss Frost répondit sèchement:

– Mon jeune ami, je te prierai de ne pas me coller d'étiquette. Ne me fourre pas dans une catégorie avant même de me connaître!

Quand elle se redressa, j'eus l'impression qu'elle me dominait de toute sa hauteur. Et quand elle m'ouvrit ses bras puissants, je n'hésitai pas une seconde: je m'y jetai et l'embrassai. Elle me rendit mon baiser avec beaucoup d'ardeur. Je n'aurais même pas pu pleurer: elle me coupait le souffle.

– Eh bien, dis-moi, tu en as fait des choses ces derniers temps, William, dit-elle en me guidant vers l'escalier du sous-sol. Tu as lu *La Chambre de Giovanni*?

– Deux fois.

– Déjà deux fois? Et tu as trouvé le temps de lire ces vieux annuaires, n'est-ce pas, William? Je savais que tu ne mettrais pas longtemps pour passer de 1931 à 1935. Dis-moi, c'est la photo de l'équipe de 1935, c'est celle-là qui a attiré ton attention?

– Oui! parvins-je péniblement à lui répondre.

Dans la chambre, Miss Frost était en train d'allumer la bougie parfumée à la cannelle. Puis elle éteignit la lampe de lecture fixée à la tête du lit déjà ouvert, couvertures rabattues.

– Je n'aurais pas pu t'empêcher de regarder ces vieux annuaires, n'est-ce pas, William ? poursuivit-elle. Tu sais, je ne suis pas la bienvenue à la bibliothèque de l'École. Et même si tu n'avais pas remarqué ces photos de moi à l'époque où je faisais de la lutte, un jour où l'autre quelqu'un t'aurait certainement dévoilé la vérité. Je suis franchement étonnée que personne ne t'en ait jamais parlé.

– Chez moi, on n'est pas très causant.

Je me déshabillai aussi vite que je pus. Miss Frost avait déjà déboutonné son corsage et enlevé sa jupe.

– Oui, je suis au courant ! dit-elle en riant.

Cette fois, quand elle utilisa les toilettes, il ne fut plus question d'intimité. Elle troussa sa combinaison et, après avoir relevé la lunette, pissa debout, assez bruyamment, mais en me tournant le dos. Je ne pouvais pas voir son pénis mais aucun doute : compte tenu de la puissance du jet, elle en avait bien un.

Allongé tout nu sur le lit en cuivre, je la regardai se laver les mains et le visage, puis se brosser les dents dans le petit lavabo. Elle me fit un clin d'œil dans le miroir.

– J'imagine que vous étiez un sacré bon lutteur, lui dis-je, pour être le capitaine de l'équipe.

– Je n'ai pas demandé à être capitaine. Mais je battais tout le monde, alors ils m'ont bombardée capitaine. Ça ne se refuse pas ! Et puis, être lutteur me mettait à l'abri des questions indiscrètes.

Elle rangea sa jupe et son chemisier dans le placard. Cette fois, elle retira son soutien-gorge.

– On ne pose pas de questions à un lutteur, du moins sur sa sexualité. Ça me permettait de tromper mon monde, si tu vois ce que je veux dire, William.

– Je vois.

Ses seins étaient magnifiques, petits, avec des mamelons parfaits, mais cependant plus gros que ceux de la pauvre Elaine. Miss Frost avait une poitrine de jeune fille, qui paraissait petite uniquement parce qu'elle-même était grande et forte.

– J'adore vos seins, lui dis-je.

– Merci, William. Ils ne grossiront pas plus, mais tu sais, c'est merveilleux, tout ce qu'on peut faire avec les hormones. Après tout, je n'ai pas besoin d'en avoir de plus gros, dit-elle en souriant.

– Ils ont la taille parfaite, pour moi.

– Je t'assure, je ne les avais pas quand je faisais de la lutte. Ils m'auraient gênée. J'ai pratiqué la lutte et évité les questions pendant toute ma scolarité, et même à la fac. Jusqu'à la fin de mes études universitaires, je n'avais pas de seins et je vivais comme un homme.

– Vous êtes allée à quelle fac ?

– Une fac au fin fond de la Pennsylvanie, son nom ne te dirait rien.

– Est-ce que vous étiez aussi bonne que Kittredge, en lutte ?

Elle se pencha vers moi, mais cette fois, au moment où elle saisit mon pénis, je lui faisais face.

– Kittredge n'est pas si bon que ça. Il n'est jamais tombé sur un adversaire à sa hauteur, c'est tout. La Nouvelle-Angleterre n'est pas un bon terreau pour la lutte. Rien à voir avec la Pennsylvanie.

Je posai ma main au niveau où je pensais que se trouvait son sexe et le touchai au travers du tissu soyeux. Elle me laissa faire. Je ne m'aventurai pas sous sa combinaison, qui était ce jour-là gris perle, pratiquement de la même couleur que le soutien-gorge d'Elaine, laissé, pensai-je au même instant, sous mon oreiller, avec *La Chambre de Giovanni*.

Le roman de James Baldwin était d'une telle tristesse que je décidai de ne pas en parler tout de suite à Miss Frost. Je lui demandai plutôt :

– À l'époque, quand vous vouliez devenir une fille et que vous étiez attirée par les garçons, c'était pas difficile d'être lutteur ?

– Pas si difficile que ça, tant que j'avais le dessus. J'aime gagner. Quand tu gagnes un match de lutte, tu as le dessus. C'est devenu plus difficile en Pennsylvanie, parce que, là-bas, je ne gagnais pas à chaque fois. J'avais le dessous plus souvent que je l'aurais souhaité… Mais j'avais mûri et je supportais de perdre. Je détestais me faire immobiliser, mais ça ne m'est arrivé que deux fois, par le même connard. La lutte, c'était ma couverture, William. Dans ce temps-là, les garçons comme nous avaient besoin d'une couverture. Toi aussi, William, tu as ta couverture, elle s'appelle Elaine, n'est-ce pas ? Enfin, c'est ce qu'il m'a semblé. Aujourd'hui encore, les garçons comme nous ne peuvent guère se passer d'une couverture.

– Oh que non, murmurai-je.

– Ah, tu te remets à parler tout bas. C'est une façon de te couvrir, ça aussi.

– Vous avez dû étudier autre chose que la lutte dans cette université de Pennsylvanie. Sur l'annuaire, j'ai lu que vous vouliez faire carrière « dans la fiction ». C'est curieux, non ?

Ma conversation tournait au babillage. Je parlais pour éviter de trop penser à son pénis.

– À la fac, j'ai fait des études pour devenir conservateur de bibliothèque, dit Miss Frost, chacun tenant dans sa main le sexe de l'autre.

Le sien n'était pas aussi dur que le mien, pas encore, en tout cas. Même un peu flasque, il était plus gros, du moins c'était l'impression que j'avais. Mais, sans expérience, on a du mal à estimer la taille d'un pénis sans le voir.

– Je pensais qu'une bibliothèque serait un endroit sans danger, qui accueillerait avec indulgence un homme en passe de devenir une femme, continua-t-elle. Je savais même dans quelle bibliothèque j'avais envie de travailler : celle de l'Academy, où se trouvent les annuaires, William. Je me disais : quelle bibliothèque m'accueillerait mieux que celle de mon ancienne école ? J'avais été bon élève à la Favorite River, et excellent lutteur, sinon au niveau de la Pennsylvanie, du moins à celui de la Nouvelle-Angleterre. Seulement voilà, quand je suis revenue à First Sister *en femme*, la Favorite River Academy n'a pas voulu avoir affaire à une personne comme moi, surtout pas au contact de ces garçons tellement *impressionnables* ! On a tous notre part de naïveté, William, et moi j'étais sacrément naïve. Mon ancienne école m'aimait bien du temps que j'étais Big Al. J'étais assez sotte pour m'étonner de ne plus lui plaire sous l'identité de *Miss* Frost. Alors si j'ai tout de même décroché l'emploi de bibliothécaire ici, emploi pour lequel j'étais ridiculement surdiplômée, je le dois à ton grand-père Harry, qui était au conseil d'administration de la Bibliothèque municipale – cette drôle d'institution vénérable.

– Mais pourquoi choisir de revenir à First Sister, ou à la Favorite River Academy, alors que vous dites vous-même que c'est une école abominable ?

Je n'avais que dix-huit ans, mais je souhaitais déjà ne jamais revenir à la Favorite River ni dans ce trou perdu de First Sister, Vermont. J'avais tellement hâte d'en partir, d'être quelque part – n'importe où – où je puisse baiser avec qui je voudrais, sans être épié et jugé par tous ces gens bien trop envahissants, et qui prétendaient me connaître !

– Pour une raison familiale, William, m'expliqua Miss Frost. Mon père est mort l'année où je suis entrée à la Favorite River Academy. S'il n'était pas mort, mon changement de sexe l'aurait probablement tué. Mais ma mère est très malade, depuis un bon bout de temps. J'ai même failli interrompre mes études à cause de ses problèmes de santé. Elle fait partie de ces gens qui sont souffrants depuis tellement longtemps que si elle allait mieux du jour au lendemain, elle ne se rendrait pas compte de sa guérison. Elle est malade dans sa tête, William. Elle n'a même pas remarqué que je suis devenue une femme, ou peut-être qu'elle ne se souvient pas que son petit garçon a un jour été un homme. Ni même qu'elle a eu un petit garçon !

– Ah bon.

– Mon père travaillait chez ton grand-père. Harry savait que j'avais ma mère à charge. C'est la raison pour laquelle il fallait que je revienne à First Sister, que la Favorite River Academy m'embauche ou pas, William.

– Je suis désolé.

– Oh, il y a pire, fit-elle d'un ton théâtral. Tu sais, les petites villes peuvent bien te honnir, elles se doivent de te garder, elles ne peuvent pas te rejeter totalement. Et puis c'est comme ça que je t'ai rencontré, William. Qui sait ? Peut-être que je resterai dans les annales comme la bibliothécaire travestie et foldingue qui a initié ta carrière d'écrivain. Parce que tu as commencé à écrire, n'est-ce pas ?

Tout ce qu'elle avait vécu jusque-là me semblait extrêmement triste. En palpant délicatement son pénis à travers la combinaison gris perle, je pensais à *La Chambre de Giovanni*, que j'avais placé à l'intérieur du soutien-gorge d'Elaine sous mon oreiller.

– J'ai adoré le roman de James Baldwin. Je ne l'ai pas rapporté parce que je voudrais le prêter à Tom Atkins. On en a parlé tous les deux, je pense qu'il aimera beaucoup, lui aussi. Vous voulez bien que je le lui prête ?

– Tu l'as dans ton cartable, ce livre, William ? me demanda-t-elle brusquement. Il est où, là, maintenant ?

– À la maison.

Je n'osai pas lui dire qu'il était sous mon oreiller, et encore moins que je l'avais mis dans le soutien-gorge rembourré gris perle d'Elaine Hadley.

– Il ne faut pas que tu laisses ce livre chez toi, me dit Miss Frost. Bien sûr que tu peux le prêter à Tom. Mais dis-lui de ne pas le montrer à son camarade de chambre.

– Son camarade de chambre ? Je ne sais pas qui c'est.

– Là n'est pas la question, il faut seulement éviter qu'il voie le bouquin. Je t'avais dit de faire en sorte que ta mère ou Richard Abbott ne puissent pas le trouver. Si j'étais toi, je n'en parlerais même pas à ton grand-père Harry.

– Grand-père est au courant de mon béguin pour Kittredge. Mais vous êtes la seule à savoir que j'ai le béguin pour vous.

– J'espère bien que tu ne te trompes pas, William, souffla-t-elle.

Elle se pencha vers moi et mit ma verge dans sa bouche, en moins de temps qu'il m'a fallu pour l'écrire. Pourtant, quand je fis mine de soulever sa combinaison pour lui rendre la pareille, elle m'arrêta.

– Non, pas de ça, dit-elle.

– Je veux tout faire.

– Je m'en doute, mais tu le feras plus tard, avec quelqu'un d'autre. C'est inconvenant, pour un garçon de ton âge, d'aller jusqu'au bout avec quelqu'un du mien. Je n'ai aucune intention d'assurer *toutes* tes premières fois.

Là-dessus, elle reprit mon pénis dans sa bouche. Elle ne voulait pas m'en dire plus pour le moment. Et pendant qu'elle me suçait, je lui dis :

– Je n'ai pas l'impression que nous avons vraiment baisé la dernière fois. Je veux dire, il n'y a pas eu pénétration. On a fait autre chose, n'est-ce pas ?

– Pas facile de discuter en taillant une pipe, William, soupira Miss Frost en s'allongeant contre moi, face à face, si bien que j'eus le sentiment que, pour la pipe, c'était rideau. (Et en effet.) Je n'ai pas eu l'impression que « l'autre chose » t'avait déplu, la dernière fois, William.

– Waouh, j'ai adoré ! Non, je me posais juste la question de la pénétration.

– Tu peux te poser toutes les questions que tu veux, William, mais avec moi il n'y aura *jamais* de pénétration. C'est clair ? J'essaye de te protéger de toutes les complications de l'acte sexuel. Au moins un petit peu, ajouta-t-elle avec un sourire.

– Mais je n'ai pas envie d'être protégé !

– Je ne veux pas avoir sur la conscience d'avoir baisé pour de vrai avec un garçon de dix-huit ans, William. Je n'aurai sans doute que trop d'influence sur ton avenir.

Elle ne se trompait pas, même si elle avait lancé la phrase sur un mode plus théâtral que prophétique au premier degré et si, quant à moi, j'étais loin de me douter à quel point elle influencerait le reste de ma vie.

Cette fois, elle me montra la lotion qu'elle utilisait, et me la fit sentir sur ses doigts. Une odeur d'amande. Elle ne m'enjamba pas et ne s'assit pas sur moi. Nous étions allongés face à face, nos sexes se touchaient. Je ne voyais pas le sien, mais elle le frottait doucement contre le mien. Puis elle se retourna et logea mon pénis entre ses cuisses en collant les fesses contre mon ventre. Sa combinaison était remontée au-dessus de la taille. Je pris un de ses seins dans une main, et son pénis dans l'autre. Elle fit glisser mon sexe entre ses cuisses jusqu'à ce que je décharge dans la paume de sa main.

J'eus l'impression que nous restions dans les bras l'un de l'autre pendant une éternité, mais je me rends bien compte aujourd'hui que c'était impossible. Encore une fois, le temps nous était compté. Parce que j'aimais l'entendre parler, parce que j'aimais le son de sa voix, je ne voyais pas le temps passer.

Elle me fit couler un bain, comme la première fois, toujours sans se déshabiller complètement, et quand je lui proposai d'entrer dans la baignoire avec moi, elle se mit à rire et me dit :

– Je n'ai pas renoncé à te protéger, William. Je ne voudrais pas courir le risque de te noyer dans ma propre baignoire !

J'étais déjà heureux qu'elle m'ait montré sa poitrine, et qu'elle m'ait laissé toucher sa verge, que je n'avais toujours pas vue. Elle avait eu une érection dans ma main, mais j'avais le sentiment que son pénis lui aussi se retenait un peu. Je ne peux pas l'expliquer, mais j'étais certain qu'elle s'était empêchée de bander. Peut-être était-ce, pour elle, une autre façon de me *protéger*.

– Est-ce que ça a un nom, ce que nous avons fait ? demandai-je.

– Mais oui, William. Est-ce que tu arrives à prononcer le mot *intercrural* ?

– Intercrural, répondis-je sans hésitation. Ça veut dire quoi ?

– Je suis sûre que tu connais le préfixe *inter*, qui veut dire « entre »,

William. Quant au mot *crural*, il veut dire «qui appartient à la cuisse».
Intercrural : entre les cuisses.

– Je vois.

– C'était une technique très en vogue chez les pédérastes dans la
Grèce antique, je crois. Je ne l'ai pas appris dans mes cours, mais je
passais pas mal de mon temps libre en bibliothèque !

– Les Grecs anciens ? Pourquoi aimaient-ils ça ?

– Oh, j'ai lu ça il y a bien longtemps, et j'ai dû en oublier les raisons.
La position par-derrière, peut-être.

– Mais nous ne sommes pas dans la Grèce antique !

– Fais-moi confiance, William. Il est possible de baiser entre les
cuisses sans essayer d'imiter les Grecs. On n'est pas obligé de le faire
toujours par-derrière. Entre les cuisses, ça marche des deux côtés,
et aussi dans d'autres positions, même dans la position du missionnaire.

– La position du quoi ?

– On essaiera la prochaine fois, William, murmura-t-elle.

Pendant qu'elle prononçait cette phrase, je crus entendre un premier
craquement dans l'escalier. Miss Frost dut l'entendre elle aussi, ou
alors son coup d'œil à sa montre ne fut qu'une simple coïncidence.

– Quand on vous a demandé, Richard et moi, si vous étiez déjà
montée sur scène, si vous aviez joué, vous nous avez répondu «seulement dans ma tête». Mais je vous ai vue sur les photos du Club Théâtre.
En fait, vous aviez déjà fait de la scène.

– Simple licence poétique, William, répondit Miss Frost avec un
nouveau soupir affecté. D'ailleurs, ce n'était pas du théâtre. À peine
du déguisement, je surjouais systématiquement. Ces garçons étaient
des pitres, ils faisaient les imbéciles ! Il n'y avait pas de Richard Abbott
à la Favorite River Academy en ce temps-là. Il n'y avait personne
en charge du Club Théâtre qui savait la moitié de ce que sait Nils, et
pourtant Nils Borkman n'est qu'un pédant théâtreux !

Il y eut un deuxième craquement dans l'escalier, nous l'entendîmes
distinctement tous les deux, pas d'erreur. Je fus surtout surpris que
Miss Frost n'eût pas l'air surprise.

– Dans notre hâte, William, aurions-nous oublié de fermer à clé la
porte de la bibliothèque ? me dit-elle tout bas. Mon Dieu, je crains
fort que oui.

Le temps nous était compté, elle le savait d'entrée de jeu.

Au troisième craquement dans l'escalier, durant cette mémorable soirée à la Bibliothèque municipale qui était bel et bien restée ouverte, Miss Frost – jusque-là agenouillée devant sa grande baignoire et s'occupant délicatement de mon zizi tandis que nous discutions de nombreux sujets intéressants – se redressa et dit d'une voix tonitruante qui aurait impressionné mon amie Elaine et sa prof de chant de mère, Mrs Hadley :

– C'est vous, Harry ? Je pensais bien que cette bande de lâches allait vous envoyer. C'est vous, n'est-ce pas ?

– Hum, bah oui, c'est moi, répondit Grand-père d'un air penaud, depuis l'escalier.

Je me redressai vivement dans la baignoire. Miss Frost était très droite, les épaules en arrière, ses petits seins pointus braqués vers la porte de la chambre. Ses mamelons étaient assez larges, et ses imprononçables aréoles étaient aussi grosses qu'un dollar d'argent.

Lorsque mon grand-père risqua timidement quelques pas dans le sous-sol, il n'avait rien du personnage sûr de lui que j'avais vu si souvent sur les planches. Il n'était plus une femme à la présence imposante, mais un homme, un petit bonhomme chauve. Visiblement, il ne s'était pas porté volontaire pour cette opération de sauvetage.

– Quelle déception ! Richard n'a donc pas eu les couilles de venir, dit Miss Frost à mon grand-père, très mal à l'aise.

– Il voulait, mais Mary l'en a empêché.

– Richard se laisse mener par le bout du nez, comme vous tous, qui avez épousé des filles Winthrop.

Mon grand-père n'osait pas regarder Miss Frost, qui avait les seins à l'air, ne les cachait pas et n'esquissait pas un geste vers ses vêtements. Elle se tenait devant lui dans sa combinaison gris perle comme dans une tenue de soirée trop élégante pour l'occasion.

– Je suppose que Muriel n'aurait pas laissé Bob venir non plus, continua Miss Frost.

Grand-père Harry se contenta de hocher la tête.

– Ce Bobby, c'est une crème, mais il a toujours été mou, même avant qu'elle le mène à la baguette, conclut-elle.

Je n'avais jamais entendu l'oncle Bob appelé « Bobby », mais je savais depuis peu que Robert Fremont avait été dans la même classe qu'Albert Frost à la Favorite River Academy, et dans un pensionnat durant ces années formatrices on se donne des sobriquets qui sont éphémères. Plus personne ne m'appelle Nymphe, par exemple.

Au moment où je me risquai à sortir du bain en m'efforçant de cacher mon anatomie à mon grand-père, Miss Frost me tendit une serviette. Même avec la serviette, m'extirper de la baignoire, m'essuyer et remettre tant bien que mal mes vêtements ne fut pas une mince affaire.

– Je vais t'en dire une bien bonne sur ta tante Muriel, William, commença Miss Frost, qui se tenait, telle une muraille infranchissable, entre mon grand-père et moi. Muriel avait le béguin pour moi, avant de commencer à sortir avec son « seul et unique soupirant », ton oncle Bob. Imagine ce qui se serait passé si j'avais accepté ses avances, elle qui s'offrait à moi ! déclama-t-elle – on se serait cru chez Ibsen.

– Al, s'il te plaît, ne sois pas goujat, dit Grand-père. Muriel est ma fille, quand même.

– Muriel est une garce despotique, Harry. Elle aurait certainement été plus gentille si elle m'avait mieux connue. Moi, je ne me laisse pas mener à la baguette, William, dit-elle en me regardant me rhabiller gauchement.

– Tu as raison, Al, je peux le dire ! s'exclama Grand-père. Tu ne te laisses pas faire.

– Ton grand-père est un brave homme, William, me dit Miss Frost. C'est lui qui m'a aménagé cette pièce. Quand je suis revenue à First Sister, ma mère continuait de me voir comme un homme. J'avais donc besoin d'un endroit où me changer avant d'aller travailler le matin, et de nouveau avant de rentrer chez ma mère le soir. On peut dire que c'est une bénédiction, enfin, ça me facilite la tâche, que ma pauvre maman ne soit plus capable de remarquer à quel genre j'appartiens.

– Tu aurais dû me laisser terminer les travaux, Al, dit Grand-père. Regarde-moi ça, il aurait fallu monter une cloison pour isoler ces toilettes, au moins !

– La pièce est trop petite pour mettre des cloisons supplémentaires.

Cette fois, quand elle se posta devant le siège des toilettes et releva la lunette, elle ne me tourna pas le dos, pas plus qu'à Grand-père Harry. Même quand elle ne bandait pas, son sexe était de belle taille, comme tout le reste chez elle, à part les seins.

– Allez, Al, tu es un type bien. je t'ai toujours soutenu. Mais c'est pas convenable, ça, toi et Bill.

– Elle m'a protégé, laissai-je échapper. On n'a pas vraiment fait l'amour, il n'y a pas eu pénétration.

– Bon Dieu, Bill, je ne veux pas savoir comment vous l'avez fait ! s'écria Grand-père en se bouchant les oreilles des deux mains.

– Mais on ne l'a pas fait, justement !

– Tu te rappelles, William, le soir où Richard est venu avec toi pour la première fois, le soir où je t'ai fait ta première carte de bibliothèque et où Richard m'a proposé ces rôles dans les pièces d'Ibsen ? me demanda Miss Frost.

– Oui, bien sûr que je me rappelle.

– Richard pensait qu'il proposait les rôles de Nora et de Hedda à une femme. C'est quand il t'a ramené chez vous, et qu'il a dû en parler à ta maman, qui elle-même a dû en parler à Muriel, eh bien c'est à ce moment-là, je suppose, qu'elles lui ont tout dit sur moi. Mais Richard n'a pas renoncé pour autant à me proposer les rôles. Ces femmes Winthrop ont dû m'accepter, au moins sur scène, comme elles avaient dû vous accepter, Harry, quand vous jouiez ces rôles féminins. Je me trompe ?

– Euh… Sur les planches, c'est une chose, hein… Al ?

– Vous aussi, votre femme vous mène à la baguette, Harry. Vous n'en avez pas marre ?

– Allez, Bill, fit mon grand-père en se tournant vers moi. Il faut qu'on y aille.

– Je vous ai toujours respecté, Harry, lui dit Miss Frost.

– Moi aussi, je t'ai toujours respecté, Al ! déclara mon grand-père.

– Je le sais. Et c'est bien pourquoi ces putains de dégonflés vous ont envoyé. Viens ici, William, m'ordonna-t-elle soudain.

Je fis un pas vers elle, elle prit ma tête et la tint un moment contre sa poitrine nue. Elle se rendait compte que je tremblais, je le savais.

– Si tu veux pleurer, fais-le dans ta chambre, pas ici. Si tu as envie de pleurer, ferme ta porte et mets-toi la tête sous un oreiller. Pleure avec ta chère amie Elaine, si tu veux, mais pas devant eux. Promets-le-moi.

– Je vous le promets.

– À bientôt, Harry, je l'ai protégé, vous savez, dit Miss Frost.

– Je te crois, Big Al. Et moi je t'ai toujours protégé, aussi.

– J'en suis convaincue. Mais je conçois que ça sera difficile de continuer dans les circonstances actuelles. N'allez pas vous mettre martel en tête.

– Je ferai tout ce que je pourrai.

– Je sais, Harry. Au revoir, William, à la revoyure, comme on dit.

Je tremblais de plus en plus mais je ne pleurais pas. Grand-père me prit la main et nous remontâmes ensemble l'escalier obscur.

– Miss Frost a dû te donner un livre, Bill, sur le sujet dont nous avons discuté, me dit-il dans River Street, sur le chemin de Bancroft Hall.

– Oui, un roman superbe.

– Je me dis que j'aimerais peut-être le lire, moi aussi, je vais le demander à Al, s'il est d'accord.

– Je l'ai promis à un copain. Mais après, je pourrai te le passer.

– Il vaut mieux que je le demande directement à Miss Frost, Bill. Je ne voudrais pas que ça t'attire des ennuis. Des problèmes, tu en as assez comme ça, pour le moment.

– Je vois, dis-je, ma main dans la sienne.

Mais je ne voyais rien. Je ne faisais que commencer à gratter le vernis familial. Voir, c'était autre chose, j'allais bientôt m'en rendre compte.

À notre arrivée à Bancroft Hall, les idolâtres du fumoir eurent l'air déçus. Je suppose qu'ils s'attendaient à voir leur dieu Kittredge, souvent en ma compagnie depuis quelque temps, mais c'était mon grand-père qui m'accompagnait, petit homme chauve, habillé en bûcheron. Grand-père Harry n'avait rien d'un professeur, et il n'avait pas fréquenté la Favorite River Academy quand il était jeune. Il était allé au collège d'Ezra Falls, et n'avait pas fait d'études supérieures. Les garçons du fumoir ne firent donc pas attention à nous. Je suis sûr qu'il s'en fichait bien. Comment l'auraient-ils reconnu, d'ailleurs ? Si certains avaient déjà eu l'occasion de le voir, c'était sur scène, habillé en femme.

– Tu n'as pas besoin de monter au troisième avec moi, dis-je à mon grand-père.

– Si je ne monte pas avec toi, Bill, c'est toi qui vas devoir t'expliquer. Tu viens de passer une drôle de soirée, pourquoi ne pas me laisser expliquer les choses ?

– Je t'aime… commençai-je, mais il ne me laissa pas continuer.

– Bien sûr que tu m'aimes, et je t'aime aussi. Tu me fais confiance pour dire ce qu'il faut, tout de même, Bill ?

– Mais oui, je te fais confiance.

C'était vrai. Je lui faisais confiance, et j'étais fatigué. Je n'avais qu'une envie : me mettre au lit, m'enfouir le visage dans le soutien-gorge d'Elaine et pleurer en silence, afin que personne ne puisse m'entendre.

Mais quand nous entrâmes dans l'appartement du troisième étage, la réunion familiale, à laquelle avait participé Mrs Hadley, comme je l'appris plus tard, s'était déjà dispersée. Ma mère était dans sa chambre, porte close, message clair. Elle ne soufflerait plus de répliques pour ce soir. Seul Richard était là pour nous accueillir, et il avait l'air à peu près aussi à l'aise qu'un chien bourré de puces.

J'allai directement dans ma chambre, sans adresser un mot à ce toutou de sa femme. *La Chambre de Giovanni* était sur mon oreiller, pas au-dessous. Ils n'avaient pas le droit de fouiller ma chambre, de mettre leurs sales pattes sur mes affaires personnelles, pensai-je. Et puis je soulevai mon oreiller. Plus de soutien-gorge.

Je retournai dans le séjour de notre petit appartement, où je vis bien que Grand-père Harry ne s'était pas encore lancé dans les « explications », comme il disait.

– Il est où, le soutien-gorge d'Elaine, Richard ? demandai-je à mon beau-père. C'est Maman qui l'a pris ?

– Tu sais, Bill, ta mère n'était plus elle-même. Elle l'a mis en pièces, Bill, je suis désolé. Elle l'a découpé en petits morceaux.

– Nom de Dieu… commença Grand-père, mais je l'interrompis.

– Non, Richard. Ne dis pas qu'elle n'était plus elle-même. Parce qu'elle est comme ça, justement, ma mère.

– Écoute, Bill, poursuivit Grand-père, il y a plus discret qu'un oreiller pour cacher des vêtements de femme. Crois-en mon expérience.

– Vous m'écœurez tous les deux, leur dis-je, mais sans regarder mon grand-père, qui savait que je ne le disais pas pour lui.

– Eh bien, moi, je suis dégoûté de nous tous, Bill, dit-il. Maintenant, je te propose d'aller au lit et me laisser fournir les explications.

En quittant la pièce, j'entendis ma mère pleurer dans sa chambre. Elle pleurait si fort qu'on ne pouvait l'ignorer. C'était d'ailleurs le but du jeu : qu'on l'entende et que Richard vienne la consoler. Ce qu'il fit. Ma mère n'avait pas tout à fait fini de souffler le texte, en somme.

– Je connais bien ma Mary, me chuchota Grand-père. Elle ne voudrait pas rater la séance d'explications.

– Je la connais, moi aussi, rétorquai-je.

Mais il me restait encore beaucoup à apprendre sur ma mère. Beaucoup plus que je ne pensais.

J'embrassai Grand-père sur le sommet de son crâne chauve, me rendant compte ainsi que j'étais aujourd'hui bien plus grand que lui. Une fois dans ma chambre, je fermai soigneusement la porte. J'entendais toujours ma mère pleurer. C'est à ce moment-là que je décidai que jamais plus ils ne m'entendraient pleurer, eux, ainsi que je l'avais promis à Miss Frost.

Sur mon oreiller était posée une somme d'expérience et de compassion sur les amours homosexuelles, mais j'étais trop fatigué et trop en colère pour me plonger de nouveau dans cette bible.

J'aurais été mieux informé si j'avais relu le passage, à la fin de ce court roman, celui où Baldwin parle du « cœur qui refroidit avec la mort de l'amour, processus remarquable, bien plus terrible que tout ce que j'ai lu auparavant sur la question, plus terrible que tout ce que je serai jamais capable de dire à l'avenir ».

Si j'avais relu ce passage, ce soir-là, j'aurais compris pourquoi Miss Frost m'avait dit au revoir. J'aurais compris que ce curieux « à la revoyure » voulait dire que nous ne nous reverrions plus jamais comme amants.

Peut-être vaut-il mieux que je n'aie pas relu le passage ni vraiment compris, à l'époque, tout ce qui venait de m'arriver. J'avais assez de choses dans la tête en me couchant, avec ma mère, cette manipulatrice, qui sanglotait derrière la cloison.

J'entendais vaguement la voix curieusement haut perchée de Grand-père, sans pouvoir déchiffrer ce qu'il disait. Je savais seulement qu'il avait commencé à « expliquer les choses », processus qui venait aussi de se déclencher au plus profond de mon être dans le même temps.

J'ai dix-huit ans et dorénavant, décidai-je, allongé dans mon lit, les explications, c'est moi qui les fournirai !

9

La loterie des gènes

À First Sister, Vermont, comme dans n'importe quelle petite ville où coexistent école privée et école publique, on ne comptait pas les motifs de discorde entre les habitants et les professeurs ou l'administration. Mais le cas de Miss Frost ne fit pas débat : le conseil d'administration de la Bibliothèque municipale la vira séance tenante.

Grand-père Harry ne faisait plus partie de ce conseil ; en aurait-il été président qu'il n'aurait sans doute pas réussi à convaincre ses concitoyens de garder Miss Frost. Les instances dirigeantes de la Favorite River Academy et celles de la municipalité tombèrent d'accord pour régler le sort de la bibliothécaire transsexuelle ; les piliers de l'école privée et leurs homologues dans la communauté citoyenne estimaient avoir fait preuve d'une tolérance hautement louable à son égard. Mais elle était « allée trop loin », elle avait « dépassé les bornes ».

Pourtant le scandale et l'indignation vertueuse ne sont pas la posture unique des petites villes et des écoles rétrogrades : Miss Frost eut ses champions. Richard Abbott prit fait et cause pour elle, ce dont ma mère le punit par un mutisme de plusieurs semaines. Il arguait que, confrontée à l'obsession amoureuse d'un jeune homme décidé, Miss Frost avait effectivement épargné à celui-ci l'assortiment complet des postures érotiques envisageables en pareil cas.

Grand-père Harry manifesta lui aussi son soutien à Miss Frost, malgré le mépris féroce de Nana Victoria. La bibliothécaire avait fait preuve d'une retenue et d'une sensibilité admirables, observait-il – sans oublier qu'elle avait été une source d'inspiration pour les lecteurs de First Sister.

Même l'oncle Bob, sous le feu des sarcasmes encore plus acerbes de ma tante Muriel, avait réclamé qu'on fiche la paix à Big Al, histoire de changer. Martha Hadley, qui continua de me prodiguer ses conseils lors des séquelles de ma liaison avortée manu militari, estimait que la bibliothécaire transsexuelle avait requinqué mon assurance valétudinaire. Elle avait même contribué à me libérer d'un problème d'élocution, dont Mrs Hadley soutenait qu'il provenait de mon désarroi psychologique et sexuel.

S'il s'était trouvé quelqu'un pour écouter ce que disait Tom Atkins, il aurait peut-être glissé un mot bienveillant pour elle ; cependant, comme elle l'avait deviné, il était jaloux de l'affriolante bibliothécaire, et lorsqu'elle fut en butte aux persécutions, fidèle à lui-même, Tom-le-timoré ne souffla mot.

Il m'avait dit que *La Chambre de Giovanni* l'avait ému et troublé ; d'ailleurs, j'allais m'en rendre compte, cette lecture lui causait de nouveaux problèmes d'élocution. Ainsi, comment s'en étonner, il achoppait surtout sur le traître mot *puanteur*.

Le fait que Miss Frost ait eu comme défenseur de choc un étranger bien connu pour son excentricité joua peut-être contre elle. Le forestier cafardeux, le bûcheron-broie-du-noir, le théâtreux norvégien aux tendances suicidaires, j'ai nommé Nils Borkman, proclama en effet lors d'une réunion du conseil municipal qu'il était le « plus grand admirateur » de Miss Frost. Il n'est pas exclu que sa brutalité bien connue à l'encontre des bûcherons et des employés de la scierie qui avaient osé colporter des ragots sur Mary et commenter les apparitions de Grand-père Harry dans ses rôles féminins ait quelque peu desservi son plaidoyer.

Pour le Norvégien monomaniaque, Miss Frost n'était pas seulement une interprète idéale d'Ibsen – autrement dit, ce qui se faisait de mieux et de plus complexe en matière de femme –, elle était « plus femme que toutes les femmes qu'il avait pu rencontrer dans le Vermont ». La seule à ne pas se sentir offensée par cette déclaration outrancière fut probablement sa propre épouse : Nils l'avait rencontrée en Norvège. Elle n'était pas originaire du *Green Mountain State*.

La femme de Borkman, on la voyait rarement, et on l'entendait moins encore. À First Sister, personne ou presque n'aurait pu dire à quoi elle ressemblait, ni a fortiori si, à l'instar de son mari, elle avait l'accent norvégien.

Les conséquences de la sortie de Nils Borkman furent aussi immédiates que désastreuses. Les cœurs s'endurcirent contre Miss Frost, les positions se crispèrent.

– Ne dis pas ça, Nils, ce n'est pas bon, avait marmonné Harry Marshall à son vieil ami lors de cette réunion du conseil municipal. Mais le mal était fait.

Une brute au grand cœur reste une brute, et Nils Borkman avait fait naître d'autres griefs contre lui. Ancien biathlète, il avait fait découvrir aux habitants du sud du Vermont son amour pour le sport bizarre qui allie le ski de fond au tir à la carabine. À l'époque, le ski de fond n'était pas aussi largement pratiqué qu'aujourd'hui, dans le nord-est des États-Unis. Le Vermont comptait bien quelques adeptes du ski nordique, connaisseurs et déterminés, mais aucun d'entre eux, que je sache, ne skiait avec une pétoire chargée en bandoulière.

Nils avait initié son associé Harry Marshall au ski de chasse. Une sorte de chasse au cerf-biathlon s'ensuivit. Sans faire le moindre bruit sur leurs skis, Nils et Harry descendaient les pentes, et quelques cerfs en prime. Il n'y avait là rien d'illégal, même si le garde-chasse local – un pauvre gars parfaitement dénué d'imagination – s'en était plaint.

Quant aux pratiques que ce dernier aurait dû dénoncer, il fermait les yeux dessus avec une complaisance désabusée. Il s'appelait Chuck Beebe et il était responsable d'un poste de recensement des cerfs – d'une station biologique, comme on disait – dans lequel il compilait l'âge et la taille des cervidés.

Le samedi de l'ouverture, le poste était envahi de femmes, chaussées de nu-pieds pour la plupart, si le temps le permettait. D'autres indices (rouge à lèvres, bras-nus, etc.) montraient à l'évidence que ces dames ne rentraient pas de la chasse. Pourtant elles étaient venues présenter à Chuck Beebe un cerf rigidifié, au sang caillé. Elles possédaient toutes un permis de chasse, toutes avaient reçu un bracelet. (Chaque chasseur recevait un bracelet qui l'autorisait à tuer un seul cerf.) Chuck Beebe savait fort bien que ce n'étaient pas elles mais leurs maris, leurs pères, leurs frères, leurs amis qui avaient abattu ces cerfs le jour de l'ouverture et qui, tous, étaient repartis à la traque.

– Où avez-vous tiré ce six-cors ? demandait Chuck à ces dames.

Et celles-ci de répondre invariablement « dans la montagne », ou « dans la forêt » ou encore « dans un champ… ».

Grand-père avait exigé que Muriel et Mary se prêtent à ce petit jeu : c'étaient deux cerfs de gagnés pour lui (Nana Victoria lui opposait un refus catégorique). L'oncle Bob avait sollicité ma cousine Gerry jusqu'à ce qu'elle soit assez grande pour l'envoyer paître. J'avais moi-même, à l'occasion, rendu ce service à Nils Borkman – de même que l'insaisissable Mrs Borkman.

Chuck Beebe s'accommodait depuis longtemps de cette fiction, mais que Nils Borkman et Harry Marshall aillent tirer le cerf à ski, tout de même, il trouvait ça un peu abusif.

La réglementation de la chasse était assez primitive dans le Vermont. Elle l'est toujours, d'ailleurs. Une seule interdiction : tirer depuis un véhicule. Tout le reste est toléré. Il y a la saison du tir à l'arc, celle de la carabine et celle des armes à poudre noire.

– Pourquoi pas une saison du couteau ? avait demandé Nils Borkman au cours d'une réunion du conseil municipal restée dans les annales. Pourquoi pas une saison du lance-pierres tant qu'on y est ? Il y a trop de cerfs, oui ou non ? Faut en tuer plus !

Le problème aujourd'hui, c'est qu'il n'y a plus assez de chasseurs : leur nombre diminue tous les ans. Au cours des années, les législateurs ont tenté de traiter le problème de la surpopulation de cervidés, mais en vain. Quoi qu'il en soit, Nils Borkman est resté dans la mémoire de certains comme le sinistre abruti qui avait proposé d'instaurer une saison de chasse au couteau, au lance-pierres, etc., alors que, de toute évidence, ce n'était qu'une boutade.

À une époque, je me souviens, on ne pouvait tirer que les mâles, ensuite on a eu droit à un mâle et une biche, et encore, avec un permis spécial, et à condition que le mâle soit adulte.

– Et si nous chassions les étrangers à l'État, tir à vue ? avait un jour demandé Nils Borkman. (Le tir à vue sur tout étranger à l'État aurait sans doute trouvé un certain nombre de partisans, dans le Vermont, mais, là encore, il plaisantait.)

– Nils a un humour très *européen*, avait dit Grand-père, pour défendre son vieux copain.

– Européen ! s'était exclamée Nana Victoria d'un ton méprisant.

Que dis-je, méprisant ! Ma grand-mère parlait de l'origine européenne de Borkman avec autant de répugnance que s'il avait de la crotte de chien sous ses semelles. Mais sa façon de dire le mot *européen* n'était encore rien en comparaison avec sa façon de cracher le *Miss* de Miss Frost, la salive écumant aux commissures de ses lèvres.

Je ne voudrais pas abuser du mot *éloigner*, et je vous ai déjà dit qu'Elaine avait été éloignée «par étapes». Disons donc que, pour «ne pas être allée jusqu'au bout» avec moi, Miss Frost avait été bannie de First Sister, Vermont. Elle fut en fait, à l'instar d'Elaine, éloignée «par étapes» et cet éloignement prit d'abord la forme d'un licenciement de son poste de bibliothécaire.

Sans travail, elle n'avait plus les moyens de veiller sur sa mère malade dans leur maison de famille. Celle-ci fut vendue un peu plus tard, ce qui lui laissa le temps d'installer sa mère dans la maison de retraite médicalisée que Harry Marshall et Nils Borkman avaient fait construire pour les habitants de la ville.

Il est probable que, grâce à Grand-père et à Nils, Miss Frost avait pu bénéficier de certains accommodements, mais rien de comparable à la dérogation accordée à Mrs Kittredge, dont le fils avait pu achever sa scolarité à l'École après avoir engrossé la fille encore mineure d'un professeur. Jamais Miss Frost ne se serait vu proposer un arrangement aussi avantageux !

Tante Muriel, lorsque je la croisais, me saluait toujours avec un entrain parfaitement hypocrite :

– Ah, salut, Billy, comment vas-tu ? J'espère que les activités normales d'un garçon de ton âge ont encore l'heur de te plaire !

Ce à quoi je répondais invariablement :

– Il n'y a pas eu pénétration, pas de baise, comme on dit. À mon avis, Tante Muriel, je suis encore bel et bien puceau.

Muriel, j'en mettrais ma main à couper, devait courir se plaindre à ma mère de ma coupable insolence.

Quant à Maman, elle nous imposait, à Richard et à moi, son mutisme punitif. Pour ma part, j'étais ravi qu'elle ne m'adresse pas la parole, mais elle n'en était même pas consciente. Pour tout dire, je préférais largement ce silence à ses reproches incessants et conventionnels. De plus, qu'elle refuse de me parler ne m'empêchait pas de lui adresser la parole :

– Ah, salut, maman, ça va, toi ? Tu sais, je n'ai pas du tout l'impression d'avoir été violé, mais plutôt d'avoir été protégé par Miss Frost. Elle m'a vraiment empêché de la pénétrer, et j'espère qu'il va sans dire qu'elle ne m'a pas pénétré !

D'habitude, avant même que j'aie terminé ma phrase, ma mère se précipitait dans sa chambre en claquant la porte derrière elle. «Richard !» hurlait-elle, rompant étourdiment le mutisme qu'elle lui opposait pour avoir pris le parti de Miss Frost.

– Ce n'est pas ce qu'on appelle baiser, maman, ça je peux te l'affirmer ! lui lançais-je à travers la porte de sa chambre. Ça n'allait pas au-delà d'une masturbation sophistiquée, qui porte un nom spécial, mais bien sûr je t'épargne les détails !

– Arrête, Billy, arrête, arrête, arrête ! hurlait ma mère derrière sa porte, ayant oublié, sans doute, qu'elle m'opposait, à moi aussi, son mutisme punitif.

– Calme-toi, Bill, m'avertit Richard. Ta mère est très fragile en ce moment.

– Très fragile en ce moment ! répétai-je en le regardant dans les yeux, jusqu'à ce qu'il détourne son regard.

«Tu peux me croire, William, m'avait dit Miss Frost, chacun tenant le sexe de l'autre dans sa main, quand on commence à répéter ce qu'on vient de vous dire, ça devient vite une habitude, une habitude qui a la vie dure.» Mais je n'avais pas l'intention de perdre cette habitude. C'était la sienne, et j'avais décidé de l'adopter.

– Je ne te juge pas, Billy, me dit un jour Mrs Hadley. Tu n'as pas besoin d'entrer dans les détails, je vois bien que ce qui s'est passé avec Miss Frost a été plutôt bénéfique pour toi.

– Même en entrant dans les détails, plutôt bénéfique.

– Cependant, Billy, je crois qu'il est de mon devoir de t'informer que, face à une situation sexuelle aussi… délicate, les adultes ont souvent certaines attentes.

Elle marqua un temps, moi aussi. Je me demandais si j'allais répéter ce qu'elle venait de dire. Mais elle continua sur sa lancée :

– Ce que les adultes attendent de toi, Billy, c'est ce que tu n'as pas encore exprimé, enfin, jusqu'à présent.

– Et quoi donc ?

– Des remords.

– Des remords, répétai-je en la regardant droit dans les yeux, jusqu'à ce qu'elle détourne, elle aussi, le regard.

– C'est agaçant, cette manie que tu as de tout répéter, Billy.

– Oui, hein ?

– Je suis consternée qu'ils t'envoient consulter le Dr Harlow.

– Est-ce que vous pensez que le Dr Harlow attend que j'exprime des remords ?

– Je dirais que oui.

– Me voilà prévenu, merci.

Une fois de plus, je croisai Atkins dans l'escalier du bâtiment de la musique.

– C'est tellement tragique, commença-t-il. La nuit dernière, en y repensant, j'ai vomi.

– En repensant à quoi ?

– À *La Chambre de Giovanni* ! (Nous avions déjà discuté du roman, mais je compris que le pauvre Tom ne l'avait toujours pas digéré.) Cette phrase à propos de l'odeur de l'amour...

– La *puanteur* de l'amour !

– Les *relents*... (Il eut un haut-le-cœur.)

– La *puanteur*, Tom.

– La *pestilence*... (Il vomit dans l'escalier.)

– Putain, Tom !

– Et cette horrible femme avec son con caverneux ? s'écria-t-il.

– Son *quoi* ?

– Son abominable maîtresse... Tu vois de qui je veux parler, Bill.

– C'est le cœur du sujet, ça, Tom, cette personne qu'il a autrefois désirée le dégoûte désormais.

– Elles sentent le poisson, tu sais.

– Qui ça ? Les femmes ?

Il eut un haut-le-cœur, puis se reprit.

– Enfin... leur chose, là.

– Leur *vagin*, Tom ?

– Ne prononce pas ce mot ! s'écria le pauvre Tom, réprimant un nouveau haut-le-cœur.

– Il faut que j'y aille, Tom, lui dis-je. Je dois me préparer pour une petite conversation avec le Dr Harlow.

– Parles-en à Kittredge, Bill. Il l'a vu souvent. Il sait comment le prendre.

Je n'en doutais pas ; mais voilà, je n'avais pas la moindre envie de parler de quoi que ce soit à Kittredge.

Bien évidemment, celui-ci n'ignorait rien de l'épisode Miss Frost. Rien de ce qui concernait le sexe ne lui échappait jamais. Lorsque quelqu'un se faisait punir à la Favorite River, non seulement Kittredge connaissait son crime, mais il savait aussi qui l'avait pris sur le fait, et quels étaient les termes du châtiment.

La Bibliothèque municipale m'était interdite. On m'avait défendu de voir Miss Frost, à moi qui ne savais même pas où la trouver. J'ignorais en effet où se situait exactement la maison qu'elle avait partagée avec sa mère à l'esprit dérangé. D'ailleurs, cette maison était à vendre et je croyais savoir que Miss Frost et sa mère avaient déjà déménagé.

Je faisais mes devoirs et j'essayais aussi d'écrire autant que je pouvais dans la salle des Archives. Un peu avant l'heure d'ouverture, je traversais à toute vitesse le fumoir de Bancroft Hall où fumeurs et non-fumeurs semblaient également mal à l'aise de me voir. Je présume que ma réputation sexuelle toute fraîche les troublait ; ils m'avaient commodément mis dans une case, et voilà que j'en débordais.

Si ces garçons m'avaient jusque-là considéré comme une vulgaire tapette, ils avaient dû se poser bien des questions sur mon amitié supposée avec Kittredge. Et voilà qu'éclatait ce scandale avec la bibliothécaire transsexuelle. D'accord, ce n'était qu'un travelo, pas une vraie femme, mais elle en avait l'apparence. Et puis, surtout, j'avais acquis une aura indéniable, tout au moins chez les habitués du fumoir, parce que Miss Frost était une femme faite, or n'oublions pas la force de ce fantasme chez les jeunes gens quand bien même cette femme faite aurait un sexe d'homme !

N'oublions pas non plus que la rumeur ne se nourrit pas d'histoires banales. Ni d'histoires vraies. La vérité, c'était que je n'avais pas eu de rapport sexuel complet au sens où tout le monde l'entend puisqu'il n'y avait pas eu pénétration. Mais les garçons du fumoir n'en savaient rien, et d'ailleurs ils ne l'auraient pas cru si on le leur avait dit. Dans l'esprit de mes condisciples, Miss Frost et moi étions allés *jusqu'au bout*…

J'avais atteint le deuxième étage de Bancroft Hall quand Kittredge me souleva dans ses bras. En un éclair, il me porta jusqu'au palier du troisième. De la porte ouverte de leurs chambres, ses adorateurs nous regardaient, bouche bée. Je sentais chez eux une espèce de jalousie résignée, comme une attente, familière et pathétique.

– Putain, Nymphe, tu es le roi de la baise ! murmura Kittredge à mon oreille. Le prince de la chatte ! Génial, Nymphe ! Je suis complètement bluffé, tu es mon nouveau héros ! Écoutez tous ! cria-t-il aux garçons qui nous regardaient les yeux ronds, dans le couloir ou depuis la porte de leurs chambres. Pendant que vous étiez là à vous allonger la couenne et à rêver d'une partie de jambes en l'air, ce mec-là, il le faisait, lui. Toi, là… dit-il soudain à un première année au visage poupin, glacé de terreur en plein milieu du palier.

Il était en pyjama, brandissant sa brosse à dents garnie de dentifrice comme si elle allait se transformer en baguette magique.

– Je m'appelle Trowbridge, dit le garçon, ébloui.

– Tu vas où, comme ça, Trowbridge ? lui demanda Kittredge.

– Je vais me laver les dents, répondit le gamin d'une voix tremblante.

– Et après ça, Trowbridge ? Tu vas sûrement aller te paluches, en t'imaginant la tronche enfoncée dans une grosse paire de loches.

À son expression horrifiée, je doutais fort que Trowbridge ait jamais osé se masturber dans la résidence ; il avait certainement un compagnon de chambre – il aurait eu bien trop peur.

– Tandis que ce jeune homme, Trowbridge, continua Kittredge qui me portait toujours dans ses bras robustes, ce jeune homme n'a pas seulement osé braver les conventions de la normalité. Ce roi de la baise, ce prince de la chatte, s'écria Kittredge en me faisant sauter dans ses bras, cet étalon a baisé, en vrai, et avec une transsexuelle ! Est-ce que tu as une idée, Trowbridge, de ce qu'une transsexuelle a entre les jambes ?

– Non, fit Trowbridge d'une petite voix.

Malgré la charge que je représentais, Kittredge s'arrangea pour hausser les épaules avec l'insouciance de sa mère, geste qu'Elaine avait appris aussi.

– Mon cher Nymphe, tu m'impressionnes, souffla-t-il, tout en m'emportant dans le couloir du troisième. Une transsexuelle ! Et dans le Vermont, en plus ! J'en ai déjà vu, bien sûr, mais à Paris, et à New York. À Paris, on voit des travelos qui se baladent en bande ; ça a un côté pittoresque, mais on a l'impression qu'elles sont inséparables.

Je regrette de ne pas m'en être fait, murmura-t-il, mais j'ai toujours l'impression que si tu arrives à en lever une, les autres vont se mettre de la partie. Et alors là, tu changes de braquet !

– Tu parles des *folles**?

Je ne pouvais pas m'empêcher de penser aux *folles** «jacassant comme des perroquets sur les détails croustillants de leurs dernières conquêtes», ainsi que Baldwin les décrit. Mais soit Kittredge n'avait pas entendu ma réflexion, soit il ne l'avait pas comprise, vu mon exécrable accent en français.

– Naturellement, les transsexuelles, c'est autre chose à New York, continua-t-il. Ce qui m'étonne, c'est qu'elles sont seules, il y en a peut-être pas mal qui tapinent. J'en ai vu une qui traîne sur la Septième Avenue, je suis sûr qu'elle michetonne. Une nana immense ! Il paraît qu'il y a une boîte où elles se retrouvent, je sais pas où. En tout cas, je te déconseille d'y aller seul. Moi, si j'essayais, je crois que je le ferais à Paris. Pas toi, Nymphe, toi tu as déjà essayé, tu l'as fait ! Alors, c'était comment ?

Il avait l'air sincère, mais, connaissant le bonhomme, je restais sur mes gardes. Avec lui, on ne savait jamais le tour que prendrait la conversation.

– C'était absolument fantastique. Une expérience comme je n'en aurai jamais d'autre.

– Vraiment ? dit Kittredge platement.

Nous étions arrivés devant la porte de l'appartement que je partageais avec ma mère et Richard Abbott. Kittredge ne semblait pas du tout fatigué de me porter, et rien n'indiquait qu'il avait l'intention de me reposer par terre.

– Elle a une bite, je présume, dit-il alors, et tu l'as vue, tu l'as touchée, tu as fait tout ce qu'on peut faire avec une bite, quoi, Nymphe ?

Quelque chose dans sa voix avait changé, et je n'étais pas très rassuré.

– Pour être honnête avec toi, j'étais tellement pris par ce qui se passait que les détails m'ont un peu échappé, lui dis-je.

– Ah oui ? fit-il doucement, mais il avait l'air ailleurs, comme s'il connaissait déjà les détails de toute aventure érotique, et les trouvait fastidieux.

Tout à coup, il parut surpris de découvrir qu'il me portait dans ses bras, écœuré, peut-être. Il me posa aussitôt par terre.

– Tu sais, Nymphe, ils vont t'envoyer voir le Dr Harlow… Tu le sais, ça, hein ?

– Oui. Je me demandais ce que j'allais pouvoir lui dire.

– Tu fais bien de m'en parler. Je vais t'expliquer comment il faut le prendre, Harlow, commença Kittredge.

Il y avait dans sa voix quelque chose de curieusement apaisant et en même temps un certain détachement. À sa façon de me coacher, je sentis que nous venions d'inverser les rôles. J'avais été l'expert ès Goethe et Rilke, je l'avais aidé à se sortir des passages difficiles. À présent, c'était son tour de me prêter main-forte.

À la Favorite River Academy, quand on était pris en flagrant délit de frasque sexuelle, on était bon pour un interrogatoire chez le Dr Harlow. Pour Kittredge, rompu à l'acte de chair sous toutes ses formes, pensais-je, le commerce avec le Dr Harlow n'avait pas de secret.

Je fus très attentif à ses conseils, buvant littéralement ses paroles. Ce fut parfois douloureux à entendre, parce qu'il ne manqua pas de détailler devant moi sa mésaventure amoureuse avec Elaine.

– Excuse-moi de prendre cet exemple, Nymphe, mais c'est juste pour que tu comprennes comment ce type fonctionne, dit-il avant d'évoquer sa perte d'audition temporaire, résultat prétendu des orgasmes toni-truants d'Elaine : Harlow veut t'entendre *t'excuser*, Nymphe. Il attend que tu te *repentes*. Il faut absolument que tu le titilles sans répit, au contraire. Il va essayer de te culpabiliser. Mais ne marche pas dans cette combine de merde, Nymphe, fais comme si tu lui racontais une histoire porno.

– Je vois. Pas de remords, c'est ça ?

– Pas l'ombre d'un remords, Nymphe. Exactement. Mais attention… reprit-il de cette voix au timbre étrangement méconnaissable, cette voix qui me faisait froid dans le dos : attention, Nymphe. Je pense que c'est dégueulasse ce que tu as fait. Seulement je te dis bravo pour avoir eu le courage de le faire, et tu as parfaitement le *droit* de le faire !

Alors, tout aussi inopinément qu'il m'avait enlevé dans ses bras au milieu de l'escalier, il s'éclipsa. Il disparut au fond du couloir du troisième étage, et tous ses admirateurs le regardèrent filer depuis la porte de leurs chambres. C'était du Kittredge tout craché. On avait beau se méfier, on n'était jamais trop prudent avec lui : lui seul savait quand il mettrait un point final au dialogue. J'ai souvent eu l'impression qu'il savait en quels termes la conversation allait s'achever avant même qu'elle s'engage.

C'est alors que la porte de l'appartement s'ouvrit, comme si Richard Abbott et ma mère se tenaient derrière depuis un certain temps déjà.

– On a entendu des éclats de voix, Bill, dit Richard.

– Oui, c'était la voix de Kittredge, elle est reconnaissable entre toutes, dit ma mère.

Je parcourus du regard le couloir soudain désert.

– Tu entends des voix, oui, fis-je à ma mère.

– Moi aussi, j'ai entendu la voix de Kittredge, Bill. Il parlait même avec une certaine animation, dit Richard.

– Vous devriez consulter un oto-rhino, vous avez des problèmes d'oreille, tous les deux, leur dis-je.

Je les évitai pour pénétrer dans le séjour.

– Je sais que tu as rendez-vous avec le Dr Harlow demain, Bill, dit Richard. Ce serait peut-être bien qu'on en parle un peu…

– Je sais parfaitement ce que je vais dire au Dr Harlow, Richard. Les faits sont assez récents, je n'ai aucun mal à me les rappeler.

– Fais très attention à ce que tu vas lui dire, Billy ! s'exclama ma mère.

– Attention ? Attention à quoi ? Je n'ai rien à cacher. Plus maintenant.

– Calme-toi, Bill… commença Richard, mais je ne le laissai pas finir.

– Ils n'ont pas viré Kittredge alors qu'il avait baisé, d'accord ? demandai-je à Richard, puis à ma mère : Est-ce que tu as peur qu'ils me virent, moi qui n'ai pas baisé ?

– Ne sois pas ridicule… commença-t-elle.

– Alors, de quoi as-tu peur ? Un jour, je pourrai baiser tant que je voudrai et comme je voudrai. C'est ça qui te fait peur ?

Elle ne me répondit pas, mais je voyais bien qu'elle avait effectivement peur que je baise tant que je voudrais et comme je voudrais. Cette fois, Richard n'intervint pas ; il ne chercha pas à la soutenir. Je me dirigeai vers ma chambre et fermai la porte derrière moi. Je soupçonnais que Richard était probablement au courant de quelque chose que je ne savais pas.

Je m'allongeai sur mon lit et fis le tour de ce que je pouvais ignorer.

Ma mère m'avait manifestement caché quelque chose, et peut-être Richard lui donnait-il tort, ce qui expliquerait qu'il ne soit pas intervenu pour la sortir de la panade où elle s'était fourrée. Il ne m'avait même pas servi son sempiternel «Calme-toi, Bill» à la noix.

Un peu plus tard, tout en cherchant le sommeil, je me promis que si j'avais des enfants un jour, je leur dirais tout. Mais le mot *tout* me rappelait les détails de mon aventure érotique avec Miss Frost. Ces détails, dont j'allais faire part – d'une façon aussi émoustillante, voire pornographique, que possible – au Dr Harlow le lendemain matin, m'entraînèrent de proche en proche à imaginer tout ce que je n'avais pas fait avec Miss Frost. Et comme il y avait de quoi stimuler l'imagination, je m'endormis assez tard ce soir-là.

Kittredge m'avait si bien préparé à mon entretien avec le Dr Harlow que la consultation ne fut pas à la hauteur de mes attentes. Je me bornai à dire la vérité, sans omettre le moindre détail. Je mentionnai même le fait que je m'étais demandé, au début, si j'avais eu un rapport «complet» avec Miss Frost, s'il y avait eu *pénétration*. Le mot fit une telle impression sur le Dr Harlow qu'il cessa aussitôt de prendre des notes dans son cahier d'écolier.

– Alors, y a-t-il eu, oui ou non, pénétration? me demanda-t-il d'un ton agacé.

– Chaque chose en son temps. Attendez la suite.

– Je veux savoir exactement ce qui s'est passé, Billy! s'exclama-t-il.

– Oh, vous allez le savoir! m'écriai-je. Cette incertitude fait partie de l'histoire.

– L'incertitude ne m'intéresse pas! déclara le Dr Harlow en pointant son crayon vers moi.

Mais j'avais la ferme intention de faire durer le plaisir. Plus je prendrais mon temps, plus cet enculé de vieille chouette déplumée aurait à m'écouter.

À la Favorite River Academy, on traitait de vieilles chouettes déplumées les profs et les administratifs particulièrement honnis. L'origine de cette expression était assez obscure. Si les annuaires de l'École avaient pour nom générique *La Chouette*, on pouvait y voir une référence à la sagesse présumée de cet oiseau dans l'imagination populaire. Nos équipes sportives s'appelaient *Les Aigles à tête blanche*, ce qui ajoutait à la confusion, les aigles n'étant pas des chouettes.

– La «tête déplumée» renvoie peut-être à l'apparence d'un sexe circoncis, avait dit Mr Hadley, un jour que la famille au grand complet était venue dîner chez nous.

– Qu'est-ce qui te fait dire ça, grands dieux? avait demandé Mrs Hadley à son mari.

Je me souviens qu'Elaine et moi avions trouvé ces propos hilarants, en raison notamment de la gêne manifeste de ma mère lorsqu'on prononçait le mot *sexe* devant elle.

– Vois-tu, Martha, l'expression «enculé de vieille chouette» est symptomatique de la culture homophobe d'une école de garçons, avait continué Mr Hadley sur un ton professoral. Les garçons traitent les profs qu'ils détestent d'«enculé de vieille chouette déplumée» parce qu'ils imaginent que les plus pervers d'entre nous sont des pédophiles qui tripotent – ou rêvent de tripoter – les petits garçons.

Elaine et moi étions partis d'un grand éclat de rire tellement nous trouvions ça drôle. Nous n'avions jamais imaginé que l'expression «enculé de vieille chouette déplumée» puisse avoir la moindre signification.

Mais ma mère s'était insurgée:

– Ce sont des grossièretés, rien de plus, les garçons n'ont que des grossièretés à la bouche, ils sont comme ça, avait-elle dit d'un ton amer.

– Mais, à l'origine, ça voulait vraiment dire quelque chose, Mary, avait insisté Mr Hadley, en bon prof d'histoire. Ça avait sa raison d'être.

Tout en poursuivant à l'intention du Dr Harlow le récit mûrement réfléchi et détaillé de mon expérience charnelle avec Miss Frost, ce souvenir des spéculations historiques de Mr Hadley sur les origines de l'expression «enculé de vieille chouette déplumée» me réjouissait. Pas de doute, le Dr Harlow en était bel et bien un et, tandis que je discourais sur la découverte que Miss Frost et moi avions pratiqué les rapports *intercruraux*, je me fis le plaisir d'emprunter quelques mots bien choisis à James Baldwin.

– Il n'y a pas eu pénétration, dis-je au Dr Harlow, au moment stratégique, il n'y a pas eu de «puanteur de l'amour», mais ce n'est pas faute d'avoir voulu!

– La puanteur de l'amour ! répéta le Dr Harlow.

En notant l'expression sur son cahier, il fut pris d'un haut-le-cœur soudain.

– Je n'aurai peut-être plus jamais d'orgasme aussi fort, dis-je, mais j'ai bien l'intention d'aller *jusqu'au bout*, enfin, de faire tous ces trucs dont Miss Frost m'a protégé. Elle m'en a donné envie, et j'ai vraiment hâte de pouvoir les faire !

– Tu penses à des pratiques *homosexuelles*, Bill ?

La sueur perlait sur son crâne dégarni, aux rares cheveux flétris.

– Oui, bien sûr. Et tout le reste, aussi, avec les hommes *et* avec les femmes ! dis-je sur ma lancée.

– Les deux, Bill ?

– Pourquoi pas ? envoyai-je à l'enculé de vieille chouette déplumée. J'étais attiré par Miss Frost quand je la prenais pour une femme. Et quand j'ai découvert que c'était un homme, ça ne m'a pas refroidi.

– Et y a-t-il d'autres personnes qui t'attirent, de l'un ou l'autre sexe, dans cette école ou dans cette ville ?

– Bien sûr. Pourquoi pas ? répétais-je.

Le Dr Harlow s'arrêta d'écrire. Sans doute l'ampleur de sa tâche lui paraissait-elle écrasante.

– Des lycéens, Bill ?

– Absolument.

Je fermai les yeux, pour souligner l'effet dramatique ; mais cela eut un autre effet sur moi, que je n'avais pas anticipé. Je m'imaginai soudain dans l'étreinte puissante de Kittredge ; il me bloquait par une clé de bras, mais ce n'était que le sommet de l'iceberg.

– Des femmes de professeurs ? suggéra le Dr Harlow, après moult hésitations.

Il me suffisait de penser au visage ingrat de Mrs Hadley, collé sur celui des petits mannequins pour soutiens-gorge d'entraînement dans les catalogues de vente par correspondance de ma mère.

– Pourquoi pas ? redis-je une troisième fois. Enfin, au moins *une*.

– Une seule ? s'enquit le Dr Harlow.

Je voyais que l'enculé de vieille chouette déplumée était bien décidé à me demander de qui il s'agissait.

À cet instant me vint la réponse que Kittredge aurait sûrement faite à cette question hypocrite. D'abord, je pris l'air de m'ennuyer, comme si j'avais des tas de choses à dire sur la question, mais sans aucune intention de m'en donner la peine.

Ma carrière sur les planches touchait à sa fin. Je ne le savais pas à ce moment-là, sous observation dans le cabinet du Dr Harlow, mais il ne me restait plus qu'un rôle à jouer, et encore, un tout petit rôle. Or, malgré tout, je fus capable d'imiter le haussement d'épaules de Kittredge et les dérobades de Grand-père Harry.

– Ah, bah…

Je m'arrêtai au début de ma phrase. Au lieu de parler, je haussai les épaules, avec cette nonchalance étudiée que Kittredge tenait de sa mère.

– Je vois, Bill, fit le Dr Harlow.

– Ça m'étonnerait.

Je vis le vieil homophobe se raidir.

– Ça t'étonnerait ? s'écria-t-il, indigné, tout en notant furieusement cette remarque.

– Vous pouvez me croire, docteur Harlow, dis-je, fidèle à la formule de Miss Frost. Quand on commence à répéter ce qu'on vient de vous dire, ça devient vite une habitude, une habitude qui a la vie dure.

Ainsi s'était achevé mon entretien avec le Dr Harlow, qui ne manqua pas d'envoyer à ma mère et à Richard un rapport des plus secs, où il doutait de mes chances de me réhabiliter. Il ne s'était pas lancé dans des développements circonstanciés, mais concluait que, selon son expertise professionnelle, mes problèmes sexuels étaient plus une question d'attitude que d'actes caractérisés.

À ma mère, je me bornai à dire que, selon ma propre expertise professionnelle, l'entretien avec le Dr Harlow avait été une réussite complète.

Le pauvre Richard, toujours pétri de bonnes intentions, tenta de m'en toucher un mot :

– D'après toi, qu'est-ce que le Dr Harlow entend par « ton attitude », Bill ?

– Ah, bah… dis-je en marquant un temps tout juste assez long pour me ménager mon haussement d'épaules éloquent. Le cœur du problème, pour lui, c'est sans doute l'absence flagrante de remords.

– L'absence flagrante de remords.

– Tu peux me croire, Richard. Quand on commence à répéter ce qu'on vient de vous dire, ça devient vite une habitude, une habitude qui a la vie dure.

Je ne revis Miss Frost que deux fois. Et chaque fois je fus pris de court, car je ne m'attendais pas à la rencontrer.

Les événements s'enchaînèrent assez vite jusqu'à ma remise de diplôme et mon départ de First Sister, Vermont.

Le Roi Lear fut monté par le Club Théâtre avant les vacances de Thanksgiving, fin novembre. Durant quelques jours, une semaine ou deux, pas plus, Richard m'imposa, à l'instar de ma mère, un « mutisme punitif ». Je l'avais assurément blessé en n'assistant pas à une seule représentation du Shakespeare d'automne. J'aurais certainement apprécié le jeu de Grand-père en Goneril – bien plus que celui de Kittredge dans le double rôle d'Edgar et du Pauvre Tom.

L'*autre* « pauvre Tom », Atkins, me dit qu'il avait joué les deux rôles avec un noble détachement et que Grand-père s'était fait plaisir dans l'odieux personnage de la fille aînée de Lear.

– Et Delacorte, il était comment ?

– Delacorte, il me fiche les chocottes, répondit Atkins.

– Non mais, dans le rôle du Fou ?

– Il était pas mal, Bill. Mais je me demande bien pourquoi on dirait qu'il a besoin de cracher sans arrêt !

– Parce qu'il a effectivement besoin de cracher.

C'était peu après Thanksgiving, les équipes avaient commencé leurs entraînements pour les disciplines d'hiver. Je croisai Delacorte, qui se rendait à l'entraînement de lutte. Il avait un coquard suintant sur une joue, la lèvre inférieure profondément entaillée et tenait à la main son sempiternel gobelet en carton. Un seul gobelet, au fait, que j'espérais ne pas être à double usage.

– Pourquoi t'es pas venu voir la pièce ? me demanda-t-il. Kittredge m'a dit que tu l'avais pas vue.

– Désolé, je l'ai ratée. J'étais débordé.

– Ouais, je sais. Kittredge m'en a parlé aussi.

Delacorte prit une gorgée d'eau dans son gobelet, se rinça la bouche, puis recracha sur un tas de neige sale, au bord du chemin.

– Il paraît que tu as été très bon, dans le Fou.

– Ah oui ? (Il parut surpris.) Qui t'a dit ça ?

– Tout le monde, inventai-je.

– J'ai essayé de jouer toutes mes scènes comme un homme qui sait qu'il est en train de mourir, dit-il d'un ton très sérieux. Dans chaque scène, pour moi, le Fou de Lear agonise lentement.

– Très intéressant. Je regrette vraiment d'avoir raté ça.

– Oh, c'est pas grave. Tu aurais sûrement été meilleur que moi.

Il reprit une gorgée d'eau, et la recracha aussitôt dans la neige. Avant de courir vers la salle d'entraînement, il me demanda soudain :

– Elle était jolie ? Je veux dire, la bibliothécaire transsexuelle ?

– Très jolie, oui.

– J'ai du mal à imaginer ça, admit-il sur un ton inquiet.

Puis il repartit en courant.

Des années plus tard, ayant appris que Delacorte était mourant, je me suis souvent rappelé sa formule « il sait qu'il est en train de mourir ». Je regrette amèrement d'avoir raté la pièce. Oh, Delacorte, comme j'ai été injuste envers toi ! Ton agonie avait déjà commencé, bien au-delà de ce que j'imaginais.

En ce mois de décembre 1960, ce fut Tom Atkins qui me l'apprit, Kittredge clamait sur tous les toits que j'étais un « héros du sexe ».

– Il t'a dit ça ? lui demandai-je.

– Il le dit à qui veut l'entendre.

– Va savoir ce qu'il pense pour de bon, celui-là !

Je ne m'étais pas remis du mot *dégueulasse*, qu'il m'avait craché à la figure au moment où je m'y attendais le moins.

En ce mois de décembre, l'équipe de lutte n'eut aucun match à domicile – le début de saison se déroulait ailleurs, dans d'autres écoles –, mais Atkins m'avait dit qu'il aimerait bien voir les matchs avec moi quand ils auraient lieu sur place. J'avais pourtant décidé de ne plus y assister, d'une part parce que Elaine n'était plus là pour m'y accompagner, et puis aussi parce que j'essayais de boycotter Kittredge. Du moins, c'est ce que je me racontais. Mais puisque Atkins avait envie de voir les compétitions, mon intérêt pour le tournoi renaissait.

Elaine rentra passer Noël en famille. C'étaient les vacances, le pensionnat était désert, nous avions pratiquement le campus entier pour nous seuls. Je lui avais tout raconté de mon aventure avec Miss Frost. Mon entretien avec le Dr Harlow m'avait stimulé à la pratique du récit, et j'étais impatient de rattraper ces années d'omissions. Elle avait écouté d'une oreille attentive, sans essayer un instant de me culpabiliser pour lui avoir si longtemps caché mes divers engouements sexuels.

Quant à Kittredge, nous fûmes en mesure d'en parler sans plus de détour, après quoi j'allai jusqu'à révéler à Elaine que j'avais, autrefois, nourri un béguin pour sa propre mère. Le fait que cette flamme appartienne au passé m'en facilita l'aveu. Elaine fut si bonne camarade qu'elle se proposa de jouer les entremetteuses – de m'obtenir un rendez-vous avec Miss Frost si je le souhaitais. Je ne pensais qu'à ça, bien sûr, mais Miss Frost m'avait clairement formulé sa ferme intention de prendre congé de moi. Son « Au revoir » avait un caractère tellement officiel – comment y entendre une invite à des rencontres aussi coquines que clandestines ?

Je fus reconnaissant à Elaine, mais je ne me berçai pas d'illusions : Miss Frost ne me donnerait plus jamais accès à sa personne.

– Il faut que tu comprennes, dis-je à mon amie. Je pense que Miss Frost est très sérieuse quand elle dit vouloir me *protéger*.

– Pour une première expérience, Billy, je trouve qu'elle t'a fait le plus grand bien.

– Sauf qu'il a fallu que toute ma foutue famille s'en mêle ! m'écriai-je.

– C'est louche, quand même. Ça ne peut pas être de Miss Frost qu'ils ont tous aussi peur. Je suis certaine qu'ils n'ont pas cru une seconde qu'elle pouvait te faire du mal.

– Qu'est-ce que tu veux dire ?

– Ils ont peur de quelque chose qui te concerne, *toi*, Billy.

– Que je sois homosexuel, ou bisexuel… C'est ça que tu veux dire ? Parce que ça, je pense qu'ils l'ont déjà deviné ou que, tout au moins, ils s'en doutent.

– Ils ont peur de quelque chose que tu ignores encore, Billy.

– J'en ai marre, moi, qu'on me protège tout le temps !

– Que Miss Frost ait essayé, je veux bien le croire, Billy. Mais je doute fort que ce soit le cas de ta foutue famille, comme tu dis.

Ma cousine Gerry au parler cru rentra elle aussi au bercail pour les vacances de Noël. Je dis « au parler cru » avec affection. Car on aurait bien tort de la réduire à un personnage de lesbienne hurleuse vouant une haine farouche à ses parents et à tous les hétéros. Elle avait toujours eu les garçons en horreur, mais j'avais bêtement espéré un petit crédit de sympathie auprès d'elle, bien convaincu qu'elle aurait entendu parler de ma liaison scandaleuse avec Miss Frost. Il n'en fut rien : pendant quelques années encore, les homos et les bisexuels n'auraient pas plus la cote auprès d'elle que les hétéros.

Aujourd'hui, mes amis me disent que notre société est devenue plus tolérante à l'égard des lesbiennes et des bisexuelles qu'à celui de leurs homologues masculins. Chez nous, l'homosexualité de Gerry n'avait pas fait de vagues, contrairement à ma liaison avec Miss Frost qui avait soulevé l'indignation générale – et je ne parle pas de l'horreur de ma mère devant la tournure que prenait mon orientation sexuelle. C'est vrai, j'admets qu'il y a souvent deux poids deux mesures selon que l'on parle d'homosexuels ou de bisexuels hommes ou femmes, mais dans ma famille il ne s'agissait pas tant d'accepter les mœurs de Gerry que de fermer les yeux sur elles.

L'oncle Bob aimait sa fille, mais c'était un lâche. S'il l'aimait, c'était entre autres raisons parce qu'elle était plus courageuse que lui. Les écarts de conduite de Gerry étaient délibérés ; elle s'en faisait un rempart, certes, mais elle en rajoutait dans la vulgarité agressive pour obliger la famille à s'intéresser à elle.

Moi, je l'aimais bien, depuis toujours – mais en secret. Je regrette de ne pas le lui avoir dit, de ne pas le lui avoir dit plus tôt.

Par la suite, nous allions devenir bons amis ; et aujourd'hui nous sommes très proches. J'aime beaucoup Gerry, d'accord, à ma façon, mais c'était une vraie chipie à l'époque. Elle faisait tout pour se rendre odieuse. Elaine la détestait et ne l'a jamais supportée, même à petites doses.

Ce Noël-là, Elaine et moi poursuivions notre quête habituelle, à rebours l'un de l'autre, dans la salle des Archives de la bibliothèque de l'École. Celle-ci restait ouverte pendant les congés, sauf le jour de Noël. De nombreux professeurs aimaient y travailler, et cette période de vacances accueillait la visite des futurs lycéens venus avec leurs parents découvrir la Favorite River Academy. Mon job d'été, durant les trois années précédentes, avait été de les guider, de leur présenter mon école abominable. Je le faisais aussi pendant les vacances de Noël. C'était souvent le rôle dévolu aux rejetons du corps enseignant. L'oncle Bob, responsable des Admissions, était notre patron, on ne peut plus permissif.

Gerry nous trouva dans la salle des Archives.

– Y paraît que t'es pédé, me dit-elle, ignorant Elaine.

– Probablement, mais il y a des femmes qui m'attirent.

– Je veux pas le savoir. Personne me rentre quoi que ce soit dans le cul, ni ailleurs.

– Qu'est-ce que tu en sais, tu n'as pas essayé ? lui dit Elaine. Si ça se trouve, tu vas aimer ça, Gerry !

– T'es plus enceinte, toi, on dirait, à moins que tu le sois de nouveau et que ça se voie pas encore !

– Tu as une copine ? lui demanda Elaine.

– Elle pourrait bien te démolir le portrait, Elaine. À toi aussi, probablement, répondit Gerry en se tournant vers moi.

Je pardonnais beaucoup de choses à Gerry. Avec une mère comme Muriel, la vie ne devait pas être facile, surtout pour une lesbienne. J'étais moins enclin à l'absoudre de sa dureté envers son père, parce que j'ai toujours aimé l'oncle Bob. Elaine, elle, ne pardonnait rien à Gerry. Il avait dû se passer quelque chose entre elles ; peut-être Gerry l'avait-elle draguée, ou alors, à l'époque où Elaine était enceinte de Kittredge, Gerry lui avait peut-être dit, voire écrit, des mots qui l'avaient blessée.

– Mon père te cherche, Billy, dit Gerry. Il voudrait que tu fasses visiter l'école à une famille. Le gamin doit encore mouiller ses draps la nuit, à mon avis, mais avec un peu de chance c'est une tantouze ; vous allez pouvoir vous turluter dans une chambre vide.

– Putain, t'es vraiment dégueulasse ! dit Elaine. Moi qui croyais que la fac allait te donner un petit vernis de culture, un tout petit ! En fait de culture, tu es restée bloquée sur celle d'Ezra Falls.

– Et toi, il faut croire que toute ta culture a oublié de t'apprendre à serrer les cuisses.

Puis, se tournant de nouveau vers moi :

– Tu devrais demander à mon père de te filer le passe-partout de Tilley Hall, quand tu iras balader la famille du môme pisse-au-lit. Comme ça, avec Elaine, vous pourrez faire un tour dans la chambre de Kittredge. Et vous offrir une petite branlette mutuelle sur son lit. T'as compris, Billy, vu qu'il te faut un passe-partout pour montrer les chambres, hein ? Pourquoi pas prendre celui de Tilley Hall ?

Là-dessus, elle nous planta là, dans la salle des Archives. À l'instar de sa mère, elle savait être une garce sans cœur, mais, contrairement à elle, c'était une anticonformiste. Par certains côtés, sa révolte était loin de me déplaire.

– J'ai l'impression que toute ta foutue famille parle beaucoup de toi, commenta Elaine, à défaut de te parler, à toi.

– Moi aussi, j'en ai l'impression.

Je me disais que Tante Muriel et ma mère étaient les principales coupables de ce travers.

– Tu veux aller voir la chambre de Kittredge à Tilley Hall ? me demanda Elaine.

– Si tu veux, toi.

Un peu que j'avais envie de voir la chambre de Kittredge ! Et Elaine aussi, pardi.

Depuis que j'avais découvert Miss Frost en capitaine de lutte, le zèle avec lequel j'épluchais les anciens annuaires faiblissait et je n'avais pas beaucoup avancé. Elaine non plus, de son côté.

Elle ne décollait pas des annuaires récents et surtout de ce qu'elle appelait « les années Kittredge », plongée dans la recherche de photos de lui plus jeune, où il aurait un air d'innocence. Alors même qu'il redoublait sa terminale, elle le cherchait dans ses première et seconde années. Il paraissait plus jeune, c'est vrai. Plus innocent… difficile à dire.

Si l'histoire de Mrs Kittredge était crédible, si elle l'avait effectivement dépucelé à l'époque où elle le disait, son innocence avait été de courte durée ; elle n'était plus qu'un souvenir lors de son arrivée à la Favorite River Academy. Personnellement, j'avais du mal à croire qu'il soit né innocent. Et pourtant Elaine cherchait dans ces photos anciennes les traces d'une candeur perdue.

Je n'ai aucun souvenir du « même pisse-au-lit », comme disait Gerry. C'était, selon toute vraisemblance, un garçon prépubère, qui deviendrait homo ou hétéro, allez savoir, mais sûrement pas bi. Je ne me souviens pas de ses parents non plus. Par contre, je n'ai rien oublié de ma conversation avec l'oncle Bob, à qui je demandai le passe-partout de Tilley Hall.

– Bien sûr, tu peux leur faire visiter Tilley Hall, pourquoi pas ? me dit mon oncle, toujours aussi accommodant. Mais ne leur montre pas la chambre de Kittredge, elle est trop atypique.

– Trop atypique ?

– Tu verras bien, Billy, mais montre-leur-en une autre.

Je ne me souviens pas de la chambre que j'ai fait visiter au môme pisse-au-lit et à ses parents, c'était une chambre double, parfaitement standard : deux lits, deux bureaux, deux commodes.

– Chaque élève a un camarade de chambre ? m'avait demandé la mère de pisse-au-lit. (C'étaient généralement les mères qui posaient la question.)

– Oui, tous, sans exception.

C'était la règle.

– Et en quoi la chambre de Kittredge est-elle différente des autres ? me demanda Elaine, après que la famille pisse-au-lit eut terminé sa visite.

– On va bien voir. L'oncle Bob ne me l'a pas dit.

– Bon sang, dans ta famille, on ne te dit vraiment rien, Billy !

C'était bien mon avis. Dans la salle des Archives, j'en étais à la promotion 1940. Il me restait encore vingt ans avant d'arriver à la mienne, et je venais de découvrir que l'annuaire correspondant était introuvable. J'étais passé de *La Chouette* de 1939 à celles de 41 et 42 sans me rendre compte immédiatement que celle de 1940 manquait.

Quand j'en fis part au bibliothécaire de l'École, il me dit :

– Les annuaires sont en consultation simple, pas en prêt. Il faut croire que *La Chouette* de 1940 a été volée.

Le bibliothécaire de l'École était un de ces célibataires maniaques de la Favorite River. Ces professeurs restés vieux garçons passaient pour des «homosexuels non pratiquants», comme on disait à l'époque. Homosexuels ou pas, pratiquants ou non, allez savoir ! Une chose est sûre, ils vivaient seuls, et ils étaient maniérés dans leur façon de s'habiller, de manger et même de parler – il n'en fallait pas plus pour les juger «efféminés».

– Les élèves ne peuvent pas sortir les annuaires, mais les professeurs, si, me dit le bibliothécaire d'un ton guindé (il s'appelait Mr Lockley).

– Les professeurs ? répétai-je.

– Les professeurs, bien sûr. (Il farfouilla dans ses fiches.) C'est Mr Fremont qui a emprunté *La Chouette* de 1940.

– Ah, tiens.

Mr Fremont, Robert Fremont, promotion 35, camarade de classe de Miss Frost : mon oncle Bob, voyons ! Mais quand je lui demandai s'il avait terminé de lire *La Chouette* de 1940 parce que je voulais la consulter, ce bon vieux Bob l'accommodant se montra moins accommodant.

– Je suis certain d'avoir rendu cet annuaire à la bibliothèque, Billy, dit-il.

C'était un gentil garçon, un gars franc et honnête à la base, il mentait mal. Je compris qu'il avait gardé *La Chouette* de 1940, pour une raison inconnue de moi.

– Mr Lockley pense que tu l'as encore, Oncle Bob.

– Eh bien… Je vais vérifier, mais je mettrais ma main à couper que je l'ai rapporté à la bibliothèque.

– Tu l'avais sorti pour quoi ?

– Un ancien camarade de classe qui était mort. Je voulais pouvoir écrire deux, trois mots gentils à sa famille.

Ce pauvre Oncle Bob n'aurait jamais pu devenir écrivain. Il n'était pas fichu d'inventer une histoire crédible pour se tirer d'un mauvais pas.

– Il s'appelait comment ? lui demandai-je.

– Qui ça, Billy ? fit-il d'une voix qui s'étranglait.

– Le mort, Oncle Bob.

– Mince alors, Billy… je te jure, impossible de m'en souvenir !

– Allons bon.

« Encore un secret de famille à la con », conclut Elaine quand je lui relatai la conversation.

– Demande à Gerry de te retrouver l'annuaire, me dit-elle. Elle déteste ses parents, elle fera ça pour toi.

– J'ai idée qu'elle peut pas me sentir non plus.

– Elle déteste encore plus ses parents.

Nous avions repéré la porte de la chambre de Kittredge à Tilley Hall, et nous entrâmes avec le passe-partout que m'avait confié l'oncle Bob. À première vue, cette chambre se distinguait des autres par l'ordre qui y régnait, mais ni Elaine ni moi ne fûmes étonnés que Kittredge soit quelqu'un de soigneux.

Il n'y avait qu'une étagère, avec très peu de livres, et beaucoup de place pour en mettre d'autres. Il n'y avait qu'un bureau, avec presque rien dessus, une seule chaise, sans le moindre vêtement qui l'encombre. Deux photos encadrées sur la commode. Un placard à vêtements ordinaire, sans porte ni rideau, qui laissait voir les habits (coûteux) que nous lui connaissions. Pas un vêtement ne traînait sur le lit, fait au carré : draps et couverture tirés, taie d'oreiller sans un pli.

– Bon Dieu ! fit Elaine, brusquement. Comment il a fait, ce salopard, pour obtenir une chambre individuelle ?

C'était une chambre d'une personne. Kittredge n'avait pas de compagnon. Voilà en quoi elle était atypique. Elaine et moi conjecturâmes que cet avantage faisait partie de l'arrangement passé avec les administrateurs de l'École, quand sa mère leur avait proposé – ainsi qu'à Mr et Mrs Hadley – d'accompagner Elaine en Europe pour lui assurer un avortement en toute sécurité. Autre hypothèse : Kittredge était un camarade de chambre trop autoritaire et grossier pour qu'on veuille partager sa chambre, mais à vrai dire nous en doutions. Au risque de se faire maltraiter, les garçons de l'École auraient considéré ce partage comme prestigieux et aucun d'entre eux n'aurait décliné cet honneur. La chambre individuelle, la propreté visiblement compulsive qui y régnait, tout cela sentait le privilège à plein nez. Kittredge transpirait le privilège par tous les pores de sa peau, comme si, dans le ventre même de sa mère, il s'était fabriqué le sentiment que tout lui était dû.

Détail de nature à chagriner Elaine, il n'y avait aucune trace, aucun signe de sa présence à elle dans sa vie. Peut-être s'attendait-elle à se voir en photo. Elle m'avait avoué lui en avoir envoyé plusieurs. Je ne lui avais pas demandé si elle lui avait donné un de ses soutiens-gorge, parce que j'avais bien l'intention de lui en demander un autre.

Des photos, il y en avait, découpées dans les journaux de l'École et dans des annuaires, le montrant pendant des matchs de lutte. Pas de photos de petites amies, ni d'ex-petites amies. Pas de photo de lui enfant, et s'il avait eu un chien, pas de photo du chien. Aucune trace d'un homme qui puisse être son père. La seule photo de Mrs Kittredge avait été prise après le match, la fois où elle était venue à la Favorite River. Elaine et moi, qui y assistions, n'avions aucun souvenir d'avoir vu quelqu'un la prendre en photo avec son fils. Et pourtant.

Ce que nous remarquâmes au même moment, c'était qu'une main inconnue, sans doute celle de Kittredge, avait découpé le visage de la mère et l'avait collé sur le corps du fils. Elle portait donc des collants et un maillot de lutteur, tandis que le beau visage de Kittredge était apparié au corps superbe et superbement vêtu de sa mère. L'effet était comique, mais nous n'eûmes pas envie de rire.

À la vérité, le visage de Kittredge ne dépariait pas un corps et des vêtements de femmes ; quant au visage de Mrs Kittredge, il convenait très bien à un corps de lutteur en collants.

– Il n'est pas impossible que Mrs Kittredge ait elle-même interverti les visages sur la photo, dis-je à Elaine, sans en penser un mot.

– Non, répondit Elaine, catégorique. Il n'y a que lui qui a pu faire ça. Cette femme n'a ni imagination, ni sens de l'humour.

– Si tu le dis.

Je m'interdisais de contester l'expertise d'Elaine quant à Mrs Kittredge, je le rappelle. De quel droit l'aurais-je fait ?

– Je te conseille d'aller travailler Gerry au corps pour récupérer cet annuaire, Billy, me dit Elaine.

C'est ce que je fis à l'occasion du réveillon de Noël, à River Street, chez Grand-père Harry. Muriel, Bob et Gerry s'étaient joints à Richard, ma mère et moi pour la circonstance. Nana Victoria était très attachée au principe de ce Noël à l'ancienne.

Autre tradition familiale, les Borkman étaient de la fête. Dans mon souvenir, Noël faisait partie des rares occasions où j'aie vu Mrs Borkman. Nana Victoria tenait beaucoup à ce que nous l'appelions tous « Mrs » Borkman, de sorte que je n'ai jamais su son prénom. Quand je dis « tous », je ne parle pas seulement des enfants. Curieusement, c'est ainsi que Tante Muriel et ma mère s'adressaient à elle, de même que l'oncle Bob et Richard Abbott, quand ils parlaient à l'épouse de Nils, que nous tenions tous pour un personnage d'Ibsen. Certes, elle n'avait pas quitté son mari, et ne s'était pas tiré une balle dans la tempe, mais il n'aurait jamais épousé une femme qui ne soit pas droit sortie d'une pièce d'Ibsen, nous le tenions pour acquis, et nous n'aurions pas été autrement surpris d'apprendre que Mrs Borkman ait commis un geste tragique.

Les Borkman n'avaient pas d'enfants, ce qui prouvait, pour Muriel et pour Nana Victoria, qu'il y avait quelque chose qui clochait, voire quelque chose de tragique dans leur relation.

– Bordel de nom de Dieu, me dit Gerry ce soir de Noël 1960. Comme si on pouvait pas imaginer que Nils et sa femme soient trop dépressifs pour avoir des enfants ! L'idée d'avoir des gosses me déprime, moi, et pourtant je suis ni suicidaire, ni norvégienne !

Sur cette note chaleureuse, je décidai d'aborder avec ma cousine l'énigme de *La Chouette* 1940 que – à en croire Mr Lockley – l'oncle Bob avait empruntée à la bibliothèque de l'École et n'avait jamais rapportée.

– Je ne sais pas ce que ton père fabrique avec cet annuaire, dis-je à Gerry, mais il me le faut.

– Qu'est-ce qu'il y a dedans ?

– Des membres de notre glorieuse famille ne veulent pas que je le sache.

– Pas d'inquiétude. Je vais te le trouver, moi, ce putain d'annuaire Du coup, je meurs d'envie de savoir ce qu'il y a dedans.

– C'est sans doute assez délicat.

– Ha ! s'écria Gerry. Rien de ce que je touche ne reste «délicat» très longtemps !

Quand je répétai ce propos à Elaine, ma chère amie déclara :

– La seule idée de baiser avec Gerry me donne la nausée.

«À moi aussi», faillis-je répondre. Mais je n'en fis rien. Mon horizon sexuel devenait passablement nébuleux. Je n'avais aucune certitude sur mon avenir érotique.

– Le désir sexuel sait à qui il s'adresse, dis-je à Elaine, en général, c'est du ferme et définitif, non ?

– Mmoui. Qu'est-ce que tu veux dire, au juste ?

– Je veux dire que, dans le passé, mes désirs sexuels étaient bien définis, et mon attirance pour quelqu'un ferme et définitive. Mais tout change, on dirait. Tes seins, par exemple, je les aime parce que ce sont les tiens, pas seulement parce qu'ils sont petits. Ces parties foncées…

– Les aréoles.

– Oui, je les aime. Et t'embrasser, j'adore t'embrasser.

– Merde ! Et c'est maintenant que tu me dis ça, Billy !

– Parce que c'est seulement maintenant que je m'en rends compte. Je suis en train de changer, Elaine, mais je ne sais pas pourquoi, comment, ni en quoi. Tiens, à propos, je me demandais si tu voudrais bien me donner un de tes soutiens-gorge. Ma mère a découpé en morceaux celui que j'avais gardé.

– Noon !

– Tu en as peut-être un qui est devenu trop petit, ou qui ne te plaît plus.

– Mes seins à la con ont très peu grossi, même quand j'étais enceinte. Maintenant je pense qu'ils ne vont plus gagner de volume. Tu peux prendre autant de soutiens-gorge que tu veux, Billy.

Un soir, après Noël, nous étions dans ma chambre – la porte ouverte, bien entendu. Nos parents étaient allés au cinéma à Ezra Falls, ils nous avaient proposé de les accompagner mais nous avions refusé. Elaine m'embrassait et j'étais en train de caresser sa poitrine – j'avais réussi à faire sortir un de ses seins de son soutien-gorge –, quand on cogna vigoureusement à la porte de l'appartement.

– Ouvre cette putain de porte, Billy ! criait ma cousine Gerry. Je sais que tes parents et les Hadley sont au cinoche, mes enculés de parents sont avec eux !

– Oh flûte, c'est encore cette furie ! murmura Elaine. Elle a l'annuaire, je te parie.

Gerry n'avait pas mis longtemps à trouver *La Chouette* de 1940. C'était bien l'oncle Bob qui avait emprunté l'annuaire à la bibliothèque, mais elle l'avait déniché sous le lit conjugal, côté maternel. Ma tante Muriel voulait sans doute m'empêcher de le voir ; l'idée de le subtiliser avait pu lui venir en en parlant avec ma mère. Bob s'était borné à faire ce que les filles Winthrop lui avaient demandé. Selon Miss Frost, il était déjà lâche avant de tomber sur une femme qui le menait à la baguette.

– Je sais pas ce qu'il y a de si important là-dedans, dit Gerry en me tendant l'annuaire. C'est l'année de terminale de Monsieur Carapate, ton père – et alors, putain ?

– Mon père a été élève ici ?

Je savais qu'il était entré à Harvard à l'âge de quinze ans, mais personne ne m'avait dit qu'il avait fait sa scolarité secondaire à la Favorite River.

– C'est là qu'il a dû rencontrer ma mère ! m'exclamai-je.

– Et alors, putain ? fit Gerry. Qu'est-ce que ça peut foutre, où ils se sont rencontrés ?

Mais ma mère était plus âgée que mon père. William Francis Dean était donc encore plus jeune que je ne pensais quand ils s'étaient rencontrés. S'il était sorti de la Favorite River en 1940 – et s'il avait effectivement intégré Harvard à quinze ans, à l'automne de cette même année –, il ne devait avoir que douze ou treize ans quand ils s'étaient rencontrés. Même pas pubère, en somme.

«Et alors, putain?» répétait Gerry. Visiblement, elle n'avait fait que parcourir l'annuaire, sans consulter les numéros précédents, ceux de 1937, 1938 et 1939, où devaient se trouver les photos de William Francis Dean à treize, quatorze et quinze ans. Comment avais-je pu le rater? S'il était en terminale en 1940, il avait fait sa première rentrée à l'automne 1936, à l'âge de douze ans seulement!

Et si ma mère l'avait connu à l'époque, quand il n'avait que douze ans, leur «histoire d'amour» risquait fort d'être tout autre que ce que j'avais imaginé.

– Est-ce que tu as vu quelque chose qui indique qu'il était coureur de jupons? demandai-je à Gerry, tandis qu'Elaine et moi recherchions les photos individuelles des diplômés de l'année 1940.

– Qui t'a dit qu'il était coureur de jupons? demanda Gerry.

– Je pensais que c'était toi, dis-je, à moins que ce ne soit ta mère.

– Coureur de jupons, ça ne me rappelle rien. J'ai plutôt entendu dire que c'était une sacrée tapette.

– Une tapette? répétai-je.

– Bon sang, arrête de répéter ce qu'on dit comme ça, Billy, ça suffit! protesta Elaine.

– C'était pas une tapette! m'écriai-je, indigné. C'était un coureur de jupons: ma mère l'a surpris en train d'en embrasser une autre!

– D'en embrasser UN autre, tu veux dire, insinua ma cousine Gerry. Enfin, moi, c'est ce qu'on m'a raconté, et en plus je lui trouve une tronche de tantouze.

– De tantouze? m'écriai-je.

– Mon père disait qu'il n'avait jamais vu de folle plus flamboyante.

– De folle plus flamboyante, répétai-je.

– Bon Dieu, Billy, arrête, je t'en supplie! dit Elaine.

Je l'avais sous les yeux: William Francis Dean, le plus joli garçon que j'aie jamais vu. Il aurait pu passer pour une fille avec beaucoup moins d'efforts que Miss Frost n'en avait mis dans sa transformation personnelle. Je compris sans peine pourquoi je ne l'avais pas remarqué dans les annuaires précédents: il me ressemblait; ses traits m'étaient si familiers que mon regard avait dû glisser sur lui. Son choix d'université : «Harvard». Son objectif de carrière : «artiste».

— Artiste, répétai-je. (Ceci se passait avant qu'Elaine et moi ayons vu les autres photos, nous avions seulement consulté les clichés individuels.)

Le surnom de William Francis Dean était «Franny».

— Franny, répétai-je.

— Écoute, Bill, je pensais que t'étais au courant, reprit Gerry. Mon père a toujours dit que c'étaient deux chances au lieu d'une à la loterie des gènes.

— Deux chances de quoi ?

— Que tu sois de la jaquette, toi aussi, me dit Gerry. Tu avais les gènes homos de Grand-père Harry du côté maternel, et du côté paternel, eh ben, merde, t'as qu'à le regarder ! dit Gerry, en montrant du doigt la photo du joli garçon de la promotion 40. Du côté paternel, tu avais Franny la folle flamboyante ! Deux chances au lieu d'une ! Je comprends pourquoi Grand-père adorait ce type.

— Franny le Flamboyant, répétai-je.

Je lus la bio succincte de William Francis Dean dans *La Chouette 1940 – Club Théâtre (4)*. Il me parut évident que Franny ne jouait que les rôles féminins et j'avais hâte de voir ces photos. *Équipe de lutte, team manager (4)*. Évidemment, il n'était pas lutteur mais team manager, le gars qui veille à ce que les lutteurs aient tout ce qui leur faut, oranges, eau minérale, crachoir ; le gars qui distribue et ramasse les serviettes.

— À la loterie des gènes, Billy, le sort était contre toi, dit Gerry. Mon père à moi, c'est peut-être pas un cador, mais alors toi, tu t'es fait le jackpot, ça c'est sûr.

— Allez, Gerry, ça suffit, maintenant, intervint Elaine. Laisse-nous tranquilles, tu veux ?

— C'est pas dur de savoir ce que vous faisiez là tous les deux, Elaine. Tes nichons sont si petits, tu en as un à l'air et tu t'en es même pas aperçue.

— J'adore ses seins, dis-je à ma cousine. Va te faire foutre, Gerry, pour ne pas m'avoir dit ce que je n'ai jamais su.

— J'étais persuadée que tu *savais*, ducon. Merde, Billy, comment t'as fait pour pas le savoir ? Ça crève les yeux ! Comment peut-on être pédé comme tu l'es et pas savoir un truc pareil ?

– C'est salaud de dire ça, Gerry ! s'écria Elaine.

Mais Gerry avait déjà tourné les talons sans même prendre la peine de fermer la porte, ce qui n'était pas plus mal. Nous partîmes aussitôt, voulant nous rendre à la bibliothèque avant la fermeture, pour voir toutes les photos que nous pourrions trouver de William Francis Dean dans les annuaires des années précédentes, ceux où je ne l'avais même pas remarqué.

À présent je savais où regarder : sur les photos du Club Théâtre des éditions 37, 38 et 39 de *La Chouette*, Franny Dean serait la plus jolie fille. Il serait le plus efféminé de tous les garçons de l'équipe de lutte, où il n'apparaîtrait pas torse nu, ni en collants, mais vêtu d'un blazer-cravate, tenue de rigueur des team managers de l'époque.

Avant de nous rendre à la salle des Archives de la bibliothèque de l'École, nous fîmes un détour par le cinquième étage de Bancroft Hall pour cacher *La Chouette* de 1940 dans la chambre d'Elaine. Ses parents ne fouillaient pas dans ses affaires, m'avait-elle affirmé. Elle les avait pris sur le fait, peu après son retour d'Europe avec Mrs Kittredge. Sans doute cherchaient-ils à savoir si elle couchait avec un autre garçon.

Après cet incident, elle avait semé des préservatifs un peu partout dans sa chambre, préservatifs fournis par Mrs Kittredge, comme de juste. Peut-être Mr et Mrs Hadley y virent-ils un signe que leur fille avait des relations sexuelles avec une *armée* de garçons ; mais c'était peu probable, Mrs Hadley était trop intelligente pour ça. Elle avait sûrement compris le message de cette ribambelle de préservatifs : ne rentrez plus dans ma chambre ! Et ils n'y mirent plus les pieds.

La Chouette de 1940 serait donc en sécurité dans la chambre d'Elaine, alors qu'elle ne l'aurait pas été dans la mienne. Nous pouvions regarder toutes les photos de Franny Dean le Flamboyant dans cet annuaire, mais nous voulions d'abord le découvrir plus jeune. Nous aurions la fin des vacances de Noël pour apprendre tout ce que nous pourrions sur la promotion 1940.

Durant ce fameux réveillon de Noël 1960 où j'avais demandé à Gerry de me trouver *La Chouette* de 1940, Nils Borkman avait profité d'un moment où nous étions seuls pour se confier à moi.

– Ton amie bibliothécaire, ils sont en train de l'expédier, me murmura-t-il amèrement.

– De *l'expédier*, oui.

– Ils sont des stéréo-sexuels types !

– Des *stéréotypes sexuels* ?

– C'est ce que je te dis ! Quelle tristesse, j'avais des rôles parfaits pour vous deux. Mais bien entendu, je ne peux plus demander à Miss Frost de monter sur scène – les sexuels-types puritains la lapideraient !

– Des rôles parfaits dans quoi ?

– C'est l'Ibsen *américain*, le nouvel Ibsen, chez les arriérés du Sud profond !

– Mais de qui vous me parlez ?

– Tennessee Williams, le plus grand auteur dramatique depuis Ibsen, proféra-t-il avec révérence.

– Et elle s'appelle comment, la pièce ?

– *Été et Fumées*, répondit-il en frissonnant. Le personnage féminin refoulé a une autre femme qui couve en elle.

– Je comprends. Et ce personnage irait bien à Miss Frost.

– Miss Frost aurait été une parfaite Alma ! s'écria Nils.

– Mais maintenant… commençai-je.

Borkman ne me laissa pas finir ma phrase.

– Maintenant je n'ai plus le choix : c'est Mrs Fremont qui jouera Alma et personne d'autre, grommela Nils d'un ton sinistre.

«Mrs Fremont», alias Tante Muriel.

– Il me semble que Muriel devrait pouvoir jouer les refoulées, dis-je pour lui remonter le moral.

– Oui, mais rien qui couve en elle, Bill, dit-il à voix basse.

– Rien de rien. Et moi, ça aurait été quoi, mon rôle ?

– C'est toujours le tien, si tu le veux. C'est un petit rôle, il ne t'empêchera pas de faire tes déboires.

– Mes *devoirs*.

– C'est ce que je te dis. Tu joues un représentant de commerce, un jeune. Tu tombes amoureux d'Alma dans la dernière scène de la pièce.

– Vous voulez dire que je tombe amoureux de ma tante Muriel…

– Mais ils ne batifolent pas sur scène, ne t'inquiète pas ! Ça ne se passe que dans leurs têtes ; les relations sexuelles ont lieu après, en jaquette, dans les coulisses.

J'étais sûr que Nils Borkman voulait dire autre chose que «en jaquette», même si cela se passait dans les coulisses.

– Des relations sexuelles *en cachette*? suggérai-je au metteur en scène.

– Oui, mais tu ne batifolerais pas avec ta tante sur scène! m'assura-t-il, d'un ton véhément. Cela aurait été tellement symbolique si Alma avait été jouée par Miss Frost.

– Tellement *suggestif*, vous voulez dire?

– Suggestif et symbolique! s'exclama-t-il. Mais avec Muriel on va s'en tenir au suggestif, si tu vois ce que je veux dire.

– Peut-être faudrait-il que je lise la pièce d'abord. Je ne sais même pas le nom de mon personnage.

– J'en ai un exemplaire pour toi, murmura-t-il.

Le bouquin était en très mauvais état: les pages se détachaient, comme si le metteur en scène avait trituré l'ouvrage jusqu'à plus soif, dans sa sensibilité exacerbée.

– Tu t'appelles Archie Kramer, Bill. C'est un jeune représentant de commerce, censé porter un chapeau melon, mais dans ton cas on peut se pisdenser du melon!

– *Dispenser* du melon, répétai-je. Je suis représentant de commerce, et qu'est-ce que je vends?

– Des chaussures. À la fin, tu emmènes Alma au casino. C'est toi qui as le dernier mot de la pièce, Bill!

– Et c'est quoi, le dernier mot?

– Taxi! hurla Borkman.

Aussitôt, tout le monde rappliqua. Les convives du dîner de Noël avaient sursauté à l'appel de Nils. Ma mère et Richard regardaient, effarés, l'exemplaire d'*Été et Fumées* de Tennessee Williams que je tenais dans mes mains, redoutant sans doute qu'il s'agisse d'une suite à *La Chambre de Giovanni*.

– Tu as appelé un taxi, Nils? demanda Grand-père Harry à son vieil ami. Tu n'es pas venu avec ta voiture?

– Ça va, Harry, Bill et moi boulot parlions.

– Parlions boulot, plutôt, non?

– Et Grand-père? Quel rôle a-t-il dans la pièce? demandai-je au dramaturge norvégien.

– Tu ne m'as pas proposé de rôle, Nils, dit Grand-père.

– Eh bien, j'allais le faire! s'écria Borkman. Ton grand-père serait une excellente Mrs Winemiller, la mère d'Alma, me précisa le rusé directeur.

– Si tu y vas, j'y vais, dis-je à Grand-père.

Ce devait être la pièce de printemps des First Sister Players, et la première fois que l'on jouerait un drame sérieux à cette saison. Ma dernière apparition sur scène avant mon départ de First Sister et l'été en Europe avec Tom Atkins. Mon chant du cygne serait donc pour Nils Borkman et les First Sister Players, et non pour Richard Abbott et le Club Théâtre. Ce serait aussi la dernière fois que ma mère aurait l'occasion de me souffler mon texte.

L'idée me plaisait avant même de lire la pièce. Je n'avais fait que jeter un coup d'œil à la première page, où Tennessee Williams avait placé une citation de Rilke en épigraphe. Cette phrase m'allait comme un gant: «Si je poussais un cri, qui m'entendrait parmi les légions des anges?» Décidément, où que se porte mon regard, les anges terribles m'attendaient. Je me demandai si Kittredge connaissait cette phrase en allemand.

– D'accord, Bill… Si tu y vas, j'y vais, dit Grand-père.

Nous nous serrâmes la main.

Un peu plus tard, je trouvai moyen de demander discrètement à Nils s'il avait déjà proposé à Tante Muriel et Richard Abbott les rôles d'Alma et de John.

– Ne t'inquiète pas, Bill. Je les ai dans ma poche mis.

– Mis dans votre poche, d'accord, dis-je au rusé chasseur de cerfs à ski.

Le soir où nous avions traversé au pas de course le campus désert, dans notre hâte à nous rendre aux Archives, Elaine et moi avions remarqué des traces de skis qui se croisaient un peu partout. On avait le droit de chasser sur le domaine de ski de fond et sur les autres terrains de sport, pendant les congés scolaires.

En cette période de vacances de Noël, je ne m'attendais pas particulièrement à trouver Mr Lockley au bureau de prêt de la bibliothèque, mais le prétendu homosexuel non pratiquant, comme on l'appelait derrière son dos, était bel et bien là, à croire qu'il assurait une nocturne, ou qu'il n'avait rien d'autre à faire.

– Alors, Oncle Bob n'a toujours pas retrouvé *La Chouette* de 1940, hein? lui demandai-je.

– Mr Fremont croit qu'il l'a rendu, mais ce n'est pas le cas, du moins à ma connaissance, répondit-il avec raideur.

– Je vais continuer à le tanner.

– Tu as raison, Billy. Mr Fremont ne fréquente pas souvent la bibliothèque.

– Ça ne m'étonne pas, dis-je en souriant.

Mr Lockley ne sourit pas, et surtout pas à Elaine. Il faisait partie de ces célibataires sur le retour qui ne verraient pas d'un bon œil les deux décennies suivantes, au cours desquelles la plupart des pensionnats, sinon tous, adopteraient la mixité.

J'estime pour ma part qu'elle a eu un effet bénéfique sur ces écoles. Elaine et moi pouvons témoigner que les garçons sont plus civilisés entre eux quand il y a des filles dans les parages, et que les filles sont moins chipies entre elles en présence de garçons. Je sais, je sais, il y a des irréductibles du genre Lockley qui soutiennent que les écoles non mixtes étaient plus rigoureuses, qu'on y était moins distrait, et que la mixité a eu un coût : la perte de la «pureté». Ils veulent dire que les enseignements passent au second plan.

Et ce soir-là, Mr Lockley n'adressa à Elaine qu'un signe de tête minimal, comme pour lui signifier ce qu'il ne pouvait lui dire : «Bonsoir, fille de professeur engrossée. Comment tu t'en sors maintenant, sale petite pute ?»

Mais, sans faire attention à lui, nous nous dirigeâmes vers l'objet de notre visite. Nous étions seuls dans la salle des Archives, et plus seuls que d'habitude dans la bibliothèque abandonnée de l'École. Ces trois *Chouette* de 1937, 1938 et 1939 n'attendaient que nous, et nous allions bientôt trouver, dans leurs pages révélatrices, de quoi nous ébahir.

Dans *La Chouette* de 1937, William Francis Dean était un petit garçon souriant. Il devait avoir treize ans à l'époque. Avec ses allures d'elfe, il faisait un team manager de charme pour l'équipe de lutte. Et il ne reparaissait qu'en adorable petite fille dans les photos du Club Théâtre en cette année scolaire si lointaine, qui ne remontait pourtant jamais que cinq ans avant ma naissance.

Si Franny Dean avait rencontré Mary Marshall en 1937, *La Chouette* de cette année-là n'en faisait pas mention, pas plus que les numéros suivants, ceux de 1938 et de 1939, où le team manager, à défaut d'avoir gagné beaucoup de centimètres, avait acquis pas mal d'assurance.

Au fil des annuaires de 1938 et 1939, il nous apparaissait très clairement que le futur étudiant à Harvard, qui avait choisi « artiste » comme objectif de carrière, s'était transformé sur scène en femme fatale des plus sexy – il faisait penser à une nymphe.

– Il était beau, hein ?

– Il te ressemble, Bill… il est beau, dans un genre différent.

– Il devait déjà sortir avec ma mère, dis-je, sur le chemin de Bancroft Hall, après notre séance aux Archives. Il avait quinze ans quand elle en avait dix-neuf !

– Si « sortir » est l'expression qui convient, Billy.

– Qu'est-ce que tu veux dire ?

– Il faut que tu en parles à ton grand-père, tâche de le coincer seul à seul.

– Je vais d'abord essayer de parler à Oncle Bob, quand je pourrai le voir entre quat'z'yeux. Il n'est pas aussi malin que Grand-père.

– Oui, c'est ça ! Adresse-toi d'abord à Monsieur Admissions, mais dis-lui que tu en as déjà parlé à Grand-père Harry, et qu'il t'a tout raconté.

– Il n'est quand même pas assez ballot pour le croire.

– Oh que si.

Nous eûmes une heure pour nous dans la chambre d'Elaine avant le retour de Mr et Mrs Hadley. En cette période de Noël, nous avions pensé que les Hadley, mes parents, ainsi que Tante Muriel et Oncle Bob avaient dû prendre un verre ensemble après le cinéma. Et en effet.

Nous avions donc eu plus de temps qu'il n'en fallait pour prendre connaissance de *La Chouette* de 1940 et regarder toutes les photos de Franny le Flamboyant – le garçon le plus mignon de la classe. Sur les photos du Club Théâtre de cette année-là, c'était une vraie bombe – en fille. Et c'est dans cet annuaire, à l'occasion du bal de promo, que se trouvait enfin la photo qu'Elaine et moi cherchions désespérément. Le petit Franny et ma mère, Mary Marshall, dansaient un slow tendrement enlacés, sous l'œil torve de la grande sœur Muriel. Ah, « ces femmes Winthrop », comme disait Miss Frost, les désignant ainsi du nom de jeune fille de Nana Victoria. Quant à savoir qui portait la culotte dans la famille Marshall, pas de doute, c'était la lignée Winthrop.

Je n'eus pas longtemps à attendre pour piéger l'oncle Bob. Le lendemain, un futur élève et sa famille venaient à la Favorite River Academy. Il m'appela pour me demander si je voulais bien leur faire visiter le campus.

Après la visite, je le trouvai seul dans le Bureau des admissions. Durant les vacances de Noël, les secrétaires n'étaient pas tenues de venir travailler.

– Quoi de neuf, Billy ? me demanda-t-il.

– Tu as oublié que tu avais effectivement rapporté *La Chouette* de 1940 à la bibliothèque, je parie.

– Ah bon ?

Visiblement, il se demandait comment il allait expliquer ça à Muriel.

– L'exemplaire n'est pas revenu tout seul dans la salle des Archives. En plus, Grand-père m'avait déjà parlé de «Franny le Flamboyant», en me disant quel beau garçon c'était. Ce que je ne comprends pas, c'est comment ça a commencé avec Maman, je veux dire, pourquoi et quand. Comment ça s'est passé entre eux, quoi.

– Franny n'était pas mauvais bougre, répondit l'oncle Bob au quart de tour. Seulement voilà, *il en était*, si tu vois ce que je veux dire…

J'avais entendu cette expression dans la bouche de Kittredge, mais je ne relevai pas.

– Pourquoi ma mère est-elle tombée amoureuse de lui ? Comment ça a commencé ?

– Il était extrêmement jeune quand il a rencontré ta mère. Elle avait quatre ans et demi de plus que lui, ça fait beaucoup à cet âge, Billy. Ta mère l'a vu jouer dans une pièce de théâtre, un rôle féminin, bien sûr. Après la représentation, il lui a fait compliment de ses vêtements.

– De ses vêtements ?

– Il faut croire qu'il aimait les habits de fille… Il aimait les essayer, Billy.

– Ah bon.

– Ta grand-mère les a surpris dans la chambre de ta mère, un jour. À son retour du lycée, elle lui faisait essayer ses fringues. C'était un jeu de gamins, mais ta tante Muriel m'a raconté qu'il avait aussi essayé ses affaires. En moins de temps qu'il n'en faut pour le dire, Mary était tombée amoureuse de lui, mais lui devait déjà se rendre compte qu'il

277

préférait les garçons. Il aimait beaucoup ta mère, Billy, mais il aimait surtout ses fringues.

– Elle est quand même tombée enceinte. On n'engrosse pas une fille en baisant ses fringues !

– Réfléchis, Billy. Avec tous ces changements de tenue, ils devaient passer leur temps en liquette, tu comprends…

– Ça, j'ai du mal à le croire.

– Ton grand-père ne jurait que par Franny Dean, Billy. Il pensait sans doute que ça allait marcher entre eux. N'oublie pas que ta mère a toujours été un peu immature.

– Un peu simplette, quoi ?

– Quand Franny était plus jeune, je pense que ta mère le régentait facilement, tu vois, elle pouvait le mener un peu à la baguette, quoi.

– Mais après, il a grandi.

– Et puis, il y avait ce gars, celui que Franny a rencontré pendant la guerre. Ils se sont retrouvés après.

– C'est donc bien toi qui m'avais raconté cette histoire, Oncle Bob ? Tu sais, le mec qui glisse de son siège de toilettes, le type dans le bateau, qui avait perdu son exemplaire de *Madame Bovary* et qui avait été projeté par-dessus les chiottes. Plus tard, ils s'étaient rencontrés dans le MTA. Le gars était monté dans le métro à la station Kendall Square, et il en était ressorti à Central Square, et il avait dit à mon père : « Salut, je suis Bovary. Tu te souviens de moi ? » C'est de ce type-là, que tu parles. C'est bien toi qui m'as raconté ça, hein, Oncle Bob ?

– Non, c'est pas moi, Billy. C'est ton père lui-même qui t'a raconté cette histoire, sauf que le type n'est pas ressorti à la station Central Square. Il est resté dans le métro, Billy. Ton père et ce gars ont vécu ensemble. Je crois même qu'ils sont toujours ensemble aujourd'hui, à ce qu'on m'a dit. Je croyais que ton grand-père t'avait tout raconté, ajouta-t-il d'un ton soupçonneux.

– J'ai l'impression qu'il me reste bien des questions à lui poser.

Monsieur Admissions fixait tristement le sol.

– Est-ce que la visite s'est bien passée, Billy ? me demanda-t-il d'un air absent. Est-ce que ce garçon te paraît une bonne recrue ?

À vrai dire, ça m'était sorti de la tête.

– Merci pour tout, Oncle Bob, résumai-je.

Je l'aimais bien, vraiment, et je le plaignais.

278

– Tu es un chic type ! lui lançai-je, en quittant précipitamment le bureau.

Je savais où trouver Grand-père. Pas chez lui, sous la coupe de sa femme : c'était un jour de semaine et il n'avait pas les vacances scolaires ; il serait donc à la scierie. Je l'y trouvai en effet.

Je lui annonçai que j'avais découvert mon père dans les annuaires de la Favorite River Academy. Je lui dis que l'oncle Bob m'avait tout raconté : Franny la Folle Flamboyante, le travesti efféminé qui essayait les affaires de ma mère et même celles de ma tante Muriel !

Mais qu'est-ce que c'était que cette histoire ? Mon père était venu me voir ?… C'était quand j'étais malade, quand j'avais la scarlatine ? Et comment était-il possible que mon père m'ait effectivement raconté l'histoire de sa rencontre avec un soldat dans un Liberty ship pendant une tempête dans l'Atlantique ? Le bateau de transport de troupes venait juste de toucher la haute mer – il était parti pour l'Italie depuis Hampton Roads, Virginie, son port d'embarquement – quand mon père avait fait la connaissance d'un sauteur de chiottes qui lisait *Madame Bovary*.

– C'était qui, ce type ? demandai-je à Grand-père pour conclure.

– Ce devait être cette personne que ta mère a vu Franny embrasser, Bill. Tu avais la scarlatine, ton père avait appris que tu étais malade et il avait voulu te voir. Le connaissant, je le soupçonne d'avoir voulu voir à quoi ressemblait Richard Abbott, aussi. Il voulait être sûr que tu étais en de bonnes mains, je suppose. Franny n'était pas un méchant homme, Billy… Seulement voilà, c'était pas tout à fait un homme, justement !

– Et personne ne m'a jamais rien dit.

– Ah, bah, ne va pas te figurer qu'on en soit tellement fiers, Bill. C'est comme ça, voilà tout. Ta mère a souffert. Elle n'a jamais compris ce qui se jouait dans ces essayages, la pauvre. Elle croyait que cette manie lui passerait.

– Et ce gars qui lisait *Madame Bovary* ?

– Ah, eh bien, on rencontre des gens, Bill… Parfois ce sont des rencontres sans suite, et puis d'autres fois on rencontre l'amour de sa vie, et là, ça change tout, tu comprends ?

Je ne devais revoir Miss Frost que deux fois. Je ne soupçonnais pas les effets à long terme d'une rencontre avec l'amour d'une vie. Pas encore.

10

Une seule prise

L'avant-dernière fois que j'ai vu Miss Frost, c'était à un tournoi de lutte, un double, en janvier 1961. C'était le premier tournoi à domicile de la saison, Tom Atkins et moi y étions donc allés ensemble. La salle de lutte, autrefois seul gymnase du campus, était une vieille bâtisse en brique, reliée au gymnase actuel, plus grand et plus moderne, par une galerie en béton, couverte mais non chauffée.

L'ancien gymnase était entouré d'une piste de course en bois, suspendue au-dessus de la salle de lutte, et légèrement incurvée aux quatre coins. Les élèves aimaient s'y percher, en s'accoudant à la barre centrale de la rambarde. Ce samedi-là, nous étions parmi eux, Tom et moi, et nous regardions les lutteurs au-dessous de nous.

Le tapis, la table de marque et les bancs des deux équipes occupaient presque tout l'espace au sol. Au fond de la salle se trouvaient des gradins qui ne comptaient pas plus d'une douzaine de rangs, et que les élèves considéraient comme étant la place des « aînés ». Venaient en effet s'y asseoir professeurs et parents ainsi que des habitants de First River, habitués des tournois. Le jour où Mrs Kittredge était venue voir lutter son fils, c'est là qu'elle s'était installée – ce qui nous avait permis, à Elaine et à moi, de l'observer depuis la piste suspendue.

J'étais en train de me remémorer cette occasion lorsque Tom et moi aperçûmes Miss Frost. Elle était assise au premier rang des gradins, au ras du tapis de lutte (contrairement à Mrs Kittredge que je revoyais installée tout au fond, déesse manifestant ainsi sa distance vis-à-vis des mortels et de ce corps à corps accompagné de grimaces et de grognements).

– Regarde un peu qui est là, Bill, au premier rang, tu la vois ? me demanda Atkins.

– Mais oui, Tom, je la vois.

Miss Frost assistait-elle aux matchs de lutte, souvent, toujours ? Si elle était venue régulièrement aux tournois à domicile, comment ne l'aurions-nous pas repérée, Elaine et moi ? Elle en imposait, et pas seulement par sa stature et sa carrure. Si elle se mettait souvent au premier rang, lors des matchs, comment l'aurions-nous ratée ?

Elle semblait parfaitement à l'aise, tout à fait chez elle, au bord du tapis, à regarder les lutteurs s'échauffer. Comme elle n'avait pas levé les yeux vers la piste de course, même pendant les échauffements, il était peu probable qu'elle nous ait vus. Et dès le début de la compétition, tout le monde regarderait les lutteurs, non ?

Delacorte étant un poids léger, il participait aux premiers matchs. S'il avait donné au Fou du *Roi Lear* des accents moribonds, il luttait dans le même registre. Le regarder me mettait à l'agonie. Il réussissait ce tour de force de faire mourir un match à petit feu. C'était la contrepartie de ses privations pour « faire le poids ». Il était tellement desséché par son régime que sa peau plissait sur ses os saillants. On aurait dit une victime de la faim.

Nettement plus grand que la plupart de ses adversaires, il les battait souvent aux points en première période et menait encore à la fin de la deuxième. Puis il commençait à fatiguer, et payait la rançon de son régime de famine pendant la troisième.

Il terminait tous ses matchs en tentant désespérément de sauver une avance qui s'amenuisait. Il jouait la montre, fuyait le tapis ; les mains de son adversaire se faisaient plus lourdes sur lui. Tête baissée, bouche ouverte, langue pendant sur le côté, la troisième période le trouvait à bout de souffle. Les matchs duraient toujours deux ou trois minutes de trop pour lui, résumait Kittredge.

« Accroche-toi, Delacorte ! » lui criait immanquablement un élève, dans le public ; et bientôt, nous reprenions tous cet encouragement : « Accroche-toi, accroche-toi, accroche-toi ! »

À ce moment des matchs de Delacorte, Elaine et moi avions découvert qu'il fallait se tourner vers Hoyt, l'entraîneur de l'École, un vieux de la vieille coriace, oreilles en chou-fleur et nez écrasé, que presque tout le monde appelait par son prénom, Herm.

En effet, quand Delacorte n'en finissait pas de mourir, en troisième période, on savait que Herm Hoyt allait prendre une serviette dans la pile, à l'extrémité du banc, près de la table de marque ; c'était là qu'il s'installait sans exception.

Tandis que Delacorte rassemblait ses dernières forces, Herm dépliait la serviette. Et quand il se levait du banc sur ses jambes arquées de vieux lutteur, on aurait dit, l'espace d'un instant, qu'il se préparait à euthanasier son élève par étranglement. Mais il s'encapuchonnait dans la serviette et regardait par en dessous les derniers moments du mourant ; son œil passait de la pendule, sur la table de marque, à l'arbitre qui, pendant les secondes ultimes du combat, donnait un avertissement à Delacorte puis finissait par le sanctionner pour fuite de prise.

Pendant l'agonie de Delacorte, spectacle pour moi insoutenable, je préférais regarder Herm Hoyt, qui écumait de rage et se tordait d'empathie sous sa serviette. Bien entendu, je conseillais à Tom de faire comme moi, parce que Herm savait avant tout le monde, y compris l'intéressé, si Delacorte s'accrocherait jusqu'à la victoire, ou mourrait sur sa défaite.

Ce samedi-là, à l'issue de son « état de mort prochaine », il s'accrocha bel et bien, et il gagna. Sur quoi, il quitta le tapis pour s'écrouler dans les bras de Herm Hoyt et le vieux coach fit ce qu'il faisait toujours, en cas de victoire comme en cas de défaite, il lui enveloppa la tête dans la fameuse serviette. Ainsi, Delacorte se dirigea d'un pas chancelant vers le banc où il resta prostré, pantelant, secoué par des sanglots, à l'abri de la toile éponge.

– Pour une fois, il se rince pas, et il crache pas non plus, ironisa Atkins.

Moi, je regardais Miss Frost, qui leva les yeux dans ma direction et me sourit.

Ce fut un sourire sans gêne aucune, accompagné d'un petit geste de la main, un friselis du bout des doigts. Aussitôt, je compris : Miss Frost m'avait repéré depuis le début ; elle s'attendait à me trouver là.

Je fus tellement liquéfié par son sourire et son salut que je crus défaillir et glisser sous la rambarde pour dégringoler dans la salle. Je ne risquais guère d'y laisser ma peau, la piste n'était pas très haute, mais quelle humiliation d'atterrir en vrac sur le tapis, ou de m'écraser sur un ou plusieurs lutteurs.

– Je me sens mal, Tom, la tête me tourne, dis-je à Atkins.

– Je te retiens, Bill, répliqua-t-il en m'entourant l'épaule de son bras, évite de regarder en bas pendant une minute.

Je regardai du côté des gradins, au fond du gymnase, mais Miss Frost s'intéressait de nouveau au tournoi. Un match venait de commencer, tandis que la tête de Delacorte s'agitait de soubresauts sous la serviette consolatrice.

L'entraîneur était revenu s'asseoir sur le banc de l'équipe, à côté de la pile de serviettes propres. Je vis Kittredge entamer ses assouplissements ; il se tenait près du banc, rebondissant sur ses pieds, et tournant la tête de chaque côté ; tout en faisant ses étirements de cou, il ne perdait pas Miss Frost des yeux.

– Ça va, Tom, dis-je.

Mais le poids de son bras s'attarda sur ma nuque encore quelques secondes. J'eus le temps de compter mentalement jusqu'à cinq avant qu'il le retire.

– Si on allait en Europe, toi et moi ? lui dis-je, tout en continuant à regarder Kittredge, qui s'était mis à sauter à la corde sans quitter Miss Frost des yeux, ni changer de cadence pour autant.

– Regarde-moi ça : il est sous le charme, me dit Atkins avec humeur.

– J'ai bien vu, Tom, je le vois. (Voir Kittredge et Miss Frost ensemble : ma pire terreur ou mon fantasme secret ?)

– Aller en Europe cet été, toi et moi, c'est ça que tu veux dire, Bill ?

– Pourquoi pas ? répondis-je d'un ton aussi dégagé que possible (je gardais un œil sur Kittredge).

– Si tes parents sont d'accord, et les miens aussi. On pourrait leur demander, non ?

– Ça ne tient qu'à nous, Tom. Il faut qu'on leur fasse comprendre que c'est une priorité.

– Elle te regarde, Bill, souffla-t-il.

Lorsque je tournai les yeux, l'air de rien, en direction de Miss Frost, elle me souriait de nouveau. Elle porta son index et son majeur à sa bouche pour m'envoyer un baiser. Avant que je puisse le lui rendre à distance, elle s'était remise à suivre le match.

– Alors, ça, ça l'a scié, Kittredge ! dit Tom, surexcité.

Moi, je continuai à regarder Miss Frost, mais un instant seulement. Je n'avais pas besoin d'Atkins pour me dire que Kittredge regardait dans ma direction.

– Bill, Kittredge est…
– Je sais, je sais, Tom.

Mon regard s'attarda sur Miss Frost avant de se poser, comme par hasard, sur Kittredge. Il avait cessé de sauter à la corde et me fixait. Je me contentai de lui sourire de mon sourire le plus anodin et il se remit à sauter ; cette fois, il avait accéléré la cadence, consciemment ou pas, mais il dévisageait de nouveau Miss Frost. Je ne pouvais m'empêcher de me demander s'il revenait sur ce mot *dégueulasse* qu'il avait employé. Peut-être n'éprouvait-il plus de dégoût devant ce « jusqu'au bout » où nous serions allés, elle et moi. Ou alors je me berçais d'illusions…

Dès que Kittredge entra en lice, l'atmosphère de la salle changea. Depuis leurs bancs, les deux équipes considéraient le massacre d'un œil clinique. Il commençait généralement par pilonner ses adversaires avant le tombé. Devant cet étalage de technicité, moi qui n'étais pas lutteur, j'avais du mal à faire la part du sport, de la force brute, et de la simple supériorité physique. Il dominait complètement son adversaire. Venait toujours un moment, au cours de la troisième et dernière période, où il regardait la pendule, sur la table de marque ; alors, la foule de ses supporters locaux se mettait à scander : « Tom-bé, tom-bé, tom-bé ! » À ce stade, la torture durait depuis si longtemps pour son adversaire qu'il devait souhaiter aller au tapis ; et quand, tout de suite après, l'arbitre signalait la chute tant attendue, c'était une délivrance pour le malheureux. Je n'avais jamais vu Kittredge perdre ; je ne l'avais même jamais vu en danger.

Je ne me rappelle pas les autres matchs de l'après-midi, ni quelle équipe remporta le double. Le reste du tournoi est voilé dans ma mémoire par le regard que Kittredge portait en quasi-permanence sur Miss Frost, car il continua de la dévisager longtemps après son match, et ne s'interrompit que pour me lancer un coup d'œil par acquit de conscience, de temps en temps.

Moi, bien entendu, mon regard passait de l'un à l'autre. C'était la première fois que je les voyais réunis en un même lieu, et j'avoue que j'étais profondément perturbé par la perspective qu'elle lui rende son regard, ne serait-ce qu'un quart de seconde. Elle n'en fit rien, rien de rien. Elle continua d'observer le match, et, fugitivement, de me sourire. Et pendant ce temps-là, Tom ne cessait de me répéter :

– Tu veux pas partir, Bill ? Si ça t'est pénible, on s'en va, je viens avec toi, t'en fais pas.

– Ça va très bien, Tom, je veux rester, lui répétais-je.

– Voir l'Europe, alors là, j'y aurais jamais pensé ! s'exclama-t-il à un moment donné. Mais on irait où, en Europe ? Et on voyagerait comment ? En train, je suppose, ou bien en car ? Je me demande ce qu'il faudra emporter comme vêtements.

– Ce sera l'été, Tom. Il nous faudra des affaires d'été.

– Oui, mais quel genre d'affaires ? Habillées ou pas ? Et puis, pour l'argent, combien il va nous falloir ? J'en ai pas la moindre idée, moi, dit Atkins, d'une voix où perçait l'affolement dont il était coutumier.

– On va se renseigner. Il y a des tas de gens qui y sont allés, en Europe.

– Demande surtout pas à Kittredge, Bill, continua Atkins sur le même ton. On n'a pas du tout les moyens de descendre là où il va, ni dans les mêmes hôtels. En plus, je pense qu'il vaut mieux pas qu'il sache qu'on part ensemble, hein ?

– Déconne pas, Tom !

Delacorte venait d'émerger de sa serviette ; il semblait respirer normalement, il tenait un gobelet en carton à la main. Kittredge lui dit quelque chose, et aussitôt il se mit à regarder en direction de Miss Frost, lui aussi.

– Delacorte me fiche les… commença Atkins.

– Je sais, je sais, Tom !

Je compris que le binoclard servile au regard fuyant, là-bas, était le team manager de l'équipe. C'était la première fois que je le remarquais. Il tendit à Kittredge une orange coupée en quartiers, que ce dernier prit sans le regarder ni le remercier. Il s'appelait Merryweather, « Jolitemps », avec un nom pareil, on ne risquait pas de l'appeler par son prénom.

Il tendit un gobelet propre à Delacorte, qui cracha dûment dedans, ensuite de quoi le gobelet atterrit dans le seau prévu à cet effet. Kittredge mangeait son orange, Delacorte et lui fixaient Miss Frost. Je regardais Merryweather, qui rassemblait les serviettes sales et j'essayais d'imaginer mon père, Franny Dean, en train de vaquer aux diverses tâches d'un team manager.

– Franchement, Bill, je te trouve distant pour un gars qui vient de me proposer de passer l'été en Europe avec lui, me reprocha Atkins sur un ton larmoyant.

– Distant ? répétai-je.

Je regrettais déjà ma proposition. Son état de demande permanente m'irritait. Mais voilà que le tournoi s'achevait. Les élèves se massaient dans les escaliers en tôle larmée qui menaient au gymnase. Parents et professeurs, ainsi que les autres spectateurs adultes installés sur les gradins, s'agglutinaient autour du tapis, où les lutteurs bavardaient avec leurs familles et leurs amis.

– Tu vas quand même pas aller lui parler, Bill ? Je croyais que ça vous était interdit ! dit Atkins avec agitation.

J'aurais bien voulu savoir ce qui se serait passé si je m'étais trouvé nez à nez avec Miss Frost et lui avais lancé « Salut ! ». (Après les matchs de Kittredge, Elaine et moi venions toujours nous presser autour du tapis, sans doute dans l'espoir et la crainte de tomber sur lui « par hasard ».)

Il n'était pas bien difficile de repérer Miss Frost au milieu de la foule ; elle était tellement grande, elle se tenait si droite. Tom Atkins n'arrêtait pas de me chuchoter, avec la fébrilité du beagle au départ de la chasse :

– Elle est là, Bill, elle est là, tu la vois ?

– Je la vois, Tom.

– Mais je vois pas Kittredge, me signala-t-il sur un ton inquiet.

On pouvait compter sur Kittredge pour arriver à point nommé. Quand je me dirigeai vers Miss Frost (situation intimidante et nullement fortuite, elle se trouvait au centre du cercle en train de se former autour du tapis de lutte), le hasard voulut que je me plante devant elle à l'instant même où Kittredge surgissait. Elle s'aperçut sans doute que j'étais dans l'impossibilité de parler. Atkins, qui bafouillait compulsivement jusque-là, fut frappé de mutisme par la gravité de l'instant. Kittredge, qui ne peinait jamais à trouver ses mots, lança avec un sourire en direction de Miss Frost :

– Tu ne me présentes pas à ton amie, Nymphe ?

Miss Frost me souriait toujours ; elle lui répondit sans le regarder :

– J'ai vu le spectacle que vous donnez, mon jeune ami. Sur les planches et ici. (Elle désignait de son long index le tapis de lutte. Elle portait un vernis d'une couleur que je ne lui avais jamais vue, un bordeaux, un rouge tirant sur le violet.) Mais c'est Tom Atkins qui va faire les présentations, car William et moi n'avons pas le droit de nous parler, ni d'entretenir quelque autre commerce, précisa-t-elle sans jamais me quitter des yeux.

– Pardon, je ne savais pas que… commença Kittredge, aussitôt interrompu par Tom qui bredouilla :

– Miss Frost, je vous présente Jacques Kittredge, Jacques, je te présente Miss Frost, qui est une grande… une grande lectrice !

Il réfléchit à une suite possible. Miss Frost avait tendu une main hésitante à Kittredge car elle continuait de me regarder, et il devait se demander si cette main se tendait vers lui ou vers moi.

– Kittredge est notre meilleur lutteur, dit Tom, en fonçant tête baissée, comme s'il lui apprenait quelque chose. Ça va faire sa troisième saison sans défaite, enfin, s'il demeure invaincu, continua-t-il à bourdonner. Ce sera un record à l'École, trois saisons sans défaite, hein, Kittredge ? acheva-t-il, pas très sûr de lui.

– À vrai dire, répondit Kittredge en souriant à Miss Frost, je ne pourrai qu'égaliser le record, à supposer que je demeure invaincu. Y a un gars qui l'a fait, dans les années trente. Bon, bien sûr, il n'y avait pas de tournoi de la Nouvelle-Angleterre, à l'époque, et puis ils ne jouaient pas autant de matchs qu'aujourd'hui, je suppose, et on sait pas trop qui ils avaient en face…

Miss Frost l'arrêta d'un geste :

– Des gars pas trop mauvais, dit-elle avec un haussement d'épaules désarmant.

Elle imitait à la perfection ce geste familier chez lui : elle l'observait de près et depuis longtemps !

– Qui c'est, ce type, et c'est quoi, son record ? demanda Atkins à Kittredge.

Bien entendu, je compris à la réponse de ce dernier qu'il n'avait pas fait le rapprochement.

– Un nommé Al Frost, répondit-il négligemment.

Je redoutais le pire. Tom Atkins risquait de se mettre à pleurer comme un veau, de vomir frénétiquement, de répéter comme un dément le mot *vagin*, mais il demeura muet, quoique agité de tics.

– Comment ça va, Al ? demanda l'entraîneur à Miss Frost.

Sa vieille tête cabossée lui arrivait à l'épaule, elle lui posa ses ongles

288

bordeaux sur la nuque et plaqua son visage sur ses petits seins qui attiraient le regard. Delacorte m'expliquerait plus tard que, chez les lutteurs, cette prise s'appelle une cravate.

– Et toi, comment ça va, Herm ? demanda affectueusement Miss Frost à son ancien entraîneur.

– Bah, je m'incruste.

Une serviette errante dépassait d'une des poches de son blouson de sport fripé, il avait la cravate de travers et le dernier bouton de sa chemise ouvert ; son cou de lutteur l'empêchait de le fermer.

– On parlait d'Al Frost et du record de l'École, dit Kittredge à son entraîneur.

Puis, sans cesser de sourire à Miss Frost :

– Tout ce qu'il accepte de nous dire de ce Frost, c'est qu'il était « plutôt pas mal », mais voilà, c'est ce qu'il dit des gars qui sont excellents comme de ceux qui sont pas mauvais. Et vous, vous ne l'avez jamais vu lutter, cet Al Frost ?

À mon avis, ce n'est pas l'embarras subit de Herm Hoyt qui vendit la mèche ; je crois sincèrement qu'une fraction de seconde après avoir posé la question, Kittredge réalisa qu'il avait Al Frost devant lui. C'est d'ailleurs à ce moment-là que je le vis regarder ses mains et pas pour la couleur de son vernis à ongles.

– Al, Al Frost, dit-elle en lui tendant la main, sans la moindre ambiguïté cette fois, et en le regardant enfin.

Je le connaissais, ce regard, c'était son regard pénétrant, celui dont elle m'avait gratifié quand j'avais quinze ans, et que je demandais à relire *De grandes espérances*. Tom et moi, nous fûmes frappés de voir disparaître la main de Kittredge dans la patte de Miss Frost.

– Bien sûr nous n'étions pas, nous ne sommes pas, devrais-je dire, dans la même catégorie de poids.

– Big Al était mon lutteur chez les lourds, les plus de 80 kilos, expliqua Herm à Kittredge. Tu étais un peu léger pour lutter dans les poids lourds, Al, mais je t'ai donné ta chance une fois ou deux, tellement tu me tannais.

– J'étais plutôt pas mal, mais pas plus, expliqua Miss Frost à Kittredge. En tout cas, quand je suis arrivé en Pennsylvanie, ils ne m'ont pas trouvé si fameux que ça.

Atkins et moi, nous voyions bien que Kittredge en restait sans voix ;

après leur serrage de pince, il n'arrivait pas à lâcher sa main, ou alors c'était elle qui le retenait.

Elle avait perdu beaucoup de masse musculaire, depuis l'époque des tournois ; pourtant, avec toutes les hormones qu'elle prenait, je suis sûr qu'elle avait les hanches plus larges qu'au temps où elle luttait dans les plus de 80 kg. Je dirais que, la quarantaine passée, elle devait peser dans les 85 kg, mais enfin elle mesurait 1,87 m, « 1,92 m en talons », m'avait-elle confié, et elle les portait très bien, ses kilos. Elle n'avait nullement une allure de poids lourd.

Jacques Kittredge pesait 67 kg. À vue de nez, son poids « normal », c'est-à-dire hors saison de lutte, devait tourner autour de 70 kg. Il atteignait tout juste 1,80 m, il l'avait dit à Elaine.

Herm Hoyt avait dû le voir se démonter, ce qui n'était pas dans ses habitudes, et il avait dû remarquer aussi leur poignée de main interminable, qui était en train de provoquer des halètements chez Atkins.

Nerveux, le coach se lança dans des élucubrations nostalgiques ; il nous improvisa un exposé sur l'histoire de la lutte, comblant ainsi le vide de notre conversation tuée dans l'œuf.

– Je me disais que de ton temps, Al, vous portiez que des collants, tout le monde était torse nu, tu te rappelles ?

– Je m'en souviens fort bien, Herm, répondit Miss Frost en lâchant la main de Kittredge.

Du bout de ses longs doigts, elle rajusta son cardigan ouvert sur son chemisier, les mots *torse nu* ayant attiré l'attention de Kittredge sur ses seins juvéniles.

Tom Atkins avait la respiration sifflante ; je lui connaissais des problèmes d'élocution, mais je ne croyais pas savoir qu'il était asthmatique. Peut-être qu'il haletait pour ne pas fondre en larmes, le pauvre diable !

– On a commencé à porter des maillots en plus des collants en 58, si tu t'en souviens, Jacques, dit l'entraîneur.

Mais Kittredge n'avait pas recouvré l'usage de la parole ; il réussit seulement à hocher la tête d'un air désemparé.

– Le maillot fait double emploi avec les collants, reprit Miss Frost en examinant son vernis à ongles d'un air réprobateur, comme si une tierce personne en avait choisi la couleur. C'est l'un ou l'autre, ou bien le maillot, sans collants, ou bien les collants, mais torse nu. Personnellement, ajouta-t-elle en aparté à l'intention de Kittredge, toujours muet, je préfère être torse nu.

– Un de ces jours, je vous parie que ça va être maillot sans collants, prédit le vieil entraîneur. Y vont plus autoriser qu'on lutte torse nu.

– Dommage, conclut Miss Frost avec un soupir théâtral.

Atkins suffoquait : avec une demi-seconde d'avance sur moi, peut-être, il venait d'apercevoir le Dr Harlow, l'œil courroucé. Je l'imaginais très mal en fan de lutte – le fait est qu'Elaine et moi ne l'avions jamais vu lors des précédents matchs de Kittredge, cela dit, nous n'avions pas de raison particulière de faire attention à lui en pareille circonstance.

– Bill, ça t'est strictement interdit ; il ne doit pas y avoir de contact entre vous, dit le Dr Harlow sans regarder Miss Frost et en évitant soigneusement de prononcer son nom.

– Miss Frost et moi ne nous sommes pas dit un mot.

– Aucun contact, Bill, cracha le docteur, qui évitait toujours de regarder l'ex-bibliothécaire.

– Mais de quel contact parlez-vous ? dit sèchement celle-ci. (Sa grande main s'était abattue sur l'épaule du médecin, qui avait fait un bond en arrière.) Le seul contact que j'aie eu ici, c'est avec le jeune Kittredge.

Joignant le geste à la parole, elle lui posa les mains sur les épaules.

– Regardez-moi, lui dit-elle. (Tout à coup, Kittredge eut l'air d'un gamin docile et impressionnable. Si Elaine avait été là, elle l'aurait enfin trouvée, l'innocence qu'elle recherchait en vain sur ses photos d'enfance et d'adolescence.) Je vous souhaite bonne chance, j'espère que vous égaliserez ce record.

– Merci, réussit à balbutier Kittredge.

– À bientôt, Herm, dit-elle à son vieil entraîneur.

– Porte-toi bien, Al, répondit celui-ci.

– À bientôt, Nymphe, me lança Kittredge.

Et, sans un regard vers Miss Frost ou vers moi, il quitta le tapis à petites foulées pour rattraper un de ses coéquipiers.

– On parlait de lutte, docteur, dit Herm au Dr Harlow, cet enculé de vieille chouette déplumée.

– Et de quel record ? lui demanda le médecin.

– Du mien, répondit Miss Frost.

Elle se disposait à partir lorsque Atkins s'étrangla ; Kittredge n'étant plus là, il n'avait plus peur de parler. N'y tenant plus, il bredouilla :

– Miss Frost, Bill et moi, on part en Europe ensemble, cet été.

Miss Frost me sourit avec chaleur avant d'accorder son attention à Atkins.

– C'est une idée formidable, je trouve. Vous allez vous amuser comme des fous.

Elle s'en allait déjà, mais elle se retourna pour nous dire, tout en regardant le Dr Harlow bien en face :

– J'espère que ça vous donnera l'occasion d'aller jusqu'au bout, tous les deux !

Ils avaient disparu l'un comme l'autre, le docteur sans un regard dans ma direction. Nous nous retrouvions avec Herm Hoyt.

– C'est pas tout ça, les gars, moi, faut que j'y aille, y a débriefing de l'équipe.

– Herm, lui dis-je en le retenant, je serais curieux de savoir lequel de Kittredge ou d'Al Frost gagnerait s'ils s'affrontaient. Je veux dire, s'ils étaient du même âge et dans la même catégorie, vous comprenez, quoi, toutes choses égales.

Il regarda autour de lui, comme pour vérifier qu'aucun de ses lutteurs ne pouvait l'entendre ; seul Delacorte s'attardait dans la salle, mais au niveau de la sortie : on aurait dit qu'il attendait quelqu'un et il était bien trop loin.

– Écoutez-moi bien, les gars, gronda l'entraîneur, et n'allez pas le répéter, mais Big Al massacrerait Kittredge, indépendamment de l'âge et du poids, il vous le corrigerait proprement.

Je ne prétendrai pas que ce pronostic ne me fit pas plaisir, mais j'aurais préféré en être le seul bénéficiaire ; je n'avais pas envie de le partager avec Tom Atkins.

– Tu te rends compte, Bill… commença celui-ci, une fois l'entraîneur retourné aux vestiaires.

– Oui, je me rends compte, l'interrompis-je.

Nous avions gagné la porte lorsque Delacorte nous arrêta. C'était donc moi qu'il attendait.

– Je l'ai vue, elle est superbe, carrément ! Elle m'a parlé au moment où j'allais sortir ; elle m'a dit que j'avais été « formidable » dans le rôle du Fou. (Il s'interrompit pour se rincer la bouche et cracher.

Il tenait à la main ses deux gobelets fétiches ; il renaissait de ses cendres.) Elle m'a également dit que je devrais monter de catégorie, mais elle a présenté ça d'une drôle de façon. Elle m'a dit que je perdrais plus de matchs, mais que je souffrirais moins. Tu te rends compte, autrefois, elle s'appelait Al Frost ! Elle était dans l'équipe de lutte, tu sais.

– On est au courant, Delacorte, dit Tom, irrité.

– Je ne te parle pas, à toi, répondit Delacorte en se rinçant la bouche pour cracher ensuite. Là-dessus, le Dr Harlow nous interrompt, il lui dit un truc du genre « votre présence ici est déplacée », une connerie comme ça, mais elle continue à me parler comme s'il était pas là. Elle me demande : « Qu'est-ce que dit Kent à Lear, dans l'acte I scène 1, quand Lear se trompe du tout au tout sur Cordelia ? C'est quoi, ce vers, déjà ? Je viens de voir la pièce, et vous vous venez de la jouer. » Mais je voyais pas de quel vers elle parlait, moi je jouais le Fou, je jouais pas Kent ! Le Dr Harlow, il restait planté là, et la voilà qui crie : « Ça y est, ça me revient, il dit : *Tue ton médecin.* » Alors la vieille chouette déplumée, il lui fait comme ça : « Très drôle, vous vous croyez drôle, sûrement », et là, elle se retourne vers lui, elle le regarde bien en face, et elle lui lance : « Drôle ? Mais c'est vous qui êtes drôle, vous êtes un *drôle* de petit bonhomme, si vous voulez savoir, docteur Harlow ! » Alors là, il a pas demandé son reste, il s'est carapaté. Elle te l'a fait déguerpir, elle est merveilleuse, ton amie, conclut Delacorte.

Quelqu'un lui donna une bourrade ; il en laissa échapper ses deux gobelets, et, dans un effort désespéré pour garder l'équilibre, dégringola au milieu de son cimetière de carton. C'était Kittredge qui venait de le pousser. Il sortait de la douche, une serviette autour de la taille, les cheveux mouillés.

– Il y a débriefing de l'équipe après la douche, et toi t'es même pas encore sous la flotte. J'aurais eu le temps de tirer deux coups en t'attendant, Delacorte.

Delacorte se leva et se précipita vers la coursive couverte qui menait au nouveau gymnase, où se trouvaient les sanitaires.

Tom Atkins essayait de se confondre avec le mur ; il avait peur que Kittredge s'en prenne à lui, histoire de changer de victime.

– Comment tu as fait pour pas voir que c'était un homme, Nymphe ? me demanda Kittredge à brûle-pourpoint. T'avais pas vu sa pomme d'Adam ? T'avais pas vu qu'elle est gigantesque, sauf au niveau des seins ! Comment t'as fait pour pas voir que c'est un homme ?

– Mais qui te dit que je ne l'ai pas vu ? (C'était sorti tout seul, comme la vérité sort parfois.)

– Bon Dieu, Nymphe… dit Kittredge.

Il se mit à frissonner dans le courant d'air froid de la coursive, sa serviette autour du corps. Il était rare de le voir en position vulnérable. Tom Atkins, qui n'avait rien d'un brave lui-même, dut le sentir ; il eut un instant de témérité.

– Et toi, comment tu as fait pour ne pas voir qu'elle avait été lutteur ?

Kittredge esquissa un pas vers lui, et l'autre, oubliant sa bravoure éphémère, recula au risque de perdre l'équilibre.

– Tu as vu ses épaules, son cou, ses mains !

– Faut que j'y aille, répondit seulement Kittredge.

Et il me le dit à moi, sans répondre à Atkins. Mais sa belle assurance en avait pris un coup, Atkins lui-même pouvait s'en apercevoir.

Il partit à petites foulées, tenant sa serviette bien serrée pour l'empêcher de glisser ; elle lui faisait une jupette qui l'obligeait à courir comme une fille.

– Tu penses pas que Kittredge pourrait perdre un match cette saison, hein, Bill ?

Imitant Kittredge, je ne lui répondis pas. Comment Kittredge pouvait-il perdre un match en Nouvelle-Angleterre ! J'aurais bien aimé le demander à Miss Frost – entre autres choses.

Vient un moment où l'on se lasse d'être traité comme un enfant, où l'on se lasse de l'adolescence, aussi, et ce passage qui se ferme sitôt ouvert, où l'on veut grandir sans retour, est une phase dangereuse. Dans un futur roman, un de mes premiers, j'écrirais : «L'ambition nous vole notre enfance. Dès l'instant qu'on veut être adulte, de quelque façon que ce soit – quelque chose meurt, de l'enfance.» Peut-être faisais-je allusion au désir simultané de devenir écrivain et de coucher avec Miss Frost – pas forcément dans cet ordre, d'ailleurs.

Dans un roman suivant, j'aborderais l'idée un peu différemment, en la cernant d'un peu plus près, peut-être. «Au fil d'étapes dont on prend la mesure sans la prendre, l'enfance nous est volée ; pas toujours lors d'un événement décisif, souvent au fil de menus larcins qui s'ajoutent, et finissent par faire le compte. » J'aurais sans doute pu écrire *trahisons* au lieu de *larcins* ; à en juger par ce qui se passait dans ma famille, j'aurais pu employer le mot *tromperies*, mensonges par omission et par commission. Mais je persiste et signe ; je n'en dirai pas davantage.

Dans un autre roman encore, peu après le début, j'ai écrit : « La mémoire est un monstre ; on oublie, pas elle. Elle archive ; elle tient à disposition ou bien elle dissimule. Et puis elle nous *rappelle* avec une volonté qui lui est propre. On croit avoir de la mémoire, on se fait avoir par elle. » Là encore, je persiste et signe.

On devait être fin février, début mars 1961, lorsque la Favorite River Academy apprit la défaite de Kittredge ; les deux défaites, pour être exact. Cette année-là, les tournois interscolaires de la Nouvelle-Angleterre s'étaient déroulés à Providence, dans le Rhode Island. Kittredge avait été sévèrement battu en demi-finale.

– Il est même pas passé près de la victoire, me dit Delacorte en une phrase tout juste intelligible où je détectai les voyelles et dus deviner les consonnes car il avait six points de suture sur la langue.

Kittredge avait perdu de nouveau dans la petite finale, et il avait perdu contre un garçon qu'il avait battu précédemment.

– La première défaite l'a comme qui dirait démoralisé, et après ça finir troisième ou quatrième, il en a plus rien eu à faire, se borna à dire Delacorte.

Je vis du sang dans le gobelet où il crachait ; il s'était mordu la langue, d'où les six points de suture.

– Kittredge a fini quatrième, annonçai-je à Atkins.

Pour un type qui avait deux fois défendu son titre, ça avait dû faire mal. Le tournoi inter-écoles avait été créé en 1949, quatorze ans après qu'Al Frost avait achevé sa troisième saison invaincu, mais le journal de l'École ne parla pas du record d'Al Frost, ni du fait que Kittredge n'avait pas pu l'égaler. En treize ans, il y avait eu dix-huit doubles champions, dont Kittredge. S'il avait remporté le troisième tournoi, on aurait eu droit à une première. « Une première et une dernière », avait confié Herm Hoyt au journal. En effet, ce fut la dernière année de compétition générale entre établissements ; dès 1962, les lycées publics et privés auraient des tournois distincts.

J'abordai le sujet avec Herm Hoyt au début du printemps, un jour que je le croisai dans le parc.

– On va y perdre, me dit-il, un seul tournoi pour tous, c'était plus compétitif.

Je l'interrogeai aussi sur Kittredge, pour savoir s'il y avait une explication à ses deux défaites.

– Il s'en fichait pas mal de perdre la petite finale, m'expliqua-t-il ; du moment qu'il pouvait plus rafler la mise, faire troisième ou quatrième, il en avait plus rien à foutre.

– Mais sa première défaite ?

– Moi, je lui avais dit : on tombe toujours sur plus fort que soi ; et pour battre un plus fort, il faut être plus coriace que lui. Alors voilà, il est tombé sur plus fort que lui, mais il a pas été plus coriace.

Apparemment, il ne fallait pas chercher plus loin. Atkins et moi, après une telle attente, étions déçus par cette défaite. Quand j'en parlai à Richard Abbott, il me fit remarquer :

– C'est shakespearien, Bill ; il y a des tas de choses importantes qui se passent en dehors de la scène, chez Shakespeare ; on nous les rapporte, c'est tout.

– C'est shakespearien… répétai-je.

« N'empêche que c'est décevant », persista Atkins quand je lui rapportai les propos de Richard.

Kittredge lui-même n'avait pas perdu grand-chose de sa superbe ; il ne me semblait pas affecté outre mesure par ces défaites. C'était le moment de l'année de terminale où nous parvenaient les réponses des universités auprès desquelles nous avions déposé des dossiers ; la saison de lutte était finie.

Favorite River ne faisait pas partie des lycées d'excellence pour la Nouvelle-Angleterre ; il était donc logique que nous ne tentions pas les universités d'excellence. La plupart d'entre nous s'inscrivaient dans de petites facs de lettres et de sciences humaines, mais Tom Atkins visait une université d'État ; la vie sur une échelle restreinte, il connaissait déjà ; ce qu'il voulait, c'était justement du vaste, « un endroit où on puisse se perdre », me confia-t-il non sans mélancolie.

Moi, ce n'était pas tant cet aspect-là qui me motivait. Ce qui m'intéressait, c'était le département des lettres, et de pouvoir continuer à lire les auteurs que Miss Frost m'avait fait découvrir.

Ce qui ne m'intéressait pas moins, c'était d'être à New York ou à proximité.

« Vous êtes allée à quelle fac ? » avais-je demandé à Miss Frost. « Une fac au fin fond de la Pennsylvanie, son nom ne te dirait rien », m'avait-elle répondu (la formule me plut, mais, à moi, il me fallait la proximité de New York).

Je posai ma candidature pour toutes les universités possibles et imaginables dans la région de New York ; celles dont le nom ne me disait rien et les autres, et, chaque fois, je me fis un devoir de m'entretenir avec un membre du département d'allemand ; on m'assura chaque fois qu'on m'aiderait à étudier un an en pays germanophone.

Je me doutais déjà qu'un été en Europe avec Tom Atkins ne ferait que stimuler mon désir de partir loin, loin de First Sister, Vermont. Il me semblait impératif pour le futur écrivain que j'étais d'aller vivre en pays étranger, dans une langue étrangère, tout en faisant mes premières armes dans ma langue maternelle comme si j'étais le premier et le dernier à tenter l'aventure.

Tom Atkins atterrit à l'université du Massachusetts, dans la ville d'Amherst. C'était une grande fac et il s'y perdrait en effet – au-delà peut-être de ses espérances, voire trop pour son bonheur.

Mon inscription à l'université du New Hampshire suscita quelques soupçons dans ma famille, puisque le bruit avait couru que Miss Frost s'installait dans ce même État. Muriel regretta qu'elle ne parte pas plus loin du Vermont, à quoi je répondis que j'espérais bien moi-même partir encore plus loin que le Vermont.

Mais, ce printemps-là, la rumeur du déménagement de Miss Frost ne se confirma pas ; d'ailleurs, personne ne précisa dans quel coin du New Hampshire elle était censée avoir élu domicile. À vrai dire, si je m'étais inscrit à l'université de l'État, cela n'avait rien à voir avec l'éventuelle résidence de Miss Frost ; je ne m'y étais inscrit que pour inquiéter ma famille, et n'avais nulle intention d'y mettre les pieds.

Le vrai mystère, en tout cas pour Atkins et moi, c'est que Kittredge, lui, entra à Yale. Certes, Tom et moi avions obtenu des scores au SAT[1] qui nous fermaient les portes de cette fac comme de toutes les grandes. Mais en classe j'avais de meilleures notes que lui, et puis, comment

1. SAT Reasoning Test : examen d'admission aux universités américaines.

se faisait-il que Yale ferme les yeux sur le fait qu'il avait redoublé sa terminale ? Les résultats de Tom Atkins étaient peut-être irréguliers, du moins n'avait-il pas une année de retard. Tom et moi savions que Kittredge avait cassé la baraque au SAT, mais il fallait bien croire que Yale avait d'autres raisons de le prendre.

Atkins disait que c'était parce qu'il faisait de la lutte ; mais je crois savoir ce qu'en aurait dit Miss Frost : ce n'était pas la lutte qui avait ouvert les portes de Yale à Kittredge ; il n'allait pas lutter en équipe universitaire. Outre ses notes au SAT, le fait que son père soit un ancien de chez eux avait dû être pris en compte. «Tu peux me croire, dis-je à Tom, si Kittredge est entré à Yale, c'est toujours pas à cause de son allemand.»

– Qu'est-ce que ça peut te faire, Billy, que Kittredge entre en fac ici ou là ? me demanda Mrs Hadley.

Je n'arrivais pas à prononcer le mot *Yale*, d'où cette conversation.

– Ce n'est pas que je sois jaloux, je vous assure, je ne veux pas y aller, moi, là-bas, c'est un nom que je n'arrive même pas à prononcer.

De fait, que Kittredge et moi soyons acceptés à telle ou telle fac n'eut aucune retombée. Mais, dans un premier temps, je ne décolérai pas.

– Sans parler d'équité, dis-je à Martha Hadley, et le mérite, alors ?

C'était bien une question de gosse de dix-huit ans alors que j'allais sur mes dix-neuf, en mars 1961. Avec le temps, bien sûr, je me remettrais de ma rage et déjà nos projets d'été en Europe nous préoccupaient davantage que cette injustice criante.

Il était d'ailleurs plus facile, je l'avoue, d'oublier Kittredge à présent que je le voyais rarement. Soit il n'avait plus besoin de mon aide pour l'allemand, soit il avait cessé de me la réclamer. Depuis qu'il avait reçu la réponse de Yale, il ne s'inquiétait plus de ses notes – il lui suffisait d'avoir son diplôme de fin d'études secondaires.

– Je me permets de te faire observer que c'était déjà ce qu'il lui suffisait de faire l'an dernier, me dit Atkins d'un air pincé.

Mais, en 1961, Kittredge obtint son diplôme, comme nous tous. Franchement, cette fin d'études secondaires eut quelque chose qui déçut notre attente, aussi. Il ne se passa rien, que pouvait-il se passer d'ailleurs ? Il faut croire que Mrs Kittredge n'en attendait pas grand-chose, car elle n'assista pas à la remise des diplômes. Elaine n'y parut pas non plus, ce qui se comprenait.

Pourquoi est-ce que Mrs Kittredge n'était pas venue à la remise de diplôme de son fils unique ? « Pas très *maternelle*, hein ? » se bornait à dire celui-ci, guère étonné pour sa part ; achever ses études secondaires ne l'impressionnait pas outre mesure. Son aura à lui, c'est qu'il avait une longueur d'avance sur nous.

– Il se croit déjà à Yale ; il n'est plus avec nous, m'avait fait remarquer Atkins.

Je rencontrai les parents de Tom lors de la cérémonie de remise des diplômes. Son père me lança un regard navré, et refusa de me serrer la main. Il ne me traita pas de pédé, mais le pensa si fort que je l'entendis.

– Mon père est très… plouc, me dit Tom.

– Faut le présenter à ma mère, répondis-je sobrement. On part en Europe ensemble, Tom, le reste on s'en fout.

– Le reste on s'en fout, répéta-t-il.

Je n'aurais pas voulu être à sa place pendant la période précédant notre départ. Il était clair que son père allait lui faire la vie dure à cause de moi. Il habitait le New Jersey ; à en juger par les citoyens de cet État qui venaient skier dans le Vermont, je ne lui enviais pas leur compagnie non plus.

Delacorte me présenta à sa mère :

– C'est le gars qui devait jouer le Fou dans *Lear*, au départ.

Comme la jolie petite femme en robe sans manches et chapeau de paille ne me serrait pas davantage la main, je compris que le fait d'avoir été pressenti pour jouer le Fou était peut-être lié à celui d'avoir couché avec la bibliothécaire transsexuelle.

– Je suis désolée que vous ayez eu tous ces… *ennuis*, me dit Mrs Delacorte.

C'est alors que je me rappelai que je ne savais pas à quelle fac Delacorte s'était inscrit. À présent qu'il est mort, je regrette de ne pas le lui avoir demandé ; peut-être était-ce aussi important pour lui que ça l'était peu pour moi.

Les répétitions du Tennessee Williams ne me prenaient pas un temps considérable ; je n'avais qu'un petit rôle puisque je n'apparaissais que dans la dernière scène, centrée autour d'Alma, la femme refoulée qu'aurait si bien incarnée Miss Frost, selon Nils Borkman, mais qui fut jouée par ma tante Muriel, grande refoulée devant l'Éternel ; quant à moi, je me fouettais le sang en imaginant Miss Frost à sa place.

Il me semblait logique que, jeune homme amouraché d'Alma, je regarde sa poitrine avidement, même si, pour tout dire, les énormes obus de ma tante me paraissaient vulgaires par rapport aux seins de Miss Frost.

– Tu es vraiment obligé de me reluquer les seins comme ça ? me demanda Muriel, lors d'une répétition mémorable.

– Je suis censé être toqué de toi.

– De toute ma personne, a priori.

– Moi, ça me semble très juste que le jeune homme reluque les seins d'Alma, déclara d'un ton solennel notre metteur en scène. Parce qu'enfin, il vend des chaussures, hein, il n'est pas très raffinement.

– C'est mon neveu ; il est malsain qu'il me regarde comme ça, dit Tante Muriel, indignée.

– Je suis convaincu que les seins de Mrs Fremont ont attiré le regard de bien des jeunes gens, dit Nils maladroitement, en croyant la flatter.

J'avais passagèrement oublié pourquoi elle ne s'était pas plainte de mes coups d'œil pendant *La Nuit des rois*, avant de me souvenir que j'étais plus petit à l'époque, et que les seins de Muriel lui cachaient la direction de mon regard.

Ma mère soupira. Mon grand-père, qui avait pris le rôle de la mère d'Alma, et arborait en conséquence une paire de faux seins hypertrophiés, émit l'idée qu'il était « bien naturel » qu'un jeune homme, quel qu'il soit, reluque les seins d'une femme aussi gâtée par la nature.

– « Gâtée par la nature », comment peux-tu me dire ça à moi, ta propre fille ? s'écria Muriel.

Ma mère soupira de nouveau.

– Tout le monde les reluque, tes seins, Muriel. Il fut un temps où ça n'était pas pour te déplaire.

– Tu aurais tort de t'engager sur ce terrain avec moi, rétorqua Muriel, il fut un temps où certaines choses n'étaient pas pour te déplaire, à toi non plus.

– Les filles, les filles ! dit Grand-père.

– Toi, le vieux travelo, tu te tais, lui jeta ma mère.

– Je pourrais peut-être ne reluquer qu'un seul de ses deux seins ?... suggérai-je.

300

– Comme si ça t'intéressait, les seins, me cria ma mère, qu'il y en ait un ou deux !

Avec ma mère, j'avais droit à pas mal de soupirs et autant de coups de gueule ce printemps-là. Quand je lui avais annoncé mon intention de partir en Europe avec Atkins pour les grandes vacances, je m'étais attiré les deux : le soupir d'abord, promptement suivi du coup de gueule : « Avec Atkins, cette petite pédale ? »

– Allons, allons, mesdames, glissa Nils Borkman, ce jeune Archie Kramer, c'est un garçon direct. Il demande à Alma : « Qu'est-ce qu'il y a à faire, dans cette ville, la nuit ? » On n'est pas plus direct, non ?

– Et comment ! renchérit Grand-père Harry. Et puis il y a une indication scénique qui précise : *Alma reprend de l'assurance en découvrant la gaucherie du jeune homme.* Et une autre, encore : *Alma se carre dans son siège, et le regarde entre ses paupières mi-closes, non sans provocation.* Alors moi je dis qu'Alma l'encourage, d'une certaine manière, à reluquer ses seins.

– Moi, je refuse de jouer *non sans provocation.* Je n'ai jamais encouragé personne à reluquer mes seins.

– Ne nous prends pas pour des cons, Muriel, lui dit ma mère.

Il y avait une fontaine, dans la dernière scène, pour qu'Alma puisse donner un de ses somnifères au jeune homme, qui l'avale avec une gorgée d'eau. Il devait aussi y avoir des bancs, mais Nils, peu convaincu, les avait retirés. (Muriel était trop agitée pour tenir en place, puisque je m'obstinais à reluquer ses seins.)

Je vis bien que la disparition des bancs allait poser problème. Quand le jeune homme apprend qu'il y a un casino en ville, il s'écrie : « Eh bien alors, qu'est-ce qu'on fout à rester assis sur notre banc ? » (Sauf qu'il n'y avait pas de banc, et qu'Alma et son jeune soupirant ne pouvaient donc pas être assis.)

Je le fis observer à Nils en ajoutant :

– Est-ce que je ne devrais pas dire, plutôt : « Eh bien qu'est-ce qu'on fout ici, alors ? »

– On ne te demande pas de réécrire la pièce, Billy, objecta ma mère, toujours souffleuse du texte et rien que du texte.

– C'est bon, on remet les bancs, concéda Nils avec lassitude, mais tâche de te tenir tranquille, Muriel. N'oublie pas que tu viens d'absorber un cachet de somnifère.

301

– C'est pas un cachet qu'il me faudrait, c'est la boîte, avec Billy qui n'arrête pas de reluquer mes seins !

– Billy, il s'en fiche, des seins, Muriel ! lui cria ma mère. (Ce n'était pas vrai, et je sais que vous le savez. Je ne m'intéressais pas à ceux de Muriel, nuance.)

– Je joue mon rôle, c'est tout, dis-je à ma tante et à ma mère.

À la fin de la pièce, je quitte la scène en hélant un taxi. Seule reste Alma : *Elle se tourne lentement vers le public, main figée en un geste à la fois rêveur et sans réplique, pendant que le rideau descend.*

Je me demandais bien comment Muriel réaliserait un geste à la fois rêveur et sans réplique. Rêveur, ça paraissait au-dessus de ses moyens. Sans réplique, en revanche, je lui faisais confiance.

– Essayons une encore fois, implora Nils (quand il était fatigué, il s'embrouillait dans l'ordre des mots).

– Encore une fois, dit Grand-père Harry, toujours prêt à l'aider, quoique Mrs Winemiller ne paraisse pas dans la dernière scène. (Le parc est crépusculaire ; seuls demeurent Alma et le jeune voyageur de commerce.)

– Et tiens-toi convenablement, Billy, me dit ma mère.

– Pour la dernière fois, répondis-je avec un sourire des plus suaves à son intention et celle de ma tante.

– L'eau est… fraîche, commença Muriel.

– Vous disiez ? demandai-je à ses seins, en les regardant *avec avidité*, selon les indications scéniques.

La troupe créa *Été et Fumées* dans notre petit théâtre une semaine environ après ma remise de diplôme. Mes camarades d'études, même externes, ne voyaient jamais les productions de notre association d'amateurs ; peu importait donc que les pensionnaires, dont Kittredge et Atkins, aient déjà quitté la ville.

Je restai pendant toute la pièce en coulisses, jusqu'à la douzième et dernière scène. Je me fichais pas mal, à présent, d'observer la réprobation de ma mère devant Grand-père en femme. J'étais fixé sur la question depuis longtemps. Dans les indications scéniques, Mrs Winemiller est décrite comme *une femme égoïste et gâtée, qui fuit les responsabilités de l'âge mûr en sombrant dans un infantilisme pervers. Elle passe pour être le « calvaire » de Mr Winemiller.*

Il était évident pour ma mère et pour moi que Grand-père Harry s'inspirait, dans sa composition grinçante, de Nana Victoria et du *calvaire* qu'elle lui faisait endurer. C'était non moins évident pour celle-ci qui, assise au premier rang, paraissait anéantie de voir son mari faire un malheur avec ses pitreries.

Ma mère fut obligée de souffler tout leur texte aux deux petits acteurs qui avaient failli bousiller le prologue. Mais dans la première scène, surtout la troisième fois que Mrs Winemiller glapissait : « Où est le marchand de glaces ? », le public hurla de rire. Et, à la fin de la scène 5, le rideau tomba sur cette réplique caquetée à l'adresse du mari-martyr : « Calvaire insupportable toi-même, espèce de vieille baudruche ! »

C'était la meilleure création que Nils Borkman ait montée avec les First Sister Players. Je dois reconnaître que Tante Muriel fut excellente en Alma ; comment Miss Frost aurait-elle pu égaler son jeu agité, parfait pour un personnage de refoulée ?

Mis à part souffler leur texte aux enfants du prologue, ma mère n'eut rien à faire ; personne ne rata une réplique. Il est d'ailleurs heureux qu'elle n'ait pas eu besoin de souffler, car, sitôt la pièce commencée, nous aperçûmes tous deux Miss Frost au premier rang. Cette proximité immédiate avait peut-être sa part dans la prostration de ma grand-mère. Son portrait au vitriol en épouse et mère abusive, il fallait qu'elle le subisse à deux sièges du lutteur transsexuel !

À la vue de Miss Frost, c'est tout juste si ma mère ne souffla pas à la sienne d'aller déféquer dans la litière du chat. Bien entendu, Miss Frost avait choisi le premier rang à dessein. Elle savait où la souffleuse se postait en coulisses, elle savait que j'étais toujours fourré avec la souffleuse. Si nous pouvions la voir, elle nous voyait aussi. Du reste, pendant des scènes entières, elle se désintéressa des acteurs mais me sourit en permanence, tandis que ma mère adoptait le regard vide et l'air décérébré par un madrier de Nana Victoria.

Chaque fois que Muriel-Alma était en scène, Miss Frost sortait un poudrier de son sac, et tandis qu'Alma refoulait ses instincts, elle admirait son rouge à lèvres dans le miroir de poche, ou encore se repoudrait le front et le nez.

Au baisser du rideau, après avoir hélé un taxi (en laissant Muriel trouver le geste *à la fois rêveur et sans réplique*), je tombai nez à nez avec ma mère. Elle savait par où j'avais quitté la scène, et elle avait abandonné son poste pour me barrer la route.

– Tu es prié de ne pas parler à cette *créature*, Billy !

En prévision de cette épreuve de force, j'avais répété dans ma tête des tas de choses que je voulais dire à ma mère, mais je n'aurais pas cru qu'elle me tende de telles verges pour se faire battre. Richard Abbott, qui jouait John, devait être aux toilettes ; il n'était pas là pour accourir à sa rescousse. Il restait quelques secondes de scène à Muriel, avant de sortir sous un tonnerre d'applaudissements qui masquerait tout le reste.

– Si, je vais lui parler, maman, commençai-je.

Mais Grand-père ne me laissa pas continuer. Sa perruque était de travers, ses énormes faux seins se chevauchaient, mais il n'en était plus à réclamer de la glace. Mrs Winemiller n'était plus le calvaire de personne dans cette scène-ci, et Grand-père n'avait pas besoin de souffleuse pour dire son texte.

– Ça su-ffit, Mary, à présent. Oublie Franny. Pour une fois, arrête de t'apitoyer sur ton sort. Tu as fini par trouver un chic type pour t'épouser, bon sang de bonsoir ! Pourquoi une telle rage ?

– C'est à mon fils que je m'adresse, papa, commença ma mère, mais le cœur n'y était plus.

– Alors traite-le en fils. Respecte-le pour ce qu'il est. Qu'est-ce que tu te figures ? Tu veux changer ses gènes, peut-être ?

– Cette *créature* ! répéta ma mère, en parlant de Miss Frost.

Mais c'est alors que Muriel quitta la scène sous un tonnerre d'applaudissements ; sa vaste poitrine se soulevait. Sur le mode rêveur, ou sans réplique ?

– Cette *créature* est ici, dans le public ! lui cria ma mère.

– Je le sais, Mary, tu crois que je ne l'ai pas vu, ce type ?

– Cette femme, rectifiai-je.

– Tu parles d'une femme ! reprit ma tante avec mépris.

– Et ne la traite pas de *créature*, intimai-je à ma mère.

– Elle a veillé sur Bill de son mieux, Mary, dit Grand-père en Mrs Winemiller, elle s'en est bien occupée.

– Mesdames, mesdames, disait Nils Borkman.

Il tentait de préparer Grand-père et Muriel à remonter sur scène pour le salut. Nils était un tyran, mais je lui fus reconnaissant de m'épargner le salut de toute la troupe. Il savait que j'avais un rôle plus important à jouer en coulisses.

– Je t'en prie, ne parle pas à cette... *femme*, Billy, me supplia ma mère.

Richard nous avait rejoints, il se préparait à saluer, et elle se jeta dans ses bras.

– Tu as vu ? Elle a eu le culot de venir jusqu'ici ! Billy veut lui parler. C'est insupportable !

– Laisse-le lui parler, trésor, dit Richard, avant de se précipiter en scène.

Quelques secondes plus tard, pendant que le public applaudissait à tout rompre, Miss Frost apparut.

– Kittredge a perdu, lui annonçai-je.

Depuis des mois, je rêvais de lui parler ; et voilà tout ce que je trouvais à lui dire.

– Deux fois, oui, Herm me l'a dit.

– Je croyais que vous étiez partie dans le New Hampshire, lui dit ma mère. Vous n'avez rien à faire ici.

– Je n'ai jamais rien eu à faire ici, Mary. Ma première erreur fut d'y naître, répliqua Miss Frost.

Richard était revenu, avec le reste de la troupe.

– Allons-y, trésor, il faut qu'on les laisse une minute en tête à tête, ces deux-là, dit-il à ma mère.

Miss Frost et moi ne serions plus jamais en tête à tête ; ça, du moins, c'était clair.

À la surprise générale, ce fut à Muriel, ma tante aux grands airs, que Miss Frost s'adressa :

– Belle interprétation ! lui dit-elle. Est-ce que Bob est là ? Il faut que je lui dise un mot, à Racquet Man.

– Je suis là, Al, dit mon oncle avec embarras.

– Toi qui as les clés de tout, Bob, je voudrais faire voir quelque chose à William, avant de quitter First Sister (cette déclaration n'avait rien de théâtral), il faut que je lui montre quelque chose en salle de lutte. J'aurais pu demander à Herm, mais je ne veux pas lui compliquer la vie.

– En salle de lutte ! s'exclama Muriel.

– Tu veux aller dans la salle de lutte avec Billy ? énonça lentement Bob, comme s'il avait du mal à se représenter le tableau.

– Tu peux rester avec nous, Bob, dit Miss Frost tout en regardant ma mère. Et toi aussi, Mary, et Muriel avec, si vous pensez qu'un seul chaperon ne suffit pas.

J'aurais bien cru que ma foutue famille allait tomber raide morte au seul mot de *chaperon*, mais, une fois de plus, ce fut Grand-père Harry qui se distingua :

– Donne-moi les clés, Bob, je m'en vais les chaperonner, moi.

– Toi ? s'écria Nana Victoria, que personne n'avait vue arriver. Mais enfin, Harold, regarde-toi ! Tu es un clown sexuel ! Tu n'es pas en état de chaperonner qui que ce soit.

– Ah, bah… bredouilla mon grand-père sans achever sa phrase.

Il était en train de se gratter sous l'un de ses faux seins et s'éventait avec sa perruque : il faisait chaud, dans les coulisses.

Ainsi se déroula ma dernière rencontre avec Miss Frost. Bob passa prendre les clés au Bureau des admissions ; il lui faudrait nous accompagner, expliqua-t-il, car Herm et lui étaient les seuls à connaître l'emplacement des interrupteurs, au nouveau gymnase. (Pour accéder à la salle de lutte, il fallait entrer par le nouveau, et gagner l'ancien par la galerie.)

– Le nouveau gymnase n'existait pas de mon temps, William, me dit Miss Frost.

Nous traversions d'un pas incertain le campus plongé dans la nuit, accompagnés de l'oncle Bob et de mon grand-père (sans Mrs Winemiller, hélas, car il avait remis sa superbe livrée de bûcheron). Nils Borkman avait décidé de venir, lui aussi. « Ça m'intéresse de voir les davantages de la lutte », avait-il dit, enthousiaste. « Les *avantages* de la lutte », avait corrigé Grand-père.

– Tu vas être lâché dans le monde, William, me dit Miss Frost avec un parfait naturel, et des trouducs homophobes, il y en a partout.

– Des trouducs homos ? demanda Nils Borkman.

– Homophobes, rectifia Grand-père pour son vieil ami.

– C'est la première fois que je fais entrer des gens dans le gymnase la nuit, lança l'oncle Bob sans rime ni raison.

Quelqu'un courait dans le noir pour nous rattraper. C'était Richard.

– L'intérêt de tous pour les avantages de la lutte ne fait que croître et embellir, constata mon grand-père.

– Je n'avais pas prévu de thérapie de groupe, William, tâche de ne pas te laisser distraire, dit Miss Frost. Le temps nous est compté, ajouta-t-elle.

À ce moment-là, Bob trouva l'interrupteur et je vis qu'elle me souriait. C'était une constante, dans nos rapports, ce manque de temps.

Le fait d'avoir un public constitué d'Oncle Bob, de Grand-père Harry, Richard Abbott et Nils Borkman ne suffisait pas à faire de la démonstration proposée par Miss Frost un sport spectacle. L'éclairage du vieux gymnase laissait à désirer ; on n'avait pas nettoyé les tapis depuis la fin de la saison 1961 ; ils étaient pleins de poussière, de sable et il y avait des serviettes sales par terre, à côté des bancs. Bob, Harry, Richard et Nils s'étaient assis docilement sur celui de l'équipe à domicile, que Miss Frost leur avait désigné. Ils étaient tous, et pour des raisons propres à chacun, d'authentiques admirateurs de notre lutteur-bibliothécaire.

– Retire tes chaussures, William, commença-t-elle.

Elle avait déjà retiré les siennes ; ses ongles de pied étaient laqués de turquoise ou de vert d'eau.

Par cette chaude nuit de juin, elle portait un débardeur et un corsaire un peu trop ajusté pour lutter. Moi, j'étais en T-shirt et bermuda flottant.

– Salut ! dit Elaine, tout à coup.

Je n'avais pas remarqué sa présence au théâtre. Elle nous avait suivis jusqu'au vieux gymnase, à distance respectueuse sans nul doute, et maintenant elle nous observait depuis la piste de bois qui surplombait la salle.

– Encore de la lutte ! lui lançai-je simplement, mais j'étais content que mon amie de cœur soit là.

– Un jour ou l'autre, tu tomberas sur une brute, William, me dit Miss Frost. (Elle m'appliqua ce que Delacorte appelait «une cravate» sur la nuque.) Tôt ou tard, tu vas te faire bousculer.

– Oui, sans doute.

– Plus il sera costaud et agressif, plus tu devras t'approcher de lui pour passer dessous. (Je sentais l'odeur de Miss Frost, je sentais son souffle.) Il faut que tu l'obliges à s'appuyer sur toi, joue contre joue, comme ça. Et là, tu lui prends un bras, et tu le lui enfonces dans la gorge.

Comme ça. (L'intérieur de mon coude était en train de m'asphyxier.)
Il faut le contraindre à te repousser, à soulever le bras en question.

Quand je la repoussai, quand je soulevai mon bras pour dégager le
coude qui m'étouffait, elle se glissa sous mon aisselle. En une fraction
de seconde, elle était passée derrière moi et m'attaquait de flanc.
Sa main, sur ma nuque, poussait ma tête vers le bas ; et de tout son
poids elle m'envoya, épaule la première, dans la tiédeur élastique du
tapis. Je sentis mon cou coincer, j'atterris de travers et éprouvai une
forte pression dans mon épaule, au niveau de la clavicule.

– Imagine que le tapis soit un trottoir, ou même un simple plancher,
ça serait moins agréable, hein ?

– Oui, dis-je en voyant trente-six chandelles que je ne me rappelais
pas avoir allumées.

– On recommence. Laisse-moi te le faire plusieurs fois, William,
et puis ce sera ton tour.

– D'accord.

On le fit et le refit.

– Ça s'appelle un « duck-under », un passage sous le bras ; tu peux
le faire à n'importe qui, il suffit qu'on te pousse ; il suffit qu'on veuille
te rentrer dedans.

– Je pige.

– Non, William, tu *commences* à piger.

Nous passâmes plus d'une heure dans la salle de lutte, sans rien
faire d'autre que pratiquer le duck-under.

– C'est plus facile quand ton adversaire est plus grand que toi,
m'expliqua Miss Frost. Plus il est costaud, plus il pèse sur toi, et
plus il va se faire mal en cognant la tête sur le tapis – le trottoir ou le
plancher. Tu piges ?

– Je commence.

Je n'oublierai pas le contact de nos corps pendant cet apprentissage
du duck-under ; comme toujours ou presque, on prend le rythme, quand
on commence à exécuter la prise correctement. Nous étions en nage
et Miss Frost me disait :

– Quand tu auras touché le sol encore dix fois sans pépin, tu pourras
rentrer chez toi, William.

– Je ne veux pas rentrer chez moi, je veux continuer à faire ça, lui
chuchotai-je.

– Ç'aurait été bien dommage que je ne t'aie pas connu, William, je n'aurais pas voulu rater ça pour tout l'or du monde, me chuchota-t-elle en retour.

– Je vous aime, lui dis-je.

– C'est pas le moment. Si tu n'arrives pas à fourrer le coude de ton adversaire dans sa gorge, enfonce-le-lui dans la bouche.

– N'allez pas vous entre-tuer ! nous cria Grand-père.

– Qu'est-ce qui se passe, ici ? entendis-je l'entraîneur Hoyt demander.

Il avait vu de la lumière ; le vieux gymnase et la salle de lutte étaient sacrés pour lui.

– Al est en train d'apprendre le duck-under à Billy, expliqua l'oncle Bob au vieux coach.

– Eh ben, vu que c'est moi qui le lui ai appris, à Al, il devrait y arriver.

Il avait pris place sur le banc, lui aussi, aussi près que possible de la table de marque.

– Je ne vous oublierai jamais, murmurai-je à Miss Frost.

– Bon, puisque tu n'arrives pas à te concentrer, on va s'en tenir là.

– Ça va, je me concentre, on en fait encore dix.

Elle se contenta de me sourire et d'ébouriffer mes cheveux collés de sueur. C'était un geste qu'elle n'avait pas dû faire depuis mes treize ou quinze ans, depuis bien longtemps, en tout cas.

– Non, on a fini, William. Herm est là, c'est lui qui va prendre la relève, dit Miss Frost.

Elle avait l'air fatiguée, tout à coup ; c'était la première fois que je la voyais fatiguée.

– Serre-moi dans tes bras, mais ne m'embrasse pas, William. On va respecter les règles, et comme ça tout le monde sera content.

Je la serrai de toutes mes forces, mais elle ne me serra pas en retour, du moins pas aussi fort qu'elle aurait pu.

– Bon voyage, Al, lui dit mon oncle.

– Merci, Bob.

– Moi, il faut que je rentre, avant que Muriel m'envoie la police et les pompiers.

– Je fermerai, Bob, répondit l'entraîneur. Billy et moi, on va se faire encore quelques petits duck-under.

– Quelques-uns, répétai-je.

– Jusqu'à ce que je voie que c'est acquis. Et si vous rentriez tous chez vous ? poursuivit le vieil entraîneur. Toi aussi, Richard, et toi aussi, Harry.

Sans doute n'avait-il pas reconnu Nils Borkman, et s'il reconnaissait Elaine, il l'identifiait seulement comme la malheureuse fille de prof engrossée par Kittredge.

– À tout à l'heure, Richard ! Je t'adore, Elaine ! leur lançai-je comme ils partaient.

– Et moi aussi je t'adore, Billy, l'entendis-je répondre.

– Je t'attends à la maison, je laisserai de la lumière, dit Richard.

– Prends bien soin de toi, Al, dit Grand-père Harry à Miss Frost.

– Tu vas me manquer, Harry, lui dit-elle.

– Et toi donc ! répondit-il.

Je comprenais bien qu'il ne fallait pas regarder Miss Frost partir, et je m'en abstins en conséquence. On sait parfois, lorsque quelqu'un s'en va, qu'on ne le reverra jamais.

– Le secret du duck-under, Billy, c'est d'amener le gars à se le faire tout seul, c'est ça l'astuce, m'expliqua l'entraîneur Hoyt.

Quand nous nous agrippions dans ces « cravates » qui me devenaient familières, j'avais l'impression d'empoigner un tronc d'arbre ; il avait le cou tellement épais qu'on manquait de prise.

– Le coude du gars, tu le lui enfonces là où ça va lui être le plus pénible. Dans la gorge, dans la bouche, dans le nez si ça peut rentrer par les narines. Ce geste-là, tu ne le fais que pour le pousser à réagir ; à surréagir, même, c'est ça le but.

Le vieil entraîneur m'infligea près de vingt duck-under, très fluides, mais mon cou me faisait souffrir le martyre.

– Bon, à toi, essaie voir.

– Vingt fois ? demandai-je (il voyait bien que j'étais en larmes).

– On comptera dès que tu arrêteras de pleurer. Donc, en gros, si tu pleures les quarante premières fois, comme je pense, on comptera après.

Nous restâmes encore deux bonnes heures dans le vieux gymnase. J'avais cessé de compter les duck-under, mais je commençais à penser que j'arriverais à les pratiquer en dormant, voire ivre, idée saugrenue, puisque je ne m'étais jamais saoulé. (Il y a un commencement à tout, des tas de premières m'attendaient.)

Un moment donné, je commis l'erreur de dire au vieil entraîneur :

– Je crois que je peux faire un duck-under les yeux fermés, maintenant.

– Ah oui, tu penses, Billy ? Eh bien, ne bouge pas, reste sur le tapis.

Il s'éloigna, je l'entendis emprunter la coursive, mais je ne le voyais pas. Alors, les lumières s'éteignirent et la salle de lutte fut plongée dans l'obscurité.

– Ne t'inquiète pas, et ne bouge pas, me lança-t-il, je vais te trouver, moi.

Peu après, je sentis sa présence ; sa main puissante me fit une cravate et nous nous empoignâmes, enveloppés par l'obscurité.

– Tant que tu me sens, tu n'as pas besoin de me voir. Si tu attrapes mon cou, tu sais plus ou moins où se trouvent mes bras et mes jambes, non ?

– Oui, m'sieur.

– Alors vas-y. Il vaut mieux que tu me le fasses d'abord.

Mais je ne fus pas assez rapide. Il me devança. Je me cognai la tête rudement.

– Bon, alors à toi, Billy. Allez, on va pas y passer la nuit.

– Vous savez où elle est partie ? lui demandai-je plus tard, pendant que nous nous reposions dans le gymnase tout noir, allongés sur le tapis.

– Il m'a demandé de pas te le dire, Billy.

– Je comprends.

– Je l'ai toujours su, qu'il voulait être une fille, dit la voix du vieil entraîneur, surgie de l'obscurité. Ce que je savais pas, c'était s'il aurait les couilles de supporter tout ça.

– Oh, les couilles, il en manque pas, faut le dire.

– Elle, elle a eu les couilles, Billy, dit Herm Hoyt en riant comme un fou.

Il y avait des fenêtres autour de la piste de course ; le point du jour y accrochait une lueur terne.

– Écoute-moi bien, Billy, reprit Herm. Tu viens d'assimiler une prise, une seule. C'est un bon duck-under, mais ça ne fait qu'une seule prise. Ça va te permettre d'envoyer un gars au tapis, et peut-être même de lui faire un peu mal. Mais si c'est un dur, il va se relever, et il reviendra à la charge. C'est pas avec une prise que tu deviens lutteur, Billy, tu comprends ce que je te dis ?

311

– C'est jamais qu'une prise, et après je prends mes jambes à mon cou. C'est ça que vous êtes train de me dire ?

– Tu prends tes jambes à ton cou, tu sais courir, hein ?

– Qu'est-ce qu'elle va devenir ? lui demandai-je brusquement.

– Ça, je suis bien incapable de te le dire.

– Elle, elle en connaît plus d'une, de prise, non ?

– Oui, seulement il rajeunit pas, Al. Allez, faut que tu rentres chez toi, à présent, on y voit assez clair.

Je le remerciai et me mis à traverser le campus absolument désert. J'aurais bien voulu voir Elaine, la prendre dans mes bras, l'embrasser, mais je n'y voyais pas l'image de mon avenir. J'avais un été devant moi, pour explorer ce «jusqu'au bout» sexuel tant décrié avec Tom Atkins. Sauf que, moi, j'aimais les filles *et* les garçons, et je savais bien qu'il ne pourrait pas me combler.

Étais-je assez romantique pour me figurer que Miss Frost l'avait compris ? Croyais-je qu'elle était la première à comprendre que personne ne pourrait jamais tout me donner ?

Oui, sans doute. Après tout, j'avais dix-neuf ans ; j'étais un garçon bisexuel qui maîtrisait bien le duck-under. Ce n'était qu'une seule prise, qui ne suffisait pas à faire de moi un lutteur, mais on apprend beaucoup auprès d'un bon professeur.

11

España

– Il vaut mieux attendre, William, m'avait dit Miss Frost, l'heure viendra de lire *Madame Bovary* quand tu auras vu s'anéantir tes espoirs et tes désirs romantiques, et que tu croiras que l'avenir ne te réserve plus que des relations décevantes, voire destructrices.

– J'attendrai, lui avais-je assuré.

Faut-il s'étonner outre mesure que ce soit le roman que j'emportai en Europe lors de ce voyage avec Tom, l'été 1961 ?

Je venais d'en commencer la lecture lorsqu'il me demanda :

– Qui est cette femme, Bill ?

Au ton de sa voix, et à sa manière pathétique de se mordre la lèvre inférieure, je compris qu'il était jaloux d'Emma Bovary. Une femme dont je n'avais pas encore fait la connaissance, puisque le livre s'ouvre sur ce lourdaud de Charles !

Je partageai même avec lui le passage où le père de Charles l'encourage à «boire de grands coups de rhum et à insulter les processions…». Éducation prometteuse, présumais-je, bien à tort. Puis je lui lus cette observation qui définit si bien le personnage de Charles : «La hardiesse de son désir protestait contre la servilité de sa conduite.» J'aurais dû voir combien ces mots lui faisaient mal ; ce n'était pas la première fois que je sous-estimais son complexe d'infériorité. Dès lors, il me fut impossible de lire le roman en solo. Il exigea que je lui en lise le moindre mot à haute voix.

Je vous accorde que tous les lecteurs qui découvrent *Madame Bovary* n'en conçoivent pas vis-à-vis de la monogamie une méfiance proche de l'aversion, mais mon hostilité à son endroit naquit en effet l'été 1961. Soyons juste envers Flaubert, cette hostilité tint plutôt au besoin pusillanime de monogamie qu'éprouvait Tom.

Quelle manière abominable de lire ce fabuleux roman ! Il fallait que je le lise à un garçon qui redoutait l'infidélité alors que la première aventure sexuelle de sa jeune vie commençait à peine ! L'aversion que lui inspirait l'adultère était de même nature que sa nausée réflexe devant le mot *vagin* ; mais avant même que l'infortunée Emma ne sombre dans l'infidélité, elle le dégoûtait déjà. « Ses souliers de satin, dont la semelle s'était jaunie à la cire glissante du parquet », l'écœuraient.

– Qu'est-ce qu'on en a à foutre, des *pieds* de cette femme infecte ? s'écriait-il.

Mais c'était bien le cœur d'Emma que Flaubert mettait à nu : « Au frottement de la richesse, il s'était placé dessus quelque chose qui ne s'effacerait pas. »

– Comme la cire glissante sur ses souliers, tu vois ?

– Emma me donne la nausée, répliqua-t-il.

Ce que je trouvais nauséabond, moi, c'était sa conviction que coucher avec moi constituait le seul remède contre sa « souffrance » à écouter lire *Madame Bovary*.

– Si c'est ça, laisse-moi le lire tout seul, le suppliais-je.

Mais il aurait considéré que je le négligeais cruellement, ou, pis encore, que je préférais la compagnie d'Emma à la sienne.

Comme je lui lisais : « Elle était pleine de convoitise, de rage, de haine », je le vis se tordre ; il était au supplice.

Quand j'en arrivai au passage où l'idée de prendre son premier amant la grise « comme celle d'une autre puberté qui lui serait survenue », je crus qu'il allait vomir dans les draps. Flaubert aurait sans doute apprécié l'ironie des circonstances : nous étions en France, il n'y avait pas de toilettes dans la chambre, mais seulement un bidet.

Tandis qu'il vomissait dedans, je m'avisai que l'infidélité qu'il redoutait – à savoir la mienne – m'excitait, moi, au contraire. Avec le concours fortuit de *Madame Bovary*, je vois bien à présent que la monogamie venait s'ajouter à la liste des désagréments liés dans mon esprit à une vie exclusivement hétérosexuelle. Mais c'était surtout la faute de Tom. Nous étions en Europe, à faire l'expérience de ce « jusqu'au bout » du sexe que Miss Frost m'avait refusé pour me protéger, et il se torturait déjà à l'idée que je le quitte (éventuellement pour quelqu'un d'autre).

Pendant qu'il continuait de gerber dans le bidet, moi je lui lisais imperturbablement les aventures d'Emma Bovary : « Alors elle se rappela les héroïnes des livres qu'elle avait lus, et la légion lyrique de ces femmes adultères se mit à chanter dans sa mémoire avec des voix de sœurs qui la charmaient. » (J'adore ! Pas vous ?)

Certes, j'étais cruel de lui brailler « femmes adultères », mais il vomissait si bruyamment ! Je ne voulais pas que ma voix soit couverte par les cataractes du bidet.

Nous traversions l'Italie lorsque Emma s'empoisonna. (À peu près au moment où il m'obligea à dévisager une prostituée avec une ombre de moustache, qu'il m'avait vu regarder furtivement.)

« Elle ne tarda pas à vomir du sang », lus-je à haute voix. J'avais déjà cru comprendre ce qu'il réprouvait dans l'affaire – et qui m'attirait, moi –, mais je n'avais pas prévu la véhémence de sa réprobation. Vers la fin, quand elle commença de vomir du sang, il applaudit.

– Je voudrais être sûr de bien te comprendre, lui dis-je, en m'arrêtant un instant avant les hurlements d'Emma, tes applaudissements suggèrent qu'Emma n'a que ce qu'elle *mérite*, c'est bien ça ?

– Et comment qu'elle le *mérite* ! Tu te rends compte de ce qu'elle a fait ? Tu te rends compte de son inconduite ?

– Elle a épousé le type le plus barbant du pays, mais comme elle couche à droite et à gauche elle mérite de mourir dans des souffrances atroces, c'est bien ce que tu me dis ? Emma Bovary s'ennuie, Tom. Il faudrait qu'elle s'en contente, et ça lui vaudrait l'accès à une mort paisible, dans son sommeil ?

– C'est toi qui t'ennuies, hein, Billy ? Tu t'ennuies, avec moi ? me demanda-t-il piteusement.

– Ramène pas tout à nous, Tom !

Cette conversation, j'allais la regretter. Des années plus tard, quand il fut mourant lui-même (et à l'époque, il ne manquait pas de bonnes âmes pour considérer que Tom et ses pareils *méritaient* leur sort), je regrettai de l'avoir mis mal à l'aise, de lui avoir fait honte, même.

C'était quelqu'un de bon ; mais il n'avait pas confiance en lui, et il était d'une sentimentalité dégoulinante. Il faisait partie de ces garçons qui se sentent toujours mal aimés, et il redoutait sans doute de l'être éternellement. Il était manipulateur et possessif, mais uniquement parce qu'il voulait que je sois l'amour de sa vie, qu'il croyait pouvoir trouver du premier coup au marché amoureux de l'été.

Pour moi, c'était précisément le contraire. En cet été 1961, je n'étais nullement pressé de conclure mon marché amoureux – le tour des étalages commençait à peine !

Quelques pages plus loin, dans *Madame Bovary*, j'allais lire la vraie scène d'agonie, la convulsion finale. Entendant frapper la canne de l'aveugle à la voix rauque, Emma meurt en imaginant « la face hideuse du misérable, qui se dressait dans les ténèbres éternelles comme un épouvantement ».

Atkins en trembla de terreur et de mauvaise conscience.

– Je ne souhaite pas ça à mon pire ennemi. Je ne voulais pas dire ça. Elle n'en méritait pas tant !

Je le revois pleurant dans mes bras. *Madame Bovary* n'est pas un conte d'épouvante, mais c'est l'effet que le roman lui faisait. Il avait la peau très claire, des taches de rousseur sur la poitrine et sur le dos. Et quand il était secoué par des sanglots, son visage devenait cramoisi – on aurait dit qu'il avait pris des claques – et ses taches de rousseur s'enflammaient.

Quand j'en arrivai au passage où Charles découvre la lettre de Rodolphe à Emma (il est tellement nigaud qu'il croit que son infidèle épouse et lui ont dû s'aimer d'un amour platonique), je vis Atkins grimacer comme s'il avait mal.

– Charles n'était pas de ceux qui vont au fond des choses, poursuivis-je en l'entendant gémir.

– Oh, Bill, non, non, non. Je t'en prie, dis-moi que je ne suis pas comme Charles. Moi, j'aime aller au fond des choses. Oh Bill, si, si, c'est vrai !

Il fondit en larmes de nouveau, comme il le ferait plus tard, moribond, et descendu au fond des choses, un fond qu'aucun d'entre nous n'avait prévu, cependant.

– Tu crois qu'on s'enfonce dans les ténèbres éternelles, Bill ? Tu crois qu'il y a une face hideuse qui nous guette ?

– Non, non, Tom. Soit c'est la nuit, et rien d'autre, soit c'est une clarté éclatante, une clarté stupéfiante qui permet de voir toutes sortes de merveilles.

– Pas d'épouvantement, alors, dans un cas comme dans l'autre ?

– Non, Tom, il n'y en a pas.

Nous étions encore en Italie, lors de cet été 1961, quand je parvins à la fin de *Madame Bovary* ; Atkins était devenu une telle épave, il s'apitoyait tant sur son propre sort que j'en arrivais à me retirer aux WC pour lire en douce. Quand il fut l'heure de lire à haute voix, je sautai l'autopsie de Charles, paragraphe horrifique où il est dit qu'on ne trouva « rien » à la dissection. Je ne voulais pas avoir à gérer la détresse de Tom au mot *rien* (« Comment ça, rien ? Comment veux-tu qu'ils n'aient rien trouvé, Bill ? » m'aurait-il dit).

Peut-être à cause de cette omission délibérée, Tom Atkins jugea peu satisfaisante la fin de *Madame Bovary.*

– Et une pipe, ça serait pas plus satisfaisant ? J'essaie, tu vas voir...

– Je te parle sérieusement, me répondit-il d'un ton plaintif.

– Et moi donc, Tom.

À la fin de l'été, nous décidâmes sans surprise de partir chacun de son côté. Pendant un temps, nous jugeâmes plus confortable d'entretenir une correspondance limitée mais cordiale que de nous voir, et durant nos deux premières années de fac je n'eus pas de nouvelles de lui ; je me disais qu'il avait peut-être tenté de se trouver une petite amie, mais j'appris par la bande qu'il s'était fourvoyé dans la drogue, et que son homosexualité lui avait attiré un scandale public épouvantable (à Amherst, dans le Massachusetts !). En ce début des années soixante, le mot *homosexuel* avait encore des relents cliniques dissuasifs, et les homosexuels n'avaient aucuns « droits ». Nous n'étions même pas un groupe. Moi qui vivais à New York en 1968, je ne dirais pas qu'il y avait une « communauté » gay ; il ne s'agissait pas d'une communauté véritable, c'était plutôt une sphère de drague.

La fréquence avec laquelle les gays se rencontraient dans la salle d'attente des médecins pouvait faire naître un sentiment de « communauté ». Toute plaisanterie à part, j'avais quand même l'impression que nous attrapions des gonorrhées plus souvent qu'à notre tour. Du reste, un médecin gay qui me traitait contre la chtouille me dit que les bisexuels feraient bien de mettre des préservatifs, comme les hétéros.

Je ne me rappelle pas s'il m'avait dit pourquoi, ni si je le lui avais demandé. Je considérai sans doute son conseil peu amène comme une preuve supplémentaire des préjugés contre les bisexuels. À moins qu'il ne m'ait rappelé le Dr Harlow, en version gay. En 1968, des gays, j'en connaissais des tas, et leurs médecins ne leur conseillaient pas le port du préservatif, à eux.

Si le souvenir de cet incident m'est resté, c'est parce que j'étais à cette époque sur le point de publier mon premier roman. J'avais rencontré une femme qui me plaisait. Je n'en continuais pas moins à fréquenter des homos, et ce ne fut donc pas seulement grâce à ce médecin antichtouille avec ses préjugés manifestes contre les bisexuels que je me mis à l'usage des préservatifs. Je reconnais à Esmeralda la vertu de m'avoir rendu attractif le port de la capote ; elle me manquait, Esmeralda, aucun doute là-dessus.

Toujours est-il que, lorsque Tom Atkins me donna de ses nouvelles, j'étais adepte du préservatif, et lui père de famille. Comme si le contraste n'était pas assez criant, notre correspondance avait dégénéré en un échange de cartes de vœux. C'est ainsi que la photo de la sienne m'apprit qu'il avait désormais femme et enfants, un garçon puis une fille. Je n'avais pas été invité à la noce, inutile de le préciser.

L'hiver 1969 vit la publication de mon premier roman. La femme que j'avais rencontrée à New York à peu près à l'époque où l'on m'avait conseillé de mettre des préservatifs avait su m'attirer à Los Angeles. Elle s'appelait Alice, elle était scénariste. Je trouvais plutôt rassurant qu'elle m'ait dit ne pas souhaiter adapter mon premier roman : « Je ne m'engagerai pas sur cette voie, notre relation m'importe plus qu'un contrat. » J'avais répercuté ces propos à Larry, croyant le rasséréner : il l'avait vue une fois, elle ne lui avait pas plu.

– Peut-être que tu devrais réfléchir à ce qu'elle entend par là, m'avait-il fait observer. Si ça se trouve, elle l'a déjà présenté à tous les studios et personne n'en a voulu.

Et voilà ! Mon ami Larry fut le premier à me dire que personne n'adapterait jamais ce roman à l'écran. Il me prédit aussi que j'aurais horreur de vivre à L.A. – même s'il entendait (ou espérait) surtout par là que j'aurais horreur de vivre avec Alice.

– Rien à voir avec la doublure de la soprano, celle-là, disait-il.

Or moi, j'aimais vivre avec Alice. C'était la première fois qu'une femme avec qui je vivais savait que j'étais bisexuel. Ça lui était bien égal, disait-elle : elle était bi elle-même.

Alice fut aussi la première femme avec qui je parlai d'avoir un enfant, mais, tout comme moi, ce n'était pas une inconditionnelle de la monogamie. Nous étions partis à Los Angeles avec la conviction opiniâtre chez les bohèmes que l'amitié valait mieux que l'amour, à terme. Nous étions amis, et nous pensions que le concept de couple datait de l'âge de pierre. Nous nous étions accordé toute latitude d'avoir d'autres partenaires, avec certaines limites cependant : je n'étais pas censé voir d'autres femmes qu'elle, ni elle d'autres hommes que moi. («Tstt, tstt, avait tiqué Elaine, ces arrangements-là, moi, je n'y crois pas trop.»)

À l'époque, je ne considérais pas Elaine comme experte en la matière ; elle avait déjà plusieurs fois évoqué en pointillé la possibilité que nous vivions ensemble. En revanche, elle était bien résolue à ne jamais avoir d'enfants, restant sur son idée que la tête des bébés était trop grosse.

Alice et moi croyions aussi, dans notre naïveté, en la supériorité des écrivains. Nous n'étions en rien rivaux, bien sûr. J'étais romancier, elle était scénariste : qu'est-ce qui aurait bien pu poser problème ? («Tsst, tstt», aurait dit Elaine.)

J'avais oublié que ma première conversation avec elle portait sur la conscription. Quand je fus convoqué pour le conseil de révision – j'ai oublié la date précise et tous les détails parce que j'avais une gueule de bois atroce, ce jour-là –, je cochai la case «tendances homosexuelles», formule que je me rappelle vaguement m'être susurré avec l'accent autrichien, comme si Herr Doktor Grau était encore vivant et s'adressait à moi.

Le psychiatre de l'armée était un lieutenant coincé ; lui, je me le rappelle très bien. Il avait laissé ouverte la porte de son bureau, pour que les recrues qui attendaient leur tour ne perdent rien de cet interrogatoire. Mais j'avais connu des tentatives d'intimidation plus habiles – celles de Kittredge, par exemple…

«Et qu'est-ce qui s'est passé, après?» m'avait demandé Alice. C'était fabuleux de lui raconter une histoire ; elle me donnait toujours l'impression de griller d'impatience d'entendre la suite. Mais, en l'occurrence, c'était le vague de cette histoire qui l'impatientait.

– Vous n'aimez pas les filles ? me demanda le lieutenant.

– Oh si, si, j'aime les filles.

– Mais alors, qu'est-ce que ça veut dire, «tendances homosexuelles»?

– J'aime aussi les mecs.

– Ah oui ? Vous les préférez aux filles ? poursuivit-il à haute et intelligible voix.

– C'est tellement difficile de choisir, lui répondis-je d'un ton exta-
tique, non, sincèrement, vraiment, j'aime les deux.

– Hmm, et vous voyez cette tendance persister ?

– Alors là, j'espère bien, répliquai-je avec toute la conviction dont
je fus capable.

Alice adorait cette histoire. Qu'elle disait. Ça ferait une scène
hilarante, dans un film. « L'adjectif *hilarante* aurait dû te mettre la
puce à l'oreille, Bill, me dirait Larry bien plus tard, quand je serais
revenu à New York. Ou peut-être le mot *film*. » Ce qui aurait pu me
mettre la puce à l'oreille concernant Alice, c'est qu'elle prenait des
notes quand nous parlions. « Tu connais des gens qui prennent des
notes au fil de la conversation, toi ? » m'avait demandé Larry. Sans
attendre ma réponse, il avait ajouté : « Et, au fait, c'est toi ou elle qui
préfère qu'elle ne se rase pas les aisselles ? »

À peu près deux semaines après avoir coché la case « tendances
homosexuelles » ou une autre formule à la con, je reçus mon profil
militaire. Je crois que j'étais 4F. Inapte, en un mot, selon des critères
bien établis de santé physique et mentale, ainsi que de moralité.

– Mais qu'est-ce qu'elle disait au juste, cette notification ? Comment
ça, tu crois que tu étais 4F, tu n'en es pas sûr ?

– Je ne me souviens pas, qu'est-ce que tu veux que ça me fasse ?

– Mais c'est tellement vague !

Certes, le mot *vague* aurait dû me mettre la puce à l'oreille, lui
aussi.

Une lettre avait suivi, qui émanait peut-être des Services de recru-
tement, mais je n'en suis pas sûr, et qui me disait d'aller voir un psy,
en me donnant une adresse précise.

J'avais fait suivre la lettre à Grand-père Harry et à Nils Borkman ; ils
connaissaient un avocat, qui s'occupait des affaires de leur entreprise ;
ce dernier leur expliqua qu'on ne pouvait pas me forcer à voir un
psy. Je n'en fis donc rien, et n'entendis plus jamais parler du service
militaire. L'ennui, c'est que je mentionnais cette péripétie, en passant
d'ailleurs, dans mon premier roman. Or, la chose m'avait échappé,
mais c'était bien à mon roman qu'Alice s'intéressait, et non pas aux
moindres détails de ma vie, comme je me le figurais.

« La mémoire embellit les lieux de l'enfance », écrivais-je dans ce
roman. Alice m'avait dit qu'elle adorait cette phrase. Le narrateur

est un homo déclaré, amoureux du protagoniste, homo honteux, qui refuse de cocher la case « tendances homosexuelles », et qui, appelé, mourra au Vietnam. On pourrait dire que c'est une histoire où le refus de s'assumer tue.

Un jour, je vis qu'Alice était très agitée. Elle me donnait l'impression de travailler sur trente-six projets en même temps, je ne savais jamais sur lequel elle était. Je me dis donc que son agitation était liée à un scénario en cours, mais elle m'avoua qu'un des producteurs exécutifs pour lesquels elle travaillait s'était mis à la harceler à mon sujet et au sujet de mon premier roman.

C'était un type qu'elle mettait un point d'honneur à dénigrer de façon chronique. Elle le surnommait Sharpie, et, depuis peu, Pastel. Je me représentais un individu d'une élégance impeccable, mais qui portait des vêtements de golfeur, quant à la couleur du moins (un pantalon citron vert, des polos roses, vous voyez le genre, des couleurs pastel, quoi).

Elle m'annonça que le Pastel en question lui avait demandé si j'exigerais d'intervenir sur un scénario tiré de mon premier roman au cas où le film verrait le jour. Il faut croire qu'il savait que nous vivions ensemble ; il lui avait également demandé si je me montrerais « accommodant » quant aux changements éventuellement apportés à mon intrigue.

– Les modifications classiques pour porter un récit à l'écran, rien de plus, m'avait dit Alice sans entrer dans le détail, il a surtout des tas de questions à te poser.

– Par exemple ?

– Par exemple, la place du sentiment patriotique dans ton histoire.

Cette question me dérouta un peu ; je croyais avoir écrit un roman antimilitariste.

Mais, selon le producteur, le personnage qui parle en voix off (il voulait dire mon narrateur) reconnaît avoir des tendances homosexuelles parce que c'est un lâche. Il faudrait même, ajoutait-il, donner à entendre qu'il simule. Voilà la lecture que Sharpie substituait à la mienne ; selon moi, le narrateur a le courage de s'assumer, au contraire.

– Mais qui c'est, ce type ? demandai-je à Alice.

Personne ne m'avait encore proposé d'acheter les droits du roman. J'en étais toujours propriétaire.

– Il y a un scénario en chantier, ou quoi ?

Alice me tournait le dos.

– Non, il n'y a pas de scénario, marmonna-t-elle. Ce type se pose des tas de questions sur ta manière d'être dans les rapports professionnels.

– Je ne le connais pas, ce type ! Et lui, il est comment, dans les rapports professionnels ?

– J'essayais de t'épargner cette réunion, Bill, se borna-t-elle à me dire.

Nous habitions Santa Monica ; c'était toujours elle qui conduisait, elle m'épargnait aussi cette épreuve-là. Moi, je restais à l'appartement, et j'écrivais. J'avais tout loisir de me balader jusqu'à Ocean Avenue, pour voir les sans-abri – je pouvais courir sur la plage.

Qu'est-ce qu'il m'avait dit, Hoyt, déjà, sur le duck-under ? « Après cette prise, tu prends tes jambes à ton cou. »

Je m'étais donc mis à faire du jogging à Santa Monica, en 1969. J'avais vingt-sept ans. J'écrivais déjà mon deuxième roman. La démonstration du duck-under par Miss Frost et Herm Hoyt remontait à huit ans. Je devais être un peu rouillé. Pas plus bête, tout à coup, de me mettre à la course.

Alice me conduisit à cette réunion. J'y trouvai quatre ou cinq producteurs assis autour d'une table ovale, dans un immeuble aux parois de verre, sur Beverly Hills, avec un soleil à nous aveugler – mais Sharpie fut le seul à parler.

– Je vous présente William Abbott, le romancier, dit-il.

Était-ce l'effet de mon extrême timidité, j'eus l'impression que le mot *romancier* mettait les producteurs mal à l'aise. À ma grande surprise, Sharpie était négligé ; le surnom qu'Alice lui avait donné ne renvoyait pas à sa mise, mais à la marque de feutre indélébile qu'il faisait tourner dans sa main. J'ai horreur de ces feutres-là. On ne peut pas écrire avec, ça bave tout le temps, ça fait des saletés.

Ça peut tout juste servir à mettre des commentaires dans la marge des scénarios – *Quelle merde ! Trop nul !* Des mots commodes, quoi.

Quant à l'origine du surnom Pastel, mystère. Le type était mal rasé, habillé tout en noir. Il était de ces producteurs qui veulent « faire artiste » au sens le plus flou du terme ; il portait un ensemble de jogging noir taché de sueur sur un T-shirt noir et des chaussures de sport noires. Il avait l'air athlétique. Moi qui commençais tout juste à courir, je voyais d'emblée qu'il courait plus vite que moi. Il ne pratiquait sûrement pas le golf, pas assez sportif pour lui.

– Peut-être que Mr Abbott va nous livrer ses pensées, déclara-t-il en faisant tourner son feutre.

– Pour que je prenne le sentiment patriotique au sérieux, commençai-je, je vais vous dire ce qu'il faudrait. Il faudrait que les lois du comté, de l'État et fédérales qui criminalisent encore l'homosexualité entre adultes consentants soient abrogées. Que les lois contre la sodomie, ces lois archaïques, soient abolies. Que les psychiatres cessent de nous diagnostiquer, mes amis et moi, comme anormaux, des désaxés à mettre en désintox ; que les médias cessent de nous présenter comme des tapettes, des fiottes, des folles, des pervers pédophiles. Moi, j'aimerais bien en avoir un jour, des enfants, figurez-vous ! dis-je en m'arrêtant pour regarder Alice.

Mais elle avait pris place à la table, et elle baissait la tête, main en visière pour se protéger du soleil. Elle portait un jean et une chemise d'homme en denim dont elle avait relevé les manches, son uniforme habituel. Les poils de ses bras étincelaient au soleil.

– En un mot, poursuivis-je, je prendrai au sérieux le service envers ma patrie, quand ma patrie donnera quelques signes de s'intéresser à moi.

J'avais répété cette tirade en courant sur la plage du Pier de Santa Monica jusqu'à Chautauqua Boulevard, qui va mourir dans Pacific Coast Highway, aller-retour. Mais ce que je ne savais pas, c'est que la future mère de mes enfants et le producteur qui pensait que mon narrateur devrait simuler son homosexualité étaient de mèche.

– Vous savez ce que j'adore ? me dit le prod en question, j'adore cette voix off, qui parle de l'enfance ; ça dit quoi, déjà, Alice ? lui lança cet enfoiré de première.

C'est là que je compris qu'ils couchaient ensemble. À sa façon de poser la question. Et puis, pour qu'il y ait une voix off, il fallait bien que *quelqu'un* soit en train d'écrire le scénario.

Alice comprit qu'elle était grillée. Main en visière toujours, elle récita, résignée :

– « La mémoire embellit les lieux de l'enfance. »

– Ouais, c'est ça ! s'exclama le prod. J'adore cette phrase, il me semble qu'il faudrait la mettre au début et à la fin du film. Elle vaut bien la peine d'être répétée, non ?

Puis, sans attendre la réponse :

– C'est le ton de voix qu'il nous faut, hein, Alice ?

– Tu sais combien j'aime cette phrase, Bill, dit Alice.

Finalement, peut-être que c'étaient les slips de Pastel qui étaient de couleurs tendres, ou alors ses draps.

J'aurais bien voulu m'en aller sans autre forme de procès, mais impossible : je ne savais pas rentrer à Santa Monica, c'était toujours Alice qui prenait le volant dans notre future petite famille.

– Bill, mon ami, prends ça du bon côté, conclut Larry, quand je rentrai à New York, pendant l'automne 69 : si tu avais eu des enfants avec cette guenon manipulatrice, ils seraient nés les aisselles velues. Les femmes qui veulent un gosse sont *prêtes à tout*.

Mais je crois que je voulais des enfants, moi aussi, avec quelqu'un – soit, peut-être même avec n'importe qui –, tout aussi sincèrement qu'Alice. Avec le temps, j'allais renoncer à l'idée, mais renoncer au désir est une autre affaire.

– Tu crois que j'aurais fait une bonne mère, William ? m'avait un jour demandé Miss Frost.

– *Vous ?* Vous feriez une mère *fantastique* ! lui avais-je répondu.

– J'ai dit « aurais fait », pas « ferais », William. Je ne serai jamais mère, à mon âge.

– Je pense que vous auriez fait une mère géniale.

À l'époque, je n'avais pas compris pourquoi Miss Frost avait tellement insisté sur le changement de temps, mais aujourd'hui je vois. Elle avait renoncé à l'idée d'avoir des enfants, mais pas à son désir d'enfant.

Ce qui m'a le plus emmerdé, dans toute cette histoire de cinéma avec Alice, c'est que le jour de juin 1969 où la police a fait une descente au Stonewall Inn, un bar gay du Village, moi je me trouvais encore à L.A. J'ai raté les émeutes qui ont suivi ! Oui, je sais, les premiers résistants n'étaient qu'une poignée de tapins et de drags, mais la manif de Sheridan Square, le lendemain, a marqué le début de quelque chose. Je râlais de me retrouver coincé à Santa Monica, en train de faire mon footing sur la plage, obligé de me fier à Larry pour me raconter ce qui se passait à New York.

Jamais au grand jamais Larry n'était allé au Stonewall avec moi, et je doute fort qu'il ait compté parmi les clients présents le soir de cette désormais fameuse descente. Pourtant, à l'entendre, on aurait cru qu'il était le premier homo à draguer dans Greenwich Avenue et Christopher Street, lui l'habitué du Stonewall, voire qu'il avait été embarqué au gnouf parmi les tapins et les drags qui se battaient bec et ongles avec les flics. Or, je l'appris plus tard, ce soir-là, il se trouvait dans les Hamptons en compagnie de ses mécènes, ou de son jeune rimailleur, un trader de Wall Street nommé Russell, avec qui il allait baiser dans Fire Island.

Et il me fallut attendre de rentrer à New York pour entendre ma chère amie Elaine m'avouer qu'Alice avait profité de la seule et unique fois où elle était venue nous voir à Santa Monica pour lui faire du rentre-dedans.

– Pourquoi tu ne me l'as pas dit?

– Billy, Billy, commença-t-elle à l'instar de sa mère lorsqu'elle m'admonestait, la plupart des amants et amantes qui manquent de confiance en eux ont tendance à discréditer tes amis, tu le savais pas, ça?

Bien sûr que je le savais, ou que j'aurais dû le savoir; Larry me l'avait appris, et Tom Atkins mieux encore. Et c'est à peu près à cette époque que j'eus des nouvelles de ce dernier. Sur la carte de Noël 1969, la photo de famille s'était enrichie d'un labrador; les enfants n'étaient pas encore d'âge scolaire, mais depuis la rupture avec Alice je m'intéressais moins aux enfants. Glissé dans l'enveloppe se trouvait ce que je pris pour trois lignes de vœux passe-partout et faillis ne pas lire.

Tom Atkins avait tenté de rédiger, assez laborieusement, un compte rendu de mon premier roman, critique généreuse, à défaut d'être brillante. Il apparaîtrait avec le temps que tous ses comptes rendus de mes romans se termineraient sur cette phrase scandaleuse: «C'est meilleur que *Madame Bovary*, Bill. Je sais que tu ne vas pas me croire, et pourtant, c'est vrai.» Venant de lui, je savais que TOUT et N'IMPORTE QUOI serait meilleur que *Madame Bovary*.

Il faisait un froid mordant à New York, ce samedi soir de février 1978, pour les soixante ans de Lawrence Upton. Je n'étais plus son amant, pas même occasionnel, mais nous étions restés très proches. J'étais sur le point de publier mon troisième roman – en mars, à l'époque de mon propre anniversaire – et il en avait lu les épreuves. Il déclarait que c'était mon meilleur livre ; cet éloge univoque me fichait un peu la trouille : Larry ne faisait pas dans le dithyrambe, en principe.

Je l'avais rencontré à Vienne, quand il avait quarante-cinq ans ; j'avais donc été exposé à ses critiques acérées, dont ses considérations au vitriol sur moi et sur mon travail.

Or voici que, lors du somptueux raout donné pour ses soixante ans dans l'immeuble en grès de Chelsea où vivait Russell, son jeune trader admirateur, Larry me distinguait par un toast. J'allais avoir trente-six ans dans un mois, je ne m'attendais pas à ce que Larry nous porte un toast, à moi et à mon roman à paraître – surtout chez ses amis, gens plus avancés en âge, et en snobisme :

– Je tiens à remercier la plupart d'entre vous de me faire oublier mon âge, à commencer par toi, mon cher Bill. (Soit, je veux bien admettre qu'il se montrait *un peu* mordant envers Russell.)

Je savais que la soirée ne se prolongerait pas indéfiniment, avec tous ces vieux raseurs, mais je n'aurais pas cru qu'elle serait aussi chaleureuse. Je vivais seul à l'époque. J'avais quelques plans cul en ville, des types de mon âge, dans l'ensemble, et j'étais très attaché à une jeune romancière qui enseignait à Columbia, dans les ateliers d'écriture. Elle s'appelait Rachel, n'avait que quelques années de moins que moi, une petite trentaine, déjà deux romans publiés et des nouvelles en chantier ; à son invitation, je m'étais rendu à son atelier parce que ses étudiants travaillaient sur un de mes livres. On couchait ensemble depuis à peu près deux mois mais il n'avait jamais été question de vie commune. Elle avait son appartement dans l'Upper East Side, et moi le mien, assez confortable, sur la Troisième Avenue et la Soixante-Quatrième Est. Nous étions séparés par Central Park, ce qui nous avait paru acceptable. Elle sortait tout juste d'une longue liaison étouffante avec un « serial marieur », selon ses propres termes, et moi j'avais mes plans cul.

J'étais venu avec Elaine à cette soirée d'anniversaire. Larry et elle s'aimaient bien ; et, pour tout dire, jusqu'à ce troisième roman dont il venait de faire un éloge si généreux, j'avais plutôt l'impression qu'il préférait son travail au mien. Ce que je comprenais, voire que je partageais.

Mais Elaine était lente et opiniâtre. Elle n'avait publié qu'un seul roman et un petit recueil de nouvelles, tout en passant son temps à écrire.

Si je dis à quel point il faisait froid à New York, ce jour-là, c'est que je me souviens qu'Elaine avait décidé de passer la nuit chez moi. Elle habitait la partie sud de Manhattan, où elle louait le loft d'un ami peintre dans Spring Street, et on se gelait, chez cet abruti. En outre, le froid qu'il faisait à Manhattan préfigurait assez bien celui qu'il devait faire le même jour dans le Vermont.

Moi, j'étais passé à la salle de bains avant de me coucher lorsque le téléphone sonna. La soirée ne s'était pas prolongée, mais il commençait à être tard pour recevoir un coup de fil, même un samedi soir.

– Réponds, veux-tu ? lançai-je à Elaine.

– Et si c'est Rachel ?

– Rachel sait qui tu es, elle sait qu'on couche pas ensemble ! lui lançai-je depuis la salle de bains.

– Ça va faire bizarre quand même, si c'est Rachel, crois-moi. « Allô, Elaine à l'appareil, la vieille amie de Billy », lança-t-elle en décrochant. « On n'est pas en train de faire l'amour, c'est seulement qu'il fait trop froid pour dormir tout seul en ville », conclut-elle.

J'achevai de me brosser les dents ; quand je sortis de la salle de bains, elle avait cessé de parler. Soit son correspondant avait raccroché, soit il était en train de l'abreuver de paroles. Peut-être était-ce Rachel, après tout ; je n'aurais jamais dû laisser Elaine répondre.

C'est alors que je vis ma chère amie sur mon lit. En guise de pyjama, elle avait enfilé un de mes T-shirts propres ; elle était déjà sous les couvertures, récepteur collé à l'oreille, visage ruisselant de larmes.

– Oui, je vais lui dire, maman.

Quelles circonstances avaient bien pu pousser Mrs Hadley à m'appeler ? Il était fort improbable qu'elle ait mon numéro. Comme c'était une soirée à marquer d'une pierre blanche pour Larry, je me figurai qu'elle pouvait l'être aussi pour d'autres.

Qui était mort ? Je fis à toute allure l'inventaire des suspects. Ce n'était pas Nana Victoria : elle était déjà morte, partie « sur la pointe des pieds » avant l'âge de quatre-vingts ans, disait mon grand-père, non sans une pointe d'envie – qui sait ? Il avait quatre-vingt-quatre ans ; il aimait bien passer ses soirées chez lui, dans sa maison de River Street, le plus souvent vêtu des habits de feu sa femme.

Il ne s'était pas encore engagé « sur la pointe des pieds » dans la voie de la démence qui nous obligerait bientôt, Richard et moi, à l'installer dans la maison de retraite médicalisée construite par lui et Nils Borkman pour la municipalité. Je vous en ai déjà parlé, je sais. Je sais que je vous l'ai déjà raconté : les autres pensionnaires de la « Maison », comme ils l'appelaient eux-mêmes, se plaignaient qu'il venait les surprendre en travesti. Au bout de quelques redites, je m'étais demandé comment ils faisaient pour être encore *surpris*. Mais Richard et moi l'avions rapatrié illico dans l'intimité de sa maison, sous la garde d'une infirmière à demeure jour et nuit. (Tout ceci m'attendait dans un avenir assez proche.)

Pas ça ! me dis-je comme elle raccrochait. Pourvu que ce ne soit pas Grand-père.

Je me figurai à tort qu'Elaine lisait dans mes pensées.

– C'est ta mère, Billy. Ta mère et Muriel viennent de se tuer dans un accident de voiture… il n'est rien arrivé à Miss Frost.

– Il n'est rien arrivé à Miss Frost ! répétai-je, tout en pensant subitement : comment se fait-il que je ne l'aie jamais contactée, pendant toutes ces années ?

Je n'avais même pas essayé. Pourquoi n'avais-je même pas tenté de savoir où elle était ? Elle allait avoir soixante et un ans, j'étais confondu de ne jamais l'avoir vue, de ne jamais avoir eu la moindre nouvelle d'elle en dix-sept ans. Je n'avais même pas demandé à Herm Hoyt s'il en avait.

Dans le froid vif de cette nuit, à la veille de mes trente-six ans, j'étais déjà arrivé à la conclusion que ma bisexualité me ferait cataloguer comme un type moins fiable que la moyenne par les femmes hétéros, tandis que, pour les mêmes raisons d'ailleurs, les homos mâles ne me feraient jamais une confiance totale non plus.

Qu'aurait pensé de moi Miss Frost ? Pas de mon œuvre, veux-je dire. Qu'aurait-elle pensé de mes rapports avec les hommes, avec les femmes ? Avais-je jamais *protégé* quelqu'un ? Quelqu'un à qui je n'aurais fait que du bien ? À près de quarante ans, comment pouvais-je n'avoir jamais aimé personne aussi sincèrement que j'aimais Elaine ? Comment n'avais-je pas été à la hauteur des attentes que Miss Frost nourrissait sans doute à mon égard ? Elle m'avait protégé, mais pourquoi ? Avait-elle seulement retardé ma débauche à venir ? Le mot n'avait que des connotations négatives, car si les gays pratiquaient et même revendiquaient une plus grande liberté de mœurs que les hétéros, les bisexuels étaient souvent accusés d'être plus dissolus que les uns et les autres.

Si Miss Frost me rencontrait aujourd'hui, à qui penserait-elle que je ressemblais le plus ? Non pas dans mon choix de partenaires, mais dans leur simple nombre, voire dans le caractère épidermique de ces relations.

« À Kittredge », me répondis-je à haute voix. Quelles tangentes allais-je prendre, pour éviter de penser à ma mère ! Ma mère était morte, mais je ne voulais ni ne pouvais me résoudre à penser à elle.

– Oh Billy, Billy, viens ici, viens ici, pas de ça, s'il te plaît, me dit Elaine en me tendant les bras.

Ma tante était au volant et la voiture avait été percutée de plein fouet par un chauffard ivre, sorti de sa file pour entrer dans celle de Muriel sur la Route 30, dans le Vermont. C'était samedi, ma mère et Muriel rentraient de Boston, où elles avaient passé la journée à faire les boutiques ; ce soir-là, elles s'étaient sans doute engagées dans un marathon de la parlote, elles causaient, causaient, bavassaient de tout et de rien – quand une pleine voiture de skieurs en goguette avait débouché de la route de Stratton Mountain sur la Route 30 dans la direction est-sud-est. Ma mère et Muriel allaient ouest-nord-ouest ; la collision eut lieu quelque part entre Bondville et Rawsonville. La neige était abondante sur les pistes, mais la Route 30 était parfaitement sèche sous sa croûte de sel ; il faisait moins douze, trop froid pour neiger.

La police de l'État du Vermont nous apprit que ma mère et Muriel avaient été tuées sur le coup. Ma tante venait d'avoir soixante ans, ma mère en aurait eu cinquante-huit en avril, Richard Abbott avait quarante-huit ans. « Ça fait un peu jeune, pour un veuf », commenterait Grand-père. L'oncle Bob non plus n'était pas d'âge à faire un veuf : soixante et un ans, l'âge de Miss Frost.

Elaine et moi louâmes une voiture pour partir dans le Vermont. Sur tout le trajet, nous nous disputâmes : qu'est-ce que je pouvais bien trouver à Rachel, la romancière trentenaire qui enseignait à Columbia ?

– Ça te flatte que des écrivains plus jeunes que toi apprécient ton œuvre, ou alors tu ne veux pas savoir qu'ils te courtisent. Après tout le temps que tu as passé avec Larry, tu as au moins appris à te méfier des vieux qui cherchent tes faveurs.

– Si Rachel me prend par la flatterie, il faut croire que je ne veux pas le savoir, en effet. Mais Larry, flagorneur, alors là, JA-MAIS.

Elaine était au volant ; c'était une conductrice agressive et, quand elle conduisait, son agressivité se propageait à d'autres domaines.

– Rachel te fait de la lèche et toi, tu t'en rends même pas compte. (Je me gardai bien de tout commentaire.) Et, si tu veux savoir, je pense que mes nichons sont quand même plus gros.

– Plus gros ?

– Que ceux de Rachel, tiens !

Elaine n'était jamais jalouse de mes plans de baise, mais il lui déplaisait que je sorte avec un écrivain plus jeune qu'elle, homme ou femme.

– Rachel écrit au présent, c'est des « je vais », « il va », « je pense »... Quelles conneries !

– Bof.

– Et tous « les idées », « les désirs », « les espoirs », « les doutes », quelle merde !

– Oui, je sais, marmonnai-je.

– J'espère qu'elle commente pas ses orgasmes. « Je jouiiis, Billy. »

– Euh, non, pas que je me souvienne.

– Ce doit être une de ces jeunes écrivaines qui maternent leurs étudiants.

Elaine avait plus d'expérience de l'enseignement que moi. Je ne m'étais jamais disputé avec elle sur ce sujet, ni sur celui de Mrs Kittredge.

Grand-père était généreux avec moi. Tous les ans, il me donnait un peu d'argent pour Noël. J'enseignais à temps partiel en fac, des petits séminaires d'écriture, par-ci par-là, jamais plus d'un semestre. Il ne me déplaisait pas d'enseigner, mais je ne me laissais pas envahir, contrairement à bien des amis écrivains, dont Elaine.

– Mets-toi bien dans la tête que Rachel n'a pas que ses petits nichons pour me plaire.

– Je le souhaite de tout cœur, Billy.

– Tu vois quelqu'un, en ce moment ?

– Tu connais le gars que Rachel a failli épouser ?

– Pas personnellement.

– Il m'a fait du gringue.

– Ah bon ?

– Il m'a dit qu'une fois Rachel avait chié au lit, comme je te le dis, Billy.

– Rien de tel ne m'est encore arrivé avec elle, mais je vais ouvrir l'œil au moindre signe avant-coureur.

Sur quoi, nous roulâmes sans mot dire pendant un moment. Une fois quitté l'État de New York pour entrer dans le Vermont, un peu à l'ouest de Bennington, on trouvait de plus en plus d'animaux morts sur la chaussée. Les plus volumineux avaient été traînés sur l'accotement, mais ils étaient encore visibles. Je me souviens d'avoir aperçu deux cerfs – et des beaux, encore ! – avec le contingent habituel de ratons laveurs et de porcs-épics. C'est une hécatombe, sur les routes, dans le nord de la Nouvelle-Angleterre.

– Tu veux que je prenne le volant ? demandai-je.

– Mais je t'en prie, me répondit-elle calmement.

Elle trouva un espace où se rabattre, et je me mis aux commandes. De nouveau, nous obliquâmes vers le nord, avant Bennington. Les bois étaient encore plus enneigés, les cadavres d'animaux plus nombreux sur la route et le bas-côté.

Nous étions bien loin de New York lorsque Elaine me dit :

– Il m'a jamais fait de gringue ce type, et puis l'histoire de Rachel qui aurait chié dans les draps, je l'ai inventée aussi.

– Pas grave, nous autres écrivains, on fabule.

– N'empêche que j'ai rencontré une personne qui a fait ses études avec toi, ça c'est vrai.

– Qui ça, dans quelle fac ?

– À l'Institut de Vienne. Elle y était étudiante, et quand elle t'a rencontré tu voulais rester fidèle à une fille restée aux États-Unis.

– Ça m'arrivait, de dire ça aux filles.

– Je lui ai dit que la fille à qui tu voulais rester fidèle, c'était moi.

Ça nous fit beaucoup rire tous les deux, mais Elaine me demanda :

– Et tu sais ce qu'elle m'a répondu, cette fille, Billy ?

– Non, quoi ?

– Elle m'a répondu : « Pauvres de vous ! » – histoire vraie, Billy.

Je n'en doutais pas. *Das Institut* était un tout petit établissement ; personne n'ignorait que je couchais avec la doublure d'une soprano, puis ensuite avec un célèbre poète américain.

– Si tu avais été ma petite amie, je t'aurais été fidèle, à toi. En tout cas, j'aurais sincèrement essayé.

Je la laissai pleurer un moment, sur le siège passager.

– Si tu avais été mon petit ami, j'aurais sincèrement essayé, moi aussi.

On prit nord-est d'abord, puis on obliqua vers l'ouest après Ezra Falls, la Favorite River nous faisant escorte, sur le côté nord de la route. Même en février, même avec le froid, elle n'était jamais tout à fait prise par les glaces. Bien sûr que j'avais pensé à avoir des enfants avec Elaine, mais à quoi bon aborder le sujet ? Elle ne plaisantait pas quand elle parlait de la tête des bébés ; elle la trouvait *énorme.*

Quand nous arrivâmes dans River Street, devant l'immeuble qui hébergeait autrefois la Bibliothèque municipale, et aujourd'hui la Société d'Histoire, Elaine me rappela :

– J'ai filé ici mon texte avec toi, sur le lit en cuivre. C'était *La Tempête*, il doit y avoir à peu près un siècle.

– Presque vingt ans, oui, lui dis-je.

Je ne pensais pas à *La Tempête*, ni au jour où nous avions filé notre texte. Il m'évoquait d'autres souvenirs, le lit en cuivre, et il me venait à l'esprit – dix-sept ans seulement après le départ de la bibliothécaire tant vilipendée – qu'elle avait fort bien pu *protéger* (ou pas, d'ailleurs) d'autres garçons dans sa chambre du sous-sol.

Mais lesquels ? Je me rappelai soudain n'avoir jamais croisé d'enfants à la bibliothèque. Et en fait d'ados, il n'y avait que quelques filles, les lycéennes condamnées à Ezra Falls. Des garçons, je n'en avais jamais vu, sauf Tom Atkins, le soir où il était venu me chercher.

À part moi, les garçons de la Favorite River n'étaient pas encouragés à s'y rendre. Aucun parent responsable n'aurait souhaité pour son enfant mâle la compagnie du lutteur transsexuel qui dirigeait l'endroit.

Je compris tout à coup pourquoi j'avais obtenu ma carte aussi tard ; aucun membre de ma famille ne m'aurait jamais présenté à Miss Frost. Il avait fallu que Richard propose de m'emmener à la bibliothèque – or on ne savait rien lui refuser, chez moi, et puis il avait pris tout le monde de court avec sa proposition aussi bienveillante que spontanée.

En somme, si j'avais réussi à rencontrer Miss Frost, c'est parce que Richard trouvait absurde qu'un garçon de treize ans habitant une petite ville n'ait pas sa carte de lecteur.

– Il y a presque vingt ans, autant dire un siècle, Billy, commentait Elaine.

« Pas pour moi ! Pour moi, c'était hier ! » aurais-je voulu crier, mais les mots n'arrivaient pas sortir, j'avais la gorge nouée.

Elaine, qui vit que je pleurais, posa sa main sur ma cuisse.

– Pardon d'avoir réveillé le souvenir de ce lit en cuivre, Billy ! (Elle me connaissait trop bien pour penser que je pleurais ma mère.)

Étant donné les secrets jalousement gardés dans ma famille, les veillées silencieuses que nous observions au lieu de nous dire les choses avec un semblant d'honnêteté, il est miraculeux que je n'aie pas subi, en prime, une éducation religieuse. Mais, de fait, les femmes Winthrop n'avaient pas de religion. Grand-père et moi, nous avions du moins échappé à cette imposture. Quant à Oncle Bob et Richard, leur vie avec Muriel et ma mère devait parfois relever du sacerdoce. Comme le jeûne ou la privation de sommeil, elle requérait une dévotion sans faille.

– Quel plaisir trouvez-vous à une *veillée funèbre* ? nous demanda Grand-père.

Elaine et moi étions passés chez lui en arrivant, et je m'attendais vaguement à le trouver habillé en femme, en Nana Victoria du moins, mais il était en bûcheron, avec sa chemise de flanelle, son jean et ses joues pas rasées.

– C'est vrai, quoi, quel est l'intérêt, pour les vivants, de veiller les morts, avant qu'on les enterre, je veux dire ? Où on va les mettre, les corps, hein ? Pourquoi faudrait-il les veiller ?

Comme on était dans le Vermont, en février, on ne risquerait pas d'enterrer Muriel et ma mère avant avril, le temps que le sol dégèle. Je présume que les pompes funèbres avaient dû demander à Grand-père s'il voulait une veillée en bonne et due forme ; c'était sans doute la cause de sa diatribe.

– Seigneur Dieu, on va les veiller jusqu'au printemps ! s'était-il écrié.

On n'avait pas prévu de cérémonie religieuse. Grand-père avait une grande maison, on recevrait les amis et la famille autour d'un cocktail avec buffet de traiteur. C'est le mot *hommage* qui avait été prononcé ; il n'avait pas été question de cérémonie. Grand-père nous parut égaré, pas sa tête à lui. Nous trouvions tous deux qu'il n'avait pas le comportement d'un homme qui vient de perdre ses deux filles. Il nous faisait l'effet d'un vieillard de quatre-vingt-quatre ans qui a égaré ses lunettes. Il était curieusement détaché de la circonstance. Nous le laissâmes se préparer pour la « réception ». Il avait prononcé le mot, nous étions deux à l'avoir entendu.

– Ouh là là, dit Elaine, comme nous sortions de la maison de River Street.

C'était la première fois depuis que j'avais quitté l'École que je me trouvais « chez moi » en période scolaire, chez moi, c'est-à-dire dans l'appartement de fonction de Richard, à Bancroft Hall. Mais ce qui démoralisait Elaine, c'était l'âge des élèves.

– J'en vois aucun avec qui je puisse même imaginer coucher, résuma-t-elle.

Du moins Bancroft Hall était-il encore un internat de garçons. C'était déjà assez déconcertant de voir toutes ces filles, sur le campus. Selon un processus répandu dans ces établissements autrefois exclusivement masculins ou féminins, le campus était devenu mixte en 1973. L'oncle Bob ne travaillait plus aux Admissions, mais il avait entamé une seconde carrière au Bureau des anciens élèves. Je l'imaginais sans peine serrant des pinces un peu partout, sachant d'instinct faire appel à la bonne volonté et aux subsides d'un ancien de la Favorite River au cœur sentimental. Il était également très doué pour glisser ses suppliques dans le journal des anciens élèves, *The River Bulletin*. Il se passionnait désormais pour retrouver la trace des diplômés difficiles à contacter, car n'étant pas restés en rapport avec l'École. (Il appelait sa rubrique « Les Anciens Retrouvés ».)

Gerry, ma cousine, m'avait prévenu que l'alcoolisme de Bob avait été exacerbé par tous ses déplacements, mais enfin je la comptais comme la dernière survivante de la lignée Winthrop, même si, chez elle, les gènes opiniâtres de la réprobation s'étaient dilués, et lesbianisés. (Vous vous souviendrez que la réputation d'ivrogne de mon oncle m'avait toujours paru quelque peu imméritée.)

Autre surprise, dès notre retour à Bancroft Hall, Elaine et moi avions découvert que Richard était aphasique, et que Mr et Mrs Hadley ne s'adressaient plus la parole. L'absence de communication entre eux n'avait rien de neuf pour moi. Elaine prédisait depuis longtemps qu'ils allaient tout droit au divorce. «Ça se passera sans acrimonie, ils sont déjà indifférents l'un à l'autre», m'avait-elle dit. Quant à Richard, il m'avait confié – avant la mort de ma mère, c'est-à-dire du temps qu'il parlait encore – que les deux couples avaient cessé de se fréquenter.

Elaine et moi avions spéculé sur le sens du verbe «se fréquenter». Naturellement, ça corroborait la théorie qu'Elaine entretenait depuis vingt ans, à savoir que sa mère était amoureuse de Richard. Avec mon béguin pour l'une et pour l'autre, il m'était assez difficile de m'engager sur ce terrain.

J'avais toujours été convaincu que Richard Abbott était beaucoup trop bien pour ma mère, et Martha Hadley pour son mari. Non seulement je n'ai jamais pu me rappeler le prénom de ce type, s'il en avait un, mais sa brève heure de gloire, due à son émergence en tant qu'historien politique, sa position protestataire pendant la guerre du Vietnam n'avaient fait que le déglinguer. S'il paraissait jadis distant de sa famille, c'est-à-dire pas seulement de son épouse, mais aussi de sa fille unique, son identification à une cause, les croisades contre la guerre menées aux côtés de ses élèves avaient achevé de le séparer d'Elaine et de Martha, et l'avaient conduit à entretenir le moins de rapports possible avec les adultes.

Ce sont des choses qui arrivent dans les pensionnats. On y trouve parfois un professeur mal dans sa vie d'homme. Il essaie alors de se mettre dans la peau d'un élève. Dans le cas de Mr Hadley, déjà quinquagénaire, cette fâcheuse régression coïncidait, selon Elaine, avec l'ouverture de l'École aux filles, deux ans à peine avant la fin de la guerre du Vietnam. «Ouh là là», comme disait si souvent Elaine, mais cette fois, elle ajouta :

– Quand la guerre sera finie, quelle croisade il va trouver à mener, mon père ? Comment il va faire pour mettre toutes ces filles dans sa poche ?

Elaine et moi ne vîmes pas l'oncle Bob avant la «réception». Je venais de lire sa supplique dans le dernier numéro du magazine *The River Bulletin*; avec les informations concernant la classe 61 – qui était la mienne – il avait glissé cette annonce sur le mode du reproche :

« Que deviens-tu, Jacques Kittredge ? » Après sa licence à Yale, en 65, Kittredge avait suivi un cursus de trois ans en art dramatique, qui lui avait valu un MFA[1] en 1967. Depuis, plus de nouvelles.

« Un MFA, mais en *quoi*, putain ! » avait demandé Elaine plus de dix ans auparavant, lorsque le *River Bulletin* avait publié ces informations. Il pouvait en effet avoir obtenu ce diplôme en art dramatique, en conception de décors, en sonorisation, en direction d'acteurs, en dramaturgie, en régie, en design technique et production, direction de théâtre, voire dans la critique. « À tous les coups, il est critique », dit-elle. Je lui répondis que je m'en fichais pas mal. Je ne voulais même pas le savoir. « Oh que si, tu veux le savoir, me raconte pas de conneries, Billy », m'avait-elle répondu.

Or voilà que nous découvrions Racquet Man, affalé sur un canapé, *effondré* sur un canapé plutôt, dans le séjour de Grand-père Harry ; à le voir, il aurait fallu toute une équipe de lutteurs pour le remettre sur pied.

– Je suis désolé, pour Tante Muriel, lui dis-je.

En me tendant les bras, il renversa sa bière.

– Merde, alors, Billy, c'est toujours ceux auxquels on s'attend le moins qui disparaissent.

– Qui disparaissent… répétai-je avec circonspection.

– Prends ton camarade de classe, Kittredge, qui aurait cru qu'il allait disparaître, celui-là ?

– Mais tu ne crois pas qu'il est mort, tout de même ?

– Pense plutôt qu'il n'a pas envie de donner de ses nouvelles, dit l'oncle Bob.

Son élocution était si ralentie que le mot *nouvelles* donnait l'impression de durer six ou sept syllabes. Je m'aperçus que mon oncle était ivre, sans tapage, certes, mais radicalement, alors même que l'hommage à Muriel et à ma mère commençait tout juste.

Il y avait déjà plusieurs bouteilles de bière vides par terre devant lui ; lorsque lui échappa celle qu'il était en train de boire, il fit glisser toutes les autres sauf une, adroitement, du bout du pied sous le canapé, sans même les regarder.

Je m'étais demandé si Kittredge était parti au Vietnam ; il avait

1. Master of Fine Arts.

ce côté héros, dans l'allure. Je savais que deux autres lutteurs de l'École étaient morts à la guerre. Vous vous rappelez Wheelock ? Je m'en souviens à peine ; il jouait Antonio, le comparse de Sébastien, honorable bretteur, dans *La Nuit des rois*. Et Madden, le poids lourd pleurnichard qui jouait Malvolio dans la même mise en scène ? Madden se voyait en éternelle victime ; c'est tout ce que je me rappelle de lui.

Mais, pour ivre qu'il était, l'oncle Bob dut lire dans mes pensées, car il déclara soudain :

– Connaissant Kittredge comme on le connaît, il a bien dû se débrouiller pour passer au travers du Vietnam.

– Le contraire m'étonnerait, répondis-je simplement.

– Ne le prends pas contre toi, Billy, ajouta Racquet Man, en acceptant une nouvelle bière des mains de l'une des serveuses engagées en extra, une femme de l'âge de ma mère et de Muriel, les cheveux teints en roux.

Son visage me rappelait vaguement quelque chose ; peut-être avait-elle travaillé avec l'oncle Bob aux Admissions, des lustres auparavant.

– Papa était torché avant même d'arriver, résuma Gerry à Elaine, pendant que nous faisions la queue au buffet.

Je connaissais la petite amie de Gerry ; elle faisait parfois des numéros comiques dans une boîte du Village où j'allais. Elle pratiquait l'humour à froid, habillée d'un costume d'homme ou d'un smoking, avec une chemise blanche vague. « Pas de soutien-gorge, avait observé Elaine, mais sa chemise est trop grande pour elle, d'un tissu opaque. Le but de la manœuvre, c'est qu'on ne sache pas si elle a de la poitrine, et quel genre. »

– Je suis désolée pour ta mère, Bill, dit Gerry, elle avait beau être totalement dysfonctionnelle, c'était ta mère.

– Et moi, je suis désolé pour la tienne, dis-je à Gerry.

L'humoriste émit un renâclement chevalin. « Moins pince-sans-rire que d'habitude », dirait Elaine plus tard.

– Il faut que quelqu'un aille récupérer les clés de voiture de mon connard de père, dit Gerry.

Moi, je tenais Grand-père à l'œil. J'avais peur qu'il s'éclipse en douce pour reparaître en parfaite réincarnation de Nana Victoria. Nils Borkman tenait son vieil associé à l'œil, lui aussi. Si Mrs Borkman l'accompagnait, je ne la vis ou ne la reconnus pas.

– Je surveille ton grand-père, Bill, et si il déraille je t'urgence appelle.

– Comment ça, s'il déraille ?

Mais c'est alors que Grand-père prit la parole :

– Toujours en retard, ces filles ! Je sais pas où elles sont passées, mais elles vont venir. Allez-y, servez-vous tous, il y en aura pour tout le monde. Il leur restera toujours une bricole à manger quand elles rentreront.

Ça jeta un froid sur l'assemblée.

– Je lui ai déjà dit que ses filles ne viendraient pas à la réception, Bill. C'est vrai, il sait qu'elles sont mortes, mais il est l'étourderie personnalisée.

– L'étourderie personnifiée, dis-je au vieux Norvégien.

Malgré ses deux ans de plus que Grand-père, il me semblait avoir la mémoire qui flanchait un peu moins, sans parler du reste.

Je demandai à Martha Hadley si Richard avait recouvré l'usage de la parole. Non, pas depuis la nouvelle de l'accident, m'annonça-t-elle. Il m'avait serré très fort dans ses bras, je l'avais serré en retour, mais nous n'avions pas échangé un mot.

Mr Hadley paraissait perdu dans ses pensées, comme souvent. Je n'arrivais pas à me rappeler la dernière fois qu'il m'ait parlé d'autre chose que du Vietnam. Il s'était fait une drôle de spécialité : la nécro de tous les anciens élèves tombés au Vietnam. Je vis qu'il m'attendait, au bout du buffet.

– Prépare-toi, m'avertit Elaine. Tu risques d'apprendre une autre mort.

Il n'y eut pas de préambule, il n'y en avait jamais, avec Mr Hadley. C'était un professeur d'histoire, il annonçait les choses, voilà tout.

– Tu te rappelles, Merryweather ? me demanda-t-il.

Non, pas Merryweather ! pensai-je. Oui, je me le rappelais. Il était encore dans les petites classes quand j'avais eu mon diplôme. C'était le team manager de l'équipe de lutte ; celui qui distribuait des quartiers d'orange et qui ramassait les serviettes tachées de sang qu'on laissait traîner.

– Pas Merryweather ! Pas au Vietnam ! dis-je mécaniquement.

– Hélas, si, Billy, me confirma gravement Mr Hadley. Et Trowbridge, tu le connaissais Trowbridge, Billy ?

– Pas Trowbridge ! m'écriai-je.

Je n'arrivais pas à y croire ! La dernière fois que je l'avais vu, c'était un gamin au visage rond, et il était en pyjama. Kittredge l'avait abordé au moment où il allait se laver les dents. Le savoir mort au Vietnam m'affectait profondément.

– Hélas, oui, Billy, hélas, le jeune Trowbridge aussi, poursuivit Mr Hadley, tout imbu de son importance.

Je vis que Grand-père avait *disparu* – pas au sens où l'oncle Bob employait le terme, cependant.

– Espérons qu'il n'est pas parti changer de costume de scène, me glissa Nils Borkman.

C'est alors seulement que je m'aperçus de la présence de Mr Poggio, l'épicier qui aimait tellement voir Grand-père jouer en femme. En fait, Mr et Mrs Poggio étaient là tous deux, venus présenter leurs condoléances. Mrs Poggio, je m'en souvenais, n'appréciait nullement les numéros de travesti de mon grand-père. Ayant aperçu les Poggio, je me retournai pour apercevoir les Ripton réprobateurs, Ralph, le scieur, et sa femme, tout aussi réprobatrice que lui. Mais s'ils étaient passés présenter leurs condoléances, eux aussi, ils étaient partis sans tarder, selon leur habitude quand ils venaient au théâtre.

J'allai voir ce que fabriquait l'oncle Bob ; il y avait de nouvelles bouteilles à ses pieds, pieds qui ne trouvaient plus l'adresse de les expédier sous le canapé. Je le fis à sa place.

– Tu n'es pas tenté de prendre le volant pour rentrer chez toi, au moins, Oncle Bob ? lui demandai-je.

– C'est justement pour éviter ça que j'ai mis les clés de la voiture dans la poche de ta veste, Billy, me dit-il.

Mais j'eus beau fouiller mes poches, je n'y découvris qu'une balle de squash.

– C'est pas les clés de la voiture, Oncle Bob, lui dis-je en lui montrant la balle.

– En tout cas, je suis certain d'avoir mis mes clés dans la poche de quelqu'un.

– Et ton année de promo, tu en as des nouvelles, toi ? lui demandai-je soudain. (Il était assez saoul pour baisser la garde.) Quelles sont les nouvelles de la classe 35 ?

– Pas de nouvelles de Big Al, crois-moi, je t'en aurais donné.

Grand-père faisait la jeune fille de la maison, désormais. Le progrès, c'est qu'il reconnaissait devant tout le monde que ses deux filles étaient mortes et non pas en retard, comme il l'avait dit plus tôt. Je voyais Nils Borkman sur les talons de son associé, comme au bon vieux temps où ils traversaient les bois enneigés, skis aux pieds et arme en bandoulière. Bob lâcha une nouvelle bouteille de bière vide, et l'expédia sous le canapé. Personne n'y fit attention, Grand-père venait de reparaître, et pas sous son identité officielle.

– C'est une perte cruelle, Harry, pour toi comme pour moi, lui dit l'oncle Bob.

Mon grand-père avait revêtu une robe d'un violet passé, une des préférées de Nana Victoria, si j'avais bonne mémoire. Quant à sa perruque bleutée, elle seyait du moins à son âge, comme Richard l'observerait plus tard – j'entends beaucoup plus tard, quand il se remettrait à parler. Les faux seins, Nils m'apprit qu'ils devaient venir de leur costumier, à moins que Grand-père ne les ait volés au Club Théâtre de la Favorite River Academy.

La main ridée et arthritique qui venait de tendre une bière à mon oncle Bob n'était pas celle de la serveuse aux cheveux roux, mais celle de Herm Hoyt; il n'avait pas tout à fait un an de plus que Grand-père, mais il était nettement plus ravagé physiquement.

Il avait soixante-huit ans du temps qu'il entraînait Kittredge, en 1961; il était à la veille de la retraite. À présent, à quatre-vingt-cinq ans, il était retraité depuis quinze ans.

– Merci, Herm, dit Racquet Man paisiblement, en portant la bière à ses lèvres. Billy me demandait des nouvelles de notre vieil ami Al.

– Alors, ce duck-under, Billy, il est au point? me demanda Herm.

– Je suppose que tu n'as pas de nouvelles d'elle, Herm? répondis-je.

– J'espère que tu t'entraînes, Billy, reprit-il.

Je lui racontai une longue histoire emberlificotée: j'avais rencontré un type qui courait comme moi dans Central Park. Il était de mon âge, et ses oreilles en chou-fleur, ainsi qu'une certaine raideur dans ses épaules et sa nuque, m'avaient donné à penser que c'était un lutteur. Et comme j'avais parlé de lutte, il en avait déduit que, moi aussi, j'étais lutteur. «Oh non, j'arrive tout juste à pratiquer un duck-under à peu près passable, on ne peut pas dire que je sois lutteur.»

Mais Arthur, car c'était son nom, se méprit. Il crut que j'avais lutté dans le temps, et que je faisais le modeste, en minimisant mon niveau. En bon lutteur, il s'était mis à faire de grands discours pour me persuader de reprendre. « Il faudrait que tu apprennes d'autres prises, aussi ; il est pas trop tard ! » Il luttait dans un club de Central Park South, où il y avait des tas de types « de notre âge », disait-il, qui pratiquaient encore. Il était sûr que je pourrais y trouver un partenaire d'entraînement dans ma catégorie de poids.

Son enthousiasme était irrépressible : il ne fallait pas que je laisse tomber la lutte simplement parce que, encore trentenaire, j'avais arrêté la compétition et ne faisais plus partie d'une équipe universitaire. « Mais je n'ai jamais fait partie d'une équipe », tentai-je de lui expliquer. « Écoute, il y a des tas de types de ton âge qui n'en ont jamais fait sérieusement, et ils luttent toujours. »

À la fin, expliquai-je à Herm Hoyt, son insistance à me faire venir à son club m'avait tellement exaspéré que je lui avais dit la vérité.

– Tu lui as dit quoi, au juste, à ton gars ? s'enquit Herm.

– Que j'étais homo, ou plutôt que j'étais bi.

– Seigneur !…

– Qu'un ancien lutteur, qui avait brièvement été mon amant, avait voulu me faire voir une prise, pour que je puisse me défendre. Que l'ancien entraîneur de ce lutteur-là m'avait également donné quelques tuyaux.

« Tu veux dire, ce duck-under dont tu m'as parlé ? C'est tout ce que tu sais faire ? » avait demandé Arthur. « Rien d'autre », avais-je répondu.

– Seigneur, Billy ! répéta Herm en secouant la tête.

– Voilà, tu sais tout. Alors, pour te répondre, non, je n'ai pas pratiqué mon duck-under.

– Des clubs de lutte, dans Central Park South, moi j'en connais qu'un. Il est rudement bien, d'ailleurs.

– Quand Arthur a compris la nature de mes rapports avec le duck-under, j'ai bien vu qu'il insistait moins pour que je vienne m'entraîner à son club.

– C'est peut-être pas l'idée du siècle. Moi, je n'y connais plus personne, à ce club, maintenant.

– Il doit pas y avoir beaucoup de gays qui s'y inscrivent pour apprendre à se défendre. Qu'est-ce que tu en penses ?

– Il a lu ce que tu écris, ce type ? me demanda Herm.

– Et toi ? lui demandai-je, surpris.

– Seigneur, bien sûr ! Mais va pas me demander ce que ça raconte, hein !

– Comment va Miss Frost ? lui lançai-je à brûle-pourpoint. Elle les a lus, elle, mes romans ?

– C'est qu'il a de la suite dans les idées, dit l'oncle Bob à Herm.

– Elle sait que tu es écrivain, Bill, répondit Herm. Tous les gens qui te connaissent le savent.

– Ne me demande pas de quoi parlent tes livres, à moi non plus, dit l'oncle Bob.

Il lâcha sa bouteille, que j'expédiai sous le canapé. La femme aux cheveux teints en roux vint lui en apporter une autre. Je compris pourquoi son visage me disait quelque chose ; tout le personnel de service ce soir-là faisait partie des agents de la Favorite River Academy ; ils y étaient employés aux cuisines. Cette femme devait avoir une quarantaine d'années la dernière fois que je l'avais vue. Elle venait de mon passé, qui me collait aux semelles.

– C'est le New York Athletic Club, ton club de lutte ; ils pratiquent d'autres sports, bien sûr, mais ils étaient pas mauvais en lutte. Tu pourrais sans doute y entraîner ton duck-under. Ça vaudrait peut-être le coup que tu demandes à ton Arthur-là. Après tant d'années, ça te ferait pas de mal.

– Et si les lutteurs me tabassent ? Est-ce que ce sera pas le résultat inverse de ce que vous vouliez, Miss Frost et toi, quand vous m'avez appris le duck-under ?

– Bob s'est endormi, et il vient de se pisser dessus ! s'exclama tout à coup Herm.

– Oncle Bob… commençai-je.

Mais Herm Hoyt l'avait pris par les épaules et le secouait.

– Arrête de pisser, Bob, lui braillait-il.

Quand Bob ouvrit les yeux, il fut aussi pris de court qu'un membre des Anciens Retrouvés le serait jamais.

– España, articula-t-il quand il me vit.

– Bon Dieu, Bob, fais gaffe à ce que tu dis ! l'avertit Herm Hoyt.

– España ? répétai-je.

– C'est là qu'il se trouve, et il dit qu'il reviendra jamais, Billy, expliqua l'oncle Bob.

– De qui tu parles ? lui demandai-je.

Notre seule conversation – un bien grand mot, d'ailleurs – avait porté sur Kittredge ; j'avais du mal à m'imaginer Kittredge parlant espagnol. Je savais qu'il ne pouvait pas faire allusion à Big Al ; non, il n'était pas en train de me dire que Miss Frost se trouvait en Espagne, et ne reviendrait jamais.

– Bob… commençai-je.

Mais il s'était déjà rendormi, et nous vîmes qu'il continuait à pisser.

– Herm… commençai-je.

– C'est Franny Dean, mon ancien team manager ; c'est lui qui est en Espagne, Billy. Ton père vit en Espagne, et il y vit heureux. J'en sais pas plus.

– Mais où ça, en Espagne ?

– En Espagne, répéta le vieil entraîneur en haussant les épaules. Quelque part en Espagne, Billy, c'est tout ce que je peux te dire. Mais pense surtout qu'il est heureux. Ton père est heureux, et il vit en Espagne. Ta mère n'a jamais été heureuse.

Je savais que Herm avait raison sur ce point. J'allai chercher Elaine. Je voulais lui annoncer la nouvelle. Ma mère était morte, mais mon père, que je n'avais jamais connu, était vivant, et heureux.

Mais avant que j'aie pu dire quoi que ce soit, elle me devança :

– Il vaut mieux qu'on dorme dans ta chambre, ce soir, Billy, plutôt que dans la mienne.

– D'accord.

– Si Richard se réveille et se décide à dire quelque chose, il faut pas qu'il soit tout seul. Il faut qu'on soit là.

– D'accord, mais je viens d'apprendre un truc important, lui dis-je.

Elle ne m'écoutait pas.

– Je te dois une pipe, Billy. Mettons que ce soit ton soir de chance.

Je me dis qu'elle était ivre, ou que j'avais mal compris.

– Quoi ?

– Je m'excuse pour ce que j'ai dit de Rachel, voilà pourquoi, la pipe.

Elle était bel et bien saoule, et allongeait les syllabes en articulant à l'excès, comme l'oncle Bob.

– Tu me *dois* aucune pipe, Elaine.

– Tu en veux pas, de ma pipe ? (Elle réussissait à donner trois syllabes à ce petit mot.)

– J'ai pas dit que j'en *voulais* pas…

Puis j'ajoutai «España», parce que c'était la question qui m'intéressait.

343

– España ? C'est une pipe spéciale qui vient de là-bas ?

Elle ne tenait pas sur ses jambes, et je dus la conduire d'une main ferme pour aller dire au revoir à Grand-père Harry.

– Ne t'en fais pas, Bill, me dit tout à coup Nils Borkman. Je décharge les fusils. Je les balles mets en lieu sûr.

– España, répéta Elaine, c'est un truc homo, Billy ?

– Non.

– Tu vas me faire voir, d'accord ?

Je compris que cette astuce la tiendrait éveillée jusqu'à ce qu'on arrive à Bancroft Hall.

– Je t'aime, dis-je à Grand-père en le serrant fort.

– Moi aussi, je t'aime, répondit-il en me serrant à son tour.

Ses faux seins avaient été fabriqués sur ceux d'une femme qui en avait autant que Muriel, mais je gardai cette remarque pour moi.

– Tu ne me dois rien du tout, Elaine, dis-je au moment où nous quittions la maison de River Street.

– Ne dis pas bonsoir à mes parents, et surtout ne t'approche pas de mon père, me dit Elaine, si tu ne veux pas entendre s'allonger la liste des victimes, si tu n'as pas le cran d'écouter le bilan.

De fait, après Trowbridge, j'en avais mon compte. Je ne dis même pas bonsoir à Mrs Hadley, parce que j'avais vu son mari traîner dans les parages.

« España », me répétai-je à voix basse, tout en aidant Elaine à grimper les trois volées de marches de Bancroft Hall. Encore heureux que nous ayons décidé de ne pas dormir dans sa chambre, au cinquième étage !

Comme nous traversions précautionneusement l'internat du troisième, je dus répéter « España » tout bas, et sans doute pas très bas, car Elaine m'entendit.

– Tu m'inquiètes un peu, quand même. C'est quoi, comme pipe, une España, pas un truc violent, j'espère ?

Il y avait un petit garçon en pyjama dans le couloir, qui tenait sa brosse à dents à la main. À son expression effarouchée, il était clair qu'il ne nous identifiait pas. Il avait en outre parfaitement entendu ce qu'Elaine venait de me demander.

– On déconne, lançai-je au petit. On va rien faire de violent, et d'ailleurs on va pas faire de pipe non plus, dis-je à Elaine et au petit en pyjama.

Avec sa brosse à dents, il me rappelait Trowbridge.

– Trowbridge est mort, tu le connaissais ? Il a été tué au Vietnam, dis-je à Elaine.

– Non, je ne connaissais pas de Trowbridge. (Tout comme moi, elle dévisageait le gamin en pyjama.) Tu pleures, Billy, s'il te plaît, arrête de pleurer.

Nous nous tenions l'un à l'autre lorsque je réussis à ouvrir la porte de l'appartement de Richard, où le silence régnait.

– Ne t'inquiète pas, dit Elaine au petit à la brosse à dents. Il pleure parce que sa maman vient de mourir. Ça va aller.

Mais moi, je venais de voir Trowbridge, et peut-être voyais-je d'autres victimes à venir ; peut-être me figurais-je le bilan final, dans un avenir assez proche.

– Billy, Billy, arrête de pleurer. Pourquoi t'as dit qu'il y aurait pas de pipe ? Tu crois que je bluffe ? Tu me connais, Billy, j'ai arrêté de bluffer, je bluffe plus, moi, continua-t-elle, babillarde.

– Mon père est vivant. Il vit en Espagne, et il est heureux. C'est tout ce que je sais, Elaine. Mon père, Franny Dean, vit en Espagne, España.

Je n'allai pas plus loin.

Comme nous traversions d'une démarche hasardeuse le séjour de l'appartement, Elaine laissa glisser son manteau. En entrant dans ma chambre, elle envoya promener chaussures et jupe, et elle était en train de s'expliquer avec les boutons de son chemisier lorsque, à un autre niveau de semi-conscience, elle aperçut mon lit d'adolescent et y plongea aussitôt, tant bien que mal.

Quand je m'agenouillai à son chevet, je vis qu'elle avait perdu connaissance. Elle était molle et inerte entre mes mains, lorsque je lui retirai son chemisier et dégrafai son collier visiblement inconfortable. Je la mis au lit en slip et soutien-gorge, et me glissai comme à l'accoutumée auprès d'elle.

– España, chuchotai-je dans le noir.

– Tu me montreras, d'accord ? dit Elaine dans son sommeil.

Je m'endormis en me demandant pourquoi je n'avais jamais tenté de retrouver mon père. Une part de moi en avait conçu la rationalisation suivante : s'il est curieux de moi, qu'il me retrouve. Mais la vérité, c'est que j'avais un père fabuleux en la personne de Richard Abbott, mon beau-père. Il était la chance de ma vie ; ma mère n'avait jamais été heureuse, mais il était la chance de sa vie à elle. (Avec lui, elle avait dû l'être.) Peut-être n'avais-je jamais tenté de retrouver Franny Dean parce que j'aurais eu le sentiment de trahir Richard.

«Que deviens-tu, Jacques Kittredge?» avait écrit Racquet Man; naturellement, cette question aussi m'accompagna dans le sommeil.

12

Une longue suite d'épilogues

Faut-il croire que les épidémies s'annoncent à son de trompe, ou plutôt qu'elles vous déboulent dessus sans crier gare, en général ? Je reçus deux avertissements, que je mis sur le compte d'une pure coïncidence à l'époque, sans y prêter attention.

Il fallut attendre plusieurs semaines après la mort de ma mère pour que Richard Abbott recouvre l'usage de la parole. Il continuait de faire cours ; il réussit même à monter une pièce, en automate. Mais à nous qui l'aimions, il ne trouva rien de personnel à dire.

On était en avril de cette même année 1978 lorsque Elaine m'annonça qu'il avait parlé à sa mère. J'appelai celle-ci aussitôt après avoir raccroché.

– Je sais qu'il va t'appeler, Billy, me dit-elle, seulement il ne faut pas que tu t'attendes à le trouver tout à fait semblable à lui-même.

– Comment va-t-il ?

– Pour le dire en termes modérés, et sans vouloir incriminer Shakespeare, le fait est qu'il donne dans l'humour macabre, si tu veux mon avis.

Je ne voyais pas ce que Martha Hadley voulait dire ; j'attendis donc que Richard m'appelle. Je crois bien qu'on était en mai lorsqu'il le fit enfin, mais alors il entra dans le vif du sujet comme s'il m'avait parlé la veille.

Dans le chagrin où il était, je n'aurais pas cru qu'il ait le temps ou l'envie de lire mon dernier livre, or il l'avait lu.

– Tes thèmes habituels, mais en plus achevé ; le plaidoyer pour la tolérance n'y est jamais fastidieux. Pour autant, nous sommes tous intolérants à l'égard de quelque chose ou de quelqu'un. Tu sais de quoi tu es intolérant, toi ?

347

– Et de quoi ?

– Toi, tu es intolérant de l'intolérance.

– Ça n'est pas plutôt une bonne chose, de ne pas tolérer l'intolérance ?

– Et, en plus, tu es *fier* de ton intolérance ! s'écria-t-il. Ta colère devant l'intolérance se justifie pleinement, surtout en matière de sexualité différente. Ce n'est pas moi qui contesterais la légitimité de ta colère, Dieu sait.

– Dieu sait… répétai-je prudemment, car je ne voyais pas où il voulait en venir.

– Toi qui es si indulgent en matière d'orientation sexuelle, et à juste titre, tu n'as pas la même indulgence pour tout, non ?

– Enfin, c'est-à-dire…

Je m'arrêtai en route. Nous y étions donc. Ce n'était pas la première fois qu'il me tenait ce discours. Il m'avait déjà dit que je ne me mettais pas à la place de ma mère en 1942, l'année de ma naissance. Il ne m'appartenait pas de la juger. C'était mon intransigeance à son égard qui le chiffonnait. Mon intolérance à l'égard de celle de ma mère qui le chagrinait.

– Comme le dit Portia dans la première scène de l'acte IV, «la miséricorde est une vertu qui s'impose d'elle-même», mais je sais que ce n'est pas ta pièce préférée de Shakespeare.

En effet, nous nous étions affrontés en classe sur *Le Marchand de Venise*, dix-huit ans plus tôt. C'était une des rares pièces que nous avions étudiées sans la monter. «C'est une comédie, une comédie romantique, mais qui comporte une part nullement comique», nous avait-il expliqué en référence à Shylock, qui traduisait ce préjugé indéniable de Shakespeare contre les juifs.

J'avais pris le parti de Shylock. Le discours de Portia sur la miséricorde était mièvre et mollasson, imbu d'hypocrisie chrétienne ; du christianisme condescendant au possible, édulcoré par-dessus le marché. Shylock, au contraire, marquait un point en disant que la haine qu'on lui portait lui avait appris à haïr. Très juste ! «Je suis juif, explique-t-il dans l'acte III scène 1. Le juif n'a-t-il pas des yeux ? Le juif n'a-t-il pas des mains, des organes, des proportions, des sens, des affections, des passions ?» J'adore cette tirade ! Mais j'avais toujours été du côté de Shylock, et Richard le savait aussi bien que moi.

– Ta mère est morte, Bill. N'as-tu aucun sentiment pour elle ?

– Aucun sentiment, répétai-je.

Je me remémorais sa haine des homosexuels, la façon dont elle m'avait rejeté, non seulement parce que je ressemblais physiquement à mon père, mais aussi parce que j'avais quelque chose de ses tendances sexuelles bizarres autant que fâcheuses.

– Qu'est-ce qu'il dit, déjà, Shakespeare ? (Je le savais parfaitement, ce que disait Shakespeare, et Richard avait compris depuis longtemps que j'en faisais mon manifeste personnel.) « Si vous nous piquez, est-ce que nous ne saignons pas ? Si vous nous chatouillez, est-ce que nous ne rions pas ? Si vous nous empoisonnez, est-ce que nous ne mourons pas ? »

– C'est bon, Bill, je sais, je sais. Tu es le genre de type pour qui une livre de chair, ça pèse son poids.

– « Et si vous nous faites du tort, repris-je en citant toujours Shakespeare, ne saurons-nous pas nous venger ? Si nous sommes pareils à vous pour tout le reste, nous le serons encore en cela. » Et qu'est-ce qu'ils lui font, à Shylock, Richard ? Ils le forcent à se convertir, putain !

– C'est une pièce difficile, voilà pourquoi je ne l'ai pas mise en scène. Je ne suis pas sûr qu'elle convienne à des jeunes lycéens.

– Comment vas-tu, Richard ? lui dis-je, en espérant ainsi changer de sujet.

– Je me rappelle le gamin qui prétendait réécrire Shakespeare, ce gamin qui était tellement sûr que l'épilogue de *La Tempête* n'était pas de sa main.

– Moi aussi, je me le rappelle, ce gamin. Je me trompais quant à l'épilogue.

– Avec l'âge, Bill, la vie devient une longue suite d'épilogues.

Tel fut le premier avertissement que je négligeai. Richard n'avait que douze ans de plus que moi, faible écart après tout, surtout quand il en avait quarante-huit et moi trente-six, en 1978. Nous étions presque contemporains. Je n'avais que treize ans lorsqu'il m'avait emmené m'inscrire à la bibliothèque, le soir où nous avions fait la connaissance de Miss Frost. Il en avait alors vingt-cinq et je lui trouvais une telle classe, une telle autorité.

À trente-six ans, plus personne ne faisait vraiment autorité à mes yeux, pas même Larry. Grand-père Harry, sans avoir rien perdu de son bon cœur, sombrait dans la bizarrerie. Même pour moi, modèle de tolérance à mes propres yeux, ses excentricités étaient moins faciles à accepter à la ville qu'à la scène. Mrs Hadley aussi avait perdu son aura d'autorité, et tout en continuant d'écouter mon amie Elaine, qui me connaissait si bien, je prenais ses avis avec une distance croissante, car enfin, dans ses rapports humains, elle n'était guère plus douée ni plus fiable que moi. Si j'avais eu des nouvelles de Miss Frost, malgré mes trente-six ans omniscients, je lui aurais peut-être accordé quelque autorité, mais ces nouvelles ne venaient pas.

Je suivis cependant, non sans une certaine prudence, les avis de Herm Hoyt. Lorsque je croisai Arthur, le lutteur de mon âge qui courait autour du lac de Central Park, je lui demandai si le New York Athletic Club (le NYAC) m'accueillerait encore, maintenant qu'il avait compris lui-même que je n'étais qu'un bisexuel soucieux de se défendre et un lutteur infradébutant.

Pauvre Arthur ! Il faisait partie des hétéros bien intentionnés qui n'auraient jamais voulu être méchants ou même un tant soit peu durs envers les homos. C'était un New-Yorkais aux idées larges ; il se flattait d'être « juste » – il l'était outre mesure – et, en plus, il se torturait la conscience pour savoir ce qui était « bien » ou « mal ». Je l'imaginais au supplice à l'idée de ne pas m'inviter à son club de lutte au seul prétexte que *j'en étais*, comme disait l'oncle Bob.

Mes amis homos ne voyaient pas d'un bon œil mon existence de bisexuel ; soit ils refusaient de croire que j'aimais vraiment les femmes, soit ils pensaient que je manquais d'honnêteté, ou que je ne prenais pas de risques. Pour les hétéros, en général, y compris les meilleurs d'entre eux, comme Arthur, un vrai prince, un bisexuel n'était qu'un homo. La seule part de cette bisexualité dont ils tenaient compte, c'était l'homosexualité. C'est à quoi se heurterait Arthur quand il parlerait de moi à ses potes, au club.

Les années soixante-dix et leur coolitude touchaient à leur fin ; si l'acceptation des sexualités différentes n'était pas la norme, elle était pourtant quasi normale à New York. Dans les milieux éclairés, elle allait de soi. Mais je me sentis responsable d'avoir mis Arthur dans une situation embarrassante. Je ne savais pas s'il y avait des coincés au New York Athletic Club, à cette époque où la vénérable institution était encore un bastion exclusivement masculin.

Dieu sait ce qu'il dut subir pour me faire avoir une carte d'invité ou de membre. (Pas plus que mon statut militaire, je ne sais quelle mention portait cette connerie de carte.)

– T'es pas fou, Bill? me demanda Elaine. Tu veux te faire tuer ou quoi? Il est anti-tout ce club, de notoriété publique. Antisémite, anti-Noir.

– Ah bon? Qu'est-ce que tu en sais?

– Déjà, il est antiféministe, ça, putain, j'en suis sûre! C'est un club de petits Irlandais catoches. Catoches, rien que ça, ça devrait te faire fuir à la vitesse grand V.

– Je crois qu'Arthur te plairait. C'est un chic type, vraiment.

– Marié, je présume, soupira Elaine.

Maintenant qu'elle le disait, oui, j'avais vu une alliance à sa main gauche. Je ne m'amusais jamais à sortir avec des types mariés; avec des femmes mariées, oui, parfois, mais pas des hommes mariés. J'étais bisexuel, certes, mais j'avais depuis longtemps dépassé mes états d'âme à cet égard. Or je ne supportais pas les états d'âme des hommes mariés qui s'intéressaient aussi aux homos. Et puis, selon Larry, ils étaient décevants au lit.

– Pourquoi? lui avais-je demandé.

– Les gars sont des maniaques de la douceur et de la gentillesse. C'est sûrement leurs viragos de femmes qui les ont dressés. S'ils savaient à quel point c'est barbant.

– Je ne trouve pas que la douceur soit toujours barbante.

– Je te demande pardon, cher ami, me répondit-il avec ce geste de la main si condescendant chez lui. J'oubliais que tu es un irréductible actif.

J'aimais vraiment Larry de plus en plus, comme ami. J'avais même fini par aimer ses mises en boîte. Nous venions de lire les Mémoires d'un acteur célèbre, un bi notoire, comme disait Larry.

L'acteur en question prétendait avoir toute sa vie désiré des femmes plus âgées que lui, et des garçons plus jeunes. «Comme on l'imagine, écrivait-il, dans mon jeune temps, il y avait abondance de femmes mûres disponibles autour de moi. À présent que j'ai pris de l'âge, il est assez normal que je sois entouré d'hommes plus jeunes.»

– Je ne vois pas ma vie en termes si tranchés, dis-je à Larry. J'ai peine à croire qu'être bi signifie gagner sur tous les tableaux.

– Mon cher Bill, reprit Larry, comme s'il était en train de m'écrire une lettre qui passerait à la postérité, cet homme est un acteur. Il n'est pas bi, il est homo. Comment s'étonner qu'avec l'âge il soit plutôt entouré de jeunes gens. Ces femmes mûres étaient les seules qui ne le menaçaient pas.

– Je ne me reconnais pas dans ce profil, Larry.

– Mais tu es encore jeune ! Attends, mon cher Bill, ce n'est qu'une question de temps.

Comme il se doit, mon entraînement régulier au NYAC devint une source d'hilarité mais aussi d'inquiétude auprès de mes amies femmes et des homos de mon entourage. Ces derniers refusaient de croire que je n'éprouvais aucune attirance pour les lutteurs du club. Mais ce genre d'erreur d'aiguillage amoureux appartenait à une phase de ma vie aujourd'hui révolue, qui avait peut-être fait partie du processus de coming out. (Processus lent, je vous l'accorde, phase en voie d'achèvement plutôt qu'achevée.) Il était rare que je me sente attiré par un hétéro, et encore, pas follement. Et puisque à l'instar d'Arthur les membres du club s'en rendaient compte, il devenait de plus en plus envisageable de m'en faire des amis.

Pourtant Larry soutenait que mes entraînements n'étaient qu'une dangereuse forme de drague sous haute tension. Quant à Donna, ma chère transsexuelle si susceptible, elle considérait que ma fixette sur le duck-under n'était qu'un avatar de l'instinct de mort. Peu après cette déclaration solennelle, elle quitta New York, et le bruit courut bientôt qu'on l'avait vue à Toronto.

Les lutteurs du NYAC constituaient une clique disparate à tous égards, et pas seulement dans le traitement qu'ils me réservaient. Mes amies femmes, dont Elaine, étaient bien convaincues qu'avant longtemps ils m'auraient réduit en chair à pâté, et pourtant je ne fus pas menacé une seule fois, et jamais personne ne me fit mal intentionnellement.

En général, les anciens m'ignoraient ; un jour, l'un d'entre eux me dit cordialement, au moment des présentations : « Ah, c'est toi, l'homo ? » Mais il me serra la main et me tapa dans le dos ; par la suite, il me souriait toujours, et me disait un mot sympa chaque fois qu'on se voyait. Nous ne luttions pas dans la même catégorie, alors s'il m'évitait (sur le tapis, j'entends) je ne pouvais pas le savoir.

Mon arrivée au sauna, après l'entraînement, pouvait déclencher la débandade. J'en parlai à Arthur :

– Je devrais peut-être éviter le sauna, qu'est-ce que tu en penses ?

– Comme tu veux, Billy, me répondit-il (tous les lutteurs m'appelaient Billy). C'est leur problème, pas le tien.

Malgré ses assurances, je décidai de ne pas fréquenter le sauna. Les entraînements démarraient à sept heures du matin ; bientôt je les suivais dans un certain confort. Je ne me faisais pas traiter d'homo, en face du moins, sauf la fois que j'ai dite. J'étais surtout « l'écrivain ». Dans l'ensemble, les lutteurs n'avaient pas lu mes romans, explicites en matière de sexe, « ces plaidoyers pour la tolérance d'une sexualité différente », comme disait encore Richard. Arthur, lui, les lisait et, comme beaucoup d'hommes, il m'apprit que sa femme était l'une de mes ferventes admiratrices.

C'est une chose que me disaient tout le temps les hommes à propos de celles qui partageaient leur vie – qu'elles soient leurs femmes, leurs petites amies, leurs sœurs, voire leurs mères. Il faut croire que les femmes lisent plus de romans que les hommes.

J'avais fait la connaissance de celle d'Arthur. Elle était tout à fait charmante. Elle lisait effectivement des tas de romans, et nous avions un maximum de goûts communs en la matière. Elle s'appelait Ellen ; c'était une de ces blondes enjouées, coiffée en petit page, avec une bouche ridiculement petite, aux lèvres minces. Elle avait des seins agressifs, qui démentaient une allure plutôt androgyne. Bon sang, c'est vous dire si elle était mon genre ! Mais elle était sincèrement adorable avec moi, et Arthur, béni soit-il, tout ce qu'il y a de marié : pas question de le présenter à Elaine, donc.

En fait, sinon pour boire une bière à la buvette du club, je ne fréquentais pas les autres lutteurs. La salle de lutte se trouvait au quatrième étage, en bout de couloir, face à la salle de boxe. L'un de mes partenaires d'entraînement les plus habituels, Jimmy Machintruc, j'ai oublié son nom de famille, pratiquait aussi la boxe. Tous les lutteurs savaient que je n'avais jamais fait de compétition, que j'étais venu pour apprendre à me défendre, point final. C'est pour m'y aider que Jimmy me fit traverser le couloir. Il tenta de m'apprendre à parer les coups.

Ce fut intéressant. Je n'ai jamais réussi à donner un coup de poing digne de ce nom, mais j'ai appris à me couvrir, à ne pas encaisser trop durement. Parfois, il ne réussissait pas à amortir son coup comme il le fallait ; il s'en excusait.

Dans la salle de lutte, il m'arrivait aussi de me faire corriger, mais toujours accidentellement ; lèvre fendue, nez qui saignait, doigt ou pouce écrasé. Comme je me concentrais trop sur les diverses façons d'amorcer et de dissimuler mon duck-under, je donnais et prenais souvent des coups de tête. C'est inévitable si on veut aller à la cravate. C'est ainsi qu'Arthur me donna un coup de tête involontaire ; résultat, quelques points de suture à l'arcade sourcilière droite.

Larry et Elaine en firent toute une histoire ! Sans parler des autres.

Pendant un temps, Larry me surnomma Macho Man. Quant à Elaine, elle me décocha :

– Tu m'as bien dit qu'ils étaient tous très sympas avec toi, hein ? Super cordial, le coup de boule, dis donc !

Mais, malgré les sarcasmes de la République des Lettres, j'enrichissais mes pratiques en lutte, et je devenais bien meilleur au duck-under.

« L'homme à une seule prise », me surnommait Arthur lors de mes débuts au club, mais, avec le temps, j'en acquis quelques autres. Les vrais lutteurs devaient trouver barbant de m'avoir pour partenaire d'entraînement, mais jamais ils ne se plaignaient.

À ma grande surprise, trois ou quatre des vétérans me donnèrent quelques tuyaux. (Peut-être me savaient-ils gré de ne pas fréquenter le sauna.) Il y avait pas mal de lutteurs quadras, et quelques quinquas, du genre coriace. Il y avait des jeunes frais émoulus de la fac ; des lutteurs qui rêvaient des Jeux olympiques, et d'autres qui y étaient allés. Il y avait des Russes passés à l'Ouest (et un Cubain, aussi) ; les Européens de l'Est étaient nombreux, mais il n'y avait que deux Iraniens. Certains pratiquaient la lutte gréco-romaine, d'autres le style collège, ou encore la lutte folklorique (prisée par les jeunes et les vétérans).

Ed me fit voir comment introduire mon duck-under par un croc-en-jambe ; Wolfie m'apprit toute une série de clés de bras ; Sonny m'enseigna le bras roulé à la russe ainsi qu'un ramassement de jambes vachard. J'écrivais à l'entraîneur Hoyt pour le tenir au courant de mes progrès. Nous savions, lui comme moi, que je ne deviendrais jamais lutteur – je frisais la quarantaine ! –, mais pour apprendre à me défendre, ça oui, j'apprenais. Et puis j'aimais bien cette habitude entrée dans ma vie, partir à l'entraînement dès sept heures du matin.

– Tu es en train de te transformer en gladiateur, m'avait dit Larry (pour une fois, il ne plaisantait pas).

Elaine elle-même faisait taire ses inquiétudes quasi constantes :

– Ton corps est en train de changer, Billy, tu le sais, ça ? Je ne dis pas que tu es devenu un rat des salles de gym en quête de résultats plastiques, je sais que tu as d'autres objectifs, n'empêche que tu commences à faire un peu peur.

Je savais très bien que je ne faisais peur à personne, mais comme la vieille décennie laissait place aux années quatre-vingt j'avais conscience d'être en train de dépasser des phobies et des appréhensions profondément ancrées en moi.

Remarquez bien que, dans les années quatre-vingt, New York n'était pas une ville sûre, du moins pas comme aujourd'hui. Mais moi, personnellement, je me sentais plus en sécurité, ou peut-être plus sûr que jamais de savoir qui j'étais. Je commençais même à me dire que les inquiétudes nourries par Miss Frost à mon endroit étaient sans fondement. Ou alors, c'est qu'elle avait vécu trop longtemps dans le Vermont. Peut-être avait-elle raison de craindre pour ma sécurité dans le Vermont, mais pas à New York.

Parfois je n'avais pas vraiment envie d'aller à l'entraînement au NYAC, mais Arthur et bien d'autres s'étaient donné du mal pour que je m'y sente accueilli : je ne voulais pas les décevoir. Pourtant, de plus en plus souvent, je me disais : pourquoi un tel besoin de te défendre ? Te défendre de quoi, de qui ?

On avait entrepris des démarches pour que je devienne membre officiel du club ; je me rappelle très mal la procédure, aujourd'hui, mais elle était longue et laborieuse.

– Ce qu'il te faut, c'est la carte de membre à vie. Tu ne comptes pas quitter New York, si, Billy ? me demanda Arthur, qui me parrainerait.

On exagérerait en disant que j'étais un romancier célèbre, mais à la veille de publier mon quatrième livre j'étais un romancier connu.

Ce n'était pas non plus une question d'argent. Grand-père était enchanté que je « continue la lutte ». Je soupçonne que Herm Hoyt lui avait parlé. Il déclara qu'il paierait volontiers cette carte de membre à vie.

– Ne va pas te mettre en quatre, Arthur, tu en as assez fait, lui dis-je. Le club a été sympa avec moi. Je ne veux pas que tu t'aliènes des gens ou que tu te brouilles avec des amis à cause de moi.

– C'est du tout-cuit, Billy, me répondit-il ; tu es homo, pas de quoi en faire une pendule.

– Je suis bi…

– Je veux dire bi, oui, pas de quoi en faire une pendule, les choses ne sont plus ce qu'elles étaient.

– Non, sans doute, lui dis-je.

On pouvait y croire, en cette période où 1980 allait faire place à 1981. Comment se peut-il qu'une décennie se fonde dans la suivante sans qu'on s'en aperçoive – mystère. Mais cette période fut marquée par la mort de Nils Borkman, suivie du suicide de sa femme.

– Ils se sont suicidés l'un comme l'autre, Bill, m'avait confié Grand-père Harry au téléphone, en baissant la voix comme si nous étions sur écoute.

Nils avait quatre-vingt-huit ans, bientôt quatre-vingt-neuf. Noël approchait, on était en pleine saison de la chasse au cerf avec fusil, et il s'était fait sauter l'arrière du crâne avec une carabine .30.30 un jour qu'il parcourait les terrains de sport de la Favorite River Academy sur ses skis de fond. Les élèves étaient déjà rentrés dans leurs foyers pour les vacances, et Nils avait appelé son vieil adversaire Chuck Beebe, le garde-chasse qui n'était pas d'accord pour que lui et Grand-père transforment la chasse au cerf en biathlon.

– Y a des braconniers, Chuck ! Je les ai de mes yeux vus, sur les terrains de sport de l'Academy. Pendant que je te parle, je suis parti à leur poursuite, avait-il braillé au bout du fil, une urgence dans la voix.

– Comment ça, des braconniers en pleine saison de chasse ? Y tirent à la mitrailleuse, ou quoi ? lui avait demandé le garde-chasse.

Mais Nils avait déjà raccroché. Quand Chuck retrouva son corps, il apparut que le coup était parti au moment où Nils prenait le fusil dans son dos pour l'épauler. Chuck accepta d'y voir un accident parce qu'il pensait depuis longtemps que Nils et Grand-père pratiquaient une chasse dangereuse.

Nils savait parfaitement ce qu'il faisait. En principe, il chassait le cerf avec une 30.06. Cette carabine 30.30, plus légère, était ce que mon grand-père appelait un fusil à vermine (lui chassait le cerf avec, considérant que le cerf faisait partie de la vermine). C'était une carabine à canon plus court ; Harry savait qu'il serait plus facile pour Nils de se tirer une balle dans la nuque avec cette arme-là.

– Mais pourquoi il a voulu se suicider, Nils ?

– Ah, bah, faut pas oublier qu'il était norvégien… avait commencé Grand-père.

Il avait mis plusieurs minutes à se rappeler que son ami souffrait d'un cancer diagnostiqué inopérable.

– Mrs Borkman ne va pas tarder à le suivre, m'annonça mon grand-père avec emphase.

Nous nous étions toujours plu à dire que Mrs Borkman était un personnage d'Ibsen, mais le fait est qu'elle se tira une balle le jour même.

– Comme Hedda, avec une arme de poing, en pleine tempe, dit Grand-père, admiratif, lorsqu'il me rappela peu de temps plus tard.

Je ne doute pas un instant que la mort de son vieil ami et associé, Nils, ait précipité son déclin. Elle venait s'ajouter à la perte de sa femme et de ses enfants. C'est ainsi que Richard et moi allions bientôt prendre la décision de le mettre en lieu sûr à la Maison de Retraite, où ses apparitions surprises en trave verraient leur charme s'émousser très vite. D'où notre décision suivante de le ramener chez lui, début 1981, avec une infirmière à demeure pour veiller sur lui. Elle s'appelait Elmira, et non seulement elle se rappelait avec émotion l'avoir vu jouer sur scène en femme, du temps qu'elle était petite fille, mais elle voulait bien l'assister pour choisir sa robe du jour dans la pile des vêtements de Nana Victoria qu'il thésaurisait depuis si longtemps.

Ce fut aussi au début de cette année 1981 que Mr Hadley quitta Mrs Hadley. Il partit avec une ancienne élève de l'École qui venait tout juste d'obtenir son diplôme et qui se trouvait en première année de fac, j'ai oublié où. Elle laisserait tomber ses études pour vivre avec Mr Hadley, qui avait soixante et un ans, soit exactement le même âge que sa femme, qui avait elle-même l'âge de ma mère – à savoir dix ans bien comptés de plus que Richard. N'empêche qu'Elaine ne se trompait sans doute pas quand elle disait que sa mère avait toujours été amoureuse de lui. Elaine se trompait rarement.

« Tu parles d'un mélo », conclut-elle avec lassitude, lorsque, l'été 1981, ils se mirent en ménage. En vieille hippie qui se respectait, Martha Hadley refusa de se remarier ; quant à Richard, je suis sûr que la présence de cette femme qui ne se plaignait jamais lui suffisait parfaitement. Il s'en fichait pas mal, de se remarier !

En outre, ils avaient compris l'un comme l'autre que, s'ils ne se mariaient pas, on les prierait de quitter Bancroft Hall. On se trouvait au début des années quatre-vingt, certes, mais dans une toute petite ville du Vermont ; et à la Favorite River Academy, le pensionnat avait sa part de règles à suivre. Un couple vivant en concubinage, dans un logement de fonction au sein même de l'établissement, ça ne passerait pas. Or Mrs Hadley et Richard en avaient l'un comme l'autre soupé de l'internat des garçons, Elaine et moi en étions persuadés. Ils étaient peut-être arrivés à la conclusion qu'ils seraient bien fous de se marier, vivre dans le péché leur permettant d'échapper au pensionnat.

Ils avaient donc l'été pour se trouver un logement en ville, ou pas trop loin de l'École – une maison modeste, dans les moyens d'un couple de professeurs du secondaire. Celle qu'ils trouvèrent, située dans River Street, n'était qu'à quelques numéros de l'ancienne Bibliothèque municipale, devenue Société d'Histoire. Elle avait appartenu à toute une série de propriétaires ces dernières années.

– Il faudrait y prévoir des travaux, me dit Richard d'une voix un peu hésitante, au téléphone.

Je perçus cette hésitation. Si c'était une question d'argent, je ferais volontiers ce que je pourrais, mais je m'étonnais qu'il n'ait pas pensé à solliciter d'abord Grand-père qui l'adorait, et qui avait donné sa bénédiction à son projet de vie commune avec Martha Hadley.

– La maison est à même pas dix minutes de chez Grand-père Harry, Bill, me dit Richard au téléphone.

Je sentais qu'il bloquait sur quelque chose.

– Qu'est-ce qu'il y a, Richard ?

– C'est l'ancienne maison Frost, Billy.

Étant donné qu'elle était passée de mains en mains (mains peu délicates de surcroît) ces derniers temps, nous savions tous deux qu'il ne resterait pas trace du passage de Miss Frost. Celle-ci était partie, nous le savions l'un comme l'autre. Pourtant le fait qu'il s'agisse de l'ancienne maison Frost était un coup de projecteur dans les ténèbres – les ténèbres du passé, me disais-je alors, n'y voyant aucune préfiguration de ténèbres à venir.

Quant au second avertissement qu'une épidémie nous guettait, il m'échappa tout à fait. En cette fin d'année 1980, je n'avais pas reçu de carte de Noël de la famille Atkins et je ne m'en étais pas aperçu. Quand il m'en arriva une, longtemps après les fêtes, elle disait tout de même *Meilleurs Vœux*. Je me souviens de m'être étonné que Tom n'ait pas joint une critique de mon quatrième roman. (Il n'était pas encore paru, mais je lui avais envoyé un exemplaire des épreuves : cet inconditionnel de ma prose méritait bien une avant-première en douce, car enfin il était le seul à me comparer favorablement à Flaubert.)

Mais il n'y avait rien d'autre que la carte de vœux, qui arriva courant février 1981, en tout cas il me semble bien qu'il était déjà aussi tard. Les enfants et le chien avaient grandi. Mais ce qui me laissa perplexe, c'est que le pauvre Tom avait pris un sacré coup de vieux. On aurait dit qu'il avait vieilli de plusieurs années entre les deux Noëls.

La photo avait vraisemblablement été prise lors d'une virée familiale aux sports d'hiver. Ils étaient tous en combinaison et Tom portait un bonnet. Ils ont emmené le chien au ski ! pensai-je, stupéfait.

Les enfants étaient bronzés, l'épouse aussi ; pas Tom. Mais sachant combien il avait la peau claire, je ne vis rien de bizarre dans ce détail : le connaissant comme je le connaissais, il avait dû tenir compte des premières mises en garde contre le cancer de la peau, qui préconisaient l'écran total. Même plus jeune, il avait toujours réagi aux sonnettes d'alarme.

Mais son teint avait pris une nuance argentée ; certes, on distinguait mal son visage avec ce bonnet qui lui couvrait les sourcils ; pourtant, rien qu'à voir ce qu'il en restait, je me dis qu'il avait maigri. Beaucoup maigri, à vrai dire, mais avec la combinaison de ski il était difficile de savoir à quel point. D'ailleurs, peut-être avait-il toujours eu les joues un peu creuses.

Tout de même, je contemplai cette carte de Noël retardataire pendant une éternité. La femme de Tom avait une expression que je ne lui connaissais pas. Comment pouvait-il y passer à la fois la peur du connu et celle de l'inconnu ?

Elle me faisait penser à cette phrase de *Madame Bovary*, à la fin du chapitre six, celle qui fait mouche, qui vous touche au cœur : « Elle ne pouvait s'imaginer à présent que ce calme où elle vivait fût le bonheur qu'elle avait rêvé. »

Ce n'était pas de la peur, c'était de la terreur qui se lisait sur le visage de la femme de Tom. Qu'est-ce qui pouvait bien lui inspirer une pareille angoisse ?

Et qu'était devenu le sourire que le Tom Atkins de ma connaissance ne pouvait jamais réprimer bien longtemps ? Un sourire ahuri, qui lui découvrait les dents et la langue. Ici, il serrait les lèvres comme un gosse qui essaie de planquer son chewing-gum au prof, ou comme quelqu'un qui sait qu'il a mauvaise haleine.

Dieu sait pourquoi, je montrai la photo à Elaine.

– Tu te souviens d'Atkins ? lui dis-je en lui tendant la carte retardataire.

– Ce «pauvre Tom», répondit-elle mécaniquement.

Nous rîmes tous deux, mais elle cessa de rire en jetant un coup d'œil à la photo.

– Qu'est-ce qui lui arrive ? Qu'est-ce qu'il a dans la bouche ?

– Je ne sais pas.

– Il a un truc à la bouche, Billy, et il veut pas que ça se voie. Et les enfants, qu'est-ce qui leur arrive ?

– Les enfants ?

Je n'avais rien remarqué de spécial chez les enfants.

– On dirait qu'ils ont pleuré. Doux Jésus, on dirait qu'ils pleurent tout le temps.

– Fais voir, lui dis-je en prenant la photo. (Je n'observai rien d'anormal chez les enfants.) Il pleurait beaucoup, Atkins, c'était une vraie madeleine, ils tiennent peut-être de lui…

– Attends, Billy, il y a quelque chose de pas normal. Ils ont tous quelque chose de pas normal.

– Le chien m'a l'air normal, dis-je pour plaisanter.

– Je te parle pas du chien, Billy.

Si vous avez traversé les années Reagan, de 1981 à 1989, sans être plombé par le spectacle d'une personne de votre entourage en train de mourir du sida, alors ces années (et Reagan) ne vous ont pas laissé le même souvenir qu'à moi. Quelle décennie ! Et dire qu'en plus il a fallu que ce cow-boy de série B soit aux manettes presque jusqu'à la fin (pendant les sept premières années de sa présidence, il a réussi à ne jamais prononcer le mot *sida*). Le passage du temps les a brouillées, ainsi que l'oubli délibéré ou inconscient des détails les plus noirs. Il y a des décennies lièvres et des décennies tortues. Si les années quatre-vingt m'ont paru durer une éternité, c'est que j'y ai vu mes amis et amants mourir les uns après les autres, jusqu'aux années quatre-vingt-dix. En 1995, pour la seule ville de New York, le sida a tué plus d'Américains que la guerre au Vietnam.

Quelques mois après cette conversation avec Elaine sur la photo de la famille Atkins, je suis sûr que nous étions encore en 1981, Russell, le jeune amant de Larry, tomba malade. J'eus très mauvaise conscience de l'avoir traité de trader et de rimailleur.

J'étais snob ; je méprisais les mécènes dont Larry s'entourait. Mais Larry était poète, et la poésie ne nourrit pas son homme, alors pourquoi les poètes et autres artistes n'auraient-ils pas de protecteurs ?

La PCP fut la grande faucheuse de ces années-là ; il s'agissait d'une pneumonie, la *pneumocystis carinii pneumonia*. Chez Russell, comme chez beaucoup d'autres, ce fut le premier symptôme du sida. On se trouvait devant le cas d'un jeune adulte en parfaite santé, affecté d'une toux ou d'un essoufflement accompagnés de fièvre. Mais la radio n'était pas encourageante : en termes médicaux, un voile blanc. Pourtant, on ne détecta toujours pas la maladie ; après une première phase durant laquelle elle résista aux antibiotiques, on finit par faire une biopsie (ou lavage broncho-alvéolaire) qui révéla la présence de cette insidieuse pneumonie, la pneumocystose. En général, à ce stade, on vous met sous Bactrim ; Russell en prenait déjà. Il fut le premier malade que je vis dépérir, et encore, il avait de l'argent, et il avait Larry.

Bien des écrivains qui connaissaient Larry le jugeaient gâté et égocentrique, voire pompeux. À ma grande honte, je faisais partie de ces censeurs. Mais Larry était de ceux qui se transcendent dans les heures difficiles.

« Il aurait mieux valu que ça tombe sur moi, me dit-il lors de notre première visite à Russell. Moi j'ai fait ma vie, lui commence la sienne. » Le jeune homme était hospitalisé à domicile, dans sa magnifique maison en grès, à Chelsea, avec son infirmière privée. Je découvrais toutes ces dispositions ; le fait que Russell n'ait pas voulu de respirateur rendait possibles les soins à domicile. En cas d'intubation, il est plus commode de relier le patient au respirateur à l'hôpital. Par la suite, j'ai remarqué et gardé en mémoire le glaviot de xylocaïne au bout du tube endotrachéal. Rien de tel chez Russell. Il n'avait pas voulu être intubé.

Je revois Larry en train de lui donner à manger. Il avait des plaques de candidose plein la bouche, et la langue crayeuse.

Lui si jeune et si beau serait bientôt défiguré par les lésions du sarcome de Kaposi ; une boursouflure violette lui pendait au sourcil, comme un lobe d'oreille charnu qui se serait trompé de place ; une autre, plus rouge, lui pendait sur le nez, si proéminente qu'il finit par la cacher sous un bandana. Larry me confia qu'il s'était surnommé le dindon, à cause de son Kaposi.

«Pourquoi ils sont si jeunes ?» me demandait sans cesse Larry à l'époque où cette hécatombe nous fit prendre conscience que la mort de Russell n'était qu'un début.

Nous vîmes Russell vieillir en quelques mois, cheveux clairsemés, teint plombé, il était souvent couvert d'une sueur fraîche au toucher, et ses fièvres ne tombaient pas. La candidose lui envahissait la gorge, puis ce fut le tour de l'œsophage, il avait du mal à avaler. Ses lèvres se couvraient d'une gerçure blanche, se fendillaient. Les ganglions lymphatiques de son cou enflaient, il ne pouvait presque plus respirer, mais il refusait toujours d'être mis sous respirateur artificiel et d'être hospitalisé. À la fin, il faisait seulement semblant de prendre son Bactrim, Larry retrouvait les pilules éparpillées dans son lit.

Il mourut dans les bras de Larry ; je suis sûr que celui-ci aurait préféré l'inverse («Il ne pesait plus rien», me confia-t-il). À cette époque, nous allions déjà visiter des amis à l'hôpital St Vincent. Comme il l'avait prédit, l'établissement refusait du monde, et il devenait impossible d'aller y voir un ami ou un ancien amant sans tomber sur une autre personne de connaissance. En passant devant la porte d'une chambre, on apercevait quelqu'un dont on ignorait encore qu'il était malade. Et plus d'une fois, disait Larry, il avait repéré quelqu'un dont il ne savait pas qu'il était homo !

Les femmes découvraient que leurs maris fréquentaient des hommes au moment même où ils étaient mourants. Des parents apprenaient que leurs jeunes fils étaient en train de mourir avant de savoir ou de se douter qu'ils étaient gays.

Seules quelques-unes de mes amies furent infectées, pas beaucoup. Je mourais de peur pour Elaine qui avait couché avec des types que je savais bi. Mais, après deux avortements, elle avait compris la leçon ;

elle imposait le préservatif, persuadée que rien d'autre ne l'empêcherait de tomber enceinte.

On en avait parlé bien avant, du préservatif. Quand l'épidémie de sida avait commencé, elle m'avait dit : « Toujours fidèle aux préservatifs, hein, Billy ? » « Depuis 1968 ! » lui avais-je répondu.

« Je devrais être mort », disait Larry. Il était toujours séronégatif. Il paraissait en bonne santé. Moi aussi, j'étais négatif. Nous croisions les doigts.

L'année 1981 tirait à sa fin lorsque survint l'incident du saignement de nez à la salle de lutte du NYAC. Je ne sais pas au juste si tous les lutteurs étaient au courant que le virus du sida se transmettait essentiellement par le sang et le sperme, parce qu'à une époque le personnel hospitalier en général avait peur de l'attraper par la toux ou l'éternuement. Toujours est-il que la fois où je me mis à saigner du nez en salle de lutte, tout le monde en savait déjà assez long pour crever de trouille.

Quand on lutte, il est fréquent de ne pas s'apercevoir qu'on saigne tant qu'on n'a pas vu son sang sur son adversaire. Je m'entraînais avec Sonny lorsque je vis du sang sur son épaule. Je reculai. « Tu saignes », lui dis-je ; et là je vis sa tête. Il fixait mon nez. Je portai la main à mon visage et vis du sang sur mes doigts, sur ma poitrine, sur le tapis de lutte. « Ah non, c'est moi », mais Sonny avait déjà quitté la salle à toutes jambes. Les vestiaires se trouvaient à un autre étage.

– Va chercher l'entraîneur, Billy, dis-lui qu'il y a du sang, me glissa Arthur.

Tous les lutteurs s'étaient figés, personne ne voulait toucher au sang ; d'ordinaire, quand quelqu'un saignait du nez, on n'en faisait pas une histoire. On essuyait le tapis avec une serviette. Du sang dans une salle de lutte, autrefois, ça n'était pas grave.

Sonny avait déjà envoyé l'entraîneur dans la salle ; il arriva avec des gants de caoutchouc et des serviettes saturées d'alcool ; quelques minutes plus tard, je vis Sonny en tenue de lutte, chaussures comprises, passer sous la douche. Je vidai mon casier avant de prendre ma douche moi-même ; je voulais lui laisser le temps de finir la sienne. Je me doutais qu'il n'avait pas dit à l'entraîneur : « Y a l'écrivain qui a saigné dans la salle », mais bien plutôt « Y a l'homo qui saigne ». À l'époque, c'est ce que je lui aurais dit, moi, à l'entraîneur, je le sais bien.

Arthur ne m'aperçut que lorsque je quittai les vestiaires ; j'avais pris ma douche et m'étais rhabillé en me mettant des boules de ouate dans les narines au cas où. Pas une goutte de sang sur moi, mais un sac-poubelle vert, qui contenait tout mon vestiaire. C'était un gars de la salle du matériel qui me l'avait donné. Oh là là, qu'il était content de me voir partir, celui-là !

– Ça va, Billy ? me demanda Arthur.

Cette question-là, il y aurait toujours quelqu'un pour me la poser pendant quatorze, quinze ans.

– Je vais retirer ma demande de carte de membre à vie, si tu n'y vois pas d'inconvénient. Le code vestimentaire du club est casse-pieds pour un écrivain. Moi, je ne travaille pas en costume-cravate. Je n'en mets que pour passer la porte du club, après quoi je me déshabille aussitôt pour me mettre en tenue de sport.

– Je comprends tout à fait. J'espère seulement que ça va aller, pour toi.

– Je ne peux pas appartenir à un club aussi strict sur le plan vestimentaire, ça ne correspond pas du tout à une vie d'écrivain.

Quelques-uns des autres lutteurs qui venaient de finir de s'entraîner se dirigeaient vers les vestiaires, dont Ed, Wolfie et Jimmy, mes anciens partenaires. Ils me virent tous avec mon sac-poubelle à la main. Je n'eus pas besoin de leur dire que c'était ma dernière séance.

Je quittai le club par la petite porte : on a l'air bizarre avec un sac-poubelle dans Central Park South. Je sortis par la Cinquante-huitième Rue, où donnaient des tas de ruelles desservant les hôtels du quartier pour les livraisons. Je savais que je trouverais une benne pour déposer mon sac-poubelle, et ma vie de lutteur débutant, à l'aube de la pandémie du sida.

Peu de temps après que mon piteux saignement de nez eut mis fin à ma carrière de lutteur, un jour que Larry et moi dînions en ville, il me dit que les actifs risquaient moins d'attraper le sida que les passifs, à ce qu'on racontait. J'en connaissais qui l'avaient, mais moins que des passifs, il est vrai. Je me suis toujours demandé où Larry entendait raconter toutes ces choses, mais le fait est qu'en général il entendait juste.

«La pipe, c'est pas trop dangereux, Bill, autant que tu le saches.» Il était le premier à me le dire. Par ailleurs il avait l'air de savoir, ou de tenir pour acquis, que le nombre de partenaires avait une incidence importante sur le risque d'infection. Paradoxalement, il ne me parla jamais de l'incidence du préservatif.

Il réagissait à la mort de Russell en s'efforçant d'assister tout jeune homme qu'il savait mourant. Il avait bien plus de cran que moi, un cran admirable, quand il s'agissait de visiter des malades du sida hospitalisés à St Vincent ou à domicile. Moi, je me sentais me rétracter, tout comme j'avais le sentiment de faire fuir les gens, et pas seulement mes camarades lutteurs.

Rachel avait battu en retraite illico. «Elle croit peut-être qu'elle va attraper le sida en lisant ta prose», commenta Elaine.

Elaine et moi avions parlé de quitter New York, seulement voilà, il suffit de vivre assez longtemps dans cette ville pour se figurer ne plus pouvoir vivre ailleurs.

À mesure que le virus faisait de nouvelles victimes chez nos amis, nous nous imaginions avoir contracté l'une ou l'autre des maladies opportunistes qui lui étaient associées. Elaine se mit à avoir des sueurs nocturnes ; je me réveillais en croyant sentir les plaques de candidose à l'assaut de mes dents (j'avouai à Elaine que je me réveillais souvent la nuit pour regarder ma bouche dans une glace à l'aide d'une lampe de poche). Il y avait la dermatite séborrhéique ; grasse, pelliculaire, elle surgissait essentiellement sur les sourcils, le cuir chevelu, les ailes du nez. L'herpès ravageait les lèvres, et ses ulcères refusaient de cicatriser. Les plaques de molluscum – on aurait dit la vérole – couvraient parfois tout le visage.

Les cheveux poisseux de sueur et aplatis par l'oreiller prennent une odeur spécifique, bizarre. Ils deviennent translucides, mais le sel sèche et se durcit sur le front avec la fièvre incessante et les sueurs permanentes ; il y a aussi les muqueuses, engorgées de levure ; ça sent une odeur de levure, mais une odeur de fruit aussi, l'odeur du lait caillé, du moisi, et des oreilles de chien, quand elles sont mouillées.

Je n'avais pas peur de mourir ; j'avais peur d'avoir mauvaise conscience à perpétuité faute d'avoir péri, précisément. Je n'arrivais pas à accepter l'idée que mes chances de survie tenaient à un médecin qui me trouvait antipathique et qui m'avait dit de mettre un préservatif, ou que j'échapperais au virus par le simple détail aléatoire que j'étais actif plutôt que passif. Je n'avais pas honte de ma vie sexuelle ; moi, j'avais honte de ne pas savoir m'asseoir au chevet des mourants.

« Je ne suis pas fort pour ça, toi si », dis-je à Larry. Et je ne parlais pas seulement de leurs mains qu'il prenait dans les siennes, et des bonnes paroles qu'il leur prodiguait.

La méningite cryptococcique était causée par un champignon ; elle affectait le cerveau et on la diagnostiquait par une ponction lombaire ; elle s'accompagnait de fièvre, de maux de tête et de confusion mentale. Il y avait aussi une maladie de la moelle épinière, une myélopathie, qui causait un affaiblissement progressif ; les jambes cessaient de fonctionner, puis les sphincters. On n'y pouvait pas grand-chose ; ça s'appelait la myélopathie vacuolaire.

Je regardais Larry vider le bassin de notre ami atteint de myélopathie (je n'en revenais pas : il était devenu un saint), quand je m'aperçus tout à coup que je n'avais aucun mal à prononcer le mot *myélopathie*, ni aucun des mots associés à la maladie. La pneumocystose, par exemple, j'arrivais à en dire le nom ; le sarcome de Kaposi, avec ses lésions effroyables, ne me causait aucune difficulté ; j'arrivais à articuler *méningite cryptococcique* comme si l'expression ne renvoyait à rien de plus redoutable qu'un rhume. Je n'hésitais même pas à prononcer le mot *cytomégalovirus*, cause la plus fréquente de la cécité chez les malades du sida.

— Il faudrait que j'appelle ta mère, dis-je à Elaine. Apparemment, je viens de faire un progrès décisif.

— C'est parce que tu prends tes distances vis-à-vis de la maladie, Billy, me dit Elaine. Tu es comme moi, tu te figures que tu la regardes de l'extérieur.

— Il faudrait que j'appelle ta mère, répétai-je, mais je savais qu'Elaine avait raison.

— Prononce *pénis*, pour voir…

— C'est pas du jeu, Elaine, je ne te parle pas de ça.

— Allez, dis-le.

Mais je savais ce que ça donnerait. Aujourd'hui comme hier et demain, ce serait *pénif* ; il y a des choses qui ne changeront jamais. Je ne tentai donc pas de prononcer le mot et lançai « Bite ! » à Elaine.

Je n'appelai pas non plus Mrs Hadley pour lui raconter ma percée fulgurante en matière d'orthophonie. Je m'efforçais de prendre mes distances vis-à-vis de la maladie, c'était vrai ; l'épidémie démarrait tout juste, et déjà je me sentais coupable de ne pas en être atteint.

En 1981, la carte de Noël des Atkins arriva à temps ; ce ne fut pas des *Meilleurs Vœux* génériques en retard de plus d'un mois, mais un *Joyeux Noël* sans complexe, envoyé en décembre.

– Ouh là là, me dit Elaine lorsque je la lui fis voir, où est passé Tom ?

En effet, il ne figurait pas sur la photo de famille, dont les noms étaient imprimés en petites capitales : TOM, SUE, PETER, EMILY et JACQUES ATKINS. Jacques, c'était le labrador, il lui avait donné le prénom de Kittredge !

– Il se trouvait peut-être une sale tête, dis-je à Elaine.

– Il avait un teint cireux sur la carte de l'an dernier, et puis il avait tellement maigri.

– Le bonnet de ski lui cachait les cheveux et les sourcils, ajoutai-je.

Il ne m'avait pas envoyé de critique de mon quatrième roman, or je doutais fort qu'il ait changé d'avis sur *Madame Bovary*.

– Merde, Billy, comment tu comprends le message ?

Le message, manuscrit au verso, était signé de l'épouse. Il ne disait pas grand-chose, et n'avait pas grand rapport avec Noël :

> *Tom a parlé de vous. Il aimerait vous voir,*
> *Sue Atkins.*

– Je comprends qu'il est en train de mourir, voilà ce que je comprends.

– Je viens avec toi. Il m'a toujours eue à la bonne.

Elle avait raison, le pauvre Tom l'avait toujours adorée, ainsi que Mrs Hadley. En outre, comme au bon vieux temps, je me sentais plus fort avec Elaine à mes côtés. Si Atkins était en train de mourir du sida, j'étais passablement sûr que sa femme n'ignorait plus rien de l'été que nous avions passé ensemble vingt ans plus tôt, en Europe.

Le soir même, j'appelai Sue Atkins. J'appris que Tom était hospitalisé à domicile, dans sa maison de Short Hills, New Jersey. Je ne savais pas ce qu'il faisait dans la vie, mais elle me dit qu'il était directeur général dans une compagnie d'assurance vie ; il travaillait à New York cinq jours par semaine, depuis plus de dix ans. Il faut croire qu'il n'avait jamais eu envie de déjeuner ou de dîner avec moi, et j'appris avec surprise qu'elle croyait que son mari me voyait ; apparemment, il y avait des soirs où il rentrait très tard…

– Ce n'était pas moi qu'il allait retrouver, dis-je à Mrs Atkins.

J'ajoutai qu'Elaine souhaiterait m'accompagner dans cette visite, mais que nous ne voulions pas nous « imposer ». Avant que j'aie pu lui expliquer qui était Elaine, elle répondit :

– Oui, aucun inconvénient. Je sais tout sur Elaine.

Je m'abstins de lui demander ce qu'elle savait sur moi.

Elaine faisait un cours, ce semestre-là, et elle corrigeait des copies d'examen, expliquai-je au téléphone. Nous pourrions peut-être venir à Short Hills un samedi, pour éviter les trains bourrés de gens rentrant du travail ?

– Les enfants seront à la maison, mais ça ne gênera pas Tom. Bien entendu, Peter sait qui vous êtes. Ce voyage en Europe – sa voix se brisa –, Peter connaît la situation, et il est tout dévoué à son père. Emily, non, j'ignore ce qu'elle sait au juste ; d'abord, elle est plus jeune. On ne peut pas grand-chose contre ce que les enfants entendent dire à l'école, par leurs camarades, surtout s'ils refusent de vous le raconter.

– Je suis désolé pour toutes les épreuves que vous endurez, dis-je.

– J'ai toujours su que ça arriverait. Tom m'avait parlé de son passé avec franchise. Ce que j'ignorais, c'est qu'il était revenu à ses premières tendances. Et puis cette maladie terrible…

Sa voix se brisa de nouveau.

Tout en parlant avec elle, je regardais la carte de Noël. Je ne suis pas très fort pour deviner l'âge des petites filles. Je ne connaissais pas celui d'Emily, sachant seulement qu'elle était la cadette. À quelque chose près, Peter, le fils, devait avoir quatorze ou quinze ans, l'âge de Tom lorsque j'avais fait sa connaissance et que je l'avais tenu d'emblée pour un loser incapable de prononcer le mot *heure*. Il m'avait dit qu'il préférait m'appeler Bill au lieu de Billy parce qu'il avait remarqué que Richard Abbott m'appelait ainsi, et qu'il sautait aux yeux que je l'adorais.

Il m'avait aussi avoué qu'il avait surpris une exclamation de Martha Hadley, un jour que j'étais allé la voir à son bureau et qu'il attendait son tour. « Billy, Billy, tu n'as rien fait de mal ! » s'était-elle écriée, si fort qu'il l'avait entendue malgré la porte fermée. Je venais de parler à Mrs Hadley de mes béguins pour des garçons et des hommes, dont celui pour Richard qui commençait à décliner un peu, et celui pour Kittredge, bien plus dévastateur.

Le pauvre Tom en avait déduit que j'entretenais une liaison avec Mrs Hadley : « J'ai même cru que tu avais éjaculé dans son bureau, quoi, et qu'elle essayait de te rassurer en te disant que tu n'avais rien fait de mal. C'est comme ça que je le comprenais. »

« Non mais, quel idiot ! » lui avais-je dit ; c'était moi qui avais honte, à présent.

Je demandai à Sue Atkins comment Tom se portait en ce moment – voulant dire par là où il en était de ces maladies opportunistes sur lesquelles j'avais désormais quelques notions, les médicaments qu'il prenait. Quand elle m'expliqua qu'il souffrait d'eczéma à cause du Bactrim, je compris qu'on le soignait pour une pneumocystose. Et puisqu'il était hospitalisé à domicile, il n'avait pas recours au respirateur ; il aurait donc le souffle rauque et court ; cela, je le savais aussi.

Elle ajouta qu'il lui était très difficile de se nourrir.

– Il a du mal à avaler, me dit-elle.

Le simple fait de le dire lui fit réprimer une toux, ou alors elle eut un haut-le-cœur. Tout à coup, elle me parut essoufflée.

– C'est une candidose qui l'empêche de manger ?

– Oui, il a une candidose au niveau de l'œsophage, dit Mrs Atkins, pour qui la terminologie n'avait plus de secret. Et puis, mais ça c'est tout récent, on lui a posé un cathéter de Hickman.

– Depuis combien de temps, le cathéter ?

– Le mois dernier seulement.

On le nourrissait donc par perfusion pour éviter la malnutrition. En cas de candidose, un traitement au fluconazole ou à l'amphotéricine venait souvent à bout des difficultés de déglutition ; sauf si la levure était devenue résistante. « Quand on en est à te nourrir par perfusion, Bill, c'est que tu es en train de mourir d'inanition », m'avait dit Larry.

Je ne cessais de penser à son fils, Peter. Sur la photo, il me rappelait le Tom Atkins que j'avais connu. Je m'imaginai qu'il était peut-être « comme nous », selon la formule de Tom, des années auparavant. Tom l'aurait-il remarqué ? « Il n'y a pas beaucoup de gens qui comprennent les garçons comme nous », m'avait-il dit, et je m'étais demandé s'il était en train de me faire des avances. (C'était la première fois qu'un garçon «comme moi» me faisait des avances.)

– Bill! s'écria vivement Sue Atkins, au bout du fil.

Je m'aperçus que je pleurais.

– Pardon.

– Ne vous avisez surtout pas de pleurer quand vous viendrez nous voir. Nous avons déjà tous pleuré toutes les larmes de notre corps.

«Empêche-moi de pleurer», dis-je à Elaine ce samedi-là, peu avant Noël 1981. Nous avions croisé des foules qui partaient faire leurs courses à New York, en sens inverse du nôtre. Dans le train pour Short Hills, New Jersey, il n'y avait quasiment personne. «Et comment faire pour t'en empêcher? Je n'ai pas d'arme, je ne peux pas te tirer dessus», me répondit-elle.

Le mot *arme* me rendait nerveux. Elmira, l'infirmière que nous avions engagée, Richard et moi, pour veiller sur Grand-père, se plaignait sans cesse de ce «flingue». C'était une carabine Mossberg 30.30 à action levier, le type d'arme à canon court qu'avait choisi Nils pour se tirer une balle. (Je ne me rappelle pas bien, mais je crois qu'il s'agissait d'une Winchester, ou d'une Savage, ce n'était pas une carabine à action levier, je sais seulement que c'était une .30.30); or comme Harry la nettoyait habillé en Nana Victoria, il faisait des taches d'huile sur la garde-robe de sa défunte, qu'il fallait ensuite donner à nettoyer, au grand chagrin d'Elmira. «Il ne va plus à la chasse, il ne sort plus à ski pour tirer les cerfs, il me l'a promis, mais il continue à briquer cette fichue Mossberg comme un maniaque», avait-elle dit à Richard.

Richard avait posé la question à Grand-père.

– Je vois pas l'intérêt d'avoir une arme si on ne l'entretient pas, lui avait répondu celui-ci.

– Mais tu pourrais peut-être mettre tes vêtements à toi, quand tu le nettoies? Tu sais, quoi, un jean, une chemise de flanelle, quelque chose qu'Elmira ne serait pas obligée de donner au pressing.

Harry n'avait pas réagi, du moins pas en présence de Richard. Mais il avait dit à Elmira de ne pas s'en faire:

– Si je me tire une balle, je vous promets de ne pas vous laisser un désastre à donner au pressing.

Résultat, Elmira et Richard vivaient dans l'inquiétude qu'il passe à l'acte, et moi aussi je pensais sans cesse à cette .30.30 extra-nickel.

Mais si je me faisais du souci quant aux intentions de mon grand-père, pour être tout à fait honnête, j'étais soulagé de savoir que la fichue carabine Mossberg était prête à tirer. Et pour être encore plus honnête, je ne m'inquiétais pas tant pour Harry que pour moi. Si je me découvrais séropositif, je savais ce qui me restait à faire. En digne fils du Vermont, je n'hésiterais pas. Je rentrerais à First Sister, chez mon grand-père, dans River Street. Je savais où il rangeait sa 30.30 ; et je savais aussi où il cachait ses munitions. Ce fusil à vermine, comme il disait, ferait fort bien l'affaire pour moi.

C'est dans ces dispositions, et résolu à ne pas pleurer, que j'arrivai à Short Hills, New Jersey, pour rendre visite à Tom Atkins, mon ami mourant que je n'avais pas vu depuis vingt ans, c'est-à-dire la moitié de ma vie ou presque.

Si j'avais eu ma tête à moi, j'aurais pu prévoir que ce serait Peter, son fils, qui nous ouvrirait la porte. J'aurais dû m'attendre à cette ressemblance traumatisante avec lui, tel qu'il était lors de notre rencontre ; mais je restai sans voix.

– C'est son fils, dis quelque chose, Billy, me souffla Elaine.

Naturellement, j'étais déjà en train de refouler mes larmes.

– Bonjour, je suis Elaine et voici Billy, dit-elle à l'adolescent roux carotte. Vous êtes Peter, sûrement, nous sommes de vieux amis de votre père.

– Oui, nous vous attendions, entrez, je vous en prie, répondit le garçon poliment.

Il venait d'avoir quinze ans et avait déposé un dossier pour s'inscrire en deuxième année à Lawrenceville School, établissement dont il attendait la réponse.

– Nous ne savions pas à quelle heure vous viendriez, mais vous tombez bien, nous dit-il en nous introduisant dans la maison.

J'aurais voulu le serrer sur mon cœur – il venait d'employer le mot *heure*, sans aucun problème de prononciation, manifestement –, mais, au vu des circonstances, je m'abstins de le toucher.

D'un côté du vestibule princier, il y avait une salle à manger imposante, où personne ne mangeait ni n'avait jamais mangé, me disais-je, lorsque le jeune homme nous informa que Charles venait de sortir.

– Charles, c'est l'infirmier de mon père, il s'occupe du cathéter ; il faut le rincer, sinon il se bouche.

– Il se bouche, répétai-je.

Ce furent mes premiers mots dans la maison des Atkins. Elaine me donna un coup de coude dans les côtes.

– Maman se repose, elle va descendre ; ma sœur, je ne sais pas où elle est.

Nous nous étions arrêtés devant une porte close, dans le couloir du rez-de-chaussée.

– C'était le bureau de mon père, dit Peter Atkins, qui marqua un temps avant de l'ouvrir. Mais comme les chambres sont au premier, Papa ne peut plus monter… Si ma sœur est avec lui, il se peut qu'elle se mette à hurler, elle n'a pas encore quatorze ans.

La main sur la poignée de la porte, il tardait à nous faire entrer.

– Je pèse dans les soixante kilos, parvint-il à dire sur un ton naturel. Mon père a beaucoup maigri depuis la dernière fois que vous l'avez vu ; il pèse… pas tout à fait quarante-cinq kilos.

Là-dessus, il ouvrit la porte.

« Ça m'a fendu le cœur, me dirait plus tard Elaine, cette façon qu'il avait de nous préparer. » Sauf que moi, je commençais à peine à découvrir cette maudite maladie, et qu'il n'y avait pas moyen de me préparer.

– Tiens, elle est là… Ma sœur Emily, dit Peter Atkins en nous introduisant enfin dans la pièce où son père était en train de mourir.

Le chien Jacques était un labrador couleur chocolat, au museau gris-blanc. C'était un vieux chien, je le vis non seulement à son poil qui grisonnait sur la truffe et les joues, mais aussi à sa démarche, poussive et branlante, lorsqu'il sortit de sous le lit d'hôpital pour nous accueillir ; l'une de ses pattes glissait plus qu'elle ne marchait sur le sol et sa queue remuait faiblement, comme si le mouvement lui faisait mal au bassin.

– Jacques a presque treize ans, c'est très vieux pour un chien, et puis il a de l'arthrite.

Le chien vint nous toucher la main à Elaine et à moi, du bout de sa truffe froide et humide ; il n'en voulait pas davantage. On entendit un choc amorti lorsqu'il alla se recoucher sous le lit.

Emily, la fille, était roulée en boule comme un deuxième chien au pied du lit. Sans doute le fait que sa fille lui réchauffe les pieds était-il d'un quelconque réconfort pour le malade. Respirer lui demandait un effort surhumain. Je devinais qu'il devait avoir froid aux mains et aux pieds : sa circulation refusait d'alimenter les extrémités, redirigeant le sang vers le cerveau.

Emily réagit à retardement. Elle s'assit sur le lit et poussa un hurlement. Elle était en train de lire un livre, qui fusa de ses mains ; le froissement des feuillets se perdit dans son cri. Je vis un ballon d'oxygène dans la pièce encombrée qui avait été le bureau d'Atkins et lui servait désormais de chambre prémortuaire.

Je remarquai aussi que le hurlement de sa fille avait peu d'effet sur lui ; c'est tout juste s'il remua dans son lit. Tourner la tête lui faisait sans doute mal ; pourtant sa poitrine nue, tandis que le reste de son corps desséché demeurait inerte, se soulevait vigoureusement. Le cathéter lui pendait au flanc droit, inséré sous la clavicule, il faisait un tunnel sous la peau à quelques centimètres de l'aréole et pénétrait l'artère subclavière.

– Ce sont d'anciens camarades de classe de Papa, Emily, tu savais qu'ils allaient venir, expliqua Peter avec agacement.

La petite se coula de l'autre côté de la pièce pour récupérer son livre, et quand elle l'eut en main elle se retourna en nous lançant un regard noir – à moi en tout cas, et peut-être aussi à son frère et à Elaine. Lorsqu'elle parla, je fus certain qu'elle s'adressait à moi seul, quoique Elaine ait tenté de m'assurer du contraire sur le chemin du retour en train, sans m'en convaincre.

– Vous êtes malade, vous aussi ?

– Non, je ne suis pas malade, désolé, lui répondis-je.

Sur quoi, elle sortit de la pièce au pas de charge.

– Dis à Maman qu'ils sont arrivés, dis-lui, Emily ! cria Peter à la jeune révoltée.

– J'y vais, j'y vais ! lui cria-t-elle en réponse.

– C'est toi, Bill ? demanda Tom Atkins.

Voyant qu'il essayait de bouger la tête, je m'approchai du lit.

– Bill Abbott, tu es là ?

Sa voix était faible, affreusement laborieuse. Ses poumons émettaient un gargouillis gras ; le ballon d'oxygène ne lui assurait qu'un soulagement épisodique et superficiel. Il y avait sans doute un masque quelque part, mais je ne le voyais pas ; l'oxygène remplaçait le respirateur. Ensuite ce serait la morphine, en phase terminale.

– Oui, c'est moi, Tom, c'est Bill, je suis venu avec Elaine.

Je touchai sa main, moite et glacée, et je vis son visage. La dermatite attaquait le cuir chevelu, les sourcils, elle lui laissait des pellicules sur les ailes du nez.

– Elaine est là aussi ! dit-il d'une voix étranglée. Elaine et Bill ! Tu vas bien, Bill ?

– Oui, je vais bien.

Jamais je n'avais eu autant honte d'être bien portant.

Il y avait tout un plateau de médicaments, ainsi qu'un attirail rébarbatif sur la table de chevet. (Je me rappellerais la solution d'héparine, allez savoir pourquoi, qui servait à rincer le cathéter.) Je vis les plaques blanchâtres, comme lactées, de la candidose qui croûtaient à la commissure de ses lèvres.

«Je ne l'ai pas reconnu», me dirait Elaine sur le trajet du retour. Comment reconnaître un adulte qui ne pèse plus que quarante-cinq kilos ?

Tom Atkins avait comme moi trente-neuf ans, mais il en paraissait soixante ; ses cheveux n'étaient pas seulement transparents et clairsemés ; ce qu'il en restait était devenu gris. Ses yeux s'enfonçaient dans leurs orbites, ses tempes se creusaient profondément, ses joues s'émaciaient, ses narines se pinçaient comme s'il détectait déjà l'odeur de son propre cadavre, et sa peau tendue, naguère si vermeille, avait pris une couleur de cendre.

Le *faciès d'Hippocrate*, tel est le nom de ce visage d'agonie, de ce masque mortuaire que prendraient un jour tant de mes amis et amants qui moururent du sida. On ne voit plus que la peau sur l'armature des os, une peau rigide, tendue à se déchirer.

Je tenais une main de Tom, et Elaine l'autre. Elle s'efforçait d'ignorer le cathéter sur sa poitrine nue lorsque nous entendîmes une toux sèche. Un instant, je crus que le pauvre Tom était mort, et que cette toux s'échappait mystérieusement de sa poitrine. Mais je croisai le regard de son fils. Il identifiait cette toux, il savait d'où elle venait ; il s'était tourné vers la porte ouverte où s'encadrait à présent sa mère. Ce n'était pas une toux inquiétante en soi, mais elle se prolongeait. Elaine et moi l'avions déjà entendue, cette toux. Au premier stade, la pneumocystose ne paraît pas dramatique. L'essoufflement et la fièvre sont souvent pires que la toux.

– Oui, j'ai la maladie, moi aussi, dit Sue Atkins. (Elle contenait sa toux sans pouvoir l'arrêter tout à fait.) Elle n'est encore qu'en phase initiale, ajouta-t-elle, décidément essoufflée.

– Je l'ai contaminée, Bill, voilà toute l'histoire, déclara Tom.

Peter, si posé jusque-là, tentait de sortir de la chambre discrètement.

– Non, toi tu restes ici, Peter, intima la mère. Il faut que tu entendes ce que ton père doit dire à Bill.

L'adolescent pleurait à présent, mais il revint dans la chambre, sans quitter des yeux l'encadrement de la porte, que sa mère lui barrait.

– Je ne veux pas rester, je ne veux pas entendre… commença-t-il.

Il faisait non de la tête, comme s'il trouvait là une méthode éprouvée pour refouler les larmes.

– Il faut que tu restes écouter, Peter, dit Tom Atkins. C'est à propos de Peter que j'ai voulu te voir, Bill. Il lui reste bien quelques vestiges de sens des responsabilités, Elaine, non ? lui demanda-t-il soudain. Parce que, dans ce qu'il écrit, du moins, on le sent. Mais, lui, je ne le connais plus vraiment.

Il ne pouvait guère prononcer plus de trois ou quatre mots sans être à bout de souffle.

– Le sens des responsabilités… dis-je.

– Oui, confirma Elaine, Bill a le sens des responsabilités ; il sait les prendre, je trouve, et pas seulement dans ce que tu écris, Billy, ajouta-t-elle.

– Je ne suis pas tenue de rester, moi, je sais ce qu'il va dire, déclara brusquement Sue Atkins. Vous n'êtes pas tenue de rester, vous non plus, Elaine. On pourrait tenter de raisonner Emily. Ce n'est pas gagné, mais elle est moins dure avec les femmes qu'avec les hommes, en général. Les hommes, elle les déteste cordialement.

– Elle hurle presque chaque fois qu'elle en voit un, dit Peter, qui avait cessé de pleurer.

– D'accord, je vous accompagne, dit Elaine à Sue Atkins. Je ne suis pas folle des hommes, moi non plus. Mais alors les femmes, en général, je ne les aime pas du tout.

– Vous commencez à m'intéresser, commenta Mrs Atkins.

– Je reviendrai te dire au revoir, lança Elaine à Tom, mais il n'eut pas l'air d'entendre cette allusion aux au revoir.

– C'est incroyable comme le temps cesse de poser problème lorsqu'on n'en a plus devant soi, Bill, commença Tom.

– Où est Charles ? demanda Peter à son père. Il devrait être là, non ? Regarde-moi cette pièce. Qu'est-ce qu'il fait ici, ce ballon d'oxygène ?

Puis, se tournant vers moi :

– Ça ne sert plus à rien. Pour que l'oxygène passe, il faut des poumons, quand on ne peut plus inspirer, à quoi bon ? C'est ce que dit Charles.

– Arrête, Peter, je t'en prie. J'ai demandé à Charles de me laisser un peu d'intimité ; il va revenir.

– Tu parles trop, papa. Tu sais ce qui se passe quand tu veux trop parler.

– Je veux parler de toi à Bill.

– C'est de la folie, ça ne tient pas debout.

On aurait dit que Tom Atkins faisait provision d'air avant de me parler.

– Je voudrais que tu gardes un œil sur mon fils quand je serai parti, Bill, surtout s'il est « comme nous », mais même s'il ne l'est pas.

– Pourquoi moi, Tom ?

– Tu n'as pas d'enfants, toi, hein ? Tout ce que je te demande, c'est de garder l'œil sur l'un des deux miens. Pour Emily, je ne sais pas quoi faire, tu ne me parais pas le mieux placé pour veiller sur elle.

– Non, non, non ! s'écria le jeune homme, Emily reste avec moi, elle ira où j'irai.

– Il faudra que tu l'en persuades, et tu sais comme elle est têtue. (Le pauvre Tom avait de plus en plus de mal à trouver de l'air.) Quand je serai mort, quand ta mère sera morte, elle aussi, c'est à cet homme-là que tu pourras t'adresser, et pas à ton grand-père.

J'avais rencontré les parents de Tom lors de la cérémonie de remise de diplômes de fin d'études, à la Favorite River. Son père m'avait jeté un regard consterné et il avait refusé de me serrer la main. Il ne m'avait pas traité de pédale, mais il l'avait pensé très fort. « Mon père est très… plouc », m'avait averti Tom. « Faut le présenter à ma mère », m'étais-je contenté de répondre.

Et voilà que Tom me demandait d'être le mentor de son fils. Le réalisme n'avait jamais été son fort.

– Ne va pas trouver ton grand-père, répéta-t-il à son fils.

– Non, non, non ! répondit son fils, qui se remit à pleurer.

– Mais, Tom, m'exclamai-je, comment veux-tu que je me comporte en père, je n'ai aucune expérience ! Qui te dit que je n'attraperai pas le virus, moi aussi ?

– Oui ! s'écria Peter. Et si Bill, ou Billy, attrape le virus, hein ?

– Je crois que je ferais mieux de respirer un peu d'oxygène, Bill. Peter sait comment faire, n'est-ce pas, Peter ?

– Oui, bien sûr que je sais, répondit l'adolescent, qui cessa aussitôt de pleurer. Mais c'est à Charles de te donner ton oxygène, papa. Et en plus ça ne va pas marcher. Tu te figures que l'oxygène monte jusqu'à tes poumons, mais en fait, non.

Je vis le masque ; Peter savait où il était, et tandis qu'il s'occupait du ballon d'oxygène Tom me sourit fièrement.

– Peter est un garçon formidable, dit-il.

Je vis qu'il était incapable de regarder son fils en disant cela, il avait peur de flancher. Il réussissait à se tenir en gardant les yeux sur moi.

De même, quand c'était lui qui parlait, je ne pouvais me tenir qu'en regardant son fils. Et outre, comme je le dirais plus tard à Elaine, il ressemblait bien plus à Atkins qu'Atkins ne se ressemblait lui-même dans son état.

– Tu n'étais pas aussi affirmé, quand je t'ai connu, Tom, lui dis-je, sans perdre des yeux Peter, qui s'affairait à poser le masque sur le visage méconnaissable de son père avec des gestes délicats.

– Comment ça, « affirmé » ? me demanda Peter.

Son père se mit à rire, un rire qui l'essoufflait et le faisait tousser, mais un rire quand même.

– Ce que je veux dire par « affirmé », c'est que ton père est quelqu'un qui sait prendre une situation en main ; il garde foi dans une situation où tant d'autres n'en feraient rien. (Moi, dire ça du Tom Atkins que j'avais connu ! Je n'en revenais pas, mais, dans l'instant, c'était vrai.)

– Ça va mieux, papa ? demanda Peter à son père qui bataillait pour inhaler l'oxygène.

Beaucoup d'efforts pour un piètre résultat, me semblait-il. N'empêche qu'Atkins réussit à acquiescer à la question de son fils, sans me quitter du regard.

– Je ne crois pas que ça serve à grand-chose, cet oxygène, dit le jeune homme qui me regardait désormais de plus près.

Atkins déplaça son avant-bras centimètre par centimètre sur le lit, et lui donna un coup de coude.

— Au fait, commença l'adolescent, comme si l'idée venait de lui au lieu de lui avoir été soufflée par son père. (*Quand mon vieil ami Bill va venir, n'oublie pas de lui poser des questions sur l'été que nous avons passé ensemble en Europe, ou quelque chose dans ce genre.*) Au fait… J'ai cru comprendre que Papa et vous avez traversé l'Europe, alors, c'était comment ?

Je savais que j'allais éclater en sanglots si j'avais le malheur de regarder Tom Atkins, qui se mit de nouveau à rire, tousser et suffoquer. Je regardai son sosie, son enfant chéri, avec ses quinze ans et ses cheveux roux carotte, et je dis, comme si je suivais un script :

— Au début du voyage, j'essayais de lire un livre, mais ton père n'a accepté qu'à condition que je le lui lise à haute voix tout entier.

— Et vous le lui avez lu tout entier ? demanda Peter, incrédule.

— Nous avions dix-neuf ans, et il m'a bel et bien obligé à le lui lire d'un bout à l'autre. En plus, il le détestait, ce livre. Il était même jaloux de l'héroïne ; il ne voulait pas me laisser une minute en tête à tête avec elle.

À présent, le garçon jubilait. Quant à moi, je comprenais désormais ce que j'étais venu faire : passer une audition.

Il faut croire que l'oxygène n'était pas tout à fait inefficace, ou alors que l'effet placebo fonctionnait. Atkins avait fermé les yeux et il souriait, presque du sourire d'aimable ahuri que je lui connaissais jadis, candidose en plus.

— Comment peut-on être jaloux d'un personnage de roman ? Parce que ce n'était qu'une invention, une histoire imaginaire, non ?

— Tout à fait. En plus, c'est une femme triste. Elle passe sa vie à être malheureuse, et à la fin elle se suicide en s'empoisonnant. Ton père détestait même ses pieds.

— Ses pieds ! s'exclama l'adolescent en riant de plus belle.

La voix de sa mère se fit entendre :

— Peter, viens, laisse ton père se reposer.

Mon audition était d'emblée compromise.

« C'était entièrement orchestré, ça avait été répété, tu le sais, tout de même, Billy ? » me demanderait Elaine sur le trajet du retour. « À présent, oui, je le sais. » (Sur le moment, non.)

Peter sortit de la pièce au moment où je commençais mon récit. J'avais bien d'autres choses à lui dire sur cet été passé avec son père en Europe. Mais il avait disparu. Je pensais que le pauvre Tom s'était endormi, pourtant il retira le masque à oxygène plaqué sur son nez et sa bouche, et, les yeux toujours clos, il prit mon poignet dans sa main froide et moite. (Je crus que c'était la truffe du chien.) Il ne souriait plus, il avait compris que nous étions seuls. Je pense aussi qu'il savait très bien que le masque ne servait à rien, et ne servirait plus jamais à rien. Il avait le visage baigné de larmes.

– Tu crois, toi, qu'on s'enfonce dans les ténèbres éternelles ? Tu crois qu'il y a une face hideuse qui nous guette ?

– Non, non, Tom. Soit c'est la nuit, et rien d'autre, soit c'est une clarté éclatante, une clarté stupéfiante qui permet de voir toutes sortes de merveilles.

– Pas d'épouvantement, alors, dans un cas comme dans l'autre ?

– Non, Tom, il n'y en a pas.

Je sentis une présence, derrière moi, dans l'encadrement de la porte. C'était Peter, il était revenu. Impossible de savoir depuis combien de temps, ni ce qu'il avait entendu de notre échange.

– « L'épouvantement dans les ténèbres », ça vient du même livre ? C'est inventé, ça aussi ?

– Ha ! s'écria Atkins, bonne question. Qu'est-ce que tu réponds à ça, Bill ?

Il fut convulsé par une quinte de toux et s'étouffa plus violemment encore qu'auparavant ; son fils courut à sa rescousse et l'aida à remettre le masque sur son nez et sa bouche, mais cette fois l'oxygène demeura inefficace. Les poumons ne fonctionnaient plus ; il n'arrivait plus à aspirer l'air.

– Tu me mets à l'épreuve, Tom ? demandai-je à mon vieil ami. Qu'est-ce que tu attends de moi ?

Peter Atkins s'était immobilisé, il nous regardait. Il aida son père à retirer le masque.

– Quand on est mourant, tout devient mise à l'épreuve, tu verras, Billy.

Avec l'aide de son fils, il entreprit de remettre le masque en place, mais il s'arrêta net : apparemment, le dispositif ne servait pas à grand-chose.

– C'est une histoire inventée, Peter, repris-je. Cette malheureuse qui s'empoisonne, même ses pieds sont imaginaires. C'est de la fiction, la face dans les ténèbres aussi. Œuvre d'imagination, tout ça.

– Mais ce qui se passe ici, ça n'est pas de l'imagination. Mon père et ma mère sont en train de mourir, on n'est pas dans *l'imaginaire*, d'accord ?

– Non, et tu pourras toujours me joindre, Peter, je me rendrai disponible pour toi, je te le promets.

– Ça y est ! cria Peter, s'adressant à son père cette fois. Je le lui ai fait dire. Tu es content, maintenant ? Pas moi !

– Peter ! criait sa mère. Tu fatigues ton père.

– J'arrive ! lança l'adolescent, qui sortit de la pièce.

Tom Atkins avait fermé les yeux de nouveau.

– Dis-moi quand on sera seuls, souffla-t-il d'une voix étranglée.

Il tenait le masque un peu éloigné de sa bouche et de son nez, mais je voyais bien que, efficace ou pas, il en avait besoin.

– Nous sommes seuls, lui dis-je.

– Je l'ai vu, énonça-t-il d'une voix rauque. Il n'est pas du tout celui qu'on croyait. Il est bien plus «comme nous» qu'on aurait imaginé. Il est *magnifique*, Bill.

– *Qui ça* est magnifique et plus «comme nous» qu'on aurait imaginé ?

J'avais bien compris qu'il avait changé de sujet. Il n'y avait qu'un seul homme dont nous ayons ainsi parlé avec terreur, en secret, dans l'amour et dans la haine.

– Tu sais très bien qui, Bill, je l'ai vu, dit-il tout bas.

– Kittredge ? chuchotai-je à mon tour.

Il se couvrit la bouche et le nez avec son masque tout en acquiesçant, mais le simple fait de tourner la tête le faisait souffrir ; respirer devenait un parcours du combattant.

– Kittredge est *gay* ? demandai-je, mais ma question déclencha des manifestations contradictoires : hochements de tête et signes de dénégation.

Avec mon aide, il souleva un instant le masque qui lui couvrait la bouche et le nez.

– Kittredge ressemble *trait pour trait* à sa mère, souffla-t-il avant de reprendre le masque, avec d'abominables bruits de succion.

Je ne voulais pas aggraver davantage l'agitation que ma simple présence lui causait. Il avait refermé les yeux mais son visage était figé en un sourire qui ressemblait à une grimace, lorsque j'entendis Elaine m'appeler.

Je la trouvai à la cuisine, avec Mrs Atkins et ses enfants.

– Il ne faut pas qu'il reste sous oxygène si personne ne le surveille, en tout cas pas longtemps, me dit Sue Atkins dès qu'elle me vit.

– Non, maman, ce n'est pas tout à fait ce que Charles a dit, rectifia Peter. Il faut seulement surveiller le ballon.

– Pour l'amour du ciel, arrête de me reprendre sans arrêt ! s'écria sa mère au risque de s'essouffler. Il faut croire qu'il est vide, ce ballon, ça ne le soulage pas, l'oxygène.

Sa phrase se termina par une quinte.

– Charles n'est pas censé le laisser se vider, dit Peter avec indignation. Papa ne sait pas que l'oxygène ne lui fait rien, il pense parfois que ça le soulage.

– Je le déteste, Charles, dit Emily.

– Ne le déteste pas, nous avons besoin de lui, Emily, répondit Mrs Atkins, en essayant de reprendre son souffle.

Je regardai Elaine. Je me sentais vraiment perdu. J'étais étonné de voir l'adolescente blottie à côté d'elle sur un canapé, en face de la télévision éteinte, le bras de mon amie autour de ses épaules.

– Tom croit en la dignité de votre personnage, Bill, me dit Mrs Atkins comme s'il en était question depuis des heures. Il vous a perdu de vue depuis vingt ans, et pourtant il croit qu'il peut en juger d'après vos romans.

– Qui ne sont que des inventions, des histoires imaginaires, c'est bien ça ? demanda Peter.

– Je t'en prie, Peter, dit Mrs Atkins avec lassitude et sans cesser de réprimer cette toux faussement anodine.

– En effet, Peter, dis-je.

– Pendant tout ce temps, j'ai cru que Tom le voyait, dit Sue Atkins à Elaine en me désignant du doigt. Mais il devait voir cet autre type, celui dont vous étiez tous dingues.

– Je ne crois pas, lui répondis-je, il m'a dit qu'il l'avait vu, pas qu'il le voyait, nuance.

– Bah, pour ce que j'en sais, je ne suis que sa femme.

– Tu veux dire Kittredge, Billy, me demanda Elaine, c'est de lui qu'elle parle ?

– Oui, Kittredge, c'est ça. Je crois que Tom était amoureux de lui, je crois bien que vous l'étiez tous, dit Mrs Atkins.

Elle était un peu fiévreuse, ou alors c'était l'effet des médicaments, impossible à dire. Je savais que le Bactrim avait donné de l'urticaire au pauvre Tom, mais sur quelle partie de son corps, je l'ignorais. Je n'avais qu'une vague idée des effets secondaires possibles avec le Bactrim. Je savais seulement que Sue Atkins souffrait de pneumocystose, qu'elle en prenait sans doute, et qu'elle avait la fièvre.

Elle paraissait engourdie, comme si elle avait à peine conscience que ses enfants étaient avec nous dans la cuisine.

– Hé, ce n'est que moi ! lança une voix depuis le vestibule.

Emily poussa un hurlement, mais sans quitter les bras d'Elaine.

– Ça n'est que Charles, Emily, dit son frère.

– Je sais, mais je le déteste.

– Ça suffit, vous deux ! dit leur mère.

– Qui est Kittredge ? demanda Peter.

– Je voudrais bien le savoir, moi aussi, dit Sue Atkins, la huitième merveille du monde, tant pour les hommes que pour les femmes, il faut croire.

– Qu'est-ce que Tom t'a dit de Kittredge, Billy ? me demanda Elaine.

J'aurais préféré parler de ça dans le train, entre nous, voire jamais.

– Il m'a dit qu'il l'avait vu, c'est tout.

Je savais pourtant que ce n'était pas tout. Sans savoir ce qu'il voulait dire en me confiant que Kittredge n'était pas l'homme qu'on croyait, et qu'il était davantage «comme nous».

Le pauvre Tom le trouvait *magnifique*. Bah, je l'imaginais sans peine. Mais il laissait entendre qu'il était gay sans l'être. Qu'il ressemblait *trait pour trait* à sa mère. (Je ne risquais pas de le répéter à Elaine !) Comment était-ce possible, je me le demandais.

Emily poussa un cri. Ce devait être Charles, l'infirmier, mais non, c'était Jacques, le vieux labrador, qui venait d'arriver dans la cuisine.

– C'est Jacques, Emily, c'est un chien, pas un homme, lança Peter à sa sœur, non sans condescendance.

Peine perdue, elle continuait à hurler.

– Fiche-lui la paix, Peter, c'est un chien mâle, il ne lui en faut peut-être pas plus, dit Mrs Atkins. (Mais Emily hurlait sans pouvoir, ou vouloir, s'arrêter.) C'est tout de même inhabituel de voir Jacques parmi nous. Depuis que Tom est tombé malade, il ne quitte plus son chevet, il faut le traîner dehors pour le faire pisser.

– On en est à lui proposer une friandise pour l'attirer dans la cuisine afin qu'il mange, expliqua Peter sur fond de hurlements.

– Vous vous rendez compte, un labrador qu'il faut forcer à manger ! reprit Sue Atkins.

Elle se tourna vers le vieux chien et se mit à hurler aussitôt. Mère et fille poussaient maintenant des cris l'une comme l'autre.

– Ça doit être Tom, Billy, me dit Elaine. Il doit lui être arrivé quelque chose.

Soit Peter l'avait entendue, soit il avait compris tout seul : c'était un futé.

– Papa ! s'écria-t-il.

Mais sa mère l'attrapa au vol et le serra contre elle.

– Attends Charles, Peter. Charles est auprès de lui, parvint-elle à articuler malgré son essoufflement qui s'était aggravé.

Le labrador n'avait pas bougé, seuls ses flancs se soulevaient avec sa respiration.

Elaine et moi préférâmes ne pas « attendre Charles » et nous nous précipitâmes en bas, vers la porte à présent ouverte du bureau transformé en chambre. Le vieux Jacques, qui avait semblé hésiter une seconde, ne nous suivit pas et resta dans la cuisine ; il devait avoir compris que son maître nous avait quittés. En entrant dans la pièce, nous vîmes Charles penché sur le corps, dans le lit médicalisé qu'il venait de surélever pour opérer plus efficacement. Il baissait la tête, et ne leva pas les yeux à notre arrivée, même s'il s'était manifestement aperçu de notre présence.

Son physique me rappelait un souvenir horrible, celui d'un homme que j'avais vu plusieurs fois au Mineshaft, le club SM au coin de Washington Street et de Little West Twelfth, dans le quartier de Meatpacking. (Larry m'apprit plus tard que le club avait été fermé par les services sanitaires de la ville, mais il faudrait attendre 1985, soit quatre ans après l'apparition du sida – or, à cette époque, Elaine et moi tentions l'expérience de la vie commune à San Francisco.) Il s'en passait, des choses inquiétantes au Mineshaft : il y avait une courroie qui pendait du plafond pour le *fist-fucking*, des *glory holes* sur tout un mur, et une salle avec une baignoire dans laquelle les hommes se faisaient pisser dessus

L'homme auquel Charles ressemblait tant était un culturiste tatoué à la peau ivoire; tête rasée, petit bouc noir à la pointe du menton, deux boucles d'oreilles en diamant. Il portait un gilet et un slip en cuir, avec des bottes de motard cirées, et son boulot au Mineshaft était de vider ceux qu'il fallait vider. On l'appelait Méphistophélès, et les soirs où il n'était pas de service il allait traîner au Keller's, un bar gay et black. Il me semble que ce bar se trouvait sur West Street, au niveau de Barrow Street, près du môle de Christopher Street, mais je n'y suis jamais allé. Aucun Blanc de ma connaissance n'y entrait. Ce qui se disait au Mineshaft, c'est que Méphistophélès y allait pour baiser des Noirs ou leur chercher des noises, selon, avec le même plaisir, ce qui montre bien que son boulot de videur dans un club SM lui allait comme un gant.

Pourtant, l'infirmier qui était en train de s'occuper de mon défunt ami n'avait rien de ce Méphistophélès-là, et les soins qu'il prodiguait à sa dépouille n'avaient rien de sexuel ni de pervers. Il bataillait en effet avec le cathéter inséré dans la poitrine désormais immobile d'Atkins.

– Pauvre Tommy, nous expliqua-t-il, ce n'est pas à moi de retirer ce cathéter, l'employé des pompes funèbres va le faire. Vous voyez, il y a un embout, ça fait comme une collerette de Velcro autour du tube, là où il pénètre la peau, et les cellules de Tommy, les cellules de la peau et du corps, se sont reformées à l'intérieur de cette gaze adhésive. C'est ce qui maintient le cathéter en place, qui l'empêche de se détacher ou de s'accrocher ici ou là. Il suffira que l'employé tire fort, et il viendra.

Elaine détourna le regard.

– On n'aurait peut-être pas dû le laisser tout seul… dis-je à l'infirmier.

– Il y a beaucoup de gens qui veulent mourir tout seuls. Le pauvre Tommy voulait vous voir, je le sais, il avait quelque chose à vous dire. Je pense qu'il vous l'a dit, d'ailleurs, non?

Il leva les yeux et me sourit. C'était un bel homme costaud, coiffé en brosse, avec une boucle en argent dans la partie supérieure cartilagineuse de l'oreille gauche. Il était rasé de près et, lorsqu'il souriait, il ne me rappelait en rien le Méphistophélès videur-nervi du Mineshaft.

– Oui, je crois qu'il m'a dit ce qu'il avait à me dire. Il voulait que je garde un œil sur Peter.

– Alors là, je vous souhaite bien du plaisir. Ce sera à lui de décider, dit Charles.

Je n'avais pas eu tout à fait tort de le rapprocher de ce videur, il avait son franc-parler lui aussi.

– Non, non, non, pleurait Peter dans la cuisine.

Emily avait cessé de hurler, et sa mère aussi.

Charles était bien peu vêtu pour un hiver du New Jersey : son T-shirt noir moulant mettait en valeur ses muscles et ses tatouages.

– L'oxygène n'avait pas l'air de le soulager, lui dis-je.

– Ça le soulageait, mais un peu seulement. Le drame de cette pneumonie, c'est qu'elle est diffuse, elle affecte les deux poumons et la capacité à absorber l'oxygène par les vaisseaux sanguins, et donc dans le corps.

– Tom avait les mains très froides, dit Elaine.

– Il ne voulait pas du respirateur artificiel.

Après en avoir fini avec le cathéter, Charles avait nettoyé les croûtes de candidose autour de la bouche de Tom.

– Il faut qu'il soit présentable avant que Sue et les enfants le voient.

– Et Mrs Atkins, sa toux ne peut que s'aggraver, non ?

– C'est une toux sèche. Il y a des malades qui ne toussent même pas. On se polarise sur la toux. Ce qui s'aggrave, c'est l'essoufflement. Tommy est mort d'essoufflement.

– Charles, nous voulons le voir ! criait Mrs Atkins.

– Non, non, non, geignait Peter.

– Je vous déteste, Charles ! hurlait Emily depuis la cuisine.

– Je le sais, ma puce, répondit Charles en ajoutant : Donnez-moi encore une petite minute, vous tous.

Je me penchai sur Atkins et embrassai son front moite.

– Je ne lui ai jamais rendu justice, dis-je à Elaine.

– C'est pas le moment de pleurer, Billy, m'avertit-elle.

Je me raidis tout à coup, ayant cru que Charles allait me prendre dans ses bras ou m'embrasser, ou bien m'écarter du lit surélevé, mais il voulait seulement me donner sa carte professionnelle.

– Appelez-moi, William Abbott, dites-moi comment Peter peut vous joindre s'il le désire.

– S'il le désire, répétai-je en prenant la carte de l'infirmier.

En général, quand quelqu'un m'appelait William Abbott, j'en

déduisais qu'il s'agissait d'un de mes lecteurs, ou du moins de quelqu'un qui me connaissait comme «l'écrivain». Mais s'il me paraissait évident que Charles était gay, je n'aurais pas su dire s'il lisait.

– Charles! appelait Sue Atkins, hors d'haleine.

Elaine et moi, ainsi que Charles, nous dévisagions le pauvre Tom. Je n'irai pas jusqu'à dire qu'il était paisible, mais du moins était-il désormais dispensé de tout effort surhumain pour respirer.

– Non, non, non, pleurait son enfant chéri, d'une voix plus sourde à présent.

Tout à coup, nous vîmes Charles regarder vers la porte ouverte.

– Ah, c'est toi, Jacques! Ça va, tu peux entrer, toi, viens.

Elaine et moi surprîmes chacun une lueur d'affolement dans le regard de l'autre. Inutile de nous cacher quel *Zhak* nous avions cru être venu dire au revoir à Tom Atkins. Mais, sur le seuil de la porte, ce n'était pas celui que nous attendions. Fallait-il croire que, vingt ans durant, nous avions nourri l'espoir de revoir Kittredge?

Le vieux chien arthritique avait un peu de mal à mettre une patte devant l'autre.

– Viens, mon pépère, dit Charles.

Jacques s'avança d'une démarche mal assurée. Charles souleva une des mains froides de Tom posées sur le lit, et le vieux labrador y posa sa truffe froide.

Bientôt d'autres présences s'encadrèrent dans la porte, et la famille entra dans la petite pièce, de sorte qu'Elaine et moi leur laissâmes la place. Sue Atkins m'adressa un sourire épuisé.

– Que je suis contente de vous avoir enfin rencontré! me dit-elle. Ne perdons pas contact.

Tout comme le père de Tom, vingt ans plus tôt, elle ne me serra pas la main.

Le fils, Peter, ne me jeta pas un regard; il courut au chevet de son père et serra dans ses bras ce corps réduit à sa plus simple expression. La fille, Emily, jeta un coup d'œil éclair à Elaine, puis elle regarda Charles et se mit à hurler. Quant au vieux chien, il s'était assis, comme dans la cuisine, sans rien attendre.

Dans le couloir, puis le vestibule, où je remarquai un arbre de Noël pas encore décoré, et jusqu'à ce que nous quittions cette demeure de l'affliction, Elaine répéta quelque chose que je n'entendis pas très bien. Dans l'allée du jardin, le taxi que nous avions pris depuis la gare nous attendait toujours, à notre demande. À ma grande surprise, nous n'étions restés que trois quarts d'heure, peut-être une heure, chez les Atkins ; nous avions l'impression d'y avoir passé la moitié de notre vie.

– Je n'entends pas ce que tu dis, soufflai-je à Elaine, une fois dans le taxi.

– Et le canard, Billy, qu'est-ce qu'il devient ? répéta-t-elle, assez fort pour que je l'entende, cette fois.

Soit, pensai-je, voilà un épilogue de plus.

« Nous sommes faits de l'étoffe des rêves, et notre petite vie est entourée de sommeil », dit Prospero dans la première scène de l'acte IV. Il fut un temps où je pensais que *La Tempête* aurait pu et dû se clore sur ces mots.

Comment commence l'épilogue de Prospero ? Je tentai de me le remémorer. Certes, Richard Abbott le saurait, mais même une fois rentrés à New York je ne voulais pas l'appeler, n'étant pas prêt à parler de Tom Atkins à Mrs Hadley.

– Le premier vers de l'épilogue de Prospero, demandai-je à Elaine dans ce taxi funèbre, tu sais, à la fin de la pièce, c'est quoi déjà ?

– « À présent tous mes charmes sont sens dessus dessous », récita-t-elle. C'est ça ?

– Oui, c'est ça, dis-je à mon amie la plus chère (*sens dessus dessous*, l'expression s'appliquait assez bien à mon état).

– Là, là, dit-elle, en m'entourant de son bras. Tu peux pleurer, maintenant, Billy, on peut pleurer tous les deux.

J'essayais de ne pas penser à la phrase de *Madame Bovary,* celle qu'Atkins détestait tant. C'est le passage où Emma vient de se donner à ce vaurien de Rodolphe, et où elle sent son propre cœur battre « et le sang qui circulait dans son corps comme un fleuve de lait ». Qu'elle avait dégoûté Tom, cette image !

Pourtant, et même si j'avais du mal à l'imaginer (ayant vu le corps squelettique d'Atkins sur son lit de mort, et celui de sa femme mourante dont le sang ne risquait pas d'être un fleuve de lait), ils avaient dû éprouver ce sentiment, eux aussi, ne serait-ce qu'une ou deux fois.

— Tu n'es pas en train de me dire que Tom Atkins t'a raconté que Kittredge est gay, c'est pas ce que tu essaies de me dire, quand même ? me demanda Elaine dans le train, comme je m'y attendais.

— Non, ce n'est pas ce que j'essaie de te dire ; en fait, quand j'ai prononcé le mot *gay*, je l'ai vu hocher la tête et la secouer en même temps. Pas franchement clair. Il ne m'a pas dit ce que Kittredge était, ou est toujours, il m'a seulement dit qu'il l'avait vu, et trouvé « magnifique ». Et ce n'est pas tout : Kittredge ne serait pas l'homme que nous avons toujours cru. Je n'en sais pas davantage.

— Bon. Tu demanderas à Larry s'il a entendu parler de lui. Moi, je vais faire le tour des centres de soins palliatifs, et toi, tu le cherches à St Vincent.

— Tom ne m'a jamais dit qu'il était malade !

— S'il le voyait, ça se pourrait bien. Va savoir où il traînait, Tom. En tout cas, il faut croire qu'il a croisé Kittredge.

— Bon, bon, d'accord, je demande à Larry, et je vérifie à St Vincent, lui assurai-je, tandis que les paysages du New Jersey défilaient derrière la fenêtre. Tu me caches des choses, Elaine. Qu'est-ce qui te fait penser que Kittredge puisse avoir le sida ? Et puis, qu'est-ce que je ne sais pas sur Mrs Kittredge ?

— Kittredge, c'était un type qui tentait des expériences, tu es d'accord ? C'est tout ce que je dis. Il tentait des expériences, il aurait baisé avec n'importe qui rien que pour voir quel effet ça faisait.

Seulement, Elaine, je la connaissais ! Je savais quand elle mentait – par omission, en l'occurrence – et je savais que, pour connaître la vérité, il me faudrait être patient avec elle, comme elle l'avait jadis été avec moi, des années durant. Car, pour raconter des histoires, elle était fortiche.

— Je ne sais pas qui est Kittredge, ni ce qu'il est, me dit-elle avec les accents de la sincérité.

— Moi non plus, répondis-je.

On en était là. Tom Atkins venait de mourir, et, dans un moment pareil, c'était à Kittredge que nous pensions.

13

De mort peu naturelle

Quand je repense aux attentes impossibles que nourrissait Tom Atkins lors de nos amours cruellement adolescentes, il y a tant d'étés, j'en suis encore abasourdi. Au désespoir de l'agonie, il n'avait pas cessé de prendre ses désirs pour des réalités : se figurer que j'allais faire un substitut de père honorable pour son fils, Peter, quelle idée saugrenue ! Malgré ses quinze printemps, cet adorable jeune homme avait compris que ça ne risquait pas d'arriver.

Je restai en contact avec Charles, l'infirmier de la famille, pendant cinq ou six ans, pas plus. Peter, je l'appris par lui, avait été accepté au lycée de Lawrenceville, qui, un an ou deux après sa promo, en 1987, admit enfin les filles. Par rapport à beaucoup d'autres établissements en Nouvelle-Angleterre, dont la Favorite River Academy, il s'était mis très tard à la mixité.

Bon sang, dire que j'espérais que Peter ne soit pas, selon la formule du pauvre Tom, « comme nous » !

Il fit ses études à Princeton, à une dizaine de kilomètres de Lawrenceville ; lorsque ma cohabitation calamiteuse avec Elaine à San Francisco prit fin et que nous retournâmes tous deux vivre à New York, Elaine enseigna à Princeton, où il étudiait déjà lui-même. Il se présenta à son atelier d'écriture au printemps 1988. Il pouvait avoir une vingtaine d'années ; elle croyait se souvenir qu'il était étudiant en économie, mais elle ne s'est jamais intéressée à la majeure de ses élèves. « Il n'était pas très doué pour l'écriture, résuma-t-elle, mais il ne se faisait pas d'illusions sur ce chapitre. »

Les récits de Peter roulaient tous sur le suicide de sa sœur cadette, Emily, suicide que j'appris aussi par Charles, à l'époque ; elle avait toujours été profondément perturbée, m'avait-il écrit. Sue, la femme de Tom, avait mis dix-huit mois à mourir après le décès de son mari. Elle avait remplacé Charles par une infirmière presque aussitôt après la mort de Tom. « Il était compréhensible qu'elle ne veuille pas d'un infirmier homo à son chevet », admettait Charles.

J'avais demandé à Elaine si Peter Atkins était gay ; « Non, absolument pas », avait-elle répondu. Et de fait, vers la fin des années quatre-vingt-dix, deux ans après le pic de l'épidémie de sida, je donnais une lecture à New York lorsqu'un jeune homme roux au teint vermeil s'approcha de moi, en compagnie d'une jolie jeune femme, au moment des dédicaces. Il pouvait avoir une petite trentaine, mais je n'eus aucun mal à le reconnaître : sa ressemblance avec Tom était toujours aussi frappante.

– On a pris une baby-sitter pour venir et ça nous arrive rarement ! dit la femme en me souriant.

– Comment vas-tu, Peter ? lui demandai-je.

– J'ai lu tous vos livres, me répondit-il avec sérieux ; ils m'ont un peu tenu lieu de parents ; *in loco parentis*. (Il énonça lentement cette formule latine.)

Nous nous étions contentés de nous sourire ; tout était dit et il l'avait bien dit, selon moi. Son père aurait été heureux – à supposer qu'il ait pu l'être de quoi que ce soit – de voir l'homme que son fils était devenu. Nous avions grandi à une époque où nous étions pleins d'aversion pour notre différence sexuelle, parce qu'on nous avait fourré dans le crâne que c'était une perversion. Rétrospectivement, j'ai honte d'avoir exprimé l'espoir que Peter ne soit pas « comme nous » ; j'aurais dû espérer qu'il le soit, et fier de l'être, encore ! Mais enfin, étant donné le sort de ses parents, je me dis que ce fardeau lui suffisait.

Il est temps de rédiger la nécrologie des First Sister Players, troupe de comédiens opiniâtrement amateurs de ma ville natale ; après la mort de Nils Borkman, précédée de celle, non moins violente, de la souffleuse du petit théâtre, Mary Marshall Abbott, ma mère, ainsi que de celle de feu ma tante Muriel Marshall Fremont, qui avait épaté toute la ville dans divers rôles d'hystériques à bonnets F, la troupe sombra sans bruit dans le néant. Au fil des années quatre-vingt, même dans les patelins, les vieux théâtres se reconvertissaient en cinémas ; ce que le public avait envie de voir, c'étaient des films.

« Avec le temps les gens ne sortent plus, ils restent chez eux à regarder la télé, il faut croire », commentait mon grand-père. Il avait cessé de sortir lui-même, l'époque où il brûlait les planches dans ses rôles de femmes était révolue depuis longtemps.

Ce fut Richard qui m'appela lorsque Elmira découvrit le corps de Grand-père.

« Fini, le teinturier », lui avait-il dit en la voyant accrocher dans sa penderie les vêtements tout propres de Nana Victoria. « J'ai cru avoir mal entendu, déclara-t-elle plus tard à Richard, j'ai cru qu'il voulait dire "pour aujourd'hui", vous comprenez, mais je suis bien certaine qu'il pensait "pour toujours", comme quoi, il savait déjà très bien ce qu'il allait faire. »

Par égard pour son infirmière, Grand-père Harry s'était habillé en vieux bûcheron qu'il était, jean, chemise de flanelle, « sans chichis », dirait Elmira – et il s'était couché en chien de fusil dans la baignoire, tel l'enfant qui s'endort. C'est dans cette position qu'il avait réussi à se tirer une balle de Mossberg .30.30. Ainsi, la mare de sang s'était répandue dans la baignoire, et ce qui en avait giclé sur le carrelage de la salle de bains n'avait pas présenté de difficulté insurmontable à nettoyer.

Le message déposé la veille sur mon répondeur était factuel, bien dans la manière de mon grand-père : « Pas la peine de me rappeler, je vais me coucher tôt, je voulais juste prendre de tes nouvelles. »

Le même soir, on était en novembre 1984, peu avant Thanksgiving, Richard trouvait un message analogue sur son répondeur : Grand-père « se couchait de bonne heure ». Richard était allé au cinéma avec Martha Hadley, ce soir-là, dans l'ancien théâtre des First Sister Players. Mais le message que Grand-père lui avait laissé ne se terminait pas tout à fait comme le mien : « Les petites me manquent, Richard », lui disait-il, sur quoi il s'était pelotonné dans la baignoire et avait pressé sur la détente. Il avait quatre-vingt-dix ans passés, bientôt quatre-vingt-onze : à peine trop tôt pour aller se coucher, si l'on veut.

Richard et Oncle Bob décidèrent de faire de ce Thanksgiving un jour d'hommage à Grand-père, mais ses contemporains encore vivants s'étaient tous installés à la Maison de Retraite et ne pourraient se joindre à nous, dans sa maison de River Street, pour le repas.

Elaine et moi arrivâmes de New York en voiture ; nous avions emmené Larry ; il avait soixante-six ans, pas de petit ami pour le moment, et il nous donnait du souci. Il n'était pas malade, il n'avait pas attrapé le sida, mais il était usé; nous en avions parlé, elle avait même dit que le virus était en train de le tuer «par la bande».

J'étais heureux de l'avoir avec nous sur le trajet; ça empêchait Elaine de me raconter des bobards sur mon ou ma partenaire du moment et personne ne se ferait injustement accuser de chier dans les draps.

Richard avait invité quelques élèves étrangers de la Favorite River Academy à notre repas de Thanksgiving; ils étaient trop loin de chez eux pour rentrer pendant ces petites vacances; c'est ainsi que notre tablée s'enrichit de deux jeunes Coréennes et d'un Japonais qui transpirait la solitude. Tous les autres se connaissaient, sauf Larry, qui venait pour la première fois dans le Vermont.

La maison de Grand-père avait beau être en plein centre-ville, à deux pas du campus, Larry trouva que First Sister, c'était la nature. Dieu sait ce qu'il pensa des bois et des champs environnants. La chasse au cerf était ouverte pour les armes à feu, ça tirait dans tous les coins; «une nature barbare», ainsi Larry décrivit-il le Vermont.

Mrs Hadley et Richard s'étaient mis aux fourneaux, avec l'aide de Gerry et de Helena, la dernière en date de ma cousine. Helena était une femme enjouée et volubile, qui venait de larguer son mari, et de faire son coming out sur le tard, puisqu'elle avait quarante-cinq ans, comme Gerry, et deux grands enfants d'une vingtaine d'années, qui passaient les vacances avec son ex-mari.

Chose surprenante, Larry et Oncle Bob se plurent d'emblée, peut-être parce que Larry avait exactement l'âge que Muriel aurait eu sans la collision fatale. Et puis Larry trouva un grand plaisir à parler de Shakespeare avec Richard. Moi, j'eus grand plaisir à les écouter. D'une certaine façon, j'avais l'impression d'écouter aux portes de mon adolescence, du temps que je fréquentais le Club Théâtre de la Favorite River Academy. Je revoyais une phase de mon enfance.

Comme l'École acceptait désormais les filles, expliquait Richard à Larry, la distribution des rôles était fort différente de ce qu'elle avait pu être à l'époque où il n'y avait que des garçons. Il détestait leur donner des rôles de femmes; Grand-père Harry, qui n'était plus un «garçon», et jouait remarquablement les femmes, faisait exception – ainsi qu'Elaine, et une poignée d'autres filles de profs. Or à présent qu'il avait à sa disposition des filles comme des garçons, il déplorait – à l'instar de tant d'autres metteurs en scène de lycée, voire de fac à l'heure actuelle encore, si j'en crois ce qu'ils me disent – que les filles, plus portées que les garçons sur le théâtre, soient toujours majoritaires dans les troupes. On ne trouve plus assez de garçons pour jouer les rôles masculins, il faut chercher des pièces où les rôles féminins dominent, parce que les filles sont toujours surnuméraires.

– Shakespeare, ça ne le dérangeait pas, l'interversion des sexes, dit Larry, en manière de provocation. Pourquoi ne pas dire à vos élèves que, puisqu'il y a pléthore de rôles masculins, vous allez les attribuer aux filles, et, du même coup, les rôles de filles aux garçons ? Je me dis que Shakespeare aurait adoré ça !

Une chose est sûre, Larry aurait adoré ça, lui qui avait coutume de regarder le monde, Shakespeare compris, par la lorgnette du genre.

– C'est une idée fort intéressante, Larry, lui répondit Richard, mais il s'agit de *Roméo et Juliette* (sans doute était-ce la pièce qu'il se disposait à monter, je n'avais pas fait attention aux données calendaires de leur conversation). Il n'y a que quatre rôles féminins dans la pièce, dont seulement deux importants.

– Oui, oui, je sais, répondit Larry en étalant sa science, Dame Montaigu et Dame Capulet ne comptent pas, comme vous dites. Restent donc Juliette et sa nourrice, contre une bonne vingtaine d'hommes.

– C'est bien tentant de donner les rôles d'hommes aux femmes, reprit Richard, et vice versa, seulement ce sont des ados, Larry. Où voulez-vous que j'en trouve un qui ait les couilles de jouer Juliette ?

– Ça… répondit Larry, bec cloué tout de même.

Je me souviens d'avoir pensé que ce n'était pas et ne serait jamais mon problème. Que Richard s'en dépatouille, moi, j'avais d'autres chats à fouetter.

Grand-père Harry m'avait légué sa maison de River Street ; qu'allais-je faire de cette baraque, avec cinq chambres et six salles de bains, au fin fond du Vermont ?

Richard me conseilla de la garder. « Tu en tireras un meilleur prix si tu attends un peu, Bill. » D'ailleurs, Grand-père m'avait laissé quelque argent, aussi ; de sorte que je n'avais pas besoin de cette rallonge, pour l'instant du moins.

Martha Hadley souhaitait organiser une vente aux enchères pour les meubles dont on ne voulait plus. Grand-père avait également laissé de l'argent à l'oncle Bob, ainsi qu'à Richard, tout en réservant un legs plus important à Gerry, pour compenser la moitié de la maison à laquelle elle avait droit.

Cette maison, j'y étais né, j'y avais grandi jusqu'au mariage de ma mère avec Richard. Grand-père avait donc déclaré à ce dernier : « Il faut que la maison revienne à Bill. Je me dis qu'un écrivain comme lui, ça le dérange pas de vivre avec les fantômes, il en fera quelque chose. »

Les fantômes, je ne les connaissais pas, et je ne savais pas quoi en faire a priori. Lors de ce Thanksgiving-là, je ne voyais guère quelles circonstances pourraient bien me donner envie de vivre à First Sister, Vermont. Je pris le parti cependant de surseoir à toute décision concernant la maison : pour l'instant, je la gardais.

Les fantômes chassèrent Elaine, qui vint se réfugier auprès de moi la première nuit que nous passâmes à River Street. J'occupais mon ancienne chambre d'enfant lorsqu'elle y fit irruption et se glissa dans mon lit.

– Pour qui elles se prennent, ces femmes, je ne sais pas, mais tout ce que je sais, c'est qu'elles sont mortes, et que ça les fait bien chier !

– Soit, lui dis-je.

Moi, j'aimais bien dormir avec elle. Mais, le lendemain, nous nous installâmes dans une chambre pourvue d'un lit plus grand et je n'y vis pas de fantômes ; ni en ce Thanksgiving, ni jamais.

J'avais donné la plus belle chambre à Larry, celle de mon grand-père, dont la penderie était encore pleine des affaires de Nana Victoria. Mrs Hadley m'avait promis qu'elle s'en déferait lorsque Richard et elle mettraient les meubles aux enchères. Larry non plus ne vit pas de fantômes ; il tiqua seulement sur la baignoire.

– Euh, Bill, c'est celle où ton grand-père ?…

– Oui, lui dis-je promptement, pourquoi ?

Il y avait cherché des taches de sang, mais elle était nickel, comme le reste de la salle de bains. Elmira avait dû se casser le cul à la briquer. Seulement il avait observé quelque chose qu'il tenait à me montrer. C'était un éclat, dans l'émail de la baignoire.

– Il a toujours été là, cet éclat ?

– Oui, toujours, mentis-je, déjà quand j'étais enfant.

– Que tu dis, Bill, que tu dis, me répondit-il d'un ton soupçonneux.

Nous savions l'un comme l'autre que la baignoire avait été éraflée.

Après avoir traversé la cervelle de Grand-père, la balle avait emporté un éclat d'émail.

– Le jour où vous vendrez les meubles aux enchères, dis-je à Richard et Martha en les prenant à part, débarrassez-vous de cette baignoire, s'il vous plaît…

Je n'eus pas besoin de préciser laquelle.

– Tu n'habiteras jamais ce bled infâme, Billy, il faudrait être fou pour imaginer une chose pareille, me dit Elaine.

C'était la nuit suivant le dîner de Thanksgiving, et nous n'arrivions pas à dormir, peut-être pour avoir trop mangé, ou alors parce que nous guettions l'arrivée éventuelle des fantômes.

– Quand on vivait ici, dans ce bled infâme, quand on jouait ces pièces de Shakespeare, tu en as connu, à la Favorite River, des garçons qui aient les couilles de jouer Juliette ? demandai-je à Elaine.

Et, dans le noir, je sentis qu'elle l'imaginait comme moi, le gars en question. Les fantômes, vous dis-je !

– Il n'y en avait qu'un, qui aurait eu les couilles, Billy, seulement je ne l'aurais pas vu dans le rôle.

– Pourquoi donc ? demandai-je, tout en sachant bien qu'elle pensait à Kittredge. Il était assez joli de figure pour ça ; quant aux couilles, il les avait.

– Juliette est d'une sincérité absolue. Kittredge aurait eu le physique de l'emploi, c'est sûr, mais il aurait réussi à massacrer le rôle ; la sincérité, c'était pas son fort.

C'est un fait, pensais-je. Il aurait pu jouer n'importe quoi, avec son physique. Mais il n'était jamais sincère ; dissimulé perpétuel, au contraire, en représentation permanente.

Ce repas de Thanksgiving fut embarrassant et cocasse à la fois. Cocasse parce que les deux Coréennes firent accroire au Japonais qu'on avait servi du paon à table. (Je ne sais pas comment elles s'y étaient prises, ni pourquoi le solitaire Fumi s'en affligeait autant.)

– Mais non, mais non, c'est de la dinde, de la din-de, avait rectifié Mrs Hadley, comme s'il s'agissait d'un problème de prononciation.

Ayant grandi dans la maison, j'allai chercher l'*Encyclopédie* pour faire voir au Japonais à quoi ressemblait une dinde.

– Ce n'est pas du paon, lui dis-je.

Les deux Coréennes, Sun Min et Dong Hee, se faisaient des messes basses dans leur langue et gloussaient.

Plus tard dans la soirée, après moult verres, ce fut la nouvelle petite amie de Gerry qui porta un toast à notre famille étendue, pour nous remercier de l'avoir accueillie à l'occasion d'une fête aussi « intime ». Sous les effets conjugués du vin et de l'association d'idées avec le mot *intime*, elle céda à la pulsion d'improviser un couplet sur son intimité à elle, à moins qu'elle n'ait voulu faire l'éloge du sexe féminin en général.

– Je voulais vous remercier de m'avoir reçue… commença-t-elle.

Après quoi, elle s'égara quelque peu :

– Moi, j'étais une femme qui détestait son vagin, et maintenant je l'adore.

Aussitôt, elle parut se raviser, car elle ajouta promptement :

– Alors bien sûr, j'adore celui de Gerry, ça va sans dire, hein, mais c'est grâce à Gerry que je me suis mise à aimer le mien, moi qui le détestais.

Elle s'était levée, un brin chancelante, verre à la main.

– Merci de m'avoir invitée, répéta-t-elle en se rasseyant.

D'après moi, autour de cette table, c'est l'oncle Bob qui avait dû entendre porter le plus de toasts, étant donné son rôle diplomatico-mondain pendant tous les dîners passés à se taper dans le dos avec d'anciens élèves de la Favorite River éméchés. Mais l'oncle Bob lui-même demeura pantois devant cet hommage à deux vagins, sinon plus.

Je jetai un coup d'œil à Larry, aussi, qui brûlait de dire quelque chose ; ce ne serait pas du tout dans la veine de Tom Atkins, qui ne manquait jamais de surréagir devant le mot, voire la simple idée, mais on pouvait compter qu'il partirait au quart de tour. « Pas de ça », lui intimai-je en silence, en face de lui à table, car je voyais tout de suite quand il se contenait : ses yeux s'écarquillaient et ses narines se dilataient.

Mais, cette fois, c'étaient les Coréennes qui n'avaient pas compris :

– Un quoi ? dit Dong Hee.

– Qu'est-ce que c'est elle déteste et puis elle adore ?

Ce fut au tour du solitaire Fumi de ricaner ; il était revenu de sa méprise sur le paon de Thanksgiving et lui, de toute évidence, il savait ce que c'était qu'un vagin.

– Un vagin, voyons, dit Elaine tout bas aux deux Coréennes.

Mais c'était la première fois qu'elles entendaient le mot, et aucun des convives n'aurait pu le leur dire dans leur langue.

– Bon sang, mais c'est de là que viennent les bébés ! tenta d'expliquer Mrs Hadley.

Sur quoi elle prit une expression affligée, peut-être au souvenir des avortements d'Elaine.

– C'est là que tout se passe, vous savez, en bas, quoi, poursuivit Elaine, sans joindre le geste à la parole, ni désigner d'endroit précis.

– Vous permettez, je m'inscris en faux, ce n'est pas là que *tout* se passe, déclara Larry avec un sourire.

Ce n'était qu'un prélude, je le savais.

– Oh, pardon, excusez-moi, j'ai trop bu. Il y a des jeunes parmi nous, j'avais oublié, bredouilla Helena.

– Ne vous inquiétez pas, allez, dit l'oncle Bob à la nouvelle petite amie de sa fille. (Je voyais bien qu'elle lui plaisait. Elle le changeait tellement de la longue liste de celles qui l'avaient précédée.) Ces jeunes gens nous arrivent de pays différents, et de cultures différentes ; on ne parle peut-être pas de ces choses en public, chez eux, expliqua laborieusement Racquet Man.

– Eh crotte ! s'écria Gerry, y a qu'à leur dire un synonyme, putain !

Elle se tourna vers Sun Min et Dong Hee, qui ne voyaient toujours pas du tout ce que le mot *vagin* voulait dire.

– La chatte, la touffe, la foufoune, la figue, quoi. Le con, bon Dieu de bon Dieu !

Le mot *con* fit tiquer Elaine, et Larry lui-même.

– C'est bon, Gerry, elles ont compris. Je t'en prie, lâcha l'oncle Bob.

De fait, les Coréennes étaient blanches comme une page vierge. Le jeune Japonais avait réussi à suivre l'énumération, dans l'ensemble, même s'il avait perdu pied à l'énoncé de « touffe » et de « foufoune ».

– Il n'y aurait pas une illustration quelque part, Bill ? me lança l'espiègle Larry. Pas forcément dans l'*Encyclopédie*, bien sûr…

– Avant que j'oublie, Bill, dit Richard Abbott, qu'est-ce qu'on fait de la carabine, la Mossberg ?

Je vis bien qu'il tentait avec tact de changer de sujet.

– La quoi ? demanda Fumi, effaré.

Déjà déstabilisé par *touffe* et *foufoune*, c'était bien la première fois qu'il entendait le mot *Mossberg*.

– Eh bien quoi, la Mossberg ? répondis-je à Richard.

– On la vend avec les meubles ? Tu n'as tout de même pas l'intention de garder cette vieille pétoire ?

– Si, je la garde, la Mossberg, et je vais garder les munitions avec. Si je m'installe ici un jour, c'est pas plus mal d'avoir un fusil à vermine.

– La maison est en pleine ville, Billy, me fit remarquer l'oncle Bob, on n'est pas censé tirer des coups de feu, même sur la vermine.

– Grand-père Harry l'adorait, cette carabine.

– Il adorait aussi les sapes de sa femme, objecta Elaine, tu vas les garder ?

– Je te vois mal te lancer dans la chasse au gros gibier, renchérit Richard Abbott, à supposer même que tu t'installes ici.

Mais j'y tenais à cette Mossberg .30.30, ils le voyaient bien.

– Qu'est-ce que tu veux faire d'une arme ? me demanda Larry.

– Billy, je sais bien qu'il y a des choses que tu préférerais garder pour toi, me dit Elaine, seulement c'est au-dessus de tes forces.

Elle ne m'avait pas fait tellement de cachotteries, mais quand elle avait un secret, elle le gardait. Tandis que moi, j'avais toujours eu du mal.

Je compris qu'elle devinait pourquoi je tenais à cette carabine. Larry l'avait compris, lui aussi. Il me regardait, l'air blessé, comme pour me dire : il ne manquerait plus que tu ne me laisses pas m'occuper de toi ! Que tu ne meures pas dans mes bras, si tu devais mourir ! Il ferait beau voir que tu ailles te tirer une balle en douce, si tu tombais malade...

Elaine me considérait du même air blessé.

– Comme tu voudras, conclut Richard, également chagriné.

J'avais l'impression d'avoir fait de la peine à Mrs Hadley elle-même.

Seules Gerry et Helena avaient cessé de suivre ce que nous disions ; elles se caressaient sous la table. Depuis la conversation sur le vagin, elles se désintéressaient de cette fin de dîner. Les Coréennes avaient repris leurs chuchotis ; Fumi le solitaire griffonnait quelque chose sur un calepin qui tenait dans la paume de sa main. (Peut-être le mot *Mossberg*, qu'il se proposait de recycler entre hommes, le soir, à l'internat : *il doit faire bon dans son Mossberg, à cette petite*.) «Pas de ça», me signifiait Larry, supplique muette que je lui avais adressée moi-même un peu plus tôt.

– Ce serait bien que tu profites de ton passage ici pour aller voir Herm Hoyt, suggérait l'oncle Bob (heureuse diversion, pensai-je tout d'abord), je sais qu'il aimerait te dire un mot.

– À quel sujet ? lui demandai-je avec une indifférence mal feinte.

Mais Racquet Man était occupé à se servir une bière, une de plus.

Robert Fremont, mon oncle, avait soixante-sept ans et partirait à la retraite l'année suivante. Mais il m'avait dit qu'il resterait aux Anciens Élèves à titre bénévole et, surtout, qu'il continuerait à écrire dans leur magazine, *The River Bulletin*. Qu'on pense ce qu'on voudra de sa chronique «Les Anciens Retrouvés», l'enthousiasme qu'il mettait à pister jusqu'aux plus insaisissables d'entre eux l'avait rendu très populaire au Bureau. Je revins à la charge :

– Qu'est-ce qu'il a à me dire, Hoyt ?

– Mieux vaut que tu le lui demandes toi-même, répondit mon oncle, sans se départir de sa bonne humeur coutumière. Herm, tu le connais, il reste discret, quand il s'agit de ses lutteurs.

Diversion bienvenue, il fallait le dire vite, après tout.

En d'autres temps et d'autres lieux, la Maison de Retraite pour personnes âgées et dépendantes se serait sans doute appelée «Les Pins» ou encore, dans le Vermont, «Les Érables». Mais n'oubliez pas que l'établissement avait été conçu et construit par Harry Marshall et Nils Borkman qui, ironie du sort, n'y étaient morts ni l'un ni l'autre.

Or, justement, quelqu'un venait d'y mourir, en ce week-end de Thanksgiving où je rendais visite à Herm Hoyt. Un corps sous son linceul était arrimé à un chariot, auprès duquel une infirmière d'un certain âge à la mine sévère montait la garde, dans le parking.

– Vous n'êtes ni la personne ni le véhicule que j'attends, me dit-elle.

– Vous m'en voyez navré.

– En plus il va neiger, et il faudra que je le rentre.

Je tentai de changer de sujet pour lui parler de ma visite, mais First Sister étant un bled, l'infirmière savait déjà qui je venais voir.

– Il vous attend, l'entraîneur, me dit-elle.

Puis, après m'avoir indiqué où se trouvait sa chambre, elle ajouta :

– Vous n'avez pas tellement une allure de lutteur.

Comme je lui expliquais qui j'étais, elle déclara :

– J'ai bien connu votre mère et votre tante, ainsi que votre grand-père, bien sûr.

– Bien sûr.

– Vous êtes l'écrivain, dit-elle, les yeux rivés sur la cendre, au bout de sa cigarette.

Je compris qu'elle avait roulé le chariot dehors pour fumer.

Cette année-là, j'avais quarante-deux ans ; l'infirmière me semblait largement de l'âge de ma tante Muriel, c'est-à-dire qu'elle allait sur soixante-dix ans. Je convins que j'étais l'écrivain, mais au moment où je partais, elle me demanda :

– Vous étiez élève ici, non ?

– Oui, en effet, promo 61.

Je m'aperçus qu'elle me dévisageait, à présent ; évidemment, elle était au courant de mon histoire avec Miss Frost – les gens d'un certain âge n'en ignoraient rien.

– Alors je me dis que çui-là, vous avez dû le connaître, poursuivit-elle en passant sa main au-dessus du corps, sans le toucher. D'après moi, il est en attente, et de plus d'une manière.

Elle souffla une énorme volute. Elle portait une parka de ski et un vieux bonnet, mais pas de gants, qui l'auraient gênée pour fumer. Il commençait tout juste à neiger, quelques flocons épars, pas assez pour tenir sur le corps.

– Il attend le petit crétin des pompes funèbres, et puis il attend le purgotrucmuche, là…

– Le purgatoire, vous voulez dire ?

– Ouais, c'est ça. Et qu'est-ce que c'est au juste, vous qui êtes écrivain ?

– C'est que je n'y crois pas, moi, au purgatoire, tentai-je, ni à rien de tout ça…

– Je vous demande pas d'y croire, je vous demande ce que c'est !

– Un état intermédiaire, après la mort…

Elle ne me laissa pas finir.

– C'est quand le Tout-Puissant sait pas trop s'il envoie le gars croupir au sous-sol de l'au-delà ou alors à l'étage noble, comme qui dirait ?

– Plus ou moins.

J'avais un souvenir assez flou de la fonction du purgatoire ; il s'agissait de se laver de ses fautes, si mes souvenirs étaient bons. L'âme, dans ce fameux état intermédiaire qui suivait la mort, était censée expier quelque chose (c'est du moins ce qu'il me semblait, mais je n'en dis rien).

– Qui est-ce ? demandai-je en passant la main au-dessus du corps, comme elle l'avait fait elle-même.

Elle me regarda en plissant les paupières, à cause de la fumée peut-être.

– C'est le Dr Harlow, vous vous souvenez de lui, non ? Je pense pas que le Tout-Puissant va mettre une éternité à trancher son cas ! dit la vieille infirmière.

Je me contentai de sourire et la laissai dans le parking, à attendre le corbillard. Selon moi, le Dr Harlow n'expierait jamais assez. Il était sûrement déjà au sous-sol de l'au-delà, c'était sa place attitrée. J'espérais bien qu'il n'était pas question d'étage noble pour ce médecin si catégorique quant à mes « maux ».

Il s'était installé en Floride à sa retraite, m'apprit Herm Hoyt, mais quand il était tombé malade – cancer de la prostate avec les classiques métastases osseuses – il avait demandé à revenir à First Sister, pour finir ses jours à la Maison de Retraite.

– Je me demande bien pourquoi, Billy, conclut Herm Hoyt, il était pas aimé, ici.

Il venait de mourir à l'âge de soixante-dix-neuf ans, cet enculé de vieille chouette déplumée ; la dernière fois que je l'avais vu, il avait dépassé la cinquantaine.

Mais Herm Hoyt ne m'avait pas fait venir pour parler du Dr Harlow.

– Je me doute que tu dois avoir des nouvelles de Miss Frost. Est-ce qu'elle va bien ?

– Marrant, tu vois, c'est justement la question qu'elle m'a posée à ton sujet, Billy.

– Tu peux lui dire que je me porte comme un charme, répondis-je promptement.

– Je lui ai jamais demandé de me raconter les détails de sa vie sexuelle, à vrai dire. Je préférerais même ne rien savoir de tout ça, seulement elle m'a expliqué qu'il y avait un truc qu'il fallait que tu saches, comme ça tu te feras pas de souci pour elle.

– Il faut que tu lui dises que je suis actif, et que je mets des préservatifs depuis 1968. Elle se fera peut-être moins de mouron pour moi, si elle l'apprend.

– Oh bon Dieu, j'ai passé l'âge d'entendre ces trucs-là, moi, laisse-moi finir ce que je te racontais...

Il avait quatre-vingt-onze ans, pas tout à fait un an de plus que Grand-père, mais il était atteint de la maladie de Parkinson, et l'oncle Bob m'avait dit qu'il faisait une intolérance à l'un de ses médicaments, un truc pour le cœur, croyait-il. Cette maladie de Parkinson était d'ailleurs la raison pour laquelle il s'était installé à la Maison de Retraite.

– Je vais même pas faire semblant de comprendre, Billy, mais voilà ce qu'il voulait que tu saches, enfin, ce qu'elle voulait que tu saches. En fait, elle couche pas. C'est-à-dire jamais, avec personne. Elle s'est donné un mal de chien pour devenir femme, mais elle couche jamais, ni avec des hommes, ni avec des femmes, jamais, je te dis. Ce qu'elle fait, ça porte un genre de nom grec, elle m'a dit que tu saurais ce que c'est.

– De l'intercrural.

– C'est ça, c'est bien ce qu'elle a dit. Ça se limite à frotter son chose entre les cuisses de l'autre, on se limite à frotter, c'est bien ça ?

– C'est pas de cette façon qu'on attrape le sida, en tout cas.

– Mais elle a toujours fonctionné pareil, et c'est ce qu'elle veut que tu saches. Elle est devenue femme, mais elle a jamais osé appuyer sur la détente.

– Appuyer sur la détente, répétai-je.

Depuis vingt-quatre ans, je pensais qu'elle m'avait protégé, et il ne m'était jamais venu à l'esprit que, quelles qu'en soient les raisons, involontairement, voire inconsciemment, elle se protégeait aussi.

– Pas de pénétration, active ou passive, simple frottement, il a dit, euh enfin, elle a dit, excuse-moi, hein, Billy : « Je peux pas aller plus loin, Herm, c'est tout ce que je peux faire, et tout ce que je ferai. J'aime avoir le physique de l'emploi, seulement j'arrive pas à appuyer sur la détente. » Voilà ce qu'elle voulait que je te dise.

– Alors elle ne risque rien, alors c'est vrai qu'elle va bien, et qu'elle va continuer à aller bien ?

– Elle a soixante-sept ans, Billy, qu'est-ce que tu me chantes ? Elle va continuer à aller bien ? Personne continue à aller bien, Billy. Vieillir, c'est un gros risque ! Tout ce que je te dis, c'est qu'elle a pas le sida. Elle voulait pas que tu t'inquiètes de ça, voilà.

– Ah bon.

– Al Frost, pardon, Miss Frost n'a jamais rien fait qui soit sans risques. D'accord, on la prend pour une femme, elle connaît toutes les attitudes féminines sur le bout des doigts, n'empêche qu'elle pense toujours, si ça s'appelle penser, en putain de lutteur. Et quand on a un physique et des gestes de femme, c'est pas prudent de se figurer qu'on peut encore lutter, c'est même très risqué.

Font chier, ces lutteurs, pensai-je. Tous comme Herm. Au moment où on se dit qu'on a enfin changé de sujet, il faut qu'ils reviennent à la lutte, tous les mêmes. Il ne me manquait pas, le New York Athletic Club, je peux vous l'assurer. Mais Miss Frost n'était pas comme eux, justement, elle était passée à autre chose – en tout cas, c'est ce qu'il m'avait semblé.

– Qu'est-ce que tu me racontes, Herm ? Tu veux dire que Miss Frost va aller chercher noise à un type pour se battre ? Elle serait capable de chercher la bagarre ?

– Y a des types qui vont pas se contenter d'un frotti-frotta, tu crois pas ? Elle va chercher la bagarre à personne, c'est pas son genre, mais je le connais, Al. Si ça tourne à la castagne, faut pas compter qu'il se dégonfle, si c'est l'autre connard qui se contente pas d'un frottement qui, lui, la cherche, la bagarre.

Je préférais ne pas y penser. Il fallait déjà que j'assimile cette pratique du rapport intercrural. J'étais franchement soulagé de découvrir que Miss Frost n'avait pas le sida, et ne pouvait pas l'attraper. Sur le moment, c'était largement suffisant.

Oui, je me pris à me demander un instant si elle était heureuse. Est-ce qu'elle s'était déçue, de ne pouvoir appuyer sur la détente ? « J'aime avoir le physique de l'emploi », avait-elle confié à son vieil entraîneur. Un peu théâtral, non ? Peut-être voulait-elle mettre Herm à l'aise. Façon de dire qu'elle se satisfaisait de cette pratique intercrurale ? Ça aussi, ça donnait beaucoup à penser.

– Comment ça va, ton duck-under, Billy ? me demanda l'entraîneur Hoyt.

– Bah, je le travaille, lui dis-je. (Pieux mensonge, en somme.)

Il me paraissait fragile, il avait la tremblote, que ce soit à cause de sa maladie de Parkinson ou des médicaments qu'il prenait, celui pour le cœur, en particulier, si l'oncle Bob disait juste.

On se serra fort pour se dire au revoir ; c'était la dernière fois que je le voyais. Il mourut d'une crise cardiaque à la Maison de Retraite, et ce fut l'oncle Bob qui me l'annonça : « Il nous a quittés, l'entraîneur, Billy, va falloir que tu te débrouilles tout seul, pour tes duck-under. » (Cela se passerait quelques années plus tard, Herm Hoyt aurait quatre-vingt-quinze ans, si mes souvenirs sont bons.)

Lorsque je quittai la Maison de Retraite, la vieille infirmière était toujours dehors, et le corps du Dr Harlow arrimé à son chariot, couvert d'un linceul.

– Il attend toujours, me dit-elle en me voyant. (La neige commençait à tenir, sur le corps.) J'ai décidé de ne pas le rentrer, vu que la neige, il risque plus de la sentir.

– Je vais vous dire quelque chose sur lui : il n'a pas changé d'un poil depuis qu'il est mort, toujours aussi rigide.

Elle tira une longue bouffée de sa cigarette et la souffla sur le corps du Dr Harlow.

– Question vocabulaire, je suis pas de force à chinoiser avec vous : c'est vous l'écrivain, conclut-elle.

Un soir de neige, en décembre, après ce dîner de Thanksgiving, je me trouvais sur la Septième Avenue, dans la partie ouest du Village, en train de regarder vers le nord de la ville. J'étais devant St Vincent, dernière ligne droite du parcours, et je m'objurguais à entrer. Là où la Septième s'enfonce dans Central Park se trouvait le dernier bastion du costume-cravate et du machisme, le NYAC, mais il était trop loin pour que je le voie.

Mes pieds refusaient d'avancer ; je n'aurais pas pu me traîner jusqu'à la Douzième Ouest, ni même la Onzième. Si un taxi en avait percuté un autre au carrefour de Greenwich Avenue et de la Septième, je n'aurais même pas eu l'énergie de faire un bond de côté pour éviter les débris.

Sous cette averse de neige, le Vermont me manquait, mais j'étais totalement paralysé à l'idée de « retourner au bercail », et Elaine m'avait proposé que nous cohabitions – pas à New York, cependant. Je n'étais pas moins paralysé à l'idée de tenter de vivre – où que ce soit – avec elle. Je voulais, et en même temps j'avais peur. Je soupçonnais malheureusement que ce qui la poussait dans ce sens, c'est qu'elle croyait à tort que ça me sauverait, en m'empêchant de coucher avec des hommes, et donc de contracter le sida. Je savais bien, pour ma part, qu'aucun être ne suffirait à m'épargner de vouloir coucher et avec des hommes et avec des femmes.

Et comme si ces pensées n'étaient pas déjà assez paralysantes, je me sentais prendre racine sur le bitume du trottoir parce que j'avais profondément honte de moi. Une fois de plus, je me disposais à arpenter les funèbres couloirs de St Vincent non pas pour visiter, réconforter un ami ou un ex-mourant, mais parce que, contre toute logique, je cherchais Kittredge.

C'était en 1984, peu avant Noël, et avec Elaine nous passions au peigne fin ce sacré hôpital ainsi que divers centres de soins palliatifs pour retrouver un gamin cruel qui nous avait maltraités dans notre jeune temps.

Nous le cherchions ainsi depuis trois ans. «Laissez tomber, nous avait dit Larry, si vous le retrouvez, il ne fera que vous décevoir – ou vous blesser de nouveau. Vous êtes des quadras, aujourd'hui, ça ne fait pas un peu vieux pour exorciser vos misères d'adolescence?» Le mot *adolescence* prenait toujours une résonance acerbe, dans sa bouche.

Là, sur la Septième Avenue, en ce soir de neige, ma paralysie et les larmes qui me venaient aux yeux n'étaient sans doute pas sans rapport avec mes fixations adolescentes – sur Kittredge en particulier (je pleurais beaucoup, quand j'étais ado). Et, alors que je me trouvais planté en larmes devant l'hôpital St Vincent, une femme d'un certain âge, en manteau de fourrure, vint m'aborder, une petite femme luxueusement mise, la soixantaine, très jolie. Je l'aurais reconnue si elle avait été vêtue de sa robe sans manches et du chapeau de paille qu'elle portait lors de notre première rencontre, où elle n'avait pas daigné me serrer la main. C'était la mère de Delacorte. Le jour de la remise des diplômes à la Favorite River, il m'avait présenté à elle en disant : «C'est le gars qui devait jouer le Fou dans *Lear*, au départ. »

Il faut croire qu'il lui avait également confié mon aventure avec la bibliothécaire transsexuelle, puisque Mrs Delacorte m'avait dit, comme elle me le redit en cette nuit d'hiver sur la Septième Avenue :

– Je suis désolée pour vos ennuis.

Je restai sans voix. Je la connaissais, j'en étais sûr, mais vingt-quatre ans plus tard impossible de me rappeler dans quelles circonstances je l'avais rencontrée. À présent, elle n'hésitait plus à me toucher ; elle me saisit les deux mains en me disant :

– Je sais que c'est difficile d'entrer, mais ça compte tellement pour celui à qui vous rendez visite. Je vais y aller avec vous, je vais vous aider si vous m'aidez. C'est dur pour moi aussi vous savez, c'est mon fils qui est en train de mourir et je ne demande qu'à prendre sa place. Je voudrais que ce soit lui qui continue à vivre. Je ne veux pas vivre après lui ! s'écria-t-elle.

– Mrs Delacorte ! m'écriai-je.

Je venais de le deviner à son visage tourmenté, qui me rappelait l'expression de mort imminente sur celui de son fils pendant les matchs de lutte.

– Ah, c'est vous ! s'exclama-t-elle. Mais oui, vous êtes cet écrivain dont Carlton me parle. Vous étiez camarades de lycée. Alors c'est lui que vous êtes venu voir ! Ça va lui faire tellement plaisir ! Il faut entrer, allez !

C'est ainsi que je fus traîné devant le lit de mort de Delacorte, dans cet hôpital où tant d'autres jeunes hommes malades dépérissaient au fond du leur.

– Oh, Carlton, tu as de la visite, regarde qui est venu te voir ! annonça Mrs Delacorte dès le seuil de la porte, porte si semblable à toutes celles qui closent l'espoir à St Vincent.

Je ne connaissais même pas le prénom de Delacorte. À la Favorite River, on ne l'appelait jamais que Delacorte tout court. Un jour Kittredge l'avait baptisé Deux Gobs, à cause des gobelets qui accompagnaient le régime de famine et les perpétuels gargarismes qui avaient fait sa célébrité éphémère.

Certes, j'avais vu Delacorte à l'époque où il s'affamait pour faire le poids, mais aujourd'hui il mourait de faim pour de bon. (J'avais de bonnes raisons de savoir à quoi servait le cathéter de Hickman, dans sa cage thoracique de moineau.) On l'avait mis sous respirateur artificiel, m'avait dit Mrs Delacorte sur le trajet de sa chambre, mais il n'était pas branché pour le moment. Après lui avoir administré la morphine en sirop, on testait à présent la voie sublinguale ; mais il était bien sous morphine.

– À ce stade, la succion est très importante, pour favoriser l'évacuation des sécrétions, m'avait dit sa mère.

– À ce stade, oui, répétai-je piteusement.

J'étais engourdi. J'avais l'impression de me figer sur mes jambes, comme si j'étais encore dans la Septième Avenue, sous l'averse de neige.

– C'est le gars qui devait jouer le Fou dans *Lear*, au départ, dit laborieusement Delacorte à sa mère.

– Oui, oui, je sais, mon chéri, je sais, lui dit la petite femme.

– Tu m'as apporté des gobelets ? lui demanda-t-il.

Je vis qu'il en avait deux en main ; ils étaient absolument vides, m'expliqua sa mère par la suite. Elle lui apportait sans cesse des gobelets, mais il n'avait plus besoin de se rincer la bouche ou de cracher, à présent ; au contraire, depuis qu'on lui administrait la morphine par voie sublinguale, il valait mieux éviter, selon elle du moins. Mais il avait besoin de sentir ces gobelets dans sa main, m'expliqua-t-elle, allez savoir pourquoi.

Il souffrait d'une méningite cryptococcique ; le cerveau était atteint ; il avait des migraines et de fréquentes crises de délire.

– C'est le gars qui jouait Ariel dans *La Tempête*, dit-il à sa mère lors de ma première visite, puis de toutes les autres. Il a joué Sébastien dans *La Nuit des rois*. Comme il arrivait pas à prononcer «ombre», il a pas pu jouer le Fou dans *Le Roi Lear*, et c'est comme ça que j'ai eu le rôle.

Par la suite, lorsque je vins le voir avec Elaine, il lui fit également l'historique de mes rôles :

– Il n'est pas venu me voir mourir, quand j'étais le Fou de Lear, je comprends, bien sûr, lui dit-il avec une émotion sincère. Ça me touche qu'il vienne me voir mourir aujourd'hui, que vous soyez venus me voir tous deux, sincèrement, ça me touche.

Il ne m'appela jamais par mon nom, pas que je me souvienne, en tout cas. Je ne me rappelle pas qu'il m'ait appelé Bill ou Billy quand nous étions camarades de classe à la Favorite River. Quelle importance, pourtant ? Moi, je ne connaissais même pas son prénom. Ne l'ayant pas vu jouer le Fou dans *Lear*, l'image de lui que j'avais gardée était plutôt celle de *La Nuit des rois*. Il y jouait Messire Andrew Aguecheek, qui déclarait à Toby Belch (alias l'oncle Bob) : «Ah, si j'eusse étudié les arts…»

Delacorte mourut au bout de plusieurs jours de silence quasi total, en tenant toujours d'une main tremblante ses gobelets en carton. Ce jour-là, Elaine se trouvait avec moi et Mrs Delacorte, et le hasard avait voulu que Larry soit des nôtres. Il nous avait aperçus depuis le seuil de la chambre et il avait passé la tête.

– Ce n'est pas celui que vous cherchez, si ?

Elaine et moi avions répondu d'un signe de dénégation. Recrue de fatigue, Mrs Delacorte somnolait tandis que son fils s'en allait tout doucement. Présenter Larry à Delacorte n'aurait rien voulu dire, en la circonstance ; par son mutisme, il semblait déjà de l'autre côté, ou pour le moins en partance ; et nous n'avions pas jugé nécessaire de déranger sa mère pour lui présenter Larry. La petite femme n'avait pas fermé l'œil depuis Dieu sait combien de temps.

Naturellement, c'était Larry l'autorité en matière de sida.

– Votre ami n'en a plus pour longtemps, nous chuchota-t-il avant de quitter la chambre.

Elaine accompagna Mrs Delacorte aux toilettes car elle semblait si épuisée qu'elle risquait de tomber en route ou de se perdre. Je fus donc seul un moment avec Delacorte. Je m'étais si bien accoutumé à son silence que je crus tout d'abord que quelqu'un d'autre parlait.

– Tu l'as vu ? demandait l'ombre d'une voix. Fais-lui confiance, il n'était pas homme à se couler dans le moule !

– Qui ? murmurai-je à l'oreille du mourant, tout en sachant fort bien de qui il parlait. (Car qui d'autre lui serait venu à l'esprit dans son délire, au moment suprême ou presque ?)

Il mourut quelques instants plus tard, les mains de sa mère sur son visage ravagé. Elle nous pria de la laisser quelques instants seule, et nous le lui accordâmes tout naturellement.

Nous n'aurions jamais dû la laisser dans la chambre avec le corps de son fils, nous reprocha Larry par la suite.

– Mère sans mari, hein ? C'était son fils unique, je me trompe ? Quand il y a un cathéter de Hickman, Bill, tu laisses jamais les proches seuls avec le corps !

– Je savais pas, Larry, j'avais jamais entendu raconter...

– Évidemment, tiens, ça te concerne pas, comment en aurais-tu entendu parler ? Et toi, Elaine, tu es tout à fait comme lui. Vous vous tenez à distance maximale de cette maladie, en simples témoins.

– Viens pas nous pourrir, Larry, dit Elaine.

– Larry trouve toujours moyen de nous pourrir, dis-je.

– Tu veux que je te dise, Bill, tu n'es pas bi que pour le sexe, tu es bi pour tout.

– Qu'est-ce que ça signifie ?

– Tu pilotes en solo, non ? Tu roules en solo, il n'y a pas de copilote qui puisse avoir barre sur toi.

– Tu sais où on se les carre, tes leçons de morale, Florence Nightingale ? dit Elaine.

Lorsque nous avions laissé Mrs Delacorte avec son fils, nous nous trouvions dans le couloir, devant la chambre. Une infirmière qui passait s'arrêta.

– Est-ce que Carlton… ?

– Oui, il nous a quittés ; sa mère est auprès de lui.

– Oh mon Dieu ! s'exclama l'infirmière, qui se précipita dans la chambre.

Trop tard ! Mrs Delacorte avait mis ses intentions à exécution, intentions qu'elle nourrissait probablement depuis qu'elle savait qu'il allait mourir. Sans doute avait-elle une seringue et une aiguille dans son sac. Elle avait fixé l'aiguille au bout du cathéter, pompé un peu de sang et vidé la première seringue, surtout pleine d'héparine, dans la poubelle. Elle s'était bien renseignée, elle savait que la seconde seringue serait presque entièrement pleine du sang de son fils, saturé du virus. C'est avec celle-là qu'elle s'était injecté dans le muscle fessier quelque cinq millilitres du sang de fils. Elle devait mourir en 1989 à New York, où elle était hospitalisée à domicile.

Sur les instances d'Elaine, je la raccompagnai chez elle en taxi après qu'elle se fut administré une dose létale du sang de son fils chéri. Elle habitait au dixième étage de l'un de ces immeubles de Park Avenue à la perfection lisse, avec marquise et portier, au niveau de la Soixante-Dixième ou de la Quatre-Vingtième Rue Est.

– Je ne sais pas vous, mais moi je vais boire un coup, me dit-elle. Entrez, je vous en prie.

J'avais du mal à comprendre pourquoi Delacorte était mort à St Vincent alors qu'elle l'aurait fait soigner dans des conditions de confort bien supérieures chez elle.

– Il a toujours refusé les privilèges, m'expliqua-t-elle. Il voulait mourir comme tout le monde, voilà ce qu'il disait. Il ne voulait pas que je l'hospitalise à domicile chez moi, alors que ça aurait libéré une chambre bien utile à St Vincent, comme je le lui ai souvent fait remarquer.

La chambre aurait été bien utile à St Vincent, en effet, ou elle le serait bientôt. On faisait la queue dans les couloirs, pour y mourir…

– Vous voulez voir sa chambre ? me demanda Mrs Delacorte, une fois que nous eûmes chacun un verre en main.

Moi qui ne bois que de la bière, je pris un whisky avec elle, ou peut-être un bourbon : j'aurais fait tout ce qu'elle voulait, cette petite femme. Je la suivis dans la chambre d'enfant de son fils.

Je me retrouvai dans un musée de la vie dorée de Carlton à New York, avant même qu'il soit « expédié » en pension à la Favorite River. Il était bien connu que Carlton avait quitté le domicile de ses parents au moment de leur divorce, ce que Mrs Delacorte ne me cacha pas.

Chose plus surprenante, elle me parla avec la même franchise de la cause de ce divorce, qui n'était autre que l'homophobie galopante du père de son fils. Il traitait ce dernier de petite pédale et de tantouze. Il l'avait elle-même traînée dans la boue pour l'avoir laissé se déguiser avec ses vêtements et se peinturlurer avec son rouge à lèvres.

– Bien sûr que j'avais deviné, et sans doute longtemps avant Carlton lui-même.

Elle se palpait la fesse droite : une intramusculaire aussi profonde, ça doit faire mal.

– Une mère sait ces choses, me dit-elle, sans se rendre compte qu'elle boitait un peu. On ne peut pas forcer les enfants à devenir ce qu'ils ne sont pas. Interdire à un garçon de jouer à la poupée, à quoi ça sert ?

– À rien, naturellement, répondis-je.

Je regardais toutes les photos de la chambre – des photos de Delacorte, avant qu'il ne soit sur ses gardes, à une époque où je ne le connaissais pas encore. C'était l'époque où il n'était qu'un petit garçon, un garçon qui aimait par-dessus tout s'habiller et se maquiller en petite fille.

– Oh, regardez-moi celle-là, regardez ! s'écria Mrs Delacorte. (Elle tendit la main pour détacher une photo du pêle-mêle et me la tendre, en faisant tinter les glaçons dans son verre presque vide.) Regardez comme il était content !

À voir comme ça, je dirais que Delacorte pouvait avoir onze ou douze ans : je reconnaissais sans peine sa petite figure espiègle dont le rouge à lèvres accusait de toute évidence le sourire. La perruque mauve agrémentée d'une mèche rose à bon marché était ridicule ; c'était le genre de perruque qu'on trouve chez les marchands de farces et attrapes, à la veille de Halloween. La robe de Mrs Delacorte était évidemment bien trop grande pour son fils, mais l'effet général était cocasse et attendrissant à la fois – sauf pour Delacorte père, apparemment. Sur la photo, à côté de Delacorte fils, on voyait une fillette un peu plus âgée, élancée ; très jolie, mais les cheveux courts, aussi courts que ceux d'un garçon, avec un sourire à peine esquissé, exprimant une singulière assurance.

– La journée a mal fini. Le père de Carlton est arrivé, et quand il l'a vu dans cette tenue, il est entré dans une colère noire ! me dit Mrs Delacorte pendant que je regardais la photo de plus près. Les garçons s'étaient tellement amusés, et voilà que cette espèce de tyran leur a gâché leur plaisir.

– Les garçons… répétai-je.

La ravissante, sur la photo, c'était Jacques Kittredge.

– Oh, vous le connaissez, celui-là, me dit Mrs Delacorte en désignant Kittredge, si parfaitement travesti.

Il avait appliqué son rouge à lèvres d'une main autrement plus experte que celle de Delacorte. Quant à la robe de Mrs Delacorte, une belle robe un peu démodée, elle lui allait à ravir.

– C'est le petit Kittredge. Il était élève à la Favorite River. C'était un lutteur, lui aussi. Carlton était éperdu d'admiration devant lui, mais c'était un démon, ce gamin. Charmant à ses heures, mais diabolique.

– Comment ça ?

– Je sais qu'il me volait mes vêtements. J'avais beau lui donner ceux dont je ne voulais plus, il mendiait tout le temps : « S'il vous plaît, madame, les vêtements de ma mère sont immenses, et en plus, elle ne veut pas que je les essaie, elle dit que je vais les abîmer ! » Il y revenait sans arrêt. Et puis mes affaires ont commencé à disparaître – des vêtements que je ne lui aurais jamais donnés, je le sais très bien.

– Ah bon.

– J'en boirais bien un deuxième, reprit Mrs Delacorte, pas vous ?

Elle m'abandonna pour se servir un deuxième whisky ; je regardai toutes les autres photos de la chambre d'enfant. Il y en avait trois ou quatre où l'on voyait Kittredge, toujours en fille. Lorsqu'elle revint, j'avais encore en main la photo qu'elle venait de me remettre.

– Gardez-la, je vous en prie, me dit-elle. C'est un mauvais souvenir, la journée s'est mal terminée.

– Soit, lui dis-je.

Je l'ai toujours, cette photo, quoique la mort de Carlton Delacorte soit un mauvais souvenir de bout en bout

Est-ce que j'ai parlé à Elaine de Kittredge et des robes de Mrs Delacorte ? Lui ai-je montré la photo de Kittredge en fille ? Non, bien sûr que non. Mon amie m'avait fait des cachotteries, après tout.

Un type qu'elle connaissait obtint une bourse Guggenheim ; il était écrivain, comme nous, et lui dit que son appartement glauque au huitième étage, dans Post Street, conviendrait idéalement à deux écrivains.

– C'est où, Post Street ? demandai-je à Elaine.

– Près d'Union Square, à San Francisco.

Je ne connaissais pas du tout la ville ; tout ce que je savais, c'était qu'il y avait beaucoup d'homos là-bas. Je ne pouvais ignorer qu'ils y mouraient comme des mouches, mais je n'avais aucun proche ni aucun ex sur place, et Larry ne serait plus là pour me pousser à m'engager davantage. Mieux, Elaine et moi n'aurions plus l'occasion ou l'envie de chercher Kittredge là-bas – c'est du moins ce que nous nous disions.

– Il va aller où, ton ami, pour sa bourse Guggenheim ?

– Quelque part en Europe.

– On devrait peut-être tenter l'Europe, nous aussi…

– L'appartement de San Francisco est disponible tout de suite, Billy. Et puis, pour un appartement à partager par deux écrivains, il est donné.

En découvrant le coup d'œil depuis le huitième étage, dans l'appartement de ce rat, les toits rébarbatifs de Geary Street et l'enseigne verticale rouge sang de l'Hôtel Adagio, nous comprîmes pourquoi ce prétendu double nid d'écrivains coûtait si peu cher : il n'aurait rien dû coûter du tout.

Si nous avions eu du mal à avaler la double mort de Tom et de Sue Atkins, nous trouvions insoutenable le moyen que Mrs Delacorte avait choisi pour mettre fin à ses jours, et, en effet, je n'avais jamais entendu dire que ce type de suicide à long terme soit chose commune chez les endeuillés du sida. Même quand il s'agissait de femmes seules ayant perdu leur enfant unique, comme Larry l'avait souligné. Mais Larry n'avait pas tort : comment l'aurais-je su, moi qui, de fait, ne me sentais pas concerné ?

– Vous allez vivre ensemble à San Francisco, nous dit Larry, comme s'il s'adressait à deux enfants fugueurs. Allons bon, il serait temps de penser à jouer les tourtereaux ! (Je crus qu'Elaine allait lui mettre une claque.) Et peut-on savoir ce qui vous a fait élire San Francisco ? On vous a dit que les gays n'y meurent pas, sans doute ? On devrait peut-être tous s'installer là-bas.

– Je t'emmerde, Larry, dit Elaine.

– Mon cher Bill, reprit Larry en l'ignorant, on n'échappe pas comme ça à la peste, surtout quand cette peste vous revient de droit. Et ne viens pas me dire que le sida est trop Grand Guignol pour toi. Il n'y a qu'à regarder ta prose, elle donne dans l'artillerie lourde.

– Tu m'as beaucoup appris, lui dis-je, je ne suis plus ton amant, mais je n'ai pas cessé de t'aimer pour autant, je t'aime toujours.

– Vas-y, rajoutes-en, Bill, dit-il simplement.

Il n'arrivait pas à regarder Elaine, ou refusait de le faire, et je savais combien il les aimait, la femme et l'œuvre.

– Je n'ai jamais été aussi intime avec quelqu'un qu'avec cette femme abominable, m'avait-elle dit en parlant de Mrs Kittredge, je ne serai plus jamais aussi proche de qui que ce soit.

– Comment ça, *intime* ? avais-je demandé.

Elle ne m'avait pas répondu.

– C'est sa mère qui m'a marquée, c'est elle que je n'oublierai jamais.

– Comment ça, elle t'a *marquée* ? avais-je demandé.

Mais Elaine s'était mise à pleurer, et nous avions pratiqué notre adagio ; dans les bras l'un de l'autre, sans rien dire, un rituel largo-piano. C'est ainsi que nous vécûmes ensemble à San Francisco, jusque fin 1985 ou presque.

Au plus noir des années sida, des tas de gens déménageaient. On s'installait ailleurs, espérant un mieux qui ne venait pas. Ça ne coûtait rien d'essayer. Du moins, cette vie commune ne nous fit aucun mal, à Elaine et à moi. Simplement, nous n'étions pas faits pour être amants. « Si ça avait dû marcher, nous dit Mrs Hadley – après coup seulement –, je pense que ça se serait enclenché quand vous étiez ados, mais pas à quarante ans. »

Mrs Hadley n'avait pas tort, comme toujours, mais pour autant cette année ne fut pas perdue sur tous les tableaux. Je m'étais fait un marque-page de la photo de Kittredge et Delacorte, et je la glissais dans le dernier livre que je lisais, en le laissant traîner dans les endroits habituels, sur le plan de travail de la cuisine, à côté de la machine à café, sur ma table de chevet ; dans notre petite salle de bains encombrée où il risquait fort de gêner Elaine. Seulement voilà, Elaine était miro.

Il lui fallut presque un an pour la voir, cette photo. Elle sortit de la salle de bains, toute nue, cliché dans une main, livre dans l'autre. Elle avait ses lunettes sur le nez et me jeta le livre à la figure.

– Mais pourquoi tu ne me l'as pas fait voir, Billy ? J'ai reconnu Delacorte il y a déjà des mois, mais l'autre, je l'ai pris pour une fille !

– Erreur sur la personne, dis-je à mon amie de cœur. Et toi, au fait, tu n'as rien à me dire ?

Rétrospectivement, on voit bien que nous nous serions mieux portés de nous avouer ce que nous savions de Kittredge au fur et à mesure ; mais la vie se vit en temps réel, on n'a pas le survol des situations.

Sur sa photo en fille, Kittredge n'avait nullement l'air d'un petit garçon chétif ; il n'avait pas la mine d'un enfant qui manquait de confiance en lui, comme Mrs Kittredge l'aurait dit à Elaine. Il n'avait pas non plus l'air d'un enfant en butte aux sarcasmes de ses camarades, garçons surtout.

– Mrs Kittredge t'a dit ça explicitement, hein ?

– Pas tout à fait, marmonna Elaine.

J'avais eu encore plus de mal à croire qu'il ait jamais pu «être intimidé par les filles», et que sa mère l'ait séduit pour lui donner confiance en lui. Je n'étais d'ailleurs pas convaincu de la véracité de ce dernier épisode, comme je le rappelai à Elaine.

– Elle l'a bel et bien séduit, me chuchota Elaine. Mais pas pour cette raison, alors comme la vraie raison me dérangeait, j'en ai inventé une autre.

Je lui racontai que Kittredge chapardait les vêtements de Mrs Delacorte ; je lui répétai ce que Delacorte lui-même m'avait soufflé avant de mourir, car c'est de lui qu'il parlait sans aucun doute : «Il n'était pas homme à se couler dans le moule. »

– Je ne voulais pas que tu le prennes en amitié, ni que tu lui pardonnes. Moi, je le détestais de m'avoir froidement refilée à sa mère. Je ne voulais pas que tu le prennes en pitié ni en sympathie. Je voulais que tu le détestes, toi aussi.

– Mais je le déteste, Elaine.

– Oui, seulement ça ne résume pas tes sentiments à son égard, je le sais bien.

Mrs Kittredge avait séduit son fils, en effet, mais la raison n'en était nullement un manque d'assurance réel ou imaginaire chez lui. Il avait toujours été très sûr de lui, au contraire, et même, pour ne pas dire surtout, quant à son désir d'être une fille. Par vanité et aveuglement, sa mère l'avait séduit en vertu d'un raisonnement bien connu auquel se heurtent souvent les gays et les bi – à ceci près qu'en général il ne leur vient pas de leurs mères. Mrs Kittredge se figurait que tout ce qui manquait à son petit garçon, c'était une expérience sexuelle digne de ce nom avec une femme, histoire de le remettre d'aplomb.

Combien de gays et de bi ont dû entendre ces conneries ! Certains sont farouchement convaincus que tout ce qu'il nous faut c'est baiser – sans déviance, naturellement –, après quoi il ne nous viendra même plus à l'idée de coucher avec un homme.

– Tu aurais dû me le dire, reprochai-je à Elaine.

– Et toi, tu aurais dû me montrer cette photo.

– Hé oui, tu aurais dû, j'aurais dû…

Tom Atkins et Carlton Delacorte avaient vu Kittredge l'un comme l'autre, mais à quelle date et où ? Une chose était claire : ils l'avaient vu en femme.

– Et jolie femme, avec ça, je parierais, me dit Elaine. (Atkins avait employé l'adjectif *magnifique*.)

Pour Elaine et moi, le simple fait de vivre ensemble n'avait pas toujours été facile, à San Francisco. Mais si Kittredge faisait retour dans notre imagination (et en femme, par-dessus le marché) rester sur place nous semblait intenable.

– S'il te plaît, n'appelle pas Larry tout de suite, attends, me dit Elaine.

Et pourtant je l'appelai ; d'abord, j'avais envie d'entendre sa voix. Et puis il connaissait tout et tout le monde. S'il y avait un appartement à louer à New York, il savait où il était situé et qui était le propriétaire.

415

– Je vais te trouver un appart à New York, dis-je à Elaine, et si je n'arrive pas à en trouver deux, j'irai m'installer dans le Vermont, histoire d'essayer, tu comprends ?

– Ta maison n'est même pas meublée, me fit-elle remarquer.

C'est alors que j'appelai Larry.

– J'ai un rhume, c'est rien du tout, Bill, me dit-il.

Mais je l'entendais tousser et réprimer sa toux. Elle ne le faisait pas souffrir ; c'était une toux sèche, de pneumocystose, bien différente d'une toux de pleurétique, sans glaire. Dans la pneumocystose, ce qui fait peur, c'est l'essoufflement et la fièvre.

– C'est quoi, ton taux de globules rouges ? lui demandai-je. Tu comptais m'en parler quand ? Me raconte pas de conneries.

– Reviens à New York, Bill, reviens avec Elaine, rentrez tous les deux, je vous en prie, dit Larry.

Il n'en dit pas davantage, il était déjà à bout de souffle.

La maison où il vivait, et où il allait mourir, se trouvait dans la Dixième Rue Ouest, au milieu des arbres bordant la chaussée, à deux pas de Christopher Street, à distance raisonnable de Hudson Street et de Sheridan Square. C'était une maison de ville étroite, à deux étages, guère dans les moyens d'un poète, ou d'écrivains en général, comme Elaine et moi. Mais une héritière féministe, *grande dame** qui lui tenait lieu de mécène – je la surnommais intérieurement la Patronnesse –, la lui avait léguée, comme il nous la légua. (Nous n'avions même pas les moyens de l'entretenir, cette belle demeure, et à terme nous fûmes obligés de la vendre.)

Lorsque nous nous y installâmes pour seconder l'infirmier qui s'occupait de Larry, ce n'était pas la même chose que de vivre ensemble, expérience dont nous étions revenus. Il y avait cinq chambres, nous avions chacun la nôtre, chacun sa salle de bains. Pour la garde de nuit, nous avions pris l'habitude de nous relayer afin de laisser dormir l'infirmier. C'était un jeune homme calme, du nom d'Eddie, qui s'occupait de Larry toute la journée, censément pour nous permettre d'écrire. Mais nous ne réussîmes pas à écrire beaucoup ni très bien, au cours des mois où nous le vîmes dépérir.

Larry était un bon malade, peut-être parce qu'il avait fait un excellent infirmier pour tant de malades avant d'être infecté à son tour. C'est ainsi que mon mentor, mon vieil ami et ancien amant, redevint, au moment de sa mort, l'homme que j'avais admiré lors de notre rencontre à Vienne, plus de vingt ans auparavant. Il allait échapper au pire, à l'avancée de la candidose de l'œsophage ; il n'eut pas de cathéter de Hickman, et ne voulut pas d'un respirateur. Il souffrit cependant de myélopathie et s'affaiblit peu à peu ; il cessa de marcher, ne pouvant plus tenir debout, et finit incontinent, ce qui l'humilia au début, mais, honnêtement, pas très longtemps.

– Encore un coup de mon pénis, Bill, dit-il bientôt avec le sourire, chaque fois qu'il avait un problème d'incontinence.

– Demande à Billy de dire le mot, Larry, renchérissait Elaine.

– Oh, je sais, c'est impayable, répondait-il, allez, Billy, dis-le.

Et, pour lui faire plaisir, je le disais, pour faire plaisir à Elaine aussi, bien sûr.

– Pénif ! braillais-je.

– Quoi, je t'entends pas ! disait Larry.

– Plus fort, Billy, ajoutait Elaine.

– Pénif, pénif ! hurlais-je.

Alors Larry et Elaine faisaient chorus, et nous nous égosillions tous les trois. Une nuit, nos vociférations réveillèrent le pauvre Eddie, qui essayait de dormir.

– Qu'est-ce qui se passe ? demanda le jeune infirmier, encore en pyjama.

– On dit le mot *pénis* en langue étrangère, expliqua Larry. C'est Bill qui nous l'apprend.

C'était pourtant lui qui m'avait tout appris, comme j'en fis la remarque à Elaine :

– Je vais te dire qui ont été mes maîtres, ceux qui ont eu le plus d'importance pour moi ; Larry, bien sûr, mais aussi Richard Abbott, et peut-être par-dessus tout, ou en tout cas à un moment crucial de ma vie, ta mère.

Lawrence Upton mourut en décembre 1986, à l'âge de soixante-huit ans. J'ai du mal à le croire, mais il n'avait même pas l'âge que j'ai maintenant. Il avait vécu un an en hospitalisation à domicile, dans cette maison de la Dixième Rue Ouest. Il mourut pendant le tour de garde d'Elaine, mais elle vint me réveiller selon l'accord que nous avions passé, car nous voulions être là tous les deux au moment de sa mort.

Comme il l'avait dit lui-même de Russell, la nuit où il était mort dans ses bras : «Il ne pesait plus rien.»

La nuit où Larry mourut, nous étions couchés à ses côtés, et nous l'entourions de nos bras. La morphine lui jouait des tours. Qui sait à quel point il était conscient lorsqu'il nous dit :

– C'est encore un coup de mon pénis, il en rate pas une, ça n'arrête pas, hein ?

Elaine lui chanta une chanson, et il mourut pendant qu'elle la lui chantait.

– Elle est belle, cette chanson, lui dis-je. C'est de qui ? Comment ça s'appelle ?

– C'est de Mendelssohn, le titre on s'en fiche, si jamais tu me fais le coup de mourir, tu l'entendras de nouveau, et là, je te dirai comment ça s'appelle.

Il se passa deux ans. Elaine et moi nous nous sentions un peu perdus dans cette demeure trop majestueuse que Larry nous avait léguée. Elle avait un petit ami évaporé que j'avais pris en grippe pour l'unique raison qu'il ne faisait pas le poids par rapport à elle. Il s'appelait Raymond et déclenchait cette vacherie de détecteur de fumée en faisant griller ses toasts, presque tous les matins.

Quant à moi, Elaine me pourrissait à longueur de temps parce que je sortais avec une transsexuelle qui la poussait à porter des tenues plus sexy. Or le look sexy n'était pas à son programme.

«Elwood a des nichons plus gros que les miens, me disait-elle. Comme tout le monde, d'ailleurs.» Elle prenait un malin plaisir à appeler ma transsexuelle Elwood ou Woody, alors que cette dernière se faisait appeler El. Bientôt, tout le monde se mettrait à employer le mot *transgenre*. Mes amis me recommandaient de m'y mettre, et des jeunes politiquement hypercorrects me regardaient d'un œil torve parce que je m'obstinais à dire «transsexuelle».

Quand certaines personnes se mêlent d'apprendre aux écrivains ce qu'il faut dire et ne pas dire, je trouve ça suave, et quand les mêmes conjuguent le verbe *impacter*, j'en ai la nausée.

Pour faire court, la fin des années quatre-vingt fut une époque de transition pour Elaine et moi, pendant que d'autres ne trouvaient rien de plus urgent que de mettre à jour le vocabulaire du genre. Ce furent deux années éprouvantes, et l'effort financier nécessaire pour entrer en possession de cette maison dans la Dixième Rue Ouest et l'entretenir (avec taxes d'habitation meurtrières) plombait notre relation.

Un soir, Elaine vint me raconter qu'elle était sûre d'avoir aperçu Charles, l'infirmier du pauvre Tom, dans une chambre, à St Vincent (Je n'avais plus de nouvelles de lui.) Elle avait jeté un coup d'œil par la porte, cherchant quelqu'un d'autre, et aperçu cet ancien culturiste tout rabougri, ses tatouages illisibles, en accordéon sur la peau fripée et distendue de ses bras autrefois puissants.

« Charles ? » avait-elle appelé sur le seuil de la porte, mais l'homme lui avait répondu par un rugissement de bête fauve et elle avait eu trop peur pour entrer.

Je croyais savoir qui était cet homme – pas Charles –, mais j'allai à St Vincent pour vérifier. C'était l'hiver 1988 ; je n'étais jamais retourné dans cet hôpital de la dernière ligne droite depuis que Delacorte y était mort et que sa mère s'y était injecté son sang. J'y allai donc une fois encore, simplement pour être sûr que la bête hurlante n'était pas Charles.

C'était le terrible videur du Mineshaft, bien sûr, celui qu'on appelait Méphistophélès. Il m'accueillit par un rugissement, moi aussi, et je ne remis jamais les pieds à St Vincent.

Ce même hiver, un soir que nous étions sortis, El m'apprit autre chose :

– Je viens d'avoir des nouvelles de cette fille, tu sais, celle qui est comme moi, mais un peu plus âgée.

– Hmm ?

– Je crois que tu la connais, elle est partie à Toronto.

– Ah, Donna, tu veux dire !

– Ouais, c'est ça.

– Alors ?

– Elle va pas fort, paraît-il.

– Allons bon.

– Je ne te dis pas qu'elle est malade, mais il paraît qu'elle va pas fort, je n'en sais pas plus. J'ai cru comprendre que vous avez eu une relation privilégiée, non ? C'est ce qu'on dit…

Je négligeai ces informations – informations si l'on peut dire. Mais, cette nuit-là, je reçus un coup de fil de Bob : Herm Hoyt venait de mourir à l'âge de quatre-vingt-quinze ans. «Il nous a quittés, l'entraîneur, Billy, va falloir que tu te débrouilles tout seul, pour tes duck-under.»

Il est clair que cette nouvelle me fit oublier d'approfondir l'histoire de Donna. Le lendemain, Elaine et moi dûmes ouvrir toutes les fenêtres de la cuisine pour évacuer la fumée des toasts brûlés, et je lui dis :

– Je retourne dans le Vermont. J'y ai une maison, je vais essayer d'y vivre.

– Bien sûr, Billy, je te comprends. Elle est trop vaste pour nous, cette demeure, on devrait la vendre.

Cet abruti de Raymond restait assis là sans rien dire, à bouffer son toast cramé. Il se demandait sans doute où il allait vivre lui-même, me confia Elaine plus tard, car il devait bien se douter que ce ne serait pas avec elle.

Je dis au revoir à El, ce jour-là ou le lendemain, et elle ne se montra pas très compréhensive.

J'appelai Richard et tombai sur Mrs Hadley.

– Dites à Richard que je vais tenter le coup, lui demandai-je.

– Je croise les doigts pour toi, Billy. Richard et moi, on serait ravis que tu vives ici.

C'est ainsi que je vivais chez Grand-père Harry, dans la maison de River Street qui me revenait, le matin où l'oncle Bob m'appela du Bureau des anciens élèves :

– C'est au sujet de Big Al, Billy. Une nécro pareille, je la passerais pas dans le bulletin sans l'expurger, mais toi, il faut que tu l'aies en version intégrale.

C'était en février 1990, à First Sister ; le temps était plus glacial qu'un téton de sorcière, comme on dit dans le Vermont.

Miss Frost était du même âge que Racquet Man ; elle était morte de ses blessures à la suite d'une rixe de bar, à soixante-treize ans. Des blessures à la tête, essentiellement, précisa l'oncle Bob. Elle s'était retrouvée dans une bagarre avec une bande de types de l'armée de l'air stationnés à la base de Pease, dans la ville de Newington, New Hampshire. Un bar de Dover, ou bien de Portsmouth, Bob n'avait pas les détails.

– Comment ça, une bande, Bob, ils étaient combien ?

– Euh, enfin, il y avait un officier et un simple soldat, et puis deux autres dont on m'a seulement dit qu'ils étaient «dans l'Air Force», je peux pas t'en dire davantage.

– Des jeunes, alors. Et quatre, en plus ? Ils étaient quatre, c'est ça ?

– Oui, quatre. Je présume qu'ils étaient jeunes, vu que c'étaient des appelés, mais enfin ce n'est qu'une supposition.

Miss Frost avait dû recevoir ces blessures à la tête une fois qu'ils l'avaient terrassée. Il avait fallu qu'ils s'y mettent à quatre, trois pour la tenir, pendant que le quatrième la bourrait de coups de pied dans la tête.

On avait dû les hospitaliser tous les quatre, me dit Bob, deux dans un état grave. Mais aucun n'avait été inquiété. À l'époque, Pease était encore une base du Strategic Air Command, et, selon Bob, ils s'occupaient de punir leurs gars eux-mêmes. Mais mon oncle dut reconnaître que la procédure légale, dans l'armée, il ne savait pas vraiment comment ça marchait. Les quatre militaires ne furent jamais identifiés, et on ne sut jamais pourquoi quatre jeunes types s'étaient bagarrés avec une femme de soixante-treize ans qui, à leurs yeux, faisait – ou ne faisait pas – illusion.

Mon hypothèse, et celle de Bob, fut qu'elle avait pu avoir une relation avec l'un ou plusieurs d'entre eux, ou simplement qu'elle les avait déjà croisés une fois. Il se peut que, comme spéculait Herm Hoyt, l'un d'entre eux ne se soit pas contenté de ce rapport d'entrecuisse. Peut-être, étant donné le jeune âge de ces soldats, ne la connaissaient-ils que de réputation ; peut-être s'étaient-ils sentis suffisamment « provoqués » par le simple fait qu'à leurs yeux elle n'était pas une « vraie » femme. Peut-être ne faut-il pas chercher plus loin. Ou alors, plus simple encore, c'était une bande d'homophobes à la con.

Quelle qu'ait pu être l'origine de l'altercation, il était clair que, comme Hoyt l'avait prédit, Big Al n'allait pas déclarer forfait.

– Je suis désolé, Billy, me dit l'oncle Bob.

Lui et moi fûmes d'accord sur un point : il était heureux que Herm Hoyt ne soit plus là pour l'apprendre. Ce soir-là, j'appelai Elaine à New York, où elle avait un petit appartement dans Chelsea, au nord-ouest du Village, tout à fait au nord du quartier de Meatpacking. Je lui racontai la fin de Miss Frost, et lui demandai de me chanter cet air de Mendelssohn qu'elle m'avait dit me réserver et qu'elle avait chanté à la mort de Larry.

– Je vais pas mourir pendant ton tour de garde, promis ! lui dis-je ; tu n'auras pas à me le chanter, et puis j'ai besoin de l'entendre, là, tout de suite.

Elle m'expliqua qu'il s'agissait de l'oratorio *Élie*, l'œuvre la plus longue de Mendelssohn ; ce bref passage situé vers la fin, après l'arrivée de Dieu, se manifestait dans la voix d'un petit enfant et les bénédictions chantées par les anges à Élie, qui entonnait alors sa dernière aria : «Car les montagnes s'écarteront.» Voilà ce qu'Elaine me chanta, de sa voix d'alto, forte et puissante, même au téléphone ; et je dis au revoir à Miss Frost en entendant l'air même sur lequel j'avais dit au revoir à Larry. Miss Frost était perdue pour moi depuis quelque trente ans, mais ce soir-là je compris qu'elle était partie pour de bon, et que tout ce que l'oncle Bob pourrait en dire dans le *River Bulletin* ne risquerait pas de suffire.

Triste nouvelle de la promo 35 : Al Frost, né à First Sister, Vermont, en 1917 ; capitaine (invaincu) de l'équipe de lutte en 1935 ; mort à Dover ou Portsmouth, New Hampshire, en 1990.

Je me souviens d'avoir lancé «C'est tout ?» à Bob, qui me répondit : «Merde, Billy, tu crois qu'on peut dire quoi, dans un journal d'anciens élèves ?»

Alors que Richard et Martha se disposaient à vendre les vieux meubles de Grand-père Harry, ils me racontèrent qu'ils avaient trouvé treize bouteilles de bière sous le canapé du séjour – toutes attribuées à l'oncle Bob. À mon avis, toutes bues par lui lors de la soirée en hommage à Tante Muriel et à ma mère.

«Sacré Bob !» avais-je conclu.

Je savais qu'il était dans le vrai. Dans un canard à la con réservé aux anciens élèves, que dire en effet d'un lutteur transsexuel ayant trouvé la mort dans une rixe de bar ?

Deux ans plus tard, environ, alors que je m'adaptais tout doucement à la vie dans le Vermont, je reçus un coup de fil tard le soir, émanant d'El. Il me fallut une ou deux secondes pour reconnaître sa voix ; je pense qu'elle était saoule.

– Tu sais cette fille qui me ressemble, mais plus âgée ?

– Donna, tu veux dire… conjecturai-je au bout d'un instant.

– Ouais, Donna. Eh ben, elle est malade pour de bon, maintenant, à ce qu'il paraît.

– Merci de me prévenir, commençai-je alors qu'elle raccrochait.

Il était trop tard pour appeler Toronto. Je laissai donc la nuit me porter conseil. Je dirais que ce devait être en 1992-1993, peut-être même début 94. (Une fois dans le Vermont, j'eus moins conscience du temps qui passait.)

J'avais quelques amis à Toronto. Je me renseignai. On me parla d'un excellent centre de soins palliatifs nommé Casey House ; tous les gens que je connaissais trouvaient que c'était un lieu extraordinaire, au vu des circonstances. J'ai entendu dire récemment qu'il existe toujours.

À cette époque, le centre avait pour directeur des soins un type formidable, prénommé John, si mes souvenirs sont bons, avec un patronyme irlandais. Depuis que j'étais revenu à First Sister, je m'apercevais que je perdais la mémoire des noms. Mais quelle que soit la date où j'appris que Donna était malade, j'avais largement la cinquantaine ; autant dire que ma mémoire ne flanchait pas que sur les noms propres.

John m'apprit que Donna était arrivée au centre quelques mois plus tôt. Mais le personnel soignant en général l'appelait Don, m'expliqua-t-il.

– Les œstrogènes ont des effets secondaires, et ils affectent tout spécialement le foie. Ils peuvent même déclencher une forme d'hépatite. La bile stagne et s'accumule. Don ressent des démangeaisons qui le rendent fou.

C'était Donna elle-même qui se faisait appeler Don, à présent ; depuis qu'elle avait arrêté les œstrogènes, sa barbe repoussait. Je trouvais particulièrement injuste que Donna, qui s'était donné tant de mal toute sa vie pour se féminiser, non seulement meure du sida, mais dans son ancienne peau de mâle.

Elle était aussi affligée d'un cytomégalovirus.

– Dans son cas, la cécité est presque une bénédiction, commenta John, voulant dire qu'elle lui épargnait de voir cette barbe qu'elle sentait sous sa main, même si l'une des infirmières la lui rasait quotidiennement. Je veux seulement vous préparer, poursuivit John, surveillez-vous. Ne l'appelez pas Donna. Tâchez de ne pas faire de lapsus.

Lors de nos entretiens téléphoniques, j'avais bien remarqué qu'il faisait très attention à toujours dire «Don» et «il», jamais «elle», ni «Donna».

Ainsi préparé, je me rendis dans Henley Street, petite rue du centre de Toronto qui me fit l'effet d'être une rue résidentielle, entre Church Street et Sherbourne Street, pour ceux qui connaissent la ville. Casey House offrait les dehors d'une vaste demeure familiale ; il y régnait une atmosphère aussi agréable et accueillante que possible, mais on a beau faire, il y a des limites aux remèdes contre les escarres et l'atrophie musculaire – ainsi que contre l'odeur tenace de la diarrhée fulminante. La chambre de Donna sentait le désodorisant pour toilettes à la lavande, parfum que je n'aurais pas choisi, et pseudo-agréable. Sans doute retenais-je ma respiration.

– C'est toi, Billy ? me demanda Donna.

Des taies blanches lui voilaient les yeux, mais elle entendait parfaitement. Elle avait dû m'entendre retenir mon souffle. Bien sûr, on lui avait annoncé ma visite, et l'infirmière venait de la raser ; cette odeur masculine de crème à raser ou peut-être d'after-shave m'était insolite, émanant d'elle. Je sentis la repousse de barbe sur sa joue quand je l'embrassai, moi qui ne l'avais jamais sentie en lui faisant l'amour, et je devinai l'ombre du poil sur son visage rasé de frais. Elle prenait de la Coumadine, il y en avait sur la table de chevet.

Je fus impressionné par le travail des personnels soignants, qui assuraient magistralement tout le confort possible à Donna, dont, naturellement, ils soulageaient la douleur. On lui administrait la morphine par voie sublinguale. J'avais écouté d'une oreille distraite John m'en vanter les subtilités par rapport à l'administration en sirop ou en patch du Fentanyl. Il m'avait également appris que Donna apaisait ses démangeaisons avec une crème spéciale, qui avait cependant l'inconvénient de contenir beaucoup de stéroïdes.

Bref, disons que Donna était entre de bonnes mains à Casey House, même si elle était en train de mourir aveugle, et dans la peau d'un homme.

Pendant ma visite, deux de ses amies de Toronto passèrent la voir, deux transsexuelles très convaincantes, chacune manifestement appliquée à vivre sa vie dans la peau d'une femme. Lorsque Donna fit les présentations, je soupçonnai fort qu'elle les avait prévenues de mon passage ; elle était même capable de leur avoir dit de venir. Peut-être voulait-elle me montrer qu'elle avait fait son cercle d'amis à Toronto, qu'elle y avait été heureuse.

Les transsexuelles furent très aimables, l'une des deux se mit à flirter avec moi, mais par jeu.

– Ah, c'est vous l'écrivain, nous savons tout de vous, me dit la plus causante, celle qui ne flirtait pas.

– Ah oui, le bi, ajouta celle qui me faisait des avances.

C'était de la blague, ce flirt, il était entièrement destiné à amuser Donna, qui en avait trop eu le goût.

– Méfie-toi d'elle, Billy, déclara Donna.

Là-dessus, toutes trois éclatèrent de rire.

Après l'agonie d'Atkins, de Delacorte et Larry, sans parler de la fin tragique de Miss Frost, cette visite ne me parut pas trop éprouvante. À un moment donné, Donna dit à son amie aguicheuse :

– Tu sais, Lorna, Billy ne s'est jamais plaint que j'aie une trop grosse bite. Hein que tu l'aimais, ma bite, Billy ?

– Et comment ! répondis-je en me gardant d'ajouter « Donna ».

– Ouais, mais tu nous as dit que Billy était exclusivement actif, lui répondit Lorna.

L'autre transsexuelle, nommée Lilly, se mit à rire :

– Essaie un peu de te faire prendre, tu verras quel effet ça fait, une trop grosse bite.

– Qu'est-ce que je te disais, Billy ? reprit Donna. Il faut te méfier de Lorna. Elle a déjà réussi à te faire savoir qu'elle est passive, et qu'elle aime les petites bites.

Les trois amies rirent de nouveau, et je ne pus m'empêcher de faire de même. Au moment de dire au revoir à Donna, je m'aperçus que pas une seule fois ses amies n'avaient prononcé son nom, ni en version Don ni en version Donna. Elles m'attendirent le temps que je prenne congé de John – dont je n'aurais pas aimé faire le métier.

J'accompagnai Lorna et Lilly au métro Sherbourne ; elles « rentraient à la maison », m'avaient-elles dit ; à leur manière de le dire en se tenant par la main, je supposai qu'elles vivaient peut-être ensemble. Lorsque je leur demandai où je trouverais un taxi qui me ramène à mon hôtel, Lilly s'exclama :

– Je suis contente que vous ayez prononcé le nom de cet hôtel, comme ça je vais pouvoir dire à Donna que vous vous êtes mis dans de sales draps, avec Lorna.

L'intéressée me taquina :

– Et moi, je vais pouvoir dire que vous vous êtes mis dans de sales draps avec Lilly ; Donna adore que je lui dise « Lilly n'a jamais croisé une bite qui soit pas à son goût, petite ou grosse ». Ça la fait hurler de rire.

Lilly rit et moi aussi, mais le flirt était fini. Il n'était destiné qu'à distraire Donna. Arrivé au métro, je déposai des bises sur leurs joues parfaitement lisses et douces, sans le moindre soupçon de barbe, rien qui frotte contre la mienne, pas une ombre de duvet sur leurs jolis visages. J'en rêve encore, de ces deux-là.

Tout en les embrassant, me revenaient les paroles de Mrs Kittredge rapportées par Elaine, je veux dire les vraies paroles, pas la première version, du temps qu'elles traversaient l'Europe ensemble :

– Je ne sais pas ce qu'il veut, votre fils, lui avait dit Elaine, mais je suis sûre qu'il veut quelque chose.

– Je vais te le dire, moi, ce qu'il veut, encore plus que coucher avec nous, avait répondu la mère. Il veut être l'une d'entre nous, Elaine. Il n'a pas envie d'être un garçon, un homme, même s'il y réussit on ne peut mieux, finalement. Il n'en a *jamais* eu envie.

Mais si Kittredge était une femme, à présent, s'il était devenu comme Donna naguère, ou ses deux amies très convaincantes, et s'il se trouvait quelque part en train de mourir du sida, alors il avait sans doute fallu lui arrêter les œstrogènes. Il avait une barbe très fournie ; je sentais encore, trente ans après, cette barbe drue, que j'avais si souvent et si longtemps imaginé frotter contre ma joue.

J'étais rentré de Toronto, après avoir dit au revoir à Donna. La lavande n'aurait plus jamais le même parfum pour moi, et l'on imagine sans peine que j'étais comme blasé lorsque l'oncle Bob m'appela pour m'annoncer la mort d'un autre de mes anciens camarades :

– Tu viens d'en perdre un autre, Billy. C'était pas ton chouchou, si j'ai bonne mémoire.

Autant je suis flou quant à la date où j'ai découvert que Donna était malade, autant je peux vous dire exactement quand l'oncle Bob m'apprit la mort de Kittredge.

On était en mars 1995, je venais de fêter mon cinquante-troisième anniversaire. À First Sister, il y avait encore une épaisse couche de neige sur le sol, et la saison de la boue nous attendait – joyeuse perspective !

Elaine et moi envisagions de partir au Mexique ; elle cherchait des maisons à louer à Playa del Carmen. Je l'y aurais volontiers accompagnée, mais elle avait un petit ami du genre coincé du cul qui ne supportait pas qu'elle aille où que ce soit avec moi.

– Tu lui as pas dit qu'on couche pas ensemble ?

– Si, mais je lui ai aussi dit qu'on l'avait fait dans le temps, enfin, qu'on avait essayé, rectifia-t-elle.

– Pourquoi tu lui as dit ça ?

– Je me lance dans une politique d'honnêteté. Je raconte plus autant de craques, enfin j'essaie.

– Et ça marche, cette politique, quand tu écris des histoires ?

– Je ne pense pas pouvoir t'emmener avec moi au Mexique, Billy, pas cette fois, s'était-elle bornée à dire.

Je venais d'avoir le même genre de problème avec mon petit ami, récemment. Mais je ne l'avais pas plutôt largué que je tombai dans un nouveau problème, de petite amie cette fois. Elle s'appelait Amanda, c'était un jeune professeur de lettres, arrivée à la Favorite River pour la rentrée. Mrs Hadley et Richard me l'avaient présentée un soir que j'étais invité à dîner chez eux. Je l'avais d'abord prise pour une élève de Richard tant elle faisait gamine. Mais c'était une jeune femme anxieuse, à l'orée de la trentaine. «Je vais avoir trente ans», disait-elle, comme inquiète de paraître trop jeune, et comme si cette annonce allait la vieillir.

Quand nous avions commencé à coucher ensemble, nous avions eu du mal à trouver où le faire. Elle avait un appartement au foyer des filles, si bien que quand je passais la nuit avec elle les élèves le savaient. Seulement, en général, la nuit, elle était de garde, si bien qu'elle ne pouvait pas venir chez moi. Dans ces conditions, je ne risquais pas de coucher avec elle autant que j'aurais voulu ; là était le problème. Sans compter la question de ma bisexualité. Amanda avait lu tous mes romans, elle adorait ce que j'écrivais, disait-elle, mais le fait que je sois bi l'inquiétait aussi.

«Je n'arrive pas à croire que tu as cinquante-trois ans», répétait-elle, ce qui me laissait perplexe. Voulait-elle dire que je ne paraissais pas du tout mon âge, ou bien que l'idée de sortir avec un vieux bi l'effarait ?

À soixante-quinze ans, Martha Hadley avait pris sa retraite, mais il lui arrivait encore de recevoir des étudiants à «besoins spécifiques», dont des problèmes de prononciation. Elle m'apprit qu'Amanda en avait.

– Ce n'est tout de même pas pour ça que vous me l'avez présentée ? lui demandai-je.

– L'idée ne vient pas de moi, Billy. Elle vient de Richard. C'est lui qui a voulu qu'on te la présente parce qu'elle adorait tes livres. Moi, je n'ai jamais pensé que c'était tellement malin : elle est beaucoup trop jeune pour toi, et puis tout l'inquiète. Le fait que tu sois bi doit l'empêcher de dormir, je vois ça d'ici. Elle n'arrive même pas à prononcer le mot *bisexuel*.

Telles étaient les circonstances de ma vie lorsque l'oncle Bob m'appela pour m'annoncer la mort de Kittredge et voilà pourquoi je dis, en plaisantant à moitié, que je n'avais comme perspective que la saison de la boue – et écrire mes livres, bien sûr. Sous ce rapport, j'avais bien fait de m'installer dans le Vermont.

La nouvelle de la mort de Kittredge avait été annoncée au Bureau des anciens élèves par Mrs Kittredge.

– Mrs Kittredge ? Il aurait eu une épouse, ou bien il s'agit de sa mère ?

– Il avait en effet une épouse, mais c'est sa mère qui nous a prévenus.

– Seigneur ! Mais quel âge elle a ?

– Elle n'a jamais que soixante-douze ans, répliqua mon oncle, sur un ton un peu piqué, lui qui en avait soixante-dix-huit. (Elaine m'avait bien dit que Mrs Kittredge avait eu son fils à l'âge de dix-huit ans.)

Selon Bob, ou plutôt selon Mrs Kittredge, mon bourreau du cœur adoré était mort « de mort naturelle », à Zurich, en Suisse.

– De mort naturelle, tu parles ! Il n'avait jamais qu'un an de plus que moi. De quelle mort naturelle on pourrait bien mourir, à cinquante-quatre ans, d'après toi ?

– J'ai pensé la même chose, n'empêche que c'est ce que dit sa mère.

– D'après ce qu'on m'a raconté, je te parie qu'il est mort du sida.

– Quelle mère de cette génération irait annoncer ça à l'école de son fils ? me demanda l'oncle Bob.

De fait, Sue Atkins s'était bornée à communiquer que son mari venait de mourir « des suites d'une longue maladie ».

– Et il avait une épouse, tu me dis ?

– Il laisse une femme et un fils, oui, enfant unique, outre sa mère, bien entendu. Le garçon porte le prénom de son père. Ça fait un Jacques de plus. L'épouse a un nom germanique. Tu as fait de l'allemand, toi, hein ? C'est quoi, comme nom, Irmgard ?

– C'est allemand, sans le moindre doute.

Si Kittredge avait fini ses jours à Zurich, même «de mort naturelle», peut-être que sa femme était suisse, mais Irmgard était bien un nom allemand. Bon Dieu, quel prénom dur à porter! Tellement désuet! On lui associait spontanément de la raideur. Il me semblait qu'il irait parfaitement à une institutrice sur le retour, ne plaisantant pas avec la discipline.

Je me dis que cet enfant unique, nommé Jacques, avait dû naître vers le début des années soixante-dix, c'est-à-dire à point nommé pour un jeune homme désireux de faire son chemin, tel que j'imaginais Kittredge à ses débuts – il avait obtenu son MFA à Yale, il venait de faire les premiers pas d'une brillante carrière dans le monde du théâtre. Il avait donc attendu le bon moment pour faire une pause et prendre femme. Et ensuite, alors? Comment les choses s'étaient-elles déroulées ensuite?

– Ah l'enfoiré, qu'il aille au diable! s'écria Elaine quand je lui annonçai que Kittredge était mort.

Elle était furieuse, comme s'il venait de se faire la belle. Elle ne voulait pas entendre parler de mort naturelle, ni de la femme de Kittredge.

– Il va pas s'en tirer comme ça, disait-elle.

– Il s'en est pas tiré, Elaine, il est mort.

Elle pleura toutes les larmes de son corps.

Par malchance, c'était une des rares nuits où Amanda n'était pas de garde au foyer. Elle était venue dormir chez moi, et il avait bien fallu que je lui parle de Kittredge, d'Elaine et tutti quanti.

Il est clair que l'histoire était plus bi, plus gay, plus transgenre, comme elle aurait dit elle-même, que tout ce qu'elle s'était forcée à imaginer jusque-là, même si elle ne cessait de répéter qu'elle adorait mes livres, où elle avait dû découvrir tout un monde de sexualités différentes.

Je m'en veux de ne pas lui avoir parlé des fantômes de la maison de River Street. Seuls les autres les voyaient; à moi, ils me fichaient la paix. Or Amanda se leva pour aller aux toilettes, cette nuit-là, et son hurlement me tira du sommeil. Dans la salle de bains, j'avais changé seulement la baignoire. Ce n'était pas celle où Grand-père avait appuyé sur la détente. Mais lorsque Amanda fut en mesure de me raconter ce qui venait de lui arriver, je ne doutai pas un instant que Grand-père avait pris possession de la nouvelle baignoire.

– Il était recroquevillé comme un tout-petit, et il me souriait pendant que je faisais pipi, me dit Amanda entre deux sanglots.

– Je suis vraiment navré.

– Mais c'était pas un tout-petit, gémit Amanda.

– Non, pas du tout. C'était mon grand-père, tentai-je de lui dire avec calme.

Ah, ce Harry ! Même en tant que fantôme (et même sans se travestir), il était ravi de trouver un nouveau public.

– Au début, j'avais pas vu le fusil, mais il voulait que je le voie. Il me l'a montré et puis il s'est tiré une balle dans la tête, et elle a éclaté en mille morceaux !

Évidemment, quelques explications s'imposaient. Je dus lui raconter l'histoire de Grand-père Harry, la nuit y passa. Le lendemain matin, elle refusait d'entrer toute seule dans la salle de bains, même dans les autres salles de bains, comme je le lui proposai. Je comprenais, j'étais on ne peut plus compréhensif. Je n'en ai jamais vu de fantômes, moi ; ça doit faire peur, bien sûr.

Selon moi, la goutte d'eau qui a fait déborder le vase, je l'ai expliqué à Mrs Hadley et à Richard par la suite, c'est qu'elle était tellement à cran le lendemain – il faut dire que, déjà anxieuse en temps ordinaire, elle n'avait pas bien dormi – qu'elle ouvrit la penderie de ma chambre en croyant ouvrir la porte du couloir. Et là, elle vit la carabine Mossberg .30.30 de Grand-père. Je la laisse dedans, en appui contre le mur.

Amanda poussa des hurlements. Impossible de la faire taire.

– Tu as gardé le fusil ? Tu le ranges dans le placard de ta chambre ? Qui garderait le flingue avec lequel son grand-père s'est fait gicler la cervelle dans la salle de bains, Billy ? me hurla-t-elle.

« Elle n'a pas tout à fait tort sur ce point, Billy », me dit Richard quand je lui expliquai que nous avions cessé de nous voir. « Personne ne tient à ce que tu aies ce fusil chez toi, Billy », renchérit Martha Hadley. « Si tu t'en débarrasses, peut-être que les fantômes s'en iront », me dit Elaine.

Mais les fantômes ne m'apparaissaient jamais, à moi. Il faut sans doute être « réceptif » pour les voir, et je ne le suis pas. J'ai mes propres spectres, mes « anges terribles », comme je les appelle souvent par-devers moi. Mais ils n'habitent pas la maison de River Street, à First Sister, dans le Vermont.

Je partis au Mexique, tout seul, en cette saison de la boue 1995. Je louai une maison dont Elaine m'avait parlé à Playa del Carmen, j'y bus pas mal de *cervezas* et levai un jeune type beau gosse et fougueux, avec une fine moustache et des favoris noirs ; sans mentir, il ressemblait à un des acteurs qui ont joué Zorro, dans les vieilles versions en noir et blanc. On s'amusait bien, on buvait des *cervezas*, de sorte que, quand je rentrai dans le Vermont, il y régnait déjà comme un air de printemps.

Il ne devait plus m'arriver grand-chose, quinze ans durant, sinon que je devins professeur. Les écoles privées – il faut dire *indépendantes*, mais l'adjectif continue de m'échapper, parfois – ne sont pas très à cheval sur l'âge de la retraite. Richard attendrait d'avoir passé soixante-dix ans pour quitter la Favorite River Academy, encore assisterait-il à toutes les créations du Club Théâtre.

Ses divers successeurs ne l'emballaient guère ; du reste, cette clique de bouffons sans éclat n'emballa personne. Il n'y avait pas un professeur du département des lettres qui manifeste le même enthousiasme que lui pour Shakespeare, pas un qui s'y connaisse en théâtre. Par conséquent, Martha et lui insistaient lourdement pour que je m'« engage » avec l'École.

– Les jeunes lisent tes romans, Bill, me répétait Richard.

– Surtout ceux qui ont, euh, une orientation sexuelle différente, me disait Mrs Hadley, qui accordait toujours, bien qu'approchant des quatre-vingt-dix ans, des consultations aux « cas particuliers », comme elle disait.

Ce fut Elaine qui me révéla qu'il existait des groupes lesbiens, gays, bisexuels et transgenres (LGBT) sur les campus. Richard – il allait sur ses quatre-vingts ans – m'apprit également qu'il en existait à l'École. Un bi de ma génération avait du mal à imaginer des groupes aussi organisés et officiels. Ils devenaient même si banals qu'on les désignait par leur sigle : je n'en crus pas mes oreilles, quand je l'appris.

Pendant qu'Elaine enseignait à NYU, l'Université de New York, elle m'invita à faire une lecture de mon nouveau roman pour le groupe LGBT du campus. J'étais tellement décalé que je dus réciter le sigle pendant des jours pour pouvoir dire les lettres dans le bon ordre.

C'est sans doute à la rentrée 2007 que Mrs Hadley m'annonça que

Richard et elle voulaient me présenter un cas intéressant. Je supposai aussitôt qu'il s'agissait d'un nouveau professeur, quelqu'un du département des lettres, jolie femme ou beau gosse ; à moins que ce cas intéressant n'ait été engagé dans l'espoir de donner un nouveau souffle au Club Théâtre quasi moribond.

Au souvenir d'Amanda, je me dis que c'était le but de cette entreprise. Mais non, j'avais passé l'âge : soixante-cinq ans cet automne. Richard et Martha n'essayaient pas de me trouver l'âme sœur. Martha Hadley était toujours gaillarde pour ses quatre-vingt-sept ans, mais il suffirait qu'elle glisse dans la neige ou sur le verglas, qu'elle fasse une mauvaise chute, et ce serait la fracture de la hanche et la Maison de Retraite (où elle ne tarderait pas à s'installer de toute façon). Quant à Richard, les rôles principaux étaient derrière lui. À soixante-dix-sept ans, il avait fait une entorse à sa retraite pour donner un cours sur Shakespeare, mais il n'avait plus l'énergie nécessaire pour mettre les pièces en scène. Il se contentait de les étudier avec les élèves de première année, ceux qui débutaient à l'École – et qui constitueraient la promotion 2011 ! Comment peut-on être aussi jeune ?

– La personne qu'on veut te présenter étudie à l'École, Bill, déclara Richard, passablement indigné à l'idée que lui ou Martha jouent les entremetteurs.

– C'est quelqu'un qui vient d'arriver, un cas intéressant, compléta Mrs Hadley.

– Quelqu'un qui a des difficultés de prononciation, vous voulez dire ?

– Nous ne cherchons pas à te présenter un professeur, nous pensons que tu devrais devenir professeur toi-même, Bill, reprit Richard.

– Nous voudrions que tu fasses la connaissance d'un membre du groupe LGBT.

– Bien sûr, pourquoi pas, répondis-je. Je ne suis pas sûr de vouloir devenir professeur, mais rencontrer un étudiant, volontiers. C'est une fille ou un garçon ?

Richard et Martha échangèrent un regard.

– Eh bien, justement… commença Richard, mais Martha l'interrompit. Elle prit mes mains dans les siennes et les serra :

– Est-ce une fille ou un garçon, telle est la question, et c'est pour ça qu'on voudrait que tu le ou la rencontres.

Voilà pourquoi et comment je devins professeur.

Racquet Man avait quatre-vingt-dix ans lorsqu'il fut admis à la Maison de Retraite, suite à deux opérations de la hanche pour lui poser une prothèse, plus une chute dans les escaliers pendant la convalescence de la seconde intervention. «Je commence à me faire vieux, Billy», m'expliqua-t-il lors de ma visite, en septembre 2007, au moment même où Richard et Mrs Hadley s'apprêtaient à me présenter l'étudiant LGBT qui allait changer ma vie.

L'oncle Bob se remettait d'une pneumonie, contractée pendant le séjour au lit consécutif à sa chute. À cause de l'épidémie de sida, j'avais un souvenir violent de celle qui avait fait tant de victimes. Je fus donc heureux de voir que Bob reprenait du poil de la bête; pour autant, il avait décidé de rester à la Maison de Retraite.

– Il est temps que je me laisse prendre en charge, Billy, me dit-il.

Je le comprenais. Muriel nous avait quittés depuis près de trente ans et Gerry, qui en avait soixante-huit, venait de se mettre en ménage avec une nouvelle petite amie en Californie.

Miss Vagin, comme Elaine surnommait Helena, avait quitté la scène depuis longtemps. Personne ne connaissait la nouvelle amie de Gerry, mais elle m'avait parlé d'elle dans une lettre. «Elle a *seulement* ton âge», précisait Gerry, comme s'il y avait du détournement de mineure dans l'air.

– Parce que tu comprends, Billy, au train où vont les choses, ils vont se mettre à légaliser le mariage homosexuel un peu partout, et la prochaine, Gerry va l'épouser. Alors si je reste peinard à la Maison de Retraite, il faudra bien qu'elle se marie dans le Vermont, conclut Bob comme si l'idée même de ce type de mariage dépassait son entendement.

Ainsi assuré que mon oncle nonagénaire se trouvait en sécurité à la Maison de Retraite, je me dirigeai vers Noah Adams Hall, le bâtiment des lettres et des langues, où Richard avait son bureau, au rez-de-chaussée, à côté de sa classe. J'avais rendez-vous avec ce fameux «cas intéressant» et Mrs Hadley devait nous retrouver sur place.

Je découvris avec horreur que le bureau de Richard n'avait pas changé: il était toujours infâme. Il y avait un canapé en faux cuir, qui puait pire que n'importe quelle panière de chien; trois ou quatre sièges en bois au bras desquels était fixée une écritoire ; et puis il y avait le bureau de Richard lui-même, volcan crachant sa paperasse, avec des piles de livres ouverts et des feuilles volantes sur toute sa surface. Le fauteuil de bureau possédait des roulettes pour lui permettre de se déplacer sans se lever, ce qu'il faisait, au grand amusement de ses élèves.

Ce qui avait changé, à l'École, depuis le temps où je la fréquentais et où elle n'était pas mixte, c'était le code vestimentaire. S'il y en avait un en 2007, je ne saurais vous dire en quoi il consistait. Le blazer-cravate n'était plus de rigueur. On interdisait vaguement les jeans « déchirés », comprendre en lambeaux ou tailladés. Il était exclu de se présenter au réfectoire en pyjama, et puis, en dépit des protestations permanentes, le ventre nu était proscrit pour les filles – restait à définir quelle quantité de peau découverte constituait un ventre nu. Ah, et puis on trouvait inadmissible la « fissure du plombier », particulièrement chez les garçons. Ce règlement qui interdisait le ventre nu pour les filles et la raie des fesses visible pour les garçons faisait l'objet de rudes controverses et se voyait soumis à toutes sortes de pinaillages. Il était discriminatoire, soutenaient les élèves, pourquoi le ventre pour les unes, et les fesses pour les autres ?

Je m'attendais à ce que l'élève « intéressant » soit un hermaphrodite hyper looké, synthèse d'organes reproducteurs, affriolant pour un sexe comme pour l'autre, un « il » ou une « elle » aussi ensorcelant qu'un hybride mythologique, nymphe-satyre revu par Fellini. Or, dans le bureau de Richard, je découvris, avachi sur la chiennerie de canapé et ficelé comme l'as de pique, un garçon un peu gras avec un bouton d'acné rutilant dans le cou, et une ombre plus que sporadique de barbe prépubescente sur les joues. Le bouton d'acné me parut presque aussi irrité que le garçon lui-même. Lorsque ce dernier me vit, ses prunelles se rétrécirent, soit par antipathie, soit sous l'effort qu'il faisait pour m'observer de plus près.

– Salut, je m'appelle Bill Abbott, lui dis-je.

– Je te présente George, commença Mrs Hadley.

– Georgia, rectifia aussitôt le garçon. Je m'appelle Georgia Montgomery, Gee pour mes camarades.

– Gee, répétai-je.

– Gee pour l'instant, mais je vais devenir Georgia. Ce corps n'est pas le mien, ajouta-t-il avec ressentiment. Je ne suis pas ce que vous voyez. Je vais devenir quelqu'un d'autre.

– Soit, répondis-je.

– Je me suis inscrit ici parce que vous y avez été élève.

– Gee était scolarisé en Californie, commença Richard.

– Je pensais y trouver d'autres transgenres comme moi, mais il n'y en a aucun, aucun de déclaré, en tout cas.

– Il a des parents, tenta de me dire Martha.

– Elle a des parents, rectifia Gee.

– Gee a des parents très ouverts. Ils te soutiennent, n'est-ce pas ? demanda Martha au garçon, ou à la fille en devenir, si fille en devenir il y avait.

– Mes parents sont ouverts, en effet, et ils me soutiennent, mais je leur fais peur, aussi. Ils disent amen à tout ce que je veux faire, m'installer au fin fond du Vermont, par exemple.

– Je vois, dis-je.

– J'ai lu tous vos livres, reprit Gee. Vous êtes en révolte, vous aussi, non ? Ou, du moins, vous êtes salement pessimiste. D'après vous, c'est pas demain la veille que l'intolérance sexuelle va disparaître, hein ?

Je dus le mettre en garde :

– Moi, j'écris des romans. Ça ne veut pas dire que je sois aussi pessimiste dans la vraie vie que dans mes livres.

– Vous m'avez l'air très en révolte, répéta-t-il.

– Il est temps de les laisser en tête à tête, Richard, dit Martha.

– Oui, oui, te voilà seul comme un grand, me dit ce dernier en me tapotant le dos.

Puis, en sortant, il lança à la fille en devenir :

– Demande à Bill de te parler d'une transsexuelle qu'il a connue, Gee.

– D'un *transgenre*, corrigea Gee.

– Non, pas pour moi, lui dis-je. Je sais que les mots changent, je sais que je suis un vieux croûton, mais la personne que j'ai connue était bien une transsexuelle. À l'époque, c'est ce qu'elle était. Moi, je dis «transsexuelle», si tu veux entendre mon histoire, il faudra t'y faire. Ne va surtout pas me corriger. (Le gamin restait affalé sur le canapé puant, les yeux écarquillés.) Je suis ouvert, moi aussi, mais je ne dis pas amen à tout.

– On étudie *La Tempête*, au cours de Richard, dit Gee, apparemment hors de propos. Dommage qu'on puisse pas monter la pièce, mais Richard nous a attribué des rôles pour les lectures en classe. Moi, je suis Caliban, je suis le monstre, comme de juste.

– Moi, j'ai joué Ariel, dans le temps. J'ai vu mon grand-père jouer Caliban sur scène, et il l'a joué en femme.

– Vraiment? me demanda le gamin.

Il sourit pour la première fois, et je compris. Il avait un sourire de jolie fille, insoupçonnable dans ce visage informe de garçon et ce corps avachi, mais je voyais l'elle en lui.

– Parlez-moi du transgenre que vous avez connu, me dit-il.

– De la transsexuelle.

– Soit. Parlez-moi d'elle, s'il vous plaît.

– C'est une longue histoire, Gee, j'étais amoureux d'elle, dis-je au gamin, enfin, à la gamine.

– Soit, répéta-t-elle.

Plus tard, ce jour-là, je l'accompagnai au réfectoire. La gamine n'avait que quatorze ans, elle mourait de faim.

– Vous voyez le gros sportif, là-bas?

Non, je ne voyais pas duquel elle parlait, parce qu'il y en avait toute une tablée; des joueurs de football américain, à leur allure. Je hochai simplement la tête.

– Il m'appelle Tampax, ou des fois George, mais jamais Gee. Et encore moins Georgia, ça va sans dire, ajouta Gee en souriant.

– Tampax? Mais c'est immonde!

– À tout prendre, je préfère ça à George. Vous savez, Mr A., vous pourriez monter *La Tempête*, non, si vous vouliez? Comme ça, on jouerait Shakespeare.

Personne ne m'avait jamais appelé Mr A. Il faut croire que ça me plut. J'avais déjà décidé que si Gee voulait à ce point être une fille, il fallait qu'il le devienne. Et puis ça me disait, de monter *La Tempête*.

– Hé, Tampax! cria une voix.

– Allons dire deux mots à ces footballeurs, proposai-je à Gee.

Nous nous approchâmes de leur table, et ils cessèrent de manger aussitôt. Ils voyaient ce garçon dans un état déplorable, l'aspirant transgenre, comme ils le surnommaient sans doute intérieurement, et ils me voyaient moi, avec mes soixante-cinq ans, me prenant vraisemblablement pour un professeur. (J'allais bientôt le devenir.) Car enfin, j'étais bien trop vieux pour être le père de Gee.

– Je vous présente Gee, c'est son nom, tâchez de ne pas l'oublier, leur dis-je. (Pas de réaction.) Lequel d'entre vous l'a appelée Tampax ? (Pas de réponse. Ces caïds de cour de récré sont presque tous des dégonflés.) Quand on te traite de Tampax, Gee, la faute à qui si tu gardes ça pour toi ? demandai-je à la jeune fille, qui ressemblait encore à un jeune homme.

– Disons que c'est ma faute, admit Gee.

– Comment elle s'appelle ? demandai-je aux footballeurs.

Tous, sauf un, répondirent en chœur : « Gee ! » Celui qui n'avait pas parlé, le plus costaud de la bande, s'était remis à manger. Il regardait son assiette au lieu de me regarder quand je lui parlais.

– Comment elle s'appelle ? lui demandai-je pour la deuxième fois.

Il fit signe qu'il avait la bouche pleine.

– J'attends, lui annonçai-je.

– Il est pas prof, dit-il à ses coéquipiers, une fois sa bouchée avalée. C'est qu'un écrivain qui habite en ville, un vieil homo qui habite ici et qui a fréquenté l'École. Il a pas à nous dire ce qu'on a à faire. Il fait pas partie des profs de l'École.

– Comment elle s'appelle ? répétai-je.

– Douche vaginale ? me demanda le footballeur.

Il était hilare, à présent, et les autres joueurs aussi.

– Tu vois pourquoi je suis salement en révolte, comme tu dis, Gee. C'est lui qui t'appelle Tampax ?

– Oui, c'est lui.

Le footballeur, qui savait qui j'étais, s'était levé. C'était un grand costaud qui mesurait peut-être dix centimètres de plus que moi et qui pesait facilement quinze ou vingt kilos de plus.

– Va te faire foutre, vieille pédale ! me lança-t-il.

J'aurais préféré que ce soit Gee qu'il traite de pédale, parce que là, je le tenais. Le code vestimentaire s'était peut-être relâché, à la Favorite River, mais il restait un règlement, un règlement qui n'existait d'ailleurs pas de mon temps. On ne pouvait pas se faire virer pour avoir surnommé son camarade Tampax, ou douche vaginale, mais le mot *pédale* relevait du vocabulaire de la haine : comme les mots *nègre* ou *gouine*, il pouvait vous attirer des ennuis.

– Quels cons, ces footballeurs, dit Gee.

Herm Hoyt le disait parfois – les lutteurs sont passablement dubitatifs quant aux airs de durs que les footeux se donnent. Ce jeune transgenre en devenir devait lire dans mes pensées.

– Qu'est-ce que t'as dit, p'tite pédale ? demanda le costaud.

Il lui écrasa sa paume en pleine face. Elle dut avoir très mal, mais je vis qu'elle ne battrait pas en retraite ; son nez s'était mis à saigner quand je m'interposai.

– Ça suffit, dis-je au costaud, mais il fonça sur moi en bombant le torse.

Je vis venir son crochet du droit, et j'amortis le coup avec mon avant-bras gauche – comme me l'avait fait voir Jimmy Machintruc, au quatrième étage du NYAC, dans la salle de boxe. Le footballeur fut un peu surpris lorsque je levai le bras pour lui bloquer la nuque dans une cravate. Il tenta de me repousser, de toute sa force. Il était lourd et pesait de tout son poids sur moi – c'est exactement là où l'on veut en venir dès l'instant qu'on maîtrise à peu près le duck-under.

Le sol du réfectoire était bien plus dur qu'un tapis de lutte et le malabar atterrit maladroitement, tout son poids (et les trois quarts du mien) portant sur son épaule. Je fus convaincu qu'il venait de se la démettre, ou de se fracturer la clavicule, l'un n'empêchant pas l'autre. Pour l'instant, il était allongé sur le sol, et il essayait de ne pas bouger l'épaule, ni le haut du bras.

– Quels cons, ces footballeurs ! répéta Gee, en s'adressant cette fois à toute la tablée (ils voyaient bien qu'elle saignait du nez).

– Pour la quatrième fois, comment elle s'appelle ? demandai-je au grand costaud affalé par terre.

– Gee, répondit le génie des surnoms.

J'appris que c'était un élève déjà diplômé, inscrit en tant que joueur de football. Épaule démise ou clavicule fracturée, il manquerait le reste de la saison. L'École ne le vira pas pour avoir traité quelqu'un de pédale, mais il écopa d'une mise à l'épreuve. (Gee et moi avions espéré qu'elle aurait le nez cassé, mais il n'en fut rien.) Le footballeur fut viré au printemps suivant pour avoir traité de gouine une élève qui ne voulait pas coucher avec lui.

Lorsque j'acceptai d'enseigner à temps partiel à l'École, j'y mis une condition : que l'on fasse un effort pour éduquer les élèves arrivant à la Favorite River, surtout les diplômés, plus âgés, qu'on leur donne une culture de l'ouverture ; je pensais en particulier à l'acceptation de la diversité sexuelle.

Mais là, en ce jour de septembre 2007, mon message éducatif aux footballeurs assis à table était passé. Pour autant Gee, ma nouvelle protégée, n'en avait pas fini avec eux.

– Je vais devenir une fille, leur dit-elle courageusement. Un jour, je m'appellerai Georgia. Mais, pour l'instant, je suis seulement Gee et vous pourrez me voir jouer Caliban, dans *La Tempête* de Shakespeare.

– Il faudra peut-être attendre le deuxième semestre, précisai-je aux athlètes, même si je ne comptais guère les voir dans le public.

Il était bien possible que les jeunes ne soient pas prêts avant ; les élèves du cours de Richard étaient des première année. J'allais ouvrir les auditions à toute l'École, mais ceux qui s'intéresseraient à la pièce risquaient fort d'être surtout des nouveaux, comme Gee.

– Encore une chose, ajouta ma protégée. (Son nez pissait le sang, mais je voyais bien qu'elle n'en était pas fâchée.) Mr A. n'est pas un vieil homo, c'est un vieux bi. Vous pigez ?

Je fus impressionné de les voir opiner. Bon, pas le grand costaud allongé sur le sol du réfectoire, qui ne bougeait plus ni pied ni patte. Si seulement Herm Hoyt et Miss Frost m'avaient vu faire ce duck-under ! Je crois que je peux le dire, je l'avais bien placée, ma seule et unique prise.

14

Le maître

Tout ça s'était passé trois ans plus tôt, à l'époque où Gee était en première année à la Favorite River. Il fallait la voir au début de sa terminale, en 2010 : elle avait dix-sept ans et elle était à tomber par terre. Elle a eu dix-huit ans à la fin de l'année scolaire, et elle a obtenu son diplôme sans retard, avec la promo 2011. Il fallait la voir en terminale, vous dis-je. Mrs Hadley et Richard n'avaient pas tort : Gee était «un cas intéressant».

En cette rentrée 2010, nous répétions ce que Richard appelait le Shakespeare d'automne. Nous allions jouer *Roméo et Juliette* en cette saison d'électricité dans l'air, ce court laps de temps disponible entre les vacances de Thanksgiving et celles de Noël.

En tant que professeur, je peux vous dire que c'est une période éprouvante : les élèves souffrent d'un cruel manque de concentration, les examens arrivent, ils ont des devoirs à rendre, et, pour couronner le tout, les activités sportives de l'automne sont remplacées par celles de l'hiver. Beaucoup de neuf, donc, et pas mal de vieux : tout le monde tousse, tout le monde est sur les nerfs.

La dernière fois que le Club Théâtre avait monté *Roméo et Juliette*, c'était en 1985, soit vingt-cinq ans plus tôt. J'avais gardé en mémoire les propos échangés par Larry et Richard sur le fait de donner le rôle de Juliette à un garçon. Larry pensait que Shakespeare aurait adoré l'idée. «Où voulez-vous que je trouve un garçon qui ait les couilles de jouer Juliette ?» avait objecté Richard, clouant ainsi le bec à Lawrence Upton lui-même.

Or voilà que je connaissais un garçon qui avait les couilles de jouer Juliette. J'avais Gee et – en fille – elle serait pour ainsi dire parfaite. À dix-sept ans, stricto sensu, elle avait encore ses couilles. Elle avait entamé les examens psychologiques poussés, les consultations et la psychothérapie nécessaires pour les jeunes gens sérieusement déterminés à changer de genre. Je ne crois pas qu'on lui avait encore épilé la barbe par électrolyse, elle était peut-être trop jeune, mais je n'en sais rien au juste. Ce que je sais, c'est qu'avec l'aval de ses parents et des médecins elle prenait des hormones féminines ; si elle persistait dans son intention de changer de sexe, il faudrait qu'elle en prenne toute sa vie. Or, pour ma part, je ne doutais pas un instant que Gee, bientôt Georgia Montgomery, persisterait dans son intention.

Qu'est-ce qu'avait dit Elaine, déjà, sur la possibilité que Kittredge joue Juliette ? Ça n'aurait pas marché, nous en étions d'accord. « Juliette est d'une sincérité absolue », avait observé Elaine.

Mais moi j'avais une Juliette sincère, et comment ! Elle avait toujours eu des couilles, et aujourd'hui, elle avait des seins – petits, mais jolis – et sa chevelure avait acquis un lustre nouveau. Et qu'est-ce que ses cils avaient poussé ! Sa peau était devenue plus lisse, l'acné avait disparu. Ses hanches s'étaient développées bien qu'elle ait minci depuis son entrée à l'École ; c'étaient déjà des hanches de femme, même si elles n'étaient pas arrondies.

Qui plus est, toute la communauté de la Favorite River Academy savait désormais qui elle était, et ce qu'elle était. Certes, on comptait encore quelques athlètes obtus qui peinaient à accepter l'ouverture à la diversité sexuelle vers laquelle nous tendions. Des hommes des cavernes, il en restera toujours.

Larry aurait été fier de moi. En un mot, il se serait étonné de voir combien je m'engageais. Le militantisme politique ne m'était pas naturel, mais j'étais tout de même un peu actif sur ce plan-là. J'avais visité quelques facs de l'État. J'avais parlé aux groupes LGBT de Middlebury College et de l'université du Vermont. J'avais soutenu le projet de loi sur le mariage homosexuel, que le Sénat du Vermont venait d'entériner malgré le veto du gouverneur républicain, homme des cavernes patenté.

Larry aurait bien ri de me voir soutenir le mariage gay, sachant ce que je pensais du mariage en général. « Mon grand champion de la monogamie », m'aurait-il dit pour me taquiner. Mais puisque ces jeunes gays et bi veulent se marier, je les soutiens.

« Je vois en toi un futur héros ! » m'avait dit Grand-père Harry.

Sans aller jusque-là, j'espère que Miss Frost m'aurait approuvé. À ma façon, je protégeais quelqu'un – je protégeais Gee. Je comptais dans sa vie. Ça m'aurait peut-être valu une prime d'affection de la part de Miss Frost.

Telle était ma vie, à l'âge de soixante-huit ans. Professeur de lettres à mi-temps dans mon ancienne école, la Favorite River Academy, j'y dirigeais aussi le Club Théâtre. J'étais écrivain, militant politique occasionnel, aux côtés des groupes LGBT, un peu partout. Allons bon, excusez-moi, j'oubliais : les mots ne cessent de changer.

Il ne fallait plus dire LGBT, m'avait expliqué un de nos très jeunes professeurs ; c'était inadéquat, trop restrictif ; maintenant on disait LGBTQ.

– Merde alors ! Et c'est l'initiale de quoi, ce Q ? Querelleurs ?

– Non, Bill, m'avait répondu mon collègue en Questionnement.

« Je te revois dans ta phase de questionnement, Billy », m'avait dit Martha Hadley. D'accord, je m'y revois moi-même. Alors, soit, disons LGBTQ ; mais à mon âge j'ai du mal à me rappeler cette vacherie de Q.

Mrs Hadley vit à la Maison de Retraite, à présent. Elle a quatre-vingt-dix ans. Richard va la voir tous les jours et moi deux fois par semaine ; j'en profite pour rendre visite à mon oncle Bob. À quatre-vingt-treize ans, il se porte étonnamment bien – physiquement du moins. Sa mémoire flanche parfois, mais personne n'est parfait. Il lui arrive même d'oublier que Gerry et sa petite amie californienne, celle qui a seulement mon âge, se sont mariées cette année, dans le Vermont.

C'était en juin 2010 ; nous avons fait la fête dans ma maison. Mrs Hadley et Oncle Bob étaient là tous deux, il la poussait dans son fauteuil roulant.

– Tu es sûr que tu ne veux pas que je prenne la relève, Bob ? lui avions-nous demandé, Richard, Elaine et moi, à tour de rôle.

– Qu'est-ce qui vous fait penser que je pousse ? Je m'appuie sur le dossier, c'est tout !

Quoi qu'il en soit, lorsqu'il me demande quand est prévu le mariage de sa fille, je dois lui rappeler qu'il a déjà eu lieu.

Ce furent en partie les trous de mémoire de Bob qui faillirent me faire rater un petit temps fort de ma vie – mineur peut-être, mais significatif, je crois.

– Qu'est-ce que tu vas faire, pour le Señor Bovary, Billy ? me demanda-t-il alors que je le reconduisais à la Maison de Retraite après le mariage de Gerry.

– Le Señor qui ?

– Oh merde, Billy, excuse-moi, j'arrive plus à retenir ce que j'ai entendu au Bureau des anciens élèves, j'oublie tout à mesure.

En fait, il s'agissait d'une annonce dans le *River Bulletin*, ou plus exactement d'une requête qui était destinée à la rubrique « Les Anciens Retrouvés » :

Prière de faire suivre ce message au jeune William,

Ainsi commençait le courrier dactylographié avec soin.

William Francis Dean, son père, voudrait savoir comment va son fils, même si, diva qu'il est, il ne veut pas lui écrire pour le lui demander lui-même. Il y a eu une épidémie de sida, vous le savez ; comme il continue à écrire des livres, nous présumons que le jeune William est toujours vivant. Mais comment se porte-t-il ? Voudriez-vous avoir la gentillesse de lui demander, comme on dit ici : ¿ Comó está ? Et, s'il vous plaît, dites-lui que s'il envisage de venir nous voir ailleurs qu'au cimetière, c'est le moment !

Cette lettre émanait de celui qui était de longue date l'amant de mon père, le navigateur des chiottes, le lecteur, le type qui avait renoué avec lui dans le métro, et qui n'était finalement pas descendu à la station suivante.

Il avait simplement tapé son nom, sans signer :

Señor Bovary

Un été, tout récemment, je suis allé à la Gay Pride d'Amsterdam avec un ami hollandais passablement cynique. La ville est en elle-même une expérience porteuse d'espoir, j'en suis depuis longtemps convaincu, et j'ai adoré le défilé. Il y avait des foultitudes d'hommes qui dansaient dans les rues, des types en cuir rose et mauve, des garçons en Speedo léopard, des hommes en slip qui s'embrassaient, une femme recouverte d'une fine couche de plumes vertes luisantes qui arborait un gode-ceinture du plus beau noir. Je dis à mon ami que si bien des villes prêchaient la tolérance, Amsterdam la pratiquait pour de bon, voire la portait en bannière. Comme je disais ces mots, une longue péniche est passée sur l'un des canaux, un groupe de rock exclusivement féminin jouant à son bord; des femmes en justaucorps transparent nous ont fait signe de la main, elles agitaient des godemichés.

Mais mon ami hollandais cynique m'a lancé un regard blasé, et tout juste tolérant; il me semblait aussi indifférent à ces manifestations gays que les prostituées, étrangères pour la plupart, installées dans les vitrines et sur les seuils de Wallen, le quartier chaud.

— Amsterdam, c'est tellement dépassé, me dit-il. Le haut lieu pour les gays d'Europe, à présent, c'est Madrid.

— Madrid, répétai-je, comme je le fais souvent.

Moi, j'étais un vieux bi sexagénaire débarqué de son Vermont. Le haut lieu pour les gays en Europe, ça ne me disait pas grand-chose: j'ignorais tout des hauts lieux en général.

Une fois à Madrid, sur les conseils du Señor Bovary, je descendis au Santo Mauro, un joli hôtel tranquille de la Calle Zurbano, rue étroite bordée d'arbres, dans un quartier résidentiel mais morne, qui permettait de se rendre dans Chueca à pied, m'avait-il dit, Chueca étant le quartier gay de Madrid, comme il me l'avait précisé dans un courriel. À pied, certes, à condition d'être bon marcheur. La lettre qu'il avait envoyée à l'oncle Bob au Bureau des anciens élèves ne comportait pas son adresse postale, mais une adresse électronique, ainsi que le numéro de son mobile.

La prise de contact épistolaire ainsi que l'échange de courriels qui avait suivi avec le partenaire de longue date de mon père laissaient deviner chez lui un curieux mélange de désuet et de contemporain.

«Je crois que le Señor Bovary a l'âge de ton père», m'avait annoncé l'oncle Bob. Je savais par *La Chouette* de 1940 que William Francis Dean était né en 1924, ce qui voulait dire que mon père et le Señor Bovary avaient quatre-vingt-six ans. Je savais aussi, par le même numéro, que mon père avait voulu être «artiste». Artiste, mais encore?

D'après les courriels de «Bovary», comme disait mon oncle Bob, j'avais compris qu'on n'avait pas informé mon père de mon séjour à Madrid. L'idée de cette visite venait entièrement du Señor Bovary, et je suivais ses instructions : « Faites un tour dans Chueca le jour de votre arrivée ; le premier soir, couchez-vous de bonne heure. Je vous retrouverai pour dîner le deuxième soir. Nous irons nous promener jusqu'à Chueca et je vous emmènerai au club. Si votre père sait que vous êtes là, ça risque de lui faire perdre ses moyens. »

Le club, quel club ?

« Franny n'était pas mauvais bougre, m'avait dit l'oncle Bob du temps que j'étais encore à la Favorite River Academy. Seulement voilà, *il en était*, si tu vois ce que je veux dire... » Le club où Bovary m'emmenait était sans doute un club « comme ça », mais dans quel genre ? Même un vieux bi du Vermont sait qu'il y en a de toutes sortes.

En cette fin d'après-midi, dans Chueca, la plupart des boutiques étaient encore fermées pour la sieste. Il faisait trente-cinq degrés à l'ombre, mais c'était une chaleur sèche, agréable au voyageur arrivé tout droit d'un Vermont en pleine saison des taons. Et je devinais que la Calle Hortaleza était une rue consacrée au commerce du sexe gay. Il y régnait une atmosphère de tourisme sexuel, même à l'heure de la sieste. On y voyait traîner des hommes d'un certain âge en solo, ainsi que, de temps en temps, des bandes de jeunes gays. Les uns et les autres devaient être plus nombreux le week-end, mais on était un après-midi de semaine. Je ne remarquai guère de présence lesbienne, du moins au premier coup d'œil sur le quartier.

Dans la Calle Hortaleza se trouvait un night-club qui s'appelait A Noite, presque au niveau du carrefour avec la Calle de Augusto Figueroa, mais dans la journée on ne remarque pas les night-clubs. Ce qui attira mon attention, ce fut le nom insolite *A Noite*, qui veut dire « la nuit » en portugais, ainsi que les affiches en lambeaux qui annonçaient des spectacles, dont certains avec des drag-queens.

Entre Gran Vía et la station de métro Plaza de Chueca, les rues n'étaient que bars, sex-shops et boutiques de vêtements gays. Taglia, le marchand de perruques, se trouvait en face d'un club de culturistes. Je vis que les T-shirts Tintin faisaient fureur, et – à l'angle de la Calle de Hernán Cortés – j'aperçus dans une vitrine des mannequins masculins en string. S'il y a une chose pour laquelle je suis ravi d'être trop vieux, c'est bien le string.

En proie au décalage horaire, j'avais l'intention de tenir le coup jusqu'au soir et de veiller au moins jusqu'au dîner, que je prendrais de bonne heure à mon hôtel, après quoi j'irais me coucher. J'étais trop fatigué pour apprécier les serveurs paquets-de-muscles du Mama Inès ; s'y trouvaient surtout des hommes venus en couple, ainsi qu'une femme, seule. Elle portait des tongs et un débardeur ; elle avait un visage bien dessiné, et un air de grande tristesse, menton dans la main. Je faillis la draguer. Je me souviens de m'être demandé si en Espagne les femmes passaient sans transition de la minceur extrême à l'enrobage confortable. Je remarquai aussi un certain type d'hommes, maigres dans leur marcel, mais avec une petite brioche apparemment incompressible.

Malgré l'heure, cinq heures de l'après-midi, et contrairement à mes habitudes, je pris un *cafe con leche* : c'était pour ne pas m'endormir. Un peu plus tard, je découvris une librairie dans la Calle de Gravina. Ça s'appelait Libros (sans rire, une librairie qui s'appelle Livres !). Le roman anglais, en anglais, y était bien représenté, mais ils n'avaient aucune œuvre contemporaine, pas même du XXe siècle. Je parcourus le rayon fiction pendant un moment. De l'autre côté de la rue, en diagonale, à l'angle de San Gregorio, se trouvait un bar très fréquenté, l'Angel Sierra. Il faut croire que la sieste était finie lorsque je sortis de la librairie, car il y avait déjà affluence.

Je passai devant une cafétéria, toujours sur la Calle de Gravina, où des lesbiennes d'un certain âge, élégantes, étaient assises à une table, en vitrine. À ma connaissance – limitée –, c'étaient les seules lesbiennes de Chueca, et d'ailleurs presque les seules femmes du quartier. Mais il était encore tôt dans la soirée, et je savais qu'en Espagne tout se passe très tard. Je connaissais Barcelone, où mon éditeur espagnol est basé, pour y avoir fait la promotion des traductions de mes livres.

Comme je quittais Chueca pour rentrer vaillamment à pied au Santo Mauro, je m'arrêtai à un bar ours sur la Calle de Las Infantas. Ça s'appelait le Hot, et c'était bourré d'hommes poitrine contre poitrine et dos à dos. Il y avait des types d'un certain âge – vous savez ce que c'est que les bars ours –, des hommes banals, des gars un peu ronds, barbus, dont pas mal de buveurs de bière. Comme on était en Espagne, ça fumait beaucoup ; je n'y restai pas longtemps, mais l'atmosphère était sympathique. Les barmen torse nu étaient les benjamins du lieu. Hot, on peut le dire.

Le petit homme tiré à quatre épingles qui me retrouva dans un restaurant de la Plaza Mayor le lendemain soir ne m'évoquait pas spontanément un jeune soldat froc baissé, en train de lire *Madame Bovary* en plein grain, et glissant cul nu sur une rangée de trônes pour faire la connaissance de mon jeune père.

Le Señor Bovary avait les cheveux tout blancs, coupés bien court, comme les poils de sa moustache décontractée. Il portait une chemise blanche à manches courtes, avec deux poches de poitrine, l'une pour ses lunettes, l'autre garnie de stylos. Son pantalon de coton était marqué d'un pli impeccable; peut-être que le seul élément contemporain de sa tenue de vieillard maniaque et vieux jeu consistait en une paire de sandales que les jeunes gens amateurs de grand air portent quand ils vont lutter contre le courant dans les rivières furieuses et les torrents rapides – des sandales conçues avec tout le sérieux des chaussures de course.

– Bovary, me dit-il en me tendant la main, paume vers le sol, de sorte que je me demandai si j'étais censé la baiser ou la serrer. (Je la serrai.)

– Je suis très content que vous m'ayez contacté, lui dis-je.

– Je ne sais pas ce que votre père attend, maintenant que votre mère, *una mujer difícil*, une femme pas commode, est morte depuis trente-deux ans; c'est bien ça, trente-deux ans?

– Oui.

– Dites-moi où vous en êtes du côté du VIH, comme ça je pourrai le répercuter à votre père. Il paierait cher pour le savoir, mais, je le connais, il ne vous le demandera jamais lui-même. Il va attendre que vous soyez rentré pour se faire un sang d'encre, il remet toujours tout au lendemain, c'est terrible! s'exclama Bovary avec affection, en m'adressant un petit sourire pétillant.

– Je suis séronégatif, je n'ai pas le VIH.

– Pas de cocktail toxique pour vous, alors, formidable! Nous non plus, nous n'avons pas le virus, si vous voulez savoir. Moi, je n'ai couché qu'avec votre père, dans ma vie, et lui, à part cette passade désastreuse avec votre mère, n'a couché qu'avec moi. C'est vous dire que nous ne sommes pas folichons, me confia le petit homme, son sourire s'élargissant. J'ai lu ce que vous écrivez, votre père aussi, bien sûr, et si on se base là-dessus on ne peut pas lui reprocher de s'inquiéter pour vous ! Si vous avez vécu la moitié de ce que vous écrivez, vous avez dû coucher avec tout le monde.

– Avec des hommes et des femmes, soit ; avec tout le monde, non, répondis-je en lui rendant son sourire.

– Si je vous le demande, c'est parce qu'il ne le fera pas. Honnêtement, quand vous allez faire sa connaissance, vous constaterez qu'il y a des interviewers qui sont allés plus loin dans leurs questions ou leurs propos. Non pas qu'il s'en fiche, mais il croit au respect de la vie privée. Sans exagérer, il passe son temps à se faire du souci pour vous, mais il est très discret. Il n'y a que sur un point qu'il s'affiche.

– Lequel ?

– Je ne veux pas vous déflorer le spectacle. D'ailleurs, il est temps d'y aller, dit le Señor Bovary en regardant sa montre.

– Quel spectacle ?

– Écoutez, moi, je ne suis pas l'artiste, je ne fais que gérer les cachets. Vous, vous êtes l'écrivain de la famille, n'empêche que votre père est un fameux conteur, même s'il raconte toujours la même histoire.

Je le suivis, quasiment au pas de course, depuis la Plaza Mayor jusqu'à la Puerta del Sol. S'il portait ces sandales si particulières, c'était sans doute pour marcher ; je parierais qu'il sillonnait Madrid. Il était sec, en excellente condition physique ; au dîner, il n'avait pas mangé grand-chose, et n'avait bu que de l'eau minérale.

Il devait être neuf ou dix heures du soir, mais il y avait un monde fou dans les rues. En prenant la Calle Montero, nous passâmes devant des prostituées, des « travailleuses », comme disait Bovary.

L'une d'entre elles lança le mot *guapo*.

– Elle dit que vous êtes beau gosse, traduisit Bovary.

– C'est peut-être de vous qu'elle parle, lui dis-je.

De fait, je le trouvais vraiment bel homme.

– Mais non, elle ne parle pas de moi. Moi, elle me connaît, se borna-t-il à répondre.

L'esprit pratique, toujours : le parfait gestionnaire de biens.

Puis nous traversâmes la Gran Vía pour entrer dans Chueca au niveau de la tour Telefónica.

– Il est encore un peu tôt, constata le Señor Bovary en consultant sa montre.

Il envisageait apparemment un détour, puis, se ravisant, il s'arrêta au croisement de la Calle Hortaleza et de la Calle de las Infantas.

– Il y a un bar ours dans la rue, dit-il.

– Oui, le Hot, je suis allé y boire une bière, hier soir.

– Les ours, c'est très bien, à condition d'aimer les petits bedons.

– Je n'ai rien contre les ours, mais c'est surtout que j'aime la bière, je ne bois rien d'autre.

– Moi, je ne bois que de l'*agua con gas*, me dit le Señor Bovary en m'adressant son sourire malicieux.

– De l'eau minérale avec bulles, c'est ça?

– On doit être tous deux portés sur les bulles; les bulles, c'est gai… dit simplement Bovary, qui continuait d'avancer dans la rue.

Sans observer attentivement ce qui se passait autour de moi, je reconnus le night-club au nom portugais A Noite.

– Ah, c'est ici? m'enquis-je, comme le Señor Bovary s'effaçait pour me laisser passer.

– Dieu merci, non, me répondit-il. On va tuer le temps; si leur spectacle commençait tout de suite, je ne vous y aurais pas emmené, mais il commence très tard. Nous pourrons boire un verre tranquilles.

Quelques jeunes gays hyper minces traînaient au bar.

– Si vous étiez tout seul, vous seriez assiégé, me dit Bovary.

Le comptoir était en marbre noir, ou peut-être en granit verni. Je pris une bière et le Señor Bovary une *agua con gas*.

Il y avait une salle de danse bleuâtre, et un praticable; en coulisses, on passait du Sinatra. Je chuchotai que je trouvais l'ambiance rétro.

– C'est gentiment dit, commenta Bovary. (Il jetait des coups d'œil constants à sa montre.)

Lorsque nous quittâmes la rue, il était onze heures du soir. Je n'avais jamais vu tant de monde dehors. Arrivé au club, je me rendis compte que j'étais passé devant sans le remarquer, deux fois au moins, entre la Calle de las Infantas et la Calle San Marcos. C'était un établissement minuscule, devant lequel une longue file attendait. Je m'apercevais seulement qu'il s'appelait EL SEÑOR BOVARY.

– Tiens! m'exclamai-je, comme il me faisait remonter la file pour prendre l'entrée des artistes.

– Nous allons assister au numéro de Franny, et puis vous ferez sa connaissance. Et, avec un peu de chance, il ne vous repérera pas avant la fin, ou alors juste avant.

Il y avait foule au bar, même population qu'au Hot, jeunes gays maigrichons, mais ils nous firent place. Une danseuse transsexuelle se produisait, très convaincante, sans rien de rétro.

– On fait des concessions éhontées aux hétéros, me souffla le Señor Bovary. Oh, et puis, aux gens comme vous, sans doute. Elle est votre genre ?

– Tout à fait, répondis-je (même si je trouvais que le rayon stroboscopique vert qui palpitait sur elle était un peu cheap).

Ça n'était pas exactement un numéro de strip-tease ; elle s'était manifestement fait prothéser les seins et elle en était très fière, mais elle ne retira pas son string. La foule lui fit une ovation quand elle quitta la scène et passa parmi les spectateurs et le long du bar dans son string, le reste de ses vêtements sur le bras. Bovary lui dit en espagnol quelque chose qui la fit sourire.

– Je lui ai dit que vous étiez un hôte de marque, et qu'elle était tout à fait votre genre, m'informa-t-il, espiègle.

Mais comme j'allais répondre, il mit un doigt sur sa bouche et chuchota :

– Je vais vous servir de traducteur.

Je crus tout d'abord qu'il plaisantait, en insinuant que j'allais me retrouver en tête à tête avec la danseuse, mais il voulait dire qu'il allait traduire le numéro de mon père.

– Franny, Franny, Franny ! scandaient des voix dans l'auditoire.

Dès que Franny parut sur scène, on poussa des « Oh ! » et des « Ah ! ». Ce n'étaient pas seulement le strass et la robe au décolleté vertigineux, mais le maintien parfait de mon père dans cette tenue qui me firent comprendre pourquoi Grand-père Harry avait toujours eu un faible pour William Francis Dean. La perruque était noire de jais, avec des paillettes argentées, assorties à la robe. Les faux seins étaient modestes, menus, comme tout le reste de sa personne, et le collier de perles n'avait rien d'ostentatoire, mais il accrochait l'éclairage de scène, fluorescent, qui donnait à tous les supports blancs – et jusqu'à la chemise du Señor Bovary, assis avec moi au bar – une tonalité gris perle.

– J'ai une petite histoire à vous conter, dit mon père au public, en espagnol. Ça ne sera pas long, ajouta-t-il avec un sourire, en jouant avec ses perles. Vous la connaissez peut-être déjà ? (Bovary me chuchotait la traduction à l'oreille.)

– ¡ *Sí!* s'écrièrent en chœur les spectateurs.

– Désolé, reprit mon père. C'est la seule histoire que je connaisse, c'est celle de ma vie, et de mon seul amour.

Moi, je la connaissais, l'histoire. C'était en partie celle qu'il m'avait racontée pendant ma convalescence, après la scarlatine ; sauf qu'il y avait des détails qu'un enfant ne retient pas.

– Rencontrer l'amour de sa vie sur un siège de toilettes, vous vous rendez compte ? s'écria Franny Dean. On était dans les latrines, lessivées par des paquets de mer, on était à bord d'un bateau, dans des flots de vomi.

– ¡ *Vómito!* cria la foule, d'une seule voix.

Je fus stupéfait de constater combien ceux qui connaissaient l'histoire étaient nombreux ; ils la savaient par cœur. Il y avait des gens d'âge mûr, dans le public, hommes et femmes, et puis des jeunes aussi, des garçons surtout.

– Il est unique, le claquement du derrière humain qui glisse sur des lunettes de WC, flap flap, quand l'amour de votre vie s'approche, s'approche, s'approche, dit mon père.

Il marqua un temps pour respirer profondément. Nombre de jeunes gens, dans le public, avaient baissé leur pantalon et même leur slip sur les chevilles ; des claques s'échangeaient sur les culs nus.

Sur scène, mon père poussa un gros soupir réprobateur.

– Non, pas comme ça. Flap flap, bien plus distingué !

Dans sa robe noire à paillettes au décolleté plongeant, il marqua de nouveau un temps. Les garçons ainsi morigénés remontèrent leur slip, et le public se calma.

– Lire pendant un grain, vous vous rendez compte ? Il faut être fou de la lecture. Moi, j'ai toujours adoré lire. Je savais que si je rencontrais l'amour de ma vie, il faudrait qu'il aime lire, lui aussi. Mais, tout de même, se rencontrer de cette façon ! Quel face à fesses ! dit mon père en faisant saillir sa hanche maigre pour se claquer le postérieur.

– Face à fesses ! répéta le public (j'ai oublié comment ça peut se dire en espagnol).

Le numéro touchait à sa fin. Quand l'histoire de mon père s'acheva, je remarquai que les gens d'âge mûr s'éclipsaient sans attendre, ainsi que presque toutes les femmes. Celles qui étaient restées, je m'en rendis compte plus tard en partant moi-même, étaient des transsexuelles et des travestis. (Les jeunes gars étaient restés ; ils étaient plus nombreux et il y avait aussi des hommes d'un certain âge, le plus souvent seuls, sans aucun doute en chasse.)

Le Señor Bovary m'emmena en coulisses, pour me présenter à mon père.

– Ne soyez pas déçu, me souffla-t-il à l'oreille, comme si nous étions encore au bar et qu'il continuait à assurer l'interprétation.

Lorsque nous arrivâmes dans sa loge, mon père s'y tenait, déjà torse nu, sans sa perruque. Il avait des cheveux d'un blanc de neige, coupés en brosse, et le corps musclé, un peu famélique, des lutteurs poids léger ou des jockeys. Les petits faux seins, dans un soutien-gorge pas plus grand que celui d'Elaine, celui que je mettais pour dormir, étaient posés sur sa table de maquillage, avec le collier de perles. Il portait encore autour de sa taille fine la robe zippée dans le dos.

– Tu veux que je descende ta fermeture éclair, Franny ? demanda le Señor Bovary.

Mon père tourna le dos à son amant pour qu'il s'exécute. Une fois la robe enlevée, Franny Dean se retrouva en porte-jarretelles noir, bas noirs dégrafés, roulés sur ses chevilles fines. Il s'assit à sa table de maquillage et les retira pour les jeter à la figure du Señor Bovary. Après quoi, il se mit en devoir de se démaquiller, en commençant par l'eye-liner, après avoir retiré ses faux cils.

– Heureusement que je ne t'ai pas vu chuchoter à l'oreille du jeune William avant d'avoir pratiquement fini la partie de l'histoire qui se passe à Boston, lui dit-il d'une voix plaintive.

– Heureusement que *quelqu'un* a pensé à inviter le jeune William à venir te voir avant que tu sois mort, répliqua Bovary.

– Il exagère, William, tu vois bien que je ne suis pas moribond.

– Je vais vous laisser en tête à tête, déclara Bovary, blessé.

– Essaie un peu, pour voir, dit mon père à l'amour de sa vie.

– Bon, je n'essaie pas, fit Bovary avec une résignation cocasse.

– À quoi ça sert, d'avoir un amour de sa vie, si on ne l'a pas tout le temps avec soi ? me demanda mon père.

Je ne savais que dire, les mots me manquaient.

– Sois gentil, Franny, lui dit Bovary.

– Voici ce que font les femmes, William, dans les patelins, du moins. Elles te trouvent quelque chose d'aimable, parfois une seule chose, attendrissante. Ta mère, par exemple, elle aimait me travestir, et à moi aussi ça me plaisait.

– Si tu attendais un peu, suggéra Bovary. Si tu attendais que vous vous connaissiez mieux, pour lui raconter ça ?

– Il est trop tard pour que le jeune William et moi puissions nous connaître mieux. C'est une chance que nous n'aurons pas eue. À présent, les jeux sont faits, nous sommes ce que nous sommes, n'est-ce pas, William ?

De nouveau, je ne sus que répondre.

– Fais un effort pour être gentil, je te prie, lui dit Bovary.

– Je disais donc, voici ce que font les femmes, les choses qui ne leur plaisent pas chez toi, voire qui leur déplaisent, elles se figurent qu'elles peuvent les changer. Elles se figurent qu'elles peuvent te faire changer.

– Tu n'en as connu qu'une, Franny, *una mujer difícil*.

– Là, c'est toi qui n'es pas gentil.

– Moi, j'ai aussi connu des hommes qui ont voulu me changer, dis-je.

– Je n'entrerai pas en compétition avec tous les hommes et toutes les femmes que tu as connus, William. Je ne prétends certes pas avoir ton expérience. (Tiens ! il était prude…)

– Autrefois je me demandais de qui je tenais, lui avouai-je. Ces choses en moi, que je ne comprenais pas, ces choses que je remettais en question, surtout. Tu sais de quoi je parle. Qu'est-ce que je tenais de ma mère ? Pas grand-chose, me semblait-il. Et qu'est-ce qui me venait de toi ? Il fut un temps où ça me faisait beaucoup réfléchir.

– Il paraît que tu as corrigé un élève ? demanda mon père.

– On en parlera plus tard, Franny, intercéda le Señor Bovary.

– Tu as rossé un élève de l'École, tout récemment ? C'est Bob qui m'en a parlé. Il était très fier de toi, mais moi ça m'a contrarié. Ce n'est pas de moi que tu tiens cette violence, cette agressivité. Je me demande si toute cette colère ne vient pas des femmes Winthrop…

– C'était un grand costaud, répondis-je. Dix-neuf ans, footballeur, une brute épaisse, merde alors !

Mais mon père et le Señor Bovary avaient manifestement honte de moi. J'étais sur le point de leur expliquer le cas Gee, quatorze ans, en voie de devenir fille, et ce voyou de dix-neuf ans qui l'avait cognée en pleine face en la faisant saigner du nez, et puis, tout d'un coup, je me suis dit que je n'avais pas de comptes à rendre à ces vieilles folles réprobatrices. Je m'en foutais pas mal, moi, du footballeur.

– Il m'avait traité de pédale, leur dis-je, en croyant qu'ils allaient tiquer tout de même.

– Tu entends ça ? lança mon père à l'amour de sa vie. Pédale ! Se faire traiter de pédale sans corriger le coupable, tu te rends compte ?

– Fais un effort de gentillesse, Franny, dit le Señor Bovary, mais je vis qu'il souriait.

Ils formaient un couple mignon, mais un peu cucul – faits l'un pour l'autre, comme on dit.

Mon père se leva et passa les pouces dans la ceinture de son porte-jarretelles serré.

– Si vous voulez bien m'accorder un peu d'intimité, messieurs. Ce sous-vêtement ridicule me tue.

Je retournai au bar avec Bovary, mais toute conversation était devenue impossible. Les jeunes gays hyper minces s'étaient multipliés, en partie parce que les hommes mûrs venus en solo étaient plus nombreux. Sur scène, un orchestre masculin jouait dans une lumière stroboscopique rose. Hommes et garçons dansaient ensemble ; quelques traves dansaient entre eux ou avec des garçons.

Lorsque mon père vint nous retrouver au bar, c'était un modèle de chic masculin classique : outre des sandales du même modèle que celles de Bovary, il portait une veste sport d'un ton havane, avec une pochette tête-de-nègre. On murmura « Franny » sur notre passage à l'instant où nous sortions.

Nous étions dans la Calle Hortaleza, après la Plaza de Chueca, lorsqu'un groupe de jeunes types reconnut mon père, même sous le costume masculin. Ce devait être une célébrité locale.

– ¡Vómito! lui lança joyeusement l'un d'entre eux.

– ¡Vómito! répondit mon père, tout content.

Je vis qu'être reconnu lui faisait plaisir, d'autant plus qu'il n'était pas en femme.

À mon grand étonnement, il y avait encore foule dans les rues de Chueca passé minuit. Mais Bovary m'expliqua que l'interdiction de fumer risquait fort d'avoir rendu le quartier plus bruyant et plus grouillant encore.

– Comme ils ne peuvent plus fumer dans les clubs et les bars, du coup tous les hommes vont dehors ; les rues sont étroites, ici ; ça boit, ça fume, ça gueule pour se faire entendre.

– Oh là là, tous ces ours, dit mon père en fronçant le nez.

– William n'a rien contre les ours, Franny, glissa Bovary avec douceur.

Je vis qu'ils se tenaient par la main, ces deux modèles de respectabilité. Ils me raccompagnèrent jusqu'à mon hôtel de la Calle Zurbano.

– Il me semble que tu devrais concéder à ton fils que tu es tout de même un peu fier de lui, pour avoir rossé cette brute, Franny, dit Bovary à mon père, une fois dans la cour du Santo Mauro.

– Ça fait toujours plaisir, de penser qu'on a un fils capable de corriger quelqu'un, répondit mon père.

– Je ne l'ai pas corrigé, je lui ai fait une seule prise, et il s'est affalé sur un sol dur, tentai-je d'expliquer.

– Ce n'est pas ce que m'a dit Racquet Man, reprit mon père. Il raconte que tu l'as transformé en serpillière.

– Ce brave Bob ! répondis-je.

Je proposai de leur appeler un taxi, ne sachant pas qu'ils habitaient à côté.

– Nous sommes à deux pas, m'expliqua le Señor Bovary.

Cette fois, lorsqu'il me tendit la main, paume vers le sol, je la baisai.

– Merci d'avoir permis cette rencontre, lui dis-je.

Mon père s'avança et me serra inopinément dans ses bras ; il fit claquer un baiser sur mes joues – c'est dire à quel point il s'était européanisé.

– Quand je reviendrai en Espagne, pour la traduction de mon prochain roman, peut-être que je pourrai revenir vous voir, ou alors c'est vous qui viendrez à Barcelone… tentai-je, mais, pour une raison ou pour une autre, cette idée sembla le mettre mal à l'aise.

– Peut-être… se borna-t-il à répondre.

– On en reparle le moment venu, suggéra Bovary.

– C'est lui mon manager, dit mon père en me souriant.

– Et l'amour de ta vie ! s'exclama joyeusement Bovary. Ne l'oublie jamais, Franny.

– Comment l'oublier ? Une histoire que je raconte tous les soirs…
Je sentis que l'heure était venue de se séparer. Je ne les reverrais
sans doute jamais. (Mon père l'avait dit, les jeux étaient faits.)
Mais le mot *adieu* avait quelque chose de trop définitif ; je ne pouvais
me résoudre à le prononcer.

– *Adiós*, jeune William, me dit le Señor Bovary.

– *Adiós*, lui répondis-je.

Ils s'en allaient déjà main dans la main, comme de juste, lorsque
je lançai à mon père :

– *Adiós*, papa.

– Il m'a appelé *papa* ? C'est le mot qu'il vient de prononcer ?
demanda mon père à Bovary.

– Oui, absolument, confirma celui-ci.

– *Adiós*, mon fils ! me cria mon père.

– *Adiós* ! répétai-je à mon père et à l'amour de sa vie jusqu'à ce
qu'ils disparaissent de ma vue.

À la Favorite River Academy, le théâtre expérimental situé dans
le Foyer Webster pour les arts vivants n'était pas la scène principale
de cet édifice relativement récent, mais il était construit en dépit du
bon sens malgré les bonnes intentions dont on voulait bien – en étant
gentil – créditer ses concepteurs.

Les temps changent. On n'étudie plus Shakespeare comme je l'ai
fait. Aujourd'hui, je ne remplirais pas une salle avec une pièce du
maître, fût-ce *Roméo et Juliette*, fût-ce avec une Juliette qui serait
née Roméo. Mais ce petit théâtre expérimental me faisait un meilleur
outil pédagogique, et il était parfait pour accueillir un public restreint.
Les élèves s'y sentaient bien plus à l'aise, malgré l'inconvénient des
souris, dont nous nous plaignions tous. Le bâtiment avait beau être assez
récent, soit qu'il ait été mal conçu ou mal exécuté, le vide sanitaire
était insuffisamment isolé, et les parois laissaient passer les souris.

Dans le Vermont, aux premiers froids, les immeubles construits en
dépit du bon sens sont infestés de souris. Les élèves avec lesquels je
montais *Roméo et Juliette* appelaient ça des «rats des planches», ne
me demandez pas pourquoi, sauf à dire qu'on en avait effectivement
vu jusque sur les planches, parfois.

Or il faisait froid, en ce mois de novembre. On n'était qu'à une semaine du grand week-end de Thanksgiving et déjà la neige couvrait le sol ; même pour le Vermont, et même pour cette période de l'année, il faisait glacial (pas étonnant que les souris aient cherché asile dans les maisons).

Je venais de persuader Richard de s'installer chez moi, à River Street. Depuis que Martha habitait la Maison de Retraite, il était tout seul, et avec ses quatre-vingts ans, je ne trouvais pas souhaitable qu'il traverse en solitaire l'hiver du Vermont. Je lui cédai ma chambre d'enfant, et la salle de bains que j'avais partagée avec Grand-père.

Il ne se plaignit pas d'y croiser des fantômes. Peut-être aurait-il protesté s'il s'était agi de celui de Nana Victoria, ou de Tante Muriel, voire de celui de ma mère. Mais le seul spectre qu'il rencontra jamais fut celui de Grand-père, qui se montra plusieurs fois dans la salle de bains que nous partagions, mais fort heureusement pas dans la baignoire. « Il paraît un peu égaré, comme s'il avait perdu sa brosse à dents », commentait simplement Richard.

La baignoire dans laquelle Grand-père s'était fait sauter la cervelle n'était plus là depuis longtemps. S'il comptait répéter son geste, comme il l'avait fait à l'intention d'Amanda, il le ferait plutôt dans la chambre de maître, devenue la mienne, avec son engageante baignoire toute neuve.

Moi, je vous l'ai dit, je n'ai jamais croisé de fantômes dans cette maison.

Il y a tout de même eu un matin où je me suis réveillé pour trouver au pied de mon lit mes vêtements soigneusement empilés dans l'ordre où je les enfilerais. Des vêtements propres, jean dessous, chemise pliée avec soin, slip et chaussettes par-dessus. C'était tout à fait de cette façon que ma mère me préparait mes affaires quand j'étais petit garçon ; elle devait le faire tous les soirs, une fois que j'étais endormi, et a dû cesser aux abords de mon adolescence. J'avais complètement oublié comme elle m'avait aimé jadis. Je me dis que son fantôme était venu me le rappeler.

La chose ne se produisit jamais plus, mais elle suffit à me rappeler combien je l'avais aimée – sans réserve. À présent, au bout de toutes ces années où je n'avais plus eu droit à son affection et pensais avoir cessé de l'aimer, j'étais enfin capable de la pleurer, comme nous sommes censés pleurer nos parents disparus.

Je venais d'emménager quand je découvris l'oncle Bob planté devant une caisse de livres dans le hall du rez-de-chaussée. Tante Muriel avait souhaité que j'entre en possession de ces monuments de la littérature mondiale, m'expliqua-t-il laborieusement, cependant ce n'était pas le fantôme de ma tante qui venait me les livrer, mais mon oncle qui avait apporté la caisse. Il avait découvert à retardement l'intention de Muriel, dont l'accident fatal avait contrecarré le projet. Il ne s'était pas aperçu que les bouquins m'étaient destinés ; il y avait bien un billet, dans la caisse, mais il avait mis des années à le découvrir.

Ces livres ont été écrits par tes prédécesseurs, Billy, avait noté ma tante de sa main affirmée, si caractéristique. *C'est toi l'écrivain de la famille, il est donc logique qu'ils te reviennent.*

– J'avoue que je vois vraiment pas quand elle avait l'intention de te les offrir, me dit Bob d'un air penaud.

Prédécesseurs : le mot méritait qu'on s'y arrête. Sur le moment, je fus flatté de me retrouver en la compagnie distinguée des auteurs sélectionnés par Muriel. Les œuvres appartenaient en effet à la grande littérature : *Noces de sang* et *La Maison de Bernarda*, de Lorca. (Tiens, Muriel savait que j'aimais Lorca, et ses poèmes…) Deux pièces de Tennessee Williams. (Nils Borkman les lui avait peut-être offertes ?) Un recueil de poèmes d'Auden, un autre de Whitman, et un de Byron. Je trouvais aussi ces romans indépassables de Melville et de Forster, *Moby Dick* et *Howards End*. *Du côté de chez Swann*, de Marcel Proust. J'en étais encore à me demander pourquoi Tante Muriel avait réuni ces auteurs en qui elle voyait mes « prédécesseurs » lorsque je tirai du fond de la caisse deux petits livres qui se chevauchaient : *Une saison en enfer*, de Rimbaud, et *La Chambre de Giovanni*, de Baldwin.

– Aaah ! dis-je à l'oncle Bob. C'étaient donc mes prédécesseurs gays, mes frères en incertitude sexuelle, spéculai-je.

– Je pense qu'il faut le prendre en bonne part, conclut l'oncle Bob.

– Tu penses, hein ?

Là, dans le hall, nous tâchions de nous figurer Muriel en train de remplir cette caisse de livres, dans une intention bienveillante.

Jamais je ne parlai à Gerry de ce legs que m'avait fait sa mère, redoutant qu'elle ne lui ait rien laissé ou pire encore. Je ne demandai

pas davantage à Elaine si je devais prendre les intentions de ma tante
« en bonne part ». (Au berceau déjà, estimait Elaine, Muriel était un
spectre vengeur.)

Ce fut un appel téléphonique d'Elaine, un soir tard, alors que j'étais
chez moi, qui me rappela Esmeralda, sortie de ma vie mais non de
mes pensées au fil des années. Elaine pleurait au bout du fil ; une fois
de plus, un chéri indigne venait de la larguer, lui faisant de surcroît
des réflexions odieuses sur son vagin. (Je n'avais jamais rapporté à
Elaine ma bourde à propos de celui d'Esmeralda ; oh là là, ce n'était
pas le moment de lui raconter cette histoire.)

– Tu me dis toujours que mes petits seins te plaisent, articulait Elaine
entre deux sanglots, mais tu ne m'as jamais rien dit de mon vagin.

– J'adore ton vagin, lui assurai-je.

– Tu dis pas ça pour me faire plaisir, hein, Billy ?

– Non, non. Je le trouve parfait, ton vagin.

– Comment ça, parfait ? me demanda-t-elle. (Elle avait cessé de
pleurer.)

J'étais bien décidé à ne pas rééditer la bourde faite avec Esmeralda.

– Écoute, dis-je à ma chère amie, avant de marquer un temps, je
vais être tout à fait honnête avec toi. Il y a des vagins qui sont des halls
de gare, alors que le tien, c'est le bon calibre. Il est parfait, parfait
pour moi, en tout cas, résumai-je sur un ton aussi dégagé que possible.

– C'est pas un hall de gare, c'est ça que tu viens de dire...

Mais comment en étais-je arrivé là, une fois de plus ?

– Il faut le prendre en bonne part, m'écriai-je.

L'hypermétropie d'Elaine appartenait au passé ; elle s'était fait
opérer, et avait l'impression de recouvrer la vue. Avant cette opération, quand elle faisait l'amour, elle retirait toujours ses lunettes, si
bien qu'elle n'avait jamais vu un pénis autrement que flou. À présent
qu'elle les voyait net, il y en avait qui ne lui plaisaient pas ; la plupart,
d'ailleurs, m'avait-elle dit. La prochaine fois que nous nous verrions,
elle voulait regarder le mien de près. Je trouvais un peu tragique qu'elle
ne connaisse aucun autre type assez intimement pour le lui demander
sans l'embarrasser, mais bon, les amis sont là pour ça.

– Alors mon vagin n'est pas un hall de gare, et je dois prendre
cette phrase en bonne part. Ben, écoute, ça paraît correct. J'ai hâte de
regarder ton sexe de près, Billy. Je sais que tu prendras ça en bonne part.

– Moi aussi, j'ai hâte que tu le fasses.

– En tout cas, n'oublie pas que c'est moi qui suis parfaite pour toi.

– Je t'aime, Elaine.

– Moi aussi je t'aime, Billy.

Ainsi fut conjurée ma bourde, ainsi ce fantôme me quitta. Ainsi mon plus mauvais souvenir d'Esmeralda, ange terrible s'il en fut, prit son essor.

C'était la troisième semaine de novembre, je ne risque pas de l'oublier tant que je vivrai. *Roméo et Juliette* m'absorbait tout entier, j'avais une distribution fracassante et, comme vous le savez, une Juliette couillue à souhait.

Les rats des planches perturbaient les rares filles de la troupe, ma Dame Montaigu et ma Dame Capulet, ainsi que la Nourrice. Mais Gee ne piaillait pas quand elle voyait détaler les petits rongeurs trublions, elle essayait de les piétiner. Avec mon belliqueux Tybalt, ils en avaient occis quelques-uns, et, de leur côté, mon Mercutio et mon Roméo étaient passés maîtres dans l'art de poser des pièges, que je leur demandais toutefois de désactiver pendant les répétitions, ne tenant guère à ce que le claquement meurtrier du dispositif, voire le couinement ultime d'une souris viennent interrompre le spectacle.

Mon Roméo était un garçon au regard bovin, d'une beauté strictement conventionnelle, mais doté d'une diction remarquable. Dans la première scène du premier acte, il parvenait à dire le vers essentiel, vous savez : «Que de haine en ce lieu, mais combien plus d'amour», de telle sorte que le public l'entende.

Détail important pour Gee, mon Roméo n'était pas son genre, me confia-t-elle en ajoutant :

– Mais ça ne me gêne pas de l'embrasser.

Fort heureusement, ça ne le gênait pas non plus d'embrasser Gee – même si toute l'École savait qu'elle avait des couilles (et un pénis). Seul un garçon courageux aurait pu prendre le risque de sortir avec elle ; il n'y en avait pas eu. Elle avait toujours été logée à l'internat des filles ; couilles ou pas, elle ne les aurait jamais importunées, et les filles le savaient. Elles ne s'en étaient jamais prises à elle non plus.

En la plaçant à l'internat des garçons, on aurait cherché les ennuis.

Elle aimait les garçons, mais comme elle avait l'intention de devenir fille, certains d'entre eux lui auraient fait la vie dure.

Personne n'aurait imaginé, et moi le dernier, qu'elle allait devenir une si jolie femme. Il ne fait aucun doute que certains des garçons avaient un faible pour elle – les hétéros parce qu'elle était parfaitement crédible en fille, les homos parce que ses couilles et son sexe les excitaient.

Richard Abbott et moi l'emmenions à tour de rôle voir Martha à la Maison de Retraite. Avec ses quatre-vingt-dix ans, Mrs Hadley lui tenait lieu de grand-mère sagace. Elle lui avait déconseillé de sortir avec des garçons tant qu'elle était encore à l'École. «Attends d'être à l'université», lui avait-elle suggéré.

– C'est ce que je fais, j'attends, m'avait dit Gee Montgomery, et, de toute façon, les garçons de la Favorite River sont trop gamins à mon goût.

Il y en avait pourtant un qui me semblait très mûr, à moi – physiquement du moins. Il était en dernière année, comme elle, et il était lutteur, ce qui m'avait donné l'idée de lui confier le rôle de Tybalt le fougueux, cousin des Capulet, tête brûlée qui enclenche le mécanisme fatal. Certes, je sais que c'est la longue vendetta entre les Montaigu et les Capulet qui cause la mort de Roméo et Juliette, mais Tybalt fait office de catalyseur. (J'espère que Miss Frost et Herm Hoyt m'auraient pardonné de prendre un lutteur pour catalyseur.)

Mon Tybalt était l'élève qui paraissait le plus mûr. C'était un Allemand nommé Manfred, en tournoi lycéen depuis quatre ans et lutteur mi-lourd. Il parlait bien, articulait avec application, mais il avait gardé une pointe d'accent. Je lui recommandai de ne pas l'atténuer. Un lutteur avec une pointe d'accent allemand dans le rôle de Tybalt : voilà qui ne manquait pas de piquant ! Mais, pour tout vous dire, c'était son faible pour Gee qui m'inquiétait, car je savais qu'elle n'était pas insensible à son charme. S'il existait à la Favorite River un garçon qui ait le cran de sortir avec Gee Montgomery, c'est-à-dire de lui proposer un rendez-vous, ce garçon qui avait déjà l'air d'un homme était mon Tybalt au sang chaud.

Ce mercredi-là, nous répétions déjà *Roméo et Juliette* sans le texte, nous en étions au réglage des détails. La répétition aurait lieu plus tard que d'ordinaire, vers vingt heures, parce que Manfred disputait un match de présélection, quelque part dans le Massachusetts.

J'étais arrivé au théâtre à peu près à l'horaire habituel, vers dix-huit heures quarante-cinq-dix-neuf heures, et, comme je m'y attendais, la moitié de la troupe avait fait de même. À vingt heures, il ne manquerait plus que mon Tybalt, l'homme de tous les combats.

J'étais en train de parler politique avec mon Benvolio, l'un de mes gays. Il était très actif au sein du groupe LGBTQ du campus et nous commentions l'élection du nouveau gouverneur de l'État, un démocrate «champion du droit des gays», comme il le nommait.

Tout à coup, il s'interrompit :

– J'ai oublié de vous dire, Mr A., il y a un type qui vous cherche, il est passé au réfectoire, pour demander où vous trouver.

J'étais passé grignoter au réfectoire moi-même, un peu plus tôt, et une jeune personne du département des lettres (genre Amanda, mais pas Amanda, qui, à mon grand soulagement, avait quitté les lieux) m'avait également prévenu qu'un type lui avait posé cette question. «Quel âge, il ressemblait à quoi ?» lui avais-je demandé. «Mon âge, peut-être un peu plus, bel homme», m'avait-elle répondu.

Cette jeune professeure pouvait avoir dans les trente, trente-cinq ans.

– Quel âge tu lui donnes ? demandai-je cette fois à mon Benvolio. Il ressemble à quoi ?

– Entre trente-cinq et quarante, très bien physiquement, sexy, je dirais, me répondit-il avec un sourire. (Il faisait un fameux Benvolio par rapport à mon Roméo bovin.)

Ma troupe arrivait dans l'espace-théâtre, les uns en solo, d'autres par deux ou par trois. Si Manfred nous revenait plus tôt que prévu, nous pourrions commencer dès qu'il serait là ; la plupart des élèves avaient des devoirs à rendre, ils ne se coucheraient pas de bonne heure !

Arrivèrent mes moines, Frère Laurent et Frère Jean, et mon apothicaire au verbe ampoulé. Arrivèrent mes pipelettes, deux filles en troisième année, qui jouaient Dame Capulet et Dame Montaigu. Venait ensuite mon Mercutio, un deuxième année aux longues jambes, déjà plein de talent, qui avait tout le charme et l'audace requis pour jouer cet aimable personnage promis à une mort violente.

En queue de file mais pas bons derniers entrèrent divers suivants et suivantes, masques, porteurs de torche, mon tambour – un petit élève de première année qui aurait pu jouer les nains –, plusieurs serviteurs dont le page de Tybalt, gentilshommes et belles dames, mon Paris, mon prince Escalus, et les autres. Ma Nourrice fermait la marche, en poussant devant elle mon Balthazar et mon Petrucchio. Solide, joueuse de hockey sur gazon, c'était l'une des lesbiennes les plus grandes gueules du groupe LGBTQ. D'une façon générale, elle n'approuvait pas les conduites masculines, fussent-elles gays et bi. Je l'aimais beaucoup. En cas de problème, dispute autour du menu, élève en rupture de ban brandissant un flingue, je savais qu'elle veillerait sur ma sécurité. Elle respectait Gee à contrecœur, mais elles n'étaient pas amies.

Et Gee, au fait, où était-elle ? D'ordinaire, c'était toujours la première arrivée.

– Il y a un type qui vous cherche, Mr A., un abruti qui a une haute opinion de lui-même, me dit la nourrice de Juliette. J'ai l'impression qu'il fait du rentre-dedans à Gee, ou alors c'est juste un bout de conduite et de causette. En tout cas, ils arrivent.

Pourtant, je ne vis pas trace de l'inconnu. Lorsque j'aperçus Gee, elle était seule. Je venais de discuter avec mon Mercutio aux longues jambes de la scène de sa mort. J'étais d'accord avec lui pour dire qu'il y a une pointe d'humour noir dans la description qu'il fait de sa blessure à Roméo : « Non, elle n'est pas aussi profonde qu'un puits, ni aussi large qu'une porte d'église ; mais elle est suffisante, elle peut compter : demandez à me voir demain, et, quand vous me retrouverez, j'aurai la gravité que donne la bière. » Mais je le mis en garde, il ne devait en aucun cas jouer sur le mode comique sa malédiction aux Capulet et aux Montaigu : « La peste soit de vos deux maisons ! »

– Excusez-moi, Mr A., je suis un peu en retard, j'ai été retenue, me dit Gee.

Elle avait pris des couleurs, le feu aux joues même, mais enfin il faisait froid dehors. Personne ne l'accompagnait.

– Il paraît qu'il y avait un type qui t'embêtait ?

– Il ne m'embêtait pas, c'est après vous qu'il en a.

– On aurait dit qu'il te faisait du rentre-dedans, lui lança ma vigoureuse Nourrice.

– Pas de rentre-dedans pour moi, pas avant la fac, lui répondit Gee.

– Il a dit ce qu'il me voulait ?

Gee secoua la tête.

– À mon avis, c'est personnel, Mr A. Il a quelque chose qui le perturbe, ce type.

Nous étions tous sur le plateau, sous les feux des projecteurs; mon régisseur avait déjà baissé les lumières de la salle. Dans notre théâtre expérimental, nous installons le public à notre guise, nous déplaçons les sièges; parfois ils encerclent parfaitement la scène, d'autres fois les rangées se font face, de part et d'autre. Pour *Roméo et Juliette*, j'avais adopté la disposition en fer à cheval. Dans la pénombre de la salle ainsi créée, j'observais les répétitions depuis n'importe quelle place, et j'y voyais assez bien pour lire mes notes ou en prendre de nouvelles.

Ce fut mon Benvolio gay qui vint me parler à l'oreille pendant que nous attendions le retour de Manfred:

– Je le vois, Mr A. Le type qui vous cherche, il est dans le public.

Il ne faisait pas assez clair pour distinguer son visage; il était assis au milieu du demi-cercle, au quatrième ou au cinquième rang, tout juste hors de portée des projecteurs de scène.

– Vous voulez qu'on appelle la sécurité? me demanda Gee.

– Non, non, je vais aller voir ce qu'il me veut. Et si vous avez l'impression que je n'arrive pas à me dépêtrer d'une conversation désagréable, venez m'interrompre pour me demander quelque chose sur la pièce. Vous n'aurez qu'à inventer le premier prétexte qui vous passera par la tête.

– Vous voulez que je vous accompagne? me proposa ma Nourrice hockeyeuse intrépide, qui mourait d'envie d'en découdre.

– Non, non, répondis-je, mais prévenez-moi dès que Manfred sera là.

Nous en étions au point des répétitions où j'aime bien que les jeunes filent leur texte intégralement; je ne voulais plus répéter par courts extraits ou dans le désordre. Mon Tybalt toujours prêt est une présence stimulante dans la première scène du premier acte. *Entre Tybalt, qui dégaine son épée*, nous disent les indications scéniques. Le seul passage que j'étais prêt à faire répéter avant l'arrivée de Manfred était le prologue de la pièce, récité par le Chœur.

– Écoutez-moi, le Chœur, filez le prologue une fois ou deux, et notez bien que le vers le plus important se clôt sur un point-virgule, pas une virgule, faites ressortir la différence. «Deux amants au destin contrarié se donnent la mort», vous marquez un temps.

J'entendis Gee me proposer: «Si vous avez besoin de nous, nous sommes là, Mr A.», et je me dirigeai vers la cinquième travée dans la pénombre.

– Hé, vous, le prof ! me lança l'homme, une fraction de seconde avant que je le voie nettement.

Il aurait aussi bien pu dire : « Hé, Nymphe ! » tant sa voix m'était familière, à près de cinquante ans de distance. Son beau visage, sa silhouette de lutteur, son sourire plein de morgue et de ruse m'étaient parfaitement connus.

Mais tu es censé être mort, me dis-je. De mort naturelle, ça c'était moins sûr. Au vrai, ce Kittredge ne pouvait guère être le mien. J'avais presque le double de son âge ; s'il était né au début des années soixante-dix, comme le fils unique de Kittredge l'était vraisemblablement, il pouvait avoir trente-sept, trente-huit ans.

– C'est saisissant, ce que vous ressemblez à votre père, lui dis-je en lui tendant la main, qu'il ne daigna pas serrer. Enfin, je veux dire votre père à votre âge, tel que je l'imagine.

– À mon âge, mon père n'offrait pas du tout le même aspect que moi. Il avait la trentaine quand je suis né, et, d'aussi loin que mes souvenirs remontent, il avait déjà l'apparence d'une femme. Il n'était pas encore passé par la chirurgie, mais il était déjà très crédible. Moi, je n'ai pas eu de père, j'ai eu deux mères, l'une qui disjonctait en permanence, et l'autre avec un sexe d'homme. Si j'ai bien compris, quand on l'a opéré, on lui a fabriqué une sorte de vagin. Il est mort du sida. Ça m'étonne que vous en ayez réchappé. J'ai lu tous vos romans, ajouta Kittredge junior, comme si tout ce que j'écrivais lui indiquait cette fin comme logique, voire méritée.

« Vous m'en voyez navré », fut tout ce que je trouvai à dire.

Gee avait raison, il était perturbé. Et je voyais bien moi-même qu'il était en révolte. Je tentai de parler de la pluie et du beau temps, je lui demandai ce que son père avait fait dans la vie, comment il avait rencontré Irmgard, sa femme, mère de ce jeune révolté.

Ils s'étaient rencontrés aux sports d'hiver, à Davos, ou bien Klosters. La femme de Kittredge était suisse, mais elle avait une grand-mère allemande, ce qui expliquait son prénom. Kittredge et Irmgard demeuraient dans la station de ski, et à Zurich, où ils travaillaient tous deux à la Schauspielhaus, célèbre théâtre. Kittredge avait dû aimer vivre en Europe, le vieux continent lui étant familier par sa mère. Peut-être était-il en outre plus facile de se faire opérer pour changer de sexe en Europe, je n'en avais pas la moindre idée

Mrs Kittredge mère s'était suicidée peu après la mort de son fils – prouvant par là même qu'elle était bien sa mère. Elle avait avalé «des cachets», son petit-fils ne voulait rien dire de plus. Excepté que son père était devenu femme. Je commençais à avoir vaguement l'impression qu'il ne me croyait pas étranger à cette déplorable métamorphose.

– Son allemand était devenu convaincant?

– Son allemand était à peu près convaincant. Moins convaincant que sa transformation en femme. Il n'a jamais fait le moindre effort pour parler mieux. Il ne s'est jamais acharné que sur un seul objectif: devenir femme.

– Ah!

– En mourant, il m'a dit qu'il s'était passé quelque chose ici, à l'époque où vous le connaissiez. Que quelque chose avait commencé ici. Il vous admirait, il disait que vous aviez des couilles. Vous avez fait quelque chose qui l'a «inspiré», en tout cas c'est ce qu'il m'a dit. Une histoire avec une transsexuelle, une personne plus âgée que vous, si j'ai bien compris. Peut-être que vous la connaissiez tous les deux. Peut-être que mon père l'admirait, elle aussi. Peut-être que c'est elle qui l'a inspiré.

– J'ai vu une photo de votre père enfant, avant qu'il arrive à l'École, habillé et maquillé; très jolie gamine. Je pense que quelque chose a commencé, comme vous dites, bien avant qu'il me rencontre, et tout et tout. Je peux vous la montrer, si…

– Je les ai vues, ces photos, je ne tiens pas à en voir d'autres! explosa Kittredge fils. Et la transsexuelle? Comment avez-vous inspiré mon père, à vous deux?

– Je suis étonné d'apprendre qu'il m'admirait, je ne vois pas du tout ce que j'aurais pu faire qui l'ait «inspiré», et je n'aurais même jamais cru qu'il m'avait à la bonne. À vrai dire, il a toujours été plutôt vache avec moi.

– Et la transsexuelle? répéta Kittredge fils.

– Je la connaissais. Quant à votre père, il ne l'a vue qu'une seule fois. J'étais amoureux de la transsexuelle. S'il s'est passé quelque chose, c'est entre elle et moi, m'écriai-je. Je ne sais pas ce qui a pu arriver à votre père.

– Il s'est passé quelque chose ici, c'est tout ce que je sais, reprit le fils avec amertume. Mon père lisait tous vos livres, c'était une obsession. Qu'est-ce qu'il cherchait, dans vos romans? Je les ai lus, et je n'y ai jamais retrouvé mon père, mais enfin, je ne l'aurais peut-être pas reconnu.

Je me mis à penser à mon propre père, et déclarai, avec tout le tact dont j'étais capable :

– Les jeux sont faits, à présent, nous sommes ce que nous sommes. Je ne peux pas vous rendre votre père compréhensible, mais vous pouvez sûrement avoir un peu de sympathie à son égard ? (Je n'aurais jamais cru inviter qui que ce soit à avoir de la sympathie pour Kittredge.)

Jadis, j'avais pensé que, s'il était gay, il était sûrement actif. Mais je n'en étais plus aussi sûr. Lorsqu'il avait fait la connaissance de Miss Frost, j'avais vu ce dominant se soumettre en l'espace de dix secondes.

C'est alors que surgit ma Juliette, dans les travées. Ma troupe nous avait sans aucun doute entendus élever la voix ; les jeunes devaient s'inquiéter. Ils entendaient forcément la colère de Kittredge fils. À moi, il me faisait l'effet d'une copie bien pâle de son père.

– Salut, Gee, lui dis-je. Manfred est arrivé ? Nous sommes prêts ?

– Non, il nous manque encore notre Tybalt, mais j'ai une question. Dans l'acte I, scène 5, les deux vers que je dis quand ma nourrice m'annonce que Roméo est un Montaigu. Vous savez, quand je découvre que j'aime le fils de mon ennemi.

– Eh bien ? lui demandai-je.

Elle était à court d'inspiration ; il était urgent que Manfred arrive. Où était-il ? J'avais besoin de lui.

– Je ne crois pas que je devrais les dire en m'apitoyant sur mon sort, je ne crois pas que ce soit dans la nature de Juliette.

– Non, non, en effet. Elle peut être fataliste, parfois, mais il ne faut jamais la jouer sur le mode apitoyé.

– D'accord, je vais essayer. Je pense que je les sens bien. Je vais les dire comme un simple constat, sans m'en plaindre.

– Je vous présente ma Juliette, dis-je à Kittredge fils. C'est la meilleure de ma troupe. Allez, Gee, vas-y.

– « Mon seul amour, né de ma haine unique, entrevu trop vite et trop tard reconnu. »

– Tu ne pourrais pas mieux dire, Gee, la complimentai-je.

Le jeune Kittredge la dévisageait sans que je puisse deviner si c'était avec admiration ou avec suspicion.

– Drôle de nom, Gee… lui dit-il.

Je vis bien que l'assurance de ma vedette se trouvait un peu ébranlée ; il était bel homme, manifestement rompu aux usages du monde, bien loin de notre communauté de la First River Academy, où elle s'était attiré le respect général et avait pris confiance en elle en tant que femme. Je vis bien qu'elle doutait d'elle-même en la présence intimidante de Kittredge fils, et sous son regard scrutateur. Je savais qu'elle pensait : suis-je convaincante ?

– Gee est un nom fabriqué, lui répondit-elle, évasive.

– C'est quoi, votre vrai nom ?

– Mon nom de naissance, c'est George Montgomery. Plus tard, je m'appellerai Georgia Montgomery, mais pour l'instant on dit Gee. Je suis un garçon en train de devenir fille. Je suis en transition.

– Très bien, Gee, l'approuvai-je. C'est fort bien dit.

Un seul regard au fils de Kittredge me révéla qu'il ne s'était pas douté qu'elle était en devenir ; il n'avait pas la moindre idée qu'elle puisse être transgenre, bravement décidée à devenir femme. Quant à elle, un seul regard m'assura qu'elle savait avoir été convaincante ; ça lui donnait une tonne de confiance en elle. Je me rendais compte que s'il lui avait manqué de respect, j'aurais pu le tuer.

C'est le moment que choisit Manfred pour arriver.

– Voilà le lutteur ! cria une voix, celle de Mercutio peut-être, ou de mon Benvolio gay.

– Nous avons retrouvé notre Tybalt ! nous lança ma robuste Nourrice.

– Ah, enfin ! Nous sommes prêts.

Gee s'élançait vers la scène, comme si elle jouait son avenir de femme sur cette répétition tardive.

– Bonne chance, enfin, merde, comme on dit ! lui lança Kittredge fils, sans qu'on puisse discerner au ton de sa voix s'il était sincère ou ironique.

Je vis que ma Nourrice de choc avait entraîné Manfred à l'écart. À coup sûr, elle était en train de le mettre au courant du problème éventuel : un « abruti » dans le public. Je raccompagnais le jeune Kittredge jusqu'à un passage entre les sièges en fer à cheval lorsque Manfred surgit, prêt à croiser l'épée en vrai Tybalt qu'il était.

Lorsqu'il voulait me dire quelque chose discrètement, il le faisait toujours en allemand, sachant que j'avais brièvement vécu à Vienne et parlais encore cette langue, quoique médiocrement. Il me demanda donc poliment s'il pouvait faire quelque chose pour moi.

Ah, ces lutteurs ! Mon Tybalt avait perdu la moitié de sa moustache : il avait fallu lui raser une partie de la lèvre supérieure pour lui poser des points de suture ; il ne lui restait donc plus qu'à raser l'autre pour jouer ; vous, je ne sais pas, mais moi, je n'ai jamais vu un Tybalt avec une moitié de moustache.

– Vous parlez rudement bien allemand, lui dit Kittredge fils, surpris.

– Il vaudrait mieux, je suis allemand, lui rétorqua l'autre en anglais.

– Je vous présente mon Tybalt, c'est un lutteur, comme votre père. (Ils se serrèrent la main, sans conviction.) Je reviens tout de suite, Manfred, attendez-moi. Belle couture… le taquinai-je comme il se dirigeait vers la scène.

Une fois à la porte, Kittredge fils me serra la main à contrecœur. Sa colère n'était pas retombée. Il n'avait pas dit tout ce qu'il avait sur le cœur, mais, par un trait au moins, il différait de son père. Que l'on pense ce qu'on voudra de Kittredge, laissez-moi vous dire qu'il n'était pas homme à refuser le combat. Pour le fils, lutteur ou non, un seul regard sur Manfred avait suffi : il n'aimait pas se battre.

– Écoutez, voilà, il faut que je vous dise (il évitait de me regarder en face). D'accord, je ne vous connais pas, et je ne sais pas vraiment qui était mon père, non plus. Mais j'ai lu tous vos romans, et je sais ce que vous faites, je veux dire dans vos livres. Vous voudriez nous faire croire que les extrêmes sexuels sont normaux. C'est comme Gee, cette fille, future fille, presque fille, je ne sais quoi. Vous créez ces personnages sexuellement «différents», comme vous dites – moi, je dirais «déjantés» –, et puis vous attendez que le lecteur les prenne en sympathie, ou les plaigne, plus ou moins.

– Plus ou moins, en effet.

– Mais dans ce que vous décrivez, il y a tant d'éléments contre nature ! s'exclama-t-il. Je sais très bien ce que vous êtes, et pas seulement d'après vos écrits. J'ai lu ce que vous dites de vous, dans les interviews. Vous êtes contre nature, vous n'êtes pas normal !

Il avait évité de hausser le ton en parlant de Gee, je le reconnais, mais voilà qu'il se remettait à vociférer. Je savais que mon régisseur ainsi que toute la troupe n'en perdaient pas un mot. Il s'était fait un tel silence, dans notre petit théâtre expérimental ; sans exagérer, on aurait entendu péter un rat des planches.

– Vous êtes bisexuel, c'est bien ça ? Vous trouvez que c'est normal, que c'est naturel ? Que ça mérite la sympathie ? Vous n'êtes qu'un golfeur ambidextre, me jeta-t-il en ouvrant la porte.

Dieu merci, tout le monde voyait qu'il décampait enfin.

– Mon jeune ami, répliquai-je vertement sur le ton le plus missfrostien (une vie d'efforts pour imiter cette voix ironique et si troublante), mon jeune ami, je vous prierai de ne pas me coller d'étiquette. Ne me fourrez pas dans une catégorie avant même de me connaître !

C'était ce qu'elle m'avait dit, et je ne l'avais jamais oublié. Faut-il s'étonner que je l'aie répété à mon tour au jeune Kittredge de toutes les certitudes, fils de mon ancien bourreau du cœur et amour interdit ?

Remerciements à :

Jamey Bradbury ; Rob Buyea ; David Calicchio ; Dean Cooke ; Emily Copeland ; Peter Delacorte ; David Ebershoff ; Amy Edelman ; Marie-Anne Esquivié ; Paul Fedorko : Vicente Molina Foix ; Rodrigo Fresán ; Ruth Geiger ; Ron Hansen ; Sheila Heffernon ; Alan Hergott ; Everett Irving ; Janet Turnbull Irving ; Josée Kamoun ; Jonathan Karp ; Katie Kelley ; Rick Kelley ; Kate Medina ; Jan Morris ; Anna von Planta ; David Rowland ; Marty Schwartz ; Nick Spengler ; Helga Stephenson ; Abraham Verghese ; Edmund White.

Table

Du même auteur

AUX MÊMES ÉDITIONS

Le Monde selon Garp
roman, 1980
et « Points », n° P5

L'Hôtel New Hampshire
roman, 1982
et « Points », n° P98

Un mariage poids moyen
roman, 1984
et « Points », n° P121

L'Œuvre de Dieu, la Part du Diable
roman, 1986
et « Points », n° P123

L'Épopée du buveur d'eau
roman, 1988
et « Points », n° P122

Une prière pour Owen
roman, 1989
et « Points », n° P124

Liberté pour les ours !
roman, 1991
et « Points », n° P99

Les Rêves des autres
nouvelles, 1993
et « Points », n° P54

Un enfant de la balle
roman, 1995
et « Points », n° P319

La Petite Amie imaginaire
récit, 1996
et « Points », n° P411

Une veuve de papier
roman, 1999
et « Points », n° P763

L'Œuvre de Dieu, la Part du Diable
scénario, 2000
et « Points », n° P709

La Quatrième Main
roman, 2002
et « Points », n° P1095

Mon cinéma
récit, 2003

Je te retrouverai
roman, 2006
et « Points », n° P1754

Dernière nuit à Twisted River
roman, 2011
et « Points », n° P2824

et

Le bruit de quelqu'un
qui essaie de ne pas faire de bruit
(illustré par Tajana Hauptmann)
Album jeunesse, 2005

RÉALISATION : PAO ÉDITIONS DU SEUIL
IMPRESSION : CPI FIRMIN-DIDOT AU MESNIL-SUR-L'ESTRÉE
DÉPÔT LÉGAL : AVRIL 2013. N° 108439 (116935)
Imprimé en France